BRECHT – KOMMENTAR

ZUM DRAMATISCHEN WERK

VON KLAUS VÖLKER

Mitarbeit

HANS-JÜRGEN PULLEM

WINKLER VERLAG MÜNCHEN

CIP-Kurztitelaufnahme der Deutschen Bibliothek

Brecht-Kommentar. – München : Winkler
3. – Völker, Klaus: Brecht-Kommentar zum dramatischen Werk

Völker, Klaus:
Brecht-Kommentar zum dramatischen Werk
von Klaus Völker. Mitarb. Hans-Jürgen Pullem.
München : Winkler, 1983.
(Brecht-Kommentar ; 3)
ISBN 3-538-07037-7

Gesamtherstellung Druckerei Georg Wagner, Nördlingen
Printed in Germany

1

Immer ist uns dieses und jenes an einer Zeit, an einem Autor zum Exemplifizieren recht, und anderes steht uns im Weg, muß wegdisputiert werden. Wir zitieren triumphierend oder verdammend, als wären die Werke nur dazu da, um etwas für uns zu beweisen.

Ingeborg Bachmann

INHALT

I. EINFÜHRUNG

I

Bertolt Brecht ist einer der großen Dichter des 20. Jahrhunderts, und als »Stückeschreiber« und Regisseur hat er die Entwicklung des Theaters wesentlich vorangetrieben und beeinflußt. Sein Ruhm entstand und wuchs in der Auseinandersetzung mit den verschiedensten Stilen und Traditionen zur Zeit der Weimarer Republik. Auf dem Höhepunkt seiner Bemühungen, ein episches Theater zu schaffen, das er in verschiedenster Ausprägung und für ein unterschiedlich zusammengesetztes Publikum praktisch erprobte, mußte er ins Exil gehen. Als die Nazis 1933 die Macht übernahmen, stand er an einem entscheidenden Punkt in der Entwicklung seiner Arbeit. Nach der *Mutter*-Inszenierung sollten Aufführungen der großen Parabel-Lehrstücke *Die heilige Johanna der Schlachthöfe* und *Die Rundköpfe und die Spitzköpfe* erfolgen sowie die experimentelle Arbeit am *Fatzer*-Material und an einer durch Chöre erweiterten Fassung von *Die Ausnahme und die Regel* fortgesetzt werden. Brecht verstand sich damals als ein Schuldramatiker, dem es um die Lehre, die Theorie ging, nicht um das Engagement. Er schätzte die sogenannte Tendenzkunst überhaupt nicht. Den Haß auf Hitler hielt er politisch für wertlos, solange er nicht auf einem Wissen über die Ursachen von Barbarei und Faschismus beruhte. Gegen die Bezeichnung »Pädagogik« für seine Theaterarbeit hatte er keine Einwände: »Hauptinhalt des Dramas muß das Verhältnis des Menschen zum Menschen sein, so wie es heute ist, und das zu untersuchen und zum Ausdruck zu bringen, interessiert mich in erster Linie.«* Abgeschnitten von seinen wichtigsten Produktionsstätten, den Theatern, paßte sich Brecht den Forderungen des Tages an, als Autor bei der Mobilisierung des politischen Widerstands gegen Nazideutschland mitzuhelfen. Sein Dilemma im Exil war die Notwendigkeit, einerseits Ambitionen in ästhetisch-formaler Hinsicht zurückzustellen und die Technik des Schreibens mehr »opportunistisch« zu handhaben, andererseits politische Rücksichtnahme in

* Über mein Theater. In: *Brecht im Gespräch.* Hrsg. v. Werner Hecht. Frankfurt 1975. S. 191.

den jeweiligen Gastländern walten zu lassen, die dem Flüchtling lediglich eine begrenzte antifaschistische Betätigung erlaubten. Brecht wollte nicht einsehen, daß der einzige Unterschied des proletarischen zum bürgerlichen Theater die politische Aussage sein sollte. Die gewünschten politischen Wirkungen hielt er nur auf dem Weg über eine veränderte artistische Haltung auf der Bühne für erreichbar. Weder in der Sowjetunion noch in New York konnte er sich 1935 mit seiner Auffassung von Theater durchsetzen. Aufführungen, bei denen, wie beispielsweise in der Kopenhagener Inszenierung von *Die Rundköpfe und die Spitzköpfe*, Spuren seiner unnaturalistischen Spielanordnungen erkennbar waren, riefen bereits Befremden und besonders bei kommunistischen Parteifunktionären Ablehnung hervor. Gegenüber seinem marxistischen »Lehrer« Karl Korsch erklärte er Ende 1936: »Es gibt übrigens auch genug Freunde, die sagen: ich müßte entweder einen reaktionären Inhalt oder eine reaktionäre Form wählen, beides zugleich sei zuviel des guten. Und ein prominenter Kommunist sagte: Wenn das Kommunismus ist, dann bin ich kein Kommunist. Vielleicht hat er recht.« (BR, S. 301 f.)
Bis 1939 lebte Brecht in Dänemark. Als der Krieg unmittelbar bevorstand, floh er rechtzeitig nach Stockholm. Von dort reiste er 1940 nach Finnland weiter und 1941 gelangte er über Moskau und Wladiwostock nach Los Angeles. In diesen Jahren der ständigen Flucht vor den Nazis entstanden die meisten seiner Stücke. Um sie wirklich fertigzustellen, fehlte ihm die Möglichkeit, sie praktisch zu erproben. Das amerikanische Exil verstärkte die Isolation. Unter Palmen und Künstlern in Hollywood fühlte sich Brecht wie auf »Tahiti«. Sofort nach Kriegsende stand ein Theater in Berlin im Mittelpunkt aller Rückkehr-Überlegungen. Er wollte seine Arbeit da, wo sie 1933 abgebrochen war, wieder aufnehmen. Als er schließlich auf dem Umweg über die Schweiz Ende 1948 erstmals wieder nach Berlin kam, wurde ihm erst richtig bewußt, daß er wieder ganz vorn beginnen mußte.

2

Nach dem Zweiten Weltkrieg war der Name Brechts in Deutschland so gut wie unbekannt. Allenfalls erinnerte man sich an ihn als den Autor der *Dreigroschenoper*. Und mit diesem Stück wurde er auch zuerst dem Publikum wieder vorgestellt. Es folgten sehr viele

Aufführungen seiner Szenenfolge *Furcht und Elend des Dritten Reiches* und ab 1948 – nach der von Brecht selbst inszenierten Uraufführung in Zürich – die Komödie *Herr Puntila und sein Knecht Matti.* Kurz nach der erfolgreichen Premiere seiner *Mutter Courage* im Deutschen Theater in Berlin, Anfang 1949, wurde die endgültige Teilung des bisher in Besatzungszonen eingeteilten Deutschland in die beiden Staaten Bundesrepublik und DDR vollzogen. Brecht entschied sich für die Deutsche Demokratische Republik, wo er sein Theater, das Berliner Ensemble, aufbauen und wirkungsvoll etablieren konnte. Im Berliner Ensemble wurde die wohl folgenreichste Theaterarbeit nach 1945 auf deutschen Bühnen geleistet. Brechts Theaterästhetik war zu seinen Lebzeiten in der DDR noch äußerst umstritten, seine Arbeit entfaltete sich in inselhafter Isoliertheit. Sie lag sehr lange quer zur Doktrin des sozialistischen Realismus, sie mußte sich durchsetzen gegen die immer noch als glorreich empfundenen Relikte der Nazischauspielkunst und das Sendungsbewußtsein deutscher Stanislawski-Epigonen. (Als »Lehrbuch der Schauspielkunst« war von den maßgeblich für die Ausbildung des Nachwuchses verantwortlichen Theaterleuten Maxim Vallentin, Ottofritz Gaillard und Otto Lang ein deutsches Stanislawski-Buch herausgegeben worden, das sehr viel Mißverständnisse über Realismus, Psychologie und die sogenannte »Gefühlsechtheit« stiftete.)
Durch das politische Votum Brechts für die DDR war es plötzlich schwierig geworden, Brecht im Westen zu spielen. Das von militantem Antikommunismus erfüllte geistige Klima der fünfziger Jahre verpflichtete die auf ihren sozialen Aufstieg und ihre Stellung bedachten Theaterleiter und Regisseure zum Brecht-Boykott. Man fürchtete die politische Wirkung der Stücke des kommunistischen Dichters, der außerdem auch noch im »Ulbrichtschen Zwangsstaat« lebte. In Westdeutschland gab es damals nur ganz wenige herausragende Brecht-Aufführungen, die überregionale Publizität und Wirkung hatten. Von mehreren Theatern wurden von Zeit zu Zeit Versuche unternommen, den Boykott aufzubrechen, aber mit den Ereignissen 17. Juni 1953 (die Erhöhung der Normen führte zu Arbeiter-Unruhen), Oktober 1956 (Ungarn) und 13. August 1961 (Bau der Mauer) setzte sich jeweils die Boykott-Haltung wieder durch. Der einzige Regisseur und Theaterleiter, der sich in den Jahren des Kalten Krieges konsequent zu Brecht bekannte und ihn unbeirrt spielte, war Harry Buckwitz in Frankfurt. Seine Brecht-Inszenierungen der Jahre 1952–1958 waren beispielhaft und ver-

mochten das Interesse an dem Autor in Westdeutschland in Gang zu bringen. Später setzte bei Buckwitz eine Erstarrung im Umgang mit den Stücken Brechts ein, er lieferte nur noch langweilige Stadttheater-Routine. Ganz andere Aufführungen dokumentierten die Lebendigkeit und Sprengkraft des Autors.
Die sechziger Jahre brachten eine Brecht-Hausse. Die Stücke mußten nun nicht mehr durchgesetzt werden. Es genügte nicht mehr, Brecht zu spielen, sondern wichtig wurde die Haltung, wie man ihn spielte. Weil aber in der Regel nur gedankenlos der Nachholbedarf in Sachen Brecht gedeckt wurde, machte man ihn zum wirkungslosen Klassiker. 1964 prägte Max Frisch den danach viel zitierten Slogan von der »durchschlagenden Wirkungslosigkeit des Klassikers Bertolt Brecht«. Zum Klassiker war Brecht nach seinem Tod auch in der DDR erklärt worden. Die experimentelle und entdeckungsfreudige Zeit des Berliner Ensembles endete mit der *Coriolan*-Inszenierung 1964. Es begann damals am Berliner Ensemble eine klassisch-sterile, eine sehr veräußerlichte museale Brecht-Pflege (die gelegentlich von Ruth Berghaus gestört wurde, was denn auch zu Konflikten mit den Erbverwaltern und zu ihrer Ablösung als Intendantin führte). In der Bundesrepublik begannen die aus der DDR kommenden Schüler Brechts zu inszenieren: Carl Maria Weber, Peter Palitzsch, gelegentlich auch Benno Besson und im Fernsehen Egon Monk. Deren Aufführungen brachten die erstarrte westdeutsche Theaterlandschaft in Bewegung. Neue Schauspieler entwickelten sich in der Auseinandersetzung mit Brecht, und einige Theater vermochten sich mit einer von Brecht entscheidend beeinflußten Dramaturgie zu profilieren. Aber zunehmend erschöpften sich auch die formalen Mittel des zu ausschließlich vom überlieferten Brecht-Theater zehrenden, unkritischen Umgangs mit den Stücken.
Die zweite Hälfte der sechziger Jahre und der Anfang der siebziger Jahre brachte das Ende des Nachkriegstheaters der Regisseure Gründgens, Stroux, Barlog, Schuh, Schalla und Buckwitz – andere Namen tauchten auf: Hans Hollmann, Peter Zadek, Peter Palitzsch, Hans Neuenfels, schließlich Peter Stein. Die meisten dieser Regisseure erlernten ihr Handwerk im Umgang und in der Auseinandersetzung mit der Theaterarbeit Brechts. Daneben hatte als Lehrer vor allen Dingen noch Fritz Kortner Bedeutung. Beide Vorbilder waren Antipoden, Gegenpositionen zum routinierten Stadttheater. (Fritz Kortner, den übrigens Brecht gerne in Ostberlin und an seinem Theater gehabt hätte, erhielt nach seiner Rückkehr aus

Amerika in Westdeutschland nie ein Theater, er konnte nur in Westberlin, München und Wien je eine Inszenierung pro Spielzeit machen, und Brecht hätte in Westdeutschland ebenfalls nie ein eigenes Theater bekommen.) Die Brechtschen Stücke genügten sehr bald den Interessen und Anforderungen der neuen, suchenden Regisseure nicht mehr. Ihre Arbeitsmethode war ja wesentlich auch geprägt von einer anderen Art des Umgangs mit dem »Apparat«, vor allen Dingen aber einer anderen Art der Schauspielerführung. Die Politisierung des westdeutschen Theaters war weniger von den gespielten Stücken und deren Inhalten geprägt, sondern mehr von den Arbeitsweisen der Regisseure mit den Schauspielern, von Strukturdebatten und Mitbestimmungsdiskussionen. Belebend wirkte hier Brechts Lehrstücktheorie. Nur wenige Werke Brechts hatten Wirkung in dieser Phase, Brechts Methode war immer stärker präsent als seine Stücke.

Peter Stein inszenierte in der ersten Zeit seiner Tätigkeit als Regisseur im Werkraumtheater der Münchner Kammerspiele Brechts *Im Dickicht der Städte;* er wählte eines der frühen Stücke, adaptierte es aber mit dem politischen Selbstverständnis des späten Brecht, er montierte Songs und Texte aus späteren Stücken in seine Fassung ein. Es war eine spannende, künstlerisch erstklassige Aufführung, aber auch eine sehr kurzsichtige, von der sich der Regisseur bald wieder distanzierte. Daß die zweite große Theatergründung nach 1945, die von Peter Stein geprägte Schaubühne in Westberlin, 1970 mit Brechts *Die Mutter* begann, war weniger Ausdruck einer politischen Manifestation nach außen hin, sondern hatte ensemblepolitische Gründe: das Theater war das Ergebnis der an verschiedenen Bühnen geführten Kämpfe um Strukturwandel und Mitbestimmung der Künstler. Ein wichtiger Grund war außerdem der Start des Theaters der jungen Schauspieler mit einer als Vorbild verehrten alten Brecht-Schauspielerin, mit Therese Giehse. Die künstlerische Entwicklung Peter Steins und seines Ensembles führte dann sehr schnell von Brecht weg, das Material, das er bereitstellte, erwies sich als ästhetisch und weltanschaulich viel zu oberflächlich und besonders unzulänglich in der Aufarbeitung bürgerlicher Traditionen, insbesondere in der Auseinandersetzung mit der »éducation sentimentale« des Menschen.

Dieser entscheidende Punkt, Brechts allzu rationalistische, die soziale Determiniertheit des Menschen gar nicht weiter hinterfragende Denkweise, ist sicher ein ganz wichtiger Grund für die Abwehrhaltung vieler zeitgenössischer Künstler gegenüber dem Exponenten des epischen Theaters und dessen Stücken. Was die Schaubühne in ihren Aufführungen von Ibsens *Peer Gynt* über Kleists *Der Prinz von Homburg* bis zu Labiches *Das Sparschwein* und Gorkis *Sommergäste* zum Gegenstand theatralischer Erkundung gemacht hat, ist das Herausarbeiten der steten Koinzidenz von privatem und historischem Geschehen, persönlichem Desillusionierungsprozeß und politischem Scheitern, so wie es Flaubert in seinem Roman *L'Education sentimentale* meisterhaft dargestellt hat, ein Roman, in dessen Titel auch leise Ironie mitschwingt, die in der deutschen Übersetzung mit *Lehrjahre des Gefühls* nicht zum Ausdruck kommt, denn es ist die »Schule des Herzens« und die »sentimentale Erziehung« gemeint.

Die vorschnelle Tendenz Brechts zur Objektivierung und zur bewußten Selbststilisierung, besonders in den großen Stücken des Exils, außerdem die meistens platte materialistische Naturauffassung, die ihnen zugrundeliegt, haben gerade die Regisseure, die in produktivem Dialog mit dem Werk des Stückeschreibers gewachsen sind, zu radikalen Gegenpositionen geführt. Brecht ist in den letzten Jahren der meistgespielte Autor auf deutschsprachigen Bühnen gewesen, und er ist inzwischen auch ein in allen Ländern der Erde übersetzter und aufgeführter deutscher Dramatiker. Die Popularität Brechts, seine Beliebtheit beim Theaterpublikum, bei Lehrern und Pfarrern steht jedoch im umgekehrten Verhältnis zur Lust und Bereitschaft der künstlerisch angesehenen Regisseure, ihn zu spielen. Es hat in letzter Zeit hierzulande keine überzeugenden Aufführungen mehr von *Leben des Galilei, Der gute Mensch von Sezuan, Der kaukasische Kreidekreis, Mutter Courage* oder *Schweyk im Zweiten Weltkrieg* gegeben, allenfalls die frühen Stücke, *Baal, Trommeln in der Nacht* und besonders *Im Dickicht der Städte,* erweisen sich als genügend attraktiv und zeitgemäß: sie vermögen noch das Publikum zu verstören, ihm »produktiven Schmerz« zu bereiten, ihm ins Herz zu zielen. Von diesen drei Stücken gab es herausragende Inszenierungen der Regisseure Grüber, Neuenfels, Flimm, Jeker, Nel, es gab Schlöndorffs *Baal*-Film mit Fassbinder in der Titelrolle.

Was das Unbehagen vor dem »politischen« Brecht anbelangt, so scheint dieser Autor sicher auch zum Prügelknaben unseres Entsetzens über das unbewegliche, desillusionierende politische Klima herhalten zu müssen. Es herrscht die kaum produktive Tendenz vor, einem marxistischen Autor wie Brecht die mangelnde Attraktivität des Marxismus heute vorzuwerfen, analog zum Verfahren der »neuen Philosophen« in Frankreich, die Hegel und Marx für den Archipel Gulag verantwortlich erklären und den geistigen Vätern des historischen Materialismus vorhalten, daß sie die schrecklichen Taten ihrer Nachkommen nicht verhindert haben.

Zum anderen ist für die »Brecht-Müdigkeit« auch die Tendenz der Regisseure ausschlaggebend, Theater kulinarischer, leichtgewichtiger, mit mehr optischen, zirkushaften Elementen und großen Attraktionen ausgestattet zu veranstalten (das seit einigen Jahren zunehmende Interesse der Schauspielregisseure für Opern ist unübersehbar): es wird wieder mehr einem Theater gehuldigt, das den Zuschauer den grauen Alltag vergessen läßt. Theater ist, da es mehr als andere Kunstgattungen gegenwartsbezogen sein muß, auch eine Sache der Mode und der Trends. So unsinnig es wäre, ihnen hinterherzulaufen, so unmöglich ist es, sich ihnen zu entziehen.

Ernst Wendt, der auch zu den Regisseuren zählt, die Brecht nicht inszenieren wollen, der aber daran festhält, dem Publikum Gedankenarbeit, Konzentration auf Sprache und die Abscheu vor Besinnungslosigkeit zuzumuten, hat in einer Rede über »Die Schwierigkeiten, heute Theater zu spielen« auf Brechts Bedeutung für den Widerstand gegen die Rauschgiftfunktion der Kunst, ihren Einfühlungs- und Verpackungscharakter hingewiesen: »Bertolt Brechts ganzes Verdienst mag vielleicht einmal nicht in den Stücken bestehen, die er dem Theater hinterlassen hat, sondern in der Tatsache, daß er den eigentlich unsinnlichen, weil die Gefühle der Menschen um ihre Konflikte betrügenden Charakter solcher Vergnügungen sehr früh erkannt und sein Leben lang bekämpft hat.«*

Ist aber heute nicht gerade der Preis, den Brecht im Übermaß an die Ratio entrichtet hat, als der große Mangel der Stücke einzuklagen? Nicht die Anstrengung, die sie dem Zuschauer abverlangen, macht ihre Fragwürdigkeit aus, sondern ihr allzu rationaler, leicht faßbarer, simplifizierender Spruchweisheitenmechanismus, der die Unfähigkeit der Menschen, aus ihren Leiden zu lernen, das heißt ja vor allen Dingen, mit ihren Gefühlen umzugehen, nur bestätigt.

* Gedruckt in: *Frankfurter Rundschau* vom 16. Juli 1983.

3

> Dabei ertragen die Menschen doch keine Herrschaft schwerer als die des Verstandes. Sie sind bereit, für schwindelhafte Phrasen großen Klangs alles zu opfern, sie sterben wonnevoll in Schweineverschlägen, wenn sie nur in großer Oper »mitwirken« dürfen. Aber für vernünftige Zwecke will niemand sterben, und auch das Fechten dafür wird durch die Möglichkeit des Todes verhindert, denn das Vernünftigste dünkt ihnen: zu leben, und man kann für »nichts« sterben, nicht aber für etwas: denn es wäre nichts, wenn man gestorben ist, und man käme um die große Wollust des Verzichts. In Triumphzeiten des Rationalismus schämten sich die Nationen nicht, ihren Mitgliedern das Leben abzuverlangen.
>
> (T, S. 39)

Da Brecht als Stückeschreiber und Regisseur eine neue Art des Theaters entwickelte, die nicht so sehr an das Gefühl, sondern mehr an die Ratio des Zuschauers appellierte, wurde ihm in den verschiedensten kulturpolitischen Auseinandersetzungen immer wieder der Vorwurf gemacht, er wolle dem Publikum das emotionale Erlebnis vorenthalten. Um sich verständlich zu machen und um die Eigenart seines epischen Theaters hervorzukehren, polemisierte er besonders gern gegen das »Erlebertum« in der Kunst, gegen verlogene, vage und »gepflegte« Gefühle. Solchen nichtssagenden Gefühlen setzte er »geistige Experimente«, die Schulung der Gedanken entgegen: »Der Mut des Künstlers besteht darin, daß er denkt. Dieses Denken ist bei dem Grad leidenschaftlichen Gefühls, dem er ausgesetzt ist, gefährlicher als alles.« (GW VII, 120) Statt »sinnloser« Begeisterungs- und Entmutigungsgefühle (die er den meisten expressionistischen Dramen und den erfolgreichen, weil rührseligen Zeitstücken ankreidete) forderte er frische und untrügliche Gefühle. Der Augenblick größter Leidenschaft, an den auch Brecht als eine Notwendigkeit für künstlerische Produktion glaubte, war für ihn zugleich ein Augenblick größter Klarheit. Einverleibung der Welt und geistige Durchdringung des Erlebten sollten sich gegenseitig ergänzen.

»Wiewohl ich erst 22 Jahre zähle, aufgewachsen in der kleinen Stadt Augsburg am Lech, und nur wenig von der Erde gesehen habe, außer den Wiesen nur diese Stadt mit Bäumen und einige andere Städte, aber nicht lang, trage ich den Wunsch, die Welt vollkommen überliefert zu bekommen. Ich wünsche alle Dinge *mir* ausgehändigt, sowie Gewalt über die Tiere, und ich begründe meine Forderung damit, daß ich nur *einmal* vorhanden bin.« (T, S. 197) Bescheiden war der junge Brecht gerade nicht. Obwohl er noch keine Erfolge vorweisen konnte und mehrere Jahre warten mußte, bis sich ein Verleger für seine ersten Stücke fand, war er überzeugt, daß er ein großer Dichter war. Auf seinen Egoismus ließ er nichts kommen, ihm verdankte er seine Selbstsicherheit und die Fähigkeit, seinen »Wert« einzuschätzen: »Ich muß Ellbögen frei haben, spucken können, wie mir's beliebt, allein schlafen, skrupellos sein.« (T, S. 78) Brecht fraß alles, was ihm unter die Hände kam, in sich hinein, er berauschte sich am wilden Verbrauch der Dinge und Menschen, über die er als unumschränkter Herrscher gebieten wollte.

Brechts Dachkammer in der Bleichstraße, der »Zwinger« oder »Kraal«, wie er sie nannte, war der Ausgangspunkt aller Unternehmungen mit den Freunden, sie war bewußt als Dichterzimmer und Produktionsstätte eines Genius eingerichtet. Da er nicht Gott sein konnte, erklärte er Gott für tot und zog sich die Rolle des syrischen Erdgottes Baal an, um sein ungeheures Glücksverlangen zu manifestieren. Zwischen Augsburg und München pendelnd und gelegentlich für kurze Zeit die Möglichkeiten in Berlin sondierend, erkundete Brecht die Welt, erweiterte er den Kreis seiner Anhänger und sammelte Frauen, denen er gleich erklärte, daß sie nicht auf ihn bauen könnten.

Persönliche Erlebnisse, die Landschaft, in der er lebte und die er in vollem Glück genoß, die Freundschaft mit Caspar Neher, Georg Pfanzelt und Otto Müllereisert, die zahlreichen Liebesaffären, das herzliche Verhältnis zur Mutter, deren Tod 1920 ihn schmerzlich traf, und schließlich die vielfältigen Leseeindrücke waren der Hintergrund und lieferten die Impulse für seine Gedichte und Stücke. Das Dichten stand bei ihm immer unmittelbar neben dem Erlebten. Auf das materielle Erlebnis kam es Brecht an, er hatte Appetit auf Sprache und Sätze, Papier reizte ihn, es sollte nicht unbeschrieben bleiben. Aber er wollte kein »Geistiger« sein, stimmte ein Hohngelächter über Sentimentalität, Unechtheit und Weltfremdheit an. Gerade weil er alles aufschrieb, er unentwegt produktiv war und er nicht mehr unterscheiden konnte, ob er sich am Schiffschaukeln berauschte oder am Lied, das er darüber schrieb, lautete sein Urteil über Literatur: »Gar nichts ist immer das Beste, was einer überhaupt schreiben kann.« (T, S. 12)

Die Titelfigur seines ersten Schauspiels, der Dichter Baal, ist ein von der Phantasie des Geistes und der Phantasie des Körpers durch-

drungenes Selbstporträt Brechts; die Verhaltensweisen der Figur decken sich jedenfalls großenteils mit den Ansichten des Dichters in seinem Tagebuch jener Jahre. Wie für Baal sind Frauen für ihn keine Partner, sondern »Menscher«, an denen man sich zu beweisen hat, die man »nimmt«. Nicht zu einem Mädchen sagt Baal »ich liebe dich«, sondern zu seinem Freund Ekart, und Brecht betont gegenüber der Medizinstudentin Hedda Kuhn, eine seiner zahlreichen Geliebten um 1920, daß er sie nicht liebe, »aber Bi und George«. (T, S. 12) Bi nämlich ist die Mutter seines Sohnes Frank, und sie ist akzeptiert im Kreis der Augsburger Freunde, George ist der Orge der »Hauspostille«, Georg Pfanzelt, dem *Baal* gewidmet ist.
Nach einem Ausflug mit Caspar Neher ins Allgäu notiert Brecht: »Es ist besser mit einem Freund als mit einem Mädchen.« (T, S. 20) In den vier gar nicht mehr sympathischen, plündernden Kipling-Soldaten des Lustspiels *Mann ist Mann*, von dem es ja eine augsburgische Vorfassung, den *Galgei*, gibt, steckt noch sehr viel von der Kameraderie der »Jungens«, mit denen der Dichter 1920 wandernd durch Württemberg gezogen ist: »Wir baden täglich und laufen nicht zuviel. Pfarrer schenken uns Brot oder 5 Mark, Bauern Most. Die Kartoffeln stehlen wir.« (T, S. 25)
Deutschland langweilte Brecht, das Träge und Gefällige sowie die Durchschnittlichkeit und Bürgerlichkeit der Bewohner störten ihn. Den Bauernstand empfand er als roh und unfähig, »fabelhafte Unwesen« zu gebären, die Bürger, erklärte er, haßten die Revolution und schmückten ihr Heim, und die geistigen Führer bezeichnete er als »matte Intellektuelle«. Der junge Brecht huldigte der Vitalität, war dem Geniekult und dem Baalischen Lebensgefühl ergeben, beklagte aber zugleich die extreme Kopflosigkeit seiner Zeit. Weil man offenbar keine Vitalität zulassen wollte und ohne Instinkte auszukommen gedachte, so schrieb er in einer Betrachtung über die Operette, hegte man Mißtrauen gegen den Kopf: »Die weibischen Epochen sind es, die sich stammelnd dem Gefühl hingeben, und es sind die Leute ohne Leiber, die sich etwas erwarten von der Unterbindung des Kopfes! Es gibt eine Phantasie des Körpers und eine Phantasie des Geistes (das heißt es gibt eher zweierlei Art von Phantasie als die Grenze von Körper und Geist), beide aber sind mehr wert als die dunklen Mischungen in den Venen, die man Gefühle nennt.« (GW VII, 92)
Von der Geborgenheit, die die Freunde und die Landschaft gewährten, vermochte Brecht noch lange zu zehren. Sein »Nihilismus« und »Anarchismus« beziehungsweise die »Gefühlskälte«, die in vielen

Erinnerungen an den Augsburger Dichter hervorgehoben wird, waren offenbar der notwendige Kontrast zur provinziellen Bohème-Idylle, zu Augsburg »als geistiger Lebensform«. Wenn Brecht mit den Kameraden unterwegs war, dann gab es keine Schwierigkeiten und keine Langeweile, dann konnte der Geist »im Exil« bleiben. Mit Literatur, Kunst und Intellektuellen wollte man nichts zu tun haben und hielt letzteren die abschreckende Formel entgegen: »Gedanken sind Unreinlichkeiten.« (T, S. 33) Das aber blieb nicht Brechts letztes Wort. Bereits im Tagebuch jener vitalistischen Jahre finden sich neben deftigen Kraftmeiereien erstaunliche Erkenntnisse und einige Gedankenarbeit, der mehr das für den Dichter sonst gültige Motto zugrunde liegt: »Sich in schwierigen Situationen sämtliche Möglichkeiten aufschreiben und dann durchdenken.« (T, S. 198) Die »Kälte« Baals und Brechts ist eine Haltung der Abwehr und Vorsicht gegenüber einer Welt, die roh und empfindungslos ist, die ihr Herz gegen Fahnen eingetauscht, wenn nicht gar sich selbst ganz aufgegeben hat. Da in den Jahren nach dem Ersten Weltkrieg nicht die ersehnte Veränderung gesellschaftlicher Zustände eintritt und der längst totgesagte Geist der Väter neuen Boden gewinnt, verstärkt sich im Dichter der vital-anarchische Protest gegen das Bestehende. Seinen asozialen Lebensstil preisend, stellt er seine Abenteuerlust und seinen Lebenshunger, die hauptsächlich in einem hymnisch verklärten Kampf mit der Natur Ausdruck finden, dem Leben der Bürger in eintöniger Mittelmäßigkeit entgegen. Wasser und Himmel werden im Gedicht zu einer einzigen Azurlandschaft verschmolzen, in der sich das Baalische Glücksverlangen austoben kann:

»Sie leben schön wie noble Tiere
Im weichen Wind, im trunknen Blau!« (GW IV, 226)

Gestorben wird nach einem Leben ohne Gesetz und Moral, keinem Richter Rechenschaft schuldend, nur der Willkür einer Natur ausgeliefert, die aber der Partner des gesellschaftlichen Außenseiters ist. In einem Psalm Brechts heißt es: »Im Juli habe ich ein Verhältnis mit dem Himmel, ich nenne ihn Azurl, herrlich, violett, er liebt mich. Es ist Männerliebe.« (GW IV, S. 243) Dem Himmel kann man trauen, er ist ein reines Element, ihm gegenüber kann man auch unbedenklich Gefühle äußern. Die Liebe zu Männern, folgt daraus, ist etwas Reines, die Vereinigung mit Frauen beinhaltet Unreines, sie scheint mit »unsauberen«, verschwommenen Gefühlen verbunden, vergleichbar solchen Gedanken, die als »Unreinlichkeiten« bezeichnet werden. Die Liebe zu Männern ist vergleichbar mit der Liebe zu Müttern. Frauen aber, die man begehrt, sind Huren. Baal ist ein Kind des für ihn greifbaren und erlebbaren Himmels, durch ihn und für ihn lebt er, und durch diesen Himmel, der ihm am Ende seines Lebens gierige Totenvögel schickt, wird ihm auch der Tod zuteil: indem Baal diesen Vögeln seinen Leib zur Speise gibt, kehrt er zurück in den bergenden Schoß der Natur.

Das Gefühl, von dem der Dichter durchdrungen ist, schafft keine Nähe zu Menschen, es soll lediglich ihn selbst erfüllen und ihn das Leben spüren lassen. Er selbst kann nur distanzierende »Kälte« zeigen; sich anderen Gefühlen auch auszusetzen, würde bedeuten, der Welt kleinbeizugeben. Daß man ihn kalt »mit dem Schlangenfraß des Lebens« abgespeist hat, kann er nicht außer acht lassen, er darf keine »Schwäche« zeigen. Er hält es für notwendig, den Mitmenschen gegenüber ein Bild von sich zu vermitteln, das der Art nach der unfreundlichen Welt entspricht; an eine Änderung glaubt er nicht: »Und die Kälte der Wälder/ Wird in mir bis zu meinem Absterben sein.« Gefühle darf er sich nicht leisten, sie würden ihn an die Welt binden, von der er sich nur abwenden kann. Asozialität ist die Voraussetzung für den gesunden Materialismus des »bösen« Baal:

Baal: Was ist besser: ein gutes Essen oder eine Sympathie?
Keuner: Eine Sympathie.
Baal: Nein. Ein gutes Essen. Weiter: was ist besser: ein schlechtes Essen oder eine Sympathie?
Keuner: *schweigt*
Baal: Richtig. Schlechtes Essen.*

Der selbstsüchtige Baal ist der Outcast, der gegen die Wolfsmoral der bürgerlichen Gesellschaft gewappnet sein will, Keuner (Keiner) ist der heutige Mensch, der Städtebewohner, der, wenn er überleben will, sein Ich vergessen und anonym bleiben muß. Für den Kämpfer der Revolution schließlich heißt die Lektion: »Verwisch die Spuren«, lösche deine individuellen Merkmale aus, werde unkenntlich, falle nicht auf, gehe an denen, die du kennst, wie ein Fremder vorbei: »Zieh den Hut ins Gesicht, den sie dir schenkten.« (GW IV, 267)

Baal und Keuner, zwei poetische Masken des Bertolt Brecht, sind Brüder, der eine will auffallen und provozieren, er ist einverstanden

* In: Brecht, *Baal. Der böse Baal der asoziale.* Hrsg. v. Dieter Schmidt. Frankfurt 1968. S. 82.

mit seinem Schicksal, aber nicht mit der Welt, wie sie eingerichtet ist. Solange er lebt, will er genießen, seiner Sehnsucht nach Glück Ausdruck verleihen. Keuner, kein Gegenentwurf, sondern ein entpersönlichter Baal, will das Leben ändern, er ist einverstanden mit der Welt und mit sich, um Veränderung bewirken zu können. Er hat sich vorgenommen, möglichst keine Gefühle zu zeigen, hart und unauffällig zu bleiben, so Kräfte sammelnd für bessere Zeiten. Denn die Lektion dieser Welt heißt: »Man wird mit euch fertig werden.«

In der Keuner-Gestalt reflektiert Brecht noch einmal die verschiedenen Formen von »Einverständnis«, die er in *Mann ist Mann* und in mehreren Lehrstücken abgehandelt hat. Galy Gay, der seinen »Privatfisch« schwimmen lassen muß, gewinnt an gesellschaftlicher Schubkraft hinzu, Entpersönlichung ermöglicht ihm erst den Widerstand gegen den Dschungel der Verordnungen, Paragraphen und gesellschaftlichen Regeln, das Auslöschen seiner Individualität verschafft ihm die Möglichkeit, sich elastisch in die Front wirksamer Massenaktionen einzuordnen. Jedenfalls hatte Brecht zunächst nur an eine positiv zu sehende »menschliche Kampfmaschine« gedacht, ehe er Galy Gay kritisch umwertete und seine Ummontierung mehr als verhängnisvolle Enthirnung vorzuführen begann. In der letzten Fassung des Stücks ist Galy Gay dann ein Vertreter jener entfesselten Knechtsnaturen, die, wenn sie einmal ins Laufen kommen, verrückt spielen und zu den schlimmsten Verbrechen fähig sind. Das positiv zu bewertende Einverständnis mit dem Aufheben der eigenen Person im Handeln für ein gesellschaftliches Ganzes zeigt der Stückeschreiber dann im *Jasager* und schließlich in der *Maßnahme.* Für den jungen Genossen und für Keuner im *Bösen Baal der asoziale* heißt Einverstanden sein zugleich: »Nicht einverstanden sein.«

Die bewußte Aufgabe der persönlichen Eigenart nach außen hin ist eine Art von kämpferischer Aneignung der List, die nötig ist, sich gegen Unmenschlichkeit und Ungerechtigkeit zu behaupten. Keuner ist der Entwurf einer Figur, die die individuellen Eigenarten komplexer, von Glück und angenehmem Leben träumender Gestalten wie Baal, Galilei, Puntila, Azdak oder Schweyk zurückstellt zugunsten der Hoffnung auf eine bessere Welt. »Alles kann besser werden, sagte Herr Keuner, außer dem Menschen.« (GW V, 403 f.) Man kann sein Nichteinverstandensein mit der Gesellschaft nur glaubhaft machen, wenn man mit ihr »einverstanden« ist, und das bedeutet, daß man sich auskennt und die Gesetze, nach denen die

Gesellschaft sich bewegt, genau studiert hat. Man muß mit den Mitteln, die das gesellschaftliche Gefüge zusammenhalten, Widerstand leisten.

Eine der wichtigsten Tugenden für den, der sich gegen die Gewalt behaupten will, ist »Kälte«, der sparsame Umgang mit Gefühlen, mit dem Unberechenbaren. »Gefühle« ändern nichts, sie verändern sich nur ständig. Sie dürfen nicht die »Haltung« des Denkenden beeinflussen. Es mag gut sein, wenn ein Mensch verläßlich, treu und aufrichtig ist, aber dem Gefühl unterworfene Eigenschaften ändern sich, hängen von vielen wechselnden Gegebenheiten ab. Der Augsburger Brecht rät seinen Freunden, mit seinem Verrat zu rechnen, und der Dialektiker Brecht gibt mit Keuner zu verstehen: »Der Denkende verspricht nichts, als daß er ein Denkender bleibt.« (GW V, 404)

Diese Haltung erklärt Brechts »Schweigen« beispielsweise zu den Moskauer Prozessen, seine Abneigung gegen missionarisches Pathos, gegen emotional aufgeheizte Reden. Ihm war klar, daß zu große Begeisterung für eine Sache nicht lange vorhält, daß unreflektierte Zuwendung die Abkehr zufolge hat, da zu hohe Erwartungen immer enttäuscht werden. Zorn ist gut, aber hält der Zorn auch an, wenn er gegen den, dem er gilt, durchgesetzt werden muß? Ist der Schaden, den Zorn anrichten kann, einen Gefühlsausbruch wert, oder ist es nicht klüger, sich den Zorn zu verbeißen und eine wirksamere Methode anzuwenden, um zu seinem Vorteil zu kommen? Mutter Courage jedenfalls beweist dem über das ihm widerfahrene Unrecht empörten Soldaten, der seinem Vorgesetzten die Meinung sagen will, daß er über den zum Widerstand nötigen langen Atem nicht verfügt. Die Lektion der Landstörzerin leuchtet ihm ein, er kapituliert, und auch die Courage verzichtet auf ihre Beschwerde, um sich nicht ins Unglück zu stürzen. Die Lebenserfahrung der Courage heißt (im Unterschied zum adligen Revolutionär des 19. Jahrhunderts und dem bürgerlichen Intellektuellen des 20. Jahrhunderts, denen ihr Verstand, nämlich die Fähigkeit zur kritischen Analyse, Leiden schafft): Gefühl schafft Leiden, Verstand dagegen hilft mir, mich einigermaßen gegen die Widrigkeiten des Lebens zu behaupten. Und Brecht braucht dann schließlich viel »Verstand«, um die Courage, die die Kunst des Überlebens im Sinne der Brechtschen Ratio praktiziert, als »blind« gegenüber dem Leben zu verurteilen.

Vom Verstand allenfalls, nicht vom Gefühl, wenn die Trennung der beiden Kategorien überhaupt gestattet ist, wird die Welt Brechts

Meinung nach bewegt, wird Veränderung ausgelöst. Der Mensch ändert sich nicht, es ändert sich nur sein Verhältnis zur Welt. Solche Auffassung schließt nicht aus, daß Brecht sie selbst nicht konsequent befolgt hat. (Selbstverständlich verhielt er sich wie jeder Mensch einigermaßen widerspruchsvoll, selbstverständlich handelte er inkonsequent und selbstverständlich hielt er auch an Menschen fest, wurde an ihnen nicht zum »Verräter«.)

Brechts zunehmendes Interesse für den Marxismus und für gesellschaftliche Prozesse in den zwanziger Jahren verstärkt sein Mißtrauen gegen das Emotionale, gegen alle »empfindsame«, impressionistische und psychologisch instrumentierte Literatur. In dem Moment, wo er in Marx den idealen Zuschauer für seine Stücke erkennt, er also, wie er etwas voreilig schreibt, Stücke nach ihrem Wert als »Anschauungsmaterial« für Marx bewertet sehen und jeden Zuschauer mit Hilfe dieser Stücke zu einem Betrachter à la Marx machen will, tritt Brecht zum Kampf an gegen das Lyrische. Es geht ihm dabei um eine neue Art von Theater, das er als »episch« bezeichnet. Das epische Theater ist zunächst ganz und gar vom Soziologen, später etwas vorsichtiger vom Denker oder Philosophen bestimmt: »Die neue Produktion, die mehr und mehr das große epische Theater heraufführt, kann zunächst ihrem Inhalt wie ihrer Form nach nur von denjenigen verstanden werden, die diese Situation verstehen.«

Brecht erarbeitete eine Theorie des »epischen Theaters«, die er im Laufe der Jahre jeweils den neuen Verhältnissen, Zeitumständen und seinen eigenen Erfahrungen als Autor und Regisseur anpaßte, weiterentwickelte, abänderte. In den Jahren ihrer ersten Ausformung (1925–1930) trat Brecht als Theoretiker sehr postulierend und mit Lust an der Provokation in Erscheinung. Ihm kam es darauf an, den Versuchscharakter seiner schriftstellerischen Arbeit in Szene zu setzen und eine Darstellungsweise zu kreieren, die seinen Stücken zur richtigen Wirkung verhelfen konnte. Sein Theater appellierte an den Verstand, es brauchte Darsteller, die ein Stück »erzählen« und bewußt spielen konnten, die ihr Publikum nicht in Stimmungen oder gar in Trance versetzten. Die schauspielerische Darstellung sollte »spirituell, zeremoniell, rituell« sein, nicht einfach nur suggestiv und leidenschaftlich und um das große individuelle Erlebnis bemüht. Und der Zuschauer sollte laut Brechts Vorstellungen »seinen Intellekt spielen lassen«, sich nicht vom Spiel blenden und verführen lassen, sondern vor allen Dingen Interesse für die verschiedensten Aspekte und Gesichtspunkte eines Bühnen-

geschehens bekunden. In einem Gespräch mit dem Kritiker Bernard Guillemin erklärte Brecht das Gefühl zu einer bornierten Privatsache, den Verstand hingegen bezeichnete er als »loyal« und relativ umfassend: »Ich lasse mein Gefühl in die dramatische Gestaltung nicht hineinfließen. Es würde die Welt verfälschen. Ich gehe auf einen möglichst klassischen, kalten, sehr vom Verstand herkommenden Darstellungsstil aus. Ich schreibe nicht für jeden Abschaum, der Wert darauf legt, daß ihm das Herz aufgeht.«*
Der Propagandist des epischen Theaters nahm sich in dieser Phase seines »handfesten Intellektualismus«, der die Technik und den Sport aufs progressive Banner hob und alle poetischen Empfindungen und ästhetische Skrupel zu romantischem Mumpitz degradierte, selber nicht allzu wörtlich, vorsichtshalber »teilte« er seine Produktion: Er schrieb Stücke des »kulinarischen« Theaters wie *Die Dreigroschenoper* fürs bürgerliche Publikum, dramatische Lehrstücke wie *Die Mutter* fürs proletarische Publikum und schulpädagogische Lehrstücke mit Chören für Zuschauer, die Spieler und Betrachter zugleich sein sollten. Aber nicht nur diese Teilung nahm Brecht vor, er unterschied auch zwischen einer Produktion, die für die Öffentlichkeit bestimmt ist und »privater« Schriftstellerei; er trennte die epische von der lyrischen Produktion. Gedichte schrieb er sozusagen unterm Pult, sie waren ein Laster, von dem er nicht lassen konnte.
Seine Dramen verfaßte Brecht zumeist im Kollektiv, seine Mitarbeiter übersetzten Vorlagen, sammelten Material, dialogisierten Episoden oder Fabelentwürfe, der Stückeschreiber griff die Ideen auf, formte sie zu Konzepten, strukturierte das Material, spitzte die Stoffe zu, versifizierte und schrieb Lieder und Chöre. Er brauchte seine Mitarbeiter als kritische Partner für seine Vorschläge, Fragen und Zweifel. Gedichte schrieb er in der Frühe, wenn keine Besucher da waren – oder im Sommer in Augsburg, wenn sein Stab nicht zur Hand war. Die lyrische Produktion: ein Mittel gegen Langeweile und, was denn doch entscheidender war, eine Ausdrucksmöglichkeit für das, was die Loyalität des Verstandes anders nicht zu sagen zuläßt.
Brecht hat sehr schnell das Zwanghafte und die Einseitigkeit der rationalen Gesichtspunkte seiner Theatertheorie gesehen und sehr viele Rückzugsgefechte geführt, in denen er betonte, daß es dem

* Was arbeiten Sie? In: *Brecht im Gespräch*. Hrsg. v. Werner Hecht. Frankfurt 1975. S. 187.

epischen Theater nicht darum geht, das Gefühl ganz auszuklammern. Alle vermittelnden Abwiegelungsversuche kommen nicht vorbei an der zentralen Arbeitshypothese, wie sie in den Anmerkungen zur Oper *Aufstieg und Fall der Stadt Mahagonny* formuliert ist: daß die hergebrachte und von Brecht abgelehnte dramatische Form dem Zuschauer *Gefühle ermöglicht,* während das epische Theater von ihm *Entscheidungen erzwingt.* Zuschauer und Darsteller sollen sich im Theater nicht nahekommen, sondern voneinander entfernen: »Jeder sollte sich von sich selber entfernen. Sonst fällt der Schrecken weg, der zum Erkennen nötig ist.« Distanzierung, daran hält Brecht immer fest, ist die Voraussetzung für Erkenntnis. Nach 1933 wird ihm eine Form von Theater immer wichtiger, die es möglich macht, das Publikum vor allen Dingen sozial zu aktivieren. Sowohl gegenüber dem Theater im faschistischen Deutschland als auch gegenüber den emigrierten deutschen Künstlern, die als treue Gefolgsleute des sozialistischen Realismus in Erscheinung treten, hält es Brecht für notwendig, mehr Vernunft in die Theaterpraxis zu bringen: »Der Faschismus mit seiner grotesken Betonung des Emotionellen und vielleicht nicht minder ein gewisser Verfall des rationellen Moments in der Lehre des Marxismus veranlaßte mich selber zu einer stärkeren Betonung des Rationellen.« (GW VII, 242) Gerade das politische Theater will Brecht vom Ballast unkontrollierter Gefühle befreien, gerade hier soll der Zuschauer Begutachter sein und gerade hier soll der Schauspieler geistig zu seiner Figur und seiner Szene Stellung beziehen, um sie dann gefühlsmäßig richtig vermitteln zu können.

Seinen Gegnern empfiehlt Brecht, die Vernunft nicht als etwas Kaltes, Gewaltsames oder gar Mechanisches abzuqualifizieren, echtes Denken könne ja durchaus ein von Gefühlen begleitetes Denken sein. Das epische Theater, verteidigt er sich, bekämpfe nicht die Emotionen, »sondern untersucht sie und macht nicht halt bei ihrer Erzeugung«. Er unterscheidet schließlich zwischen »gefühlsmäßiger Anteilnahme« des Publikums, die er begrüßt und der »Einfühlung« (den unvernünftigen Gefühlen sozusagen), die er ausgemerzt sehen will. 1939 beklagt sich Brecht in einem Brief an einen Genossen, daß man offensichtlich in ihm nur den »reinen Doktrinär« zu sehen bereit sei: »Ich wüßte nicht, wie man Gedanken von Gefühlen trennen könnte. Nicht einmal der Teil der zeitgenössischen Literatur, der ohne Verstand geschrieben zu sein scheint, trennt Verstand wirklich von Gefühl. Das Gefühlsmäßige ist bei ihm ebenso verrottet wie das Verstandesmäßige.« (BR, S. 401)

Die erstaunlich undogmatische Theaterpraxis Brechts zeigte, daß er keineswegs ein Doktrinär war, wohl aber in seinen Stücken Doktrinen vorzufinden waren, die es auf eine Parteinahme des Publikums »auf Grund erkannter Interessen« anlegten, »und zwar eine Parteinahme, deren gefühlsmäßige Seite in Einklang steht mit ihrer kritischen Seite«. (GW VII, 246) Die Diskussion Gefühl oder Verstand, die bis zum Tode Brechts leidenschaftlich geführt wurde, drückte meistens nur das Unbehagen gegenüber den politischen Folgerungen aus, gegenüber der Überzeugung Brechts, daß die »dritte Sache« das Bindeglied für menschlichen Zusammenhalt ist und nicht das (wechselhafte) Gefühl, das zwischen Menschen entsteht.
In dem Dialog »Einige Irrtümer über die Spielweise des Berliner Ensembles« machte Manfred Wekwerth Brecht in Anbetracht der Vorwürfe, daß man in den Aufführungen des Berliner Ensembles als Zuschauer nicht so recht mitgehen kann beziehungsweise »kalt bleibt«, den pragmatischen Vorschlag, doch einmal klar und deutlich zu sagen, daß man »auch in unserem Theater nicht nur denken muß«. Brecht erwiderte lakonisch: »Ich denke nicht daran.« (GW VII, S. 901)

4

> Wir müssen diese notwendigen Dinge tun, für die wir trainiert sind, abgesehen von unseren Neigungen und unserem Privatglück. Manches ist in unseren persönlichen Beziehungen auch für mich schwierig gewesen, für manches zahle ich noch immer, aber da, wo ich lehre oder etwas Kunst mache, bin ich fest, hoffe ich. Bitte also, aus der Weite den dünnen Faden, den notwendigen, nicht abreißen zu lassen. Wenn das Innere im Dunkel ist, wird das Äußere hell.
>
> (Brecht an Käthe Reichel, Anf. Aug. 1956)

Daß Menschen mit der Kraft ihrer Liebe sich der Zeit und den Verhältnissen stellen, sich um den Preis ihres Untergangs entgegen aller Vernunft liebend zusammenfinden – zu dieser »Vision« sah sich Brecht als Dramatiker außerstande. Auch Liebesbeziehungen sind in den Augen Brechts, wenn sie nicht durch ein anderes, die Interessengemeinschaft beglaubigendes Drittes objektiviert werden, unweigerlich geprägt von der Wolfsmoral der kapitalistischen Gesellschaft. Wer wen? ist auch der eine Liebesgeschichte belebende Faktor. »Und es listet der Mann hinterm Strauch dem Mädchen den Beischlaf ab. Zwischen ›laß los‹ und ›ich halts‹ bewegt sich das Leben und beiden, dem der hält und dem, der entreißt, krümmt die Hand sich zur Klaue. Wer soll da lernen zu geben, wo keinem gegeben wird?«*

Die Hure ist dann allemal im Vorteil, weil sie die gegebenen Besitz- und Kampfverhältnisse auszunutzen weiß und sich das bezahlen läßt, was ihre unwissenden Geschlechtsgenossinnen dem Mann als Opfer darbringen. Und indem er zahlt, entlastet der Mann sich von seinem schlechten Gewissen. Das Fazit von Brechts sehr kurzsichtiger Auffassung, daß das Gebiet der Erotik in der bürgerlichen Gesellschaft vollkommen erschöpft sei, lautete: »Die tragische Möglichkeit einer Liebesbeziehung besteht heute darin, daß das Paar kein Zimmer auftreibt.« (GW VII, 964) Irritierende, vom Verstand nicht kontrollierbare Empfindungen zwischen Mann und Frau wie Zartheit, liebende Fürsorge, bis zur Zerstörung gehende Leidenschaftlichkeit werden als Spannungsfeld für dramatisches Geschehen ausgeklammert. (Zwischen Männern vermochte ihm Brecht im *Baal,* in *Leben Eduards des Zweiten von England* und vor allen Dingen in *Im Dickicht der Städte* entschiedenen dramatischen Ausdruck zu verschaffen.) Bestimmte homoerotische Züge seines Wesens, die stark von einer Atmosphäre der Mütter- und Heldenverehrung geprägte Zeit seiner Jugend, in der man Männer als Soldaten und Abenteurer, Frauen als Gegenstand ihrer Lüste oder als Heldenmütter darzustellen pflegte, während »verliebte« Männer als potentielle Pantoffelhelden angesehen wurden, dürften Brecht zu seiner großsprecherischen, herzlosen Haltung bewegt haben, die ihn die Unglücklichen verachten und »Gedanken« den Weibern vorzuziehen lehrte. (»Es gibt viel weniger Gedanken als Weiber.«) Sein *Trommeln in der Nacht,* zunächst verfaßt als ein tragikomischer Abgesang auf falsche heldenhafte Gefühle, ein Heimkehrerstück, das zeigt, daß mit ausgebrannten, vom Krieg verbrauchten und mißbrauchten Helden keine Revolution (und kein Staat) zu machen ist, erschien ihm immer mehr nur noch als deutsche Komödie über den heimkehrenden Mann, der ins gemachte Bett schlüpft, über dessen Rand die Frauen nicht hinausreichen.

»Seitdem ich dieses Drama geschrieben habe«, erklärte er Ende 1926 dem Soziologen Fritz Sternberg, »ist es mir nicht mehr mög-

* Gedichtfragment. BBA 159/4.

lich, aus der Beziehung eines Mannes zu einer Frau eine Vision zu gewinnen, die stark genug wäre, ein ganzes Drama zu tragen.« (Sternberg, S. 8) Sternberg gefiel diese Äußerung, und er lieferte dem wißbegierigen Brecht eine schlüssige marxistische Erklärung für den Anachronismus der Darstellung von Liebesbeziehungen auf dem Theater. Nach dem Zusammenbruch der alten bürgerlichen Welt und nach der Oktoberrevolution könne die Beziehung eines Mannes zu einer Frau nicht mehr Mittelpunkt eines Dramas sein: Es sei für die Epoche nicht mehr symptomatisch. Und Sternberg erinnerte Brecht daran, daß auch in früheren Zeiten, bei den alten Griechen, in den Märchen von Tausendundeiner Nacht, Frauen immer als austauschbar dargestellt worden seien. Erst Dante sei von seiner Beatrice bis ins Innerste seines Wesens erschüttert worden und habe ihr dann mit der *Vita Nuova* ein unsterbliches Denkmal gesetzt.

Für Brecht lieferte damals der Soziologe Sternberg die Theorie zu seiner Überzeugung, Wärme und Menschlichkeit, was immer auch diese Kategorien im Einzelnen nun bedeuten sollen, seien Ausdruck und Ertrag einer *Produktion,* Nebenprodukt jener Arbeit am historischen Umschlag, der die menschlichen Beziehungen einstweilen untergeordnet sein müßten. Eingedenk der Darstellung Sternbergs verfaßte Brecht später sein die »Liebe« Dantes verspottendes Sonett, in dem es heißt: »Seit dieser schon beim Anblick sang/ Gilt, was hübsch aussieht, wenn's die Straße quert/ Und was nie naß wird, als begehrenswert.« (GW IV, 608) Liebe, Zuneigung, das Ereignis, daß Liebenden ihre Liebe ein Halt und der Mittelpunkt der Welt ist, dieser mögliche Ausgangspunkt kam für Brecht nun schon überhaupt nicht mehr in Frage. Liebe zeigte er reduziert auf Sexualität, und die Sexualität wurde als eine auf Konsum reduzierte dargestellt. »Was sich da gattet, ist selber nur Gattung, entindividualisiert und nicht mit der Chance begabt, aus dem Kreislauf der bloßen Vernutzung auszubrechen, eine Beziehung der Partnerschaft, ein Ich-Du-Verhältnis herzustellen.«*

Wenn in dem Gedicht »Die Liebenden« von der Flüchtigkeit und der Vergänglichkeit zweier Liebender (vorgeführt im Bild der im Flug zusammenkommenden Kraniche) die Rede ist, so scheint zwar noch die Utopie einer glücklichen Liebe auf, in dem Moment aber,

* Peter Wapnewski zu Brechts Gedicht »Entdeckung an einer jungen Frau«. In: *Ausgewählte Gedichte Brechts mit Interpretationen.* Hrsg. v. Walter Hinck. Frankfurt 1978. S. 25.

wo es szenisch in *Mahagonny* verwendet ist, wird es zu einem desillusionierenden Dialoggedicht: dem kurzen Glück der Liebenden im Puff wird stimulierender Gefühlskitsch geliefert. Allenfalls drückt die Situation noch etwas Trauer seitens der Jenny darüber aus, daß der Liebesakt von Entfremdung geprägt ist und völlig unter dem Zeichen der Wünsche dessen steht, der zahlt. Die Liebe »scheint« den Liebenden ein Halt, Jenny ist längst über diesen Kindertraum hinaus: in Mahagonny gibt es nichts mehr, woran man sich halten kann. »Die Verdinglichung der zwischenmenschlichen Beziehungen«, schreibt Adorno, »wird ins Bild der Prostitution geschlagen, und was Liebe ist, geht einzig aus den rauchenden Trümmern von Knabenphantasien sexueller Macht hier auf.«*
Die Seeräuber-Jenny, dieses »Mädchen Psyche im entsetzlichen Vaterhaus der Welt«, wie Ernst Bloch sie genannt hat, feiert immerhin in ihrem Lied, einem revolutionären »Gebet einer Jungfrau«, den Tagtraum der süßen, lustvollen Rache, wenn sie auch nur die Köpfe am Ende rollen läßt. Die Worte der Sophie, in deren weißem Leib Baal schwelgt (wenigstens eine ihm gemäße Zeit lang), sind, wenige Jahre vor der *Dreigroschenoper,* vielleicht doch klarer: »Es ist gut, so zu liegen wie eine Beute, und der Himmel ist über einem, und man ist nie mehr allein.« (GW I, 29)
Das weibliche Personal wird in der Folgezeit über das Reservoir aus Huren (wobei einschränkend bemerkt werden muß, daß die spitzfingrige Formulierung »leichte Mädchen« wohl präziser wäre) und sonstigen dienstwilligen Domestiken hinaus erweitert, zugleich aber auch auf eine merkwürdige Weise dienstverpflichtet. Wie in der Spaltung des »guten Menschen von Sezuan« in Shen Te und Shui Ta beispielhaft vorgeführt wird, sind Vernunft und Körper heillos voneinander getrennt. Eben deshalb erklärt Brecht den individuellen Glücksanspruch als zum Scheitern verurteilt: denn ist die wahrhaftige Liebe zwar arglos und bereit, so versteht sie doch die ökonomischen Gesetzmäßigkeiten nicht. Die Figur wird inhaltlich exekutiert und bleibt gebrochen vor der stählernen Gesetzmäßigkeit der Zeitläufte zurück. Die Hoffnung, Shen Te stünde auf, würde das Operettengericht verlachen und den auch als Liebhaber nichtsnutzigen, dafür aber produktions- und karriereversessenen Geliebten an die freie Luft setzen, erfüllt sich nicht. Zurück bleibt das nicht gerade originelle Realitätsprinzip: in dieser Welt können

* Th. W. Adorno, Mahagonny. In: *Moments musicaux.* Frankfurt 1964. S. 132.

die Liebenden – und das sind nach Maßgabe der Verletzlichkeit der Empfindungen ohne sofortigen Rettungsgedanken und der Bereitschaft zum nicht dem Warenaustausch verpflichteten Verschenken allemal die Frauen – von der Liebe, die bestenfalls den Weg in den Ruin weist, nicht leben. Befremdend bleibt dabei, daß die männlichen Vertreter des sinnenfrohen Überlebens wie Schweyk, Azdak, Puntila ihr individuelles Glücksverlangen zwar gefleddert, aber doch aufrechterhalten können. Die Liebe zum einfachen Leben, zur nicht kodifizierten, aber weisen und auch revolutionären Gerechtigkeit, zum Produktionsfaktor Heimaterde und zum Rausch scheint weniger den Verhehrungen ausgesetzt als jene zu Menschen.

Der Verdacht ist schwer von der Hand zu weisen, daß jenes Selbst- und Körperbewußtsein, das die »vitalen Einzelnen« auf die Bühne bringen, eben nicht von der Selbstreflexion herrührt, die in den Zweifeln, Selbstgesprächen und Träumen von Shen Te und Grusche immer wieder Raum greift, sondern ihre nicht zur Disposition stehende Basis selbst ist. Die Ordnung der gefestigten, zielsicheren Persönlichkeit wird nicht produziert, die Unordnung der Umgebung vielmehr einverleibt, als hätten sie Macht und nicht Liebe im Leibe.

Nun soll hier nicht eine Lanze für die zu kurz gekommenen weiblichen Theaterfiguren gebrochen, sondern weiter die Fragestellung nach Glück und Liebe verfolgt werden. Die genannten männlichen Figuren scheinen zumindest ihre Identität nicht zu *produzieren*, sie *haben* sie, auch ohne sichtbares Gegenüber. Dann spielt sich allerdings der Kampf um Freiheit und Glück nicht einmal mehr im Subjekt ab. Man kann entweder kämpfen und glücklich sein, oder man kann's halt nicht. Tritt der letztere Fall ein, verliert allerdings selbst die Baalische Gewaltlust ihre Aura. Sie trifft, und dem folgen manche Neuinszenierungen der achtziger Jahre, ins Leere; die Umgebung ist kein rechter Gegner mehr: die Provokation ist nur noch für das eigene Selbst und mithin passiv. Selbstgebrauch und -genuß stehen alleine: Glückseligkeit, wie armselig sie auch daherkommen mag, ist dann nicht mehr Produkt oder gar Lohn einer Tugend, sondern sie ist diese selbst.

Durch diese Zuspitzung werden die Figuren vergrößert und der Kontrolle ihres Erfinders entzogen. Auf der Bühne überleben dann die Wirrköpfe und Traumtänzer, denen der Untergang vorhergesagt worden ist, da ihre Selbstmächtigkeit, ihre Positivität, sich dem festgelegten historischen Standort entzieht.

Eben diese Selbstmächtigkeit geht den Frauen ab. Deren Präsentation soll erst einmal als idealtypisches Objekt der entfremdeten Warengesellschaft herhalten. »Geld macht sinnlich«, heißt es in *Mahagonny*. Witwe Begbick und Dreieinigkeitsmoses verkaufen die Ware »Liebe« denn auch mit aller Raffinesse. Das üppige Angebot erstrahlt im versöhnenden Glanz der idealisierten Liebe: »Meine Herren, jeder Mann trägt im Herzen das Bild seiner Geliebten.« (GW I, 509) Den verlogenen Liebesideologien wird die Verdinglichung der zwischenmenschlichen Beziehungen entgegengehalten. An deren Stelle soll die Liebe als freies Spiel, als ein Ausprobieren treten, gleich einer Wissenschaft der Entdeckung, deren Grundlage die (von Bacon in die Naturwissenschaften eingeführte) »induktive Methode« ist. Brecht erläutert sie in einem für Margarete Steffin geschriebenen Sonett (GW IV, 616 f.): Liebe als eine Produktion von Versuchen, vergleichbar dem experimentellen Charakter der Herstellung von Stücken, die er vorzugsweise Versuche nennt.
Die durch die induktive Methode sich entfaltende Liebe ist es denn auch, die den Dichter ein versöhntes Verhältnis zur Natur erfahren läßt, wobei der produktiven Arbeit die Aufgabe zugewiesen ist, geistige und sinnliche Tat zum Genuß zu vereinigen, wie Brecht in den Kommentaren zu seiner *Faust*-Inszenierung erläutert: »In der produktiven Arbeit für die Menschheit vereinigt sich geistige und sinnliche Tat, und in der Produktion von Leben ergibt sich der Genuß am Leben.« (GW VII, 705)
Die schöne Idee der gemeinsamen Veränderung durch gegenseitigen Austausch und durch wechselseitige Preisgabe birgt ein Problem: sie findet auf der Bühne nicht statt, und nicht nur das, sie ist auch nicht möglich, da den weiblichen Figuren eine Persönlichkeitszeichnung vorenthalten wird, die sie zur Eigenständigkeit benötigen, aus der nun wiederum der gegenseitige Austausch produktiv erstehen könnte. Sie besitzen wenig Eigenständiges, werden kaum ein Problem als Objekt des Begehrens, können somit als Liebende nicht den Geliebten verändern, sondern nur zu ihm finden. Der weiße Fleck hingegen wird beschrieben, lernt zuweilen, entwickelt sich. Was in den Gedichten manchmal gelingt, die Liebe als Gegensatz zu jeder Form der Realität zu kennzeichnen, als eine kaum entzifferbare Antigeschichte, ist auf der Bühne in Schweigen gehüllt oder Funktion.
Eine weibliche Kämpferin, die Niederlagen und Erfahrungen lernend verarbeitet, mithin überhaupt zu Austausch und Produktivität im oben genannten Sinne fähig ist, bleibt abwesend; sie würde ja

auch durch eigene Konturen schnell ein Problem werden können. Statt dessen agieren Kinder und Mütter.

Visionen geben dem unschuldig naiven Mädchen Simone Machard die Kraft für den Kampf. Brecht hat darauf bestanden, daß diese Rolle von einem 10–13jährigen Kinde dargestellt wird. Simone Machard bewirkt Beschämung und Gewissensnöte, Mitträgerin eines produktiven Austausches ist sie aber wohl kaum.

Die Rolle der Mutter ist dann schon produktiver. Pelagea Wlassowa in der *Mutter* übernimmt den Widerstand ihres Sohnes. Sie lernt von mütterlicher Sorge zum Kampf voranzuschreiten. Sie arbeitet im Dienste der Revolution, anstatt die Brote bereitzustellen und Pawel liebevoll willkommen zu heißen, und lehrt durch ihr anderes Verhalten auch ihren Sohn, sich politisch zu entwickeln. Zweifelsohne ist das ein produktives Liebesverhältnis, allerdings eines zwischen Mutter und Sohn, was dann auch folgerichtig einseitig bleibt. Der Glücksanspruch der »Mutter«, nämlich an jedem Ort eine familienähnliche Struktur zu errichten, bleibt uneingelöst. Ihre Trauer ist dann weniger produktiv: sie wird mütterlich verschwiegen. Teresa Carrar, zunächst entschlossen, sich und ihre Söhne aus den politischen Kämpfen herauszuhalten und die in ihrem Haus versteckten Gewehre nicht herauszugeben, verläßt am Ende den matriarchalisch organisierten Innenraum, dessen Friedlichkeit sie nicht bewahren konnte. Der heilige Zorn der geschändeten Mutterliebe wird bemüht. Sie greift in den Kampf ein, für ihren Sohn – nicht für sich. Sie kämpft nicht gegen ihre politischen Gegner, sondern gegen den »Aussatz«, dessen Schergen ihr Kind eliminiert haben.

Ein Ideal wird erkennbar, wenn Grusche in dem Stück *Der kaukasische Kreidekreis* als nach Jahren noch junge Frau das Element des »Mütterlichen« über alle individuelle Regungen setzt und auch die eigene Existenz zur Disposition stellt. Die milchlose Brust, die sie dem Ausbeutersprößling reicht, mag als Chiffre für eine höhere, selbstlose, aber selbstverständliche Liebe gelten. Sie ist geprägt von Güte und Freundlichkeit. Sie versteht und stellt keine Fragen. Sie ist da wie dasjenige, was so oft unbeachtet bleibt, was verfügbar ist, auf das zurückgegriffen werden kann. Auf das »Ich brauche dich«, folgt das »Hier bin ich« – ohne Aufschub oder Argumentation. Dies ist nun in der Tat die Verhaltensform einer utopischen Ethik, der eine radikal neue Wertsetzung vorausgehen müßte, nach der die Befriedigung der Bedürfnisse anderer das eigene Wertideal ist. Die Vielfältigkeit der Bedürfnisse, Werte und Lebensformen wird akzeptiert, die eigene Handlung setzt ihre Allgemeingültigkeit, allerdings nicht als Norm, in der bedingungsfreien Hilfeleistung. Es wäre nur noch von Interesse, woher Grusche Kraft und Stärke nimmt. Das Verhältnis der Kommunikation ist keines der Liebe, für die das Schweigen vor und hinter den Worten auch mehr beinhalten kann. Grusche und Simon finden sich wortkarg letztlich und schaffen dem Kind die Familie. Dieses Ergebnis ist weder ein produziertes, noch ist es als Bestandteil einer »Wertdiskussion« kenntlich zu machen, welche die angepeilte, hier mal behelfsweise demokratisch genannte Persönlichkeit begreifbar erscheinen lassen würde. Grusche bleibt die *Projektion* des weiblichen, sprich mütterlichen guten Menschen. Das Kategoriale einer moralischen Persönlichkeit, die Veränderungen, die innerhalb dieses Systems eingetreten sind, können weder eingesehen noch nachvollzogen werden. Die Frau leistet tätige Mutterliebe; warum, wenn nicht aus purer Konvention heraus, braucht sie Simon?

Die Identifizierung von Güte und Freundlichkeit mit dem mütterlichen Prinzip unterschlägt nicht nur die bekannten Nachtseiten, wie Selbststabilisierung in der symbiotischen Bindung und fortwährenden Besitzanspruch, sie ist vielmehr noch durch das Verschweigen ihrer Entstehungsbedingungen ortlos; polemisch wäre sie auch als paradiesische Aufhebung aller Verlustängste qualifizierbar.

Sinnlich greifbarer wird dann schon die Identifikation der Freiheit mit dem freien, d. h. zugänglichen Körper. *Die Tage der Commune* bergen einerseits die Abhandlung der revolutionären Disziplin und des temporär notwendigen Zentralismus, andererseits aber auch die Genußfähigkeit der Revolution und der Revolutionäre.

In der Tradition Wedekinds thematisierte Brecht die sogenannte Hure in mancherlei Gestalt. Er übernahm aber nicht Wedekinds trockenen und zuweilen verbissenen Moralismus. Der verfügbare, lustspendende Körper wird gefeiert, die Mutter der Kinder geheiratet. Die Großstadthure, wie »talentiert« und grenzenlos sinnlich auch immer sie den Hintern bewegt haben mag, ist nicht die unendliche Freiheit. Aus der populären moralischen Polarität ersteht vielmehr das weibliche Proletariat der »Commune«. Die hergebrachten Regeln des Zusammenlebens werden suspendiert. Die Frauen streiten nicht mehr um den Besitz »Mann«; die Männer führen ungewöhnlicherweise auch keinen Territorialkampf vor. Die Schwangerschaft einer Kommunardin führt zum spontanen solidarischen Verzicht der Konkurrentin. Nicht einmal ein Vertrags-

system ist notwendig, um die Utopie »Alles gehört allen«, die wiederum keine der Liebe ist, zu gewährleisten.
In der Besitznahme der Kanonen durch die Kämpferinnen wird die revolutionäre Gewalt mit dem selbstbestimmten Körper identifiziert. »Kommt, zeigt uns die Kanonen, nicht die Mündungen, die Löcher haben wir . . . eine Decke, sie schnattern ja vor Kälte, da ist keine Liebe möglich.« Die Revolution ohne Kopulation ist keine; die Freiheit ist ein schönes Weib: die Göttin des Malers Eugène Delacroix auf den Barrikaden. Es sind Heldinnen, deren Antizipation der freien Liebe den neuen Menschen hervorbringen soll. Szenen der Bezogenheit aufeinander, der liebezeigenden Geste aber hat Brecht nicht ausgearbeitet. Die Lehrerin Geneviève ist Revolutionärin, deshalb schützt sie nicht ihren Verlobten, der als Spitzel in die Stadt eingedrungen ist. Was in ihr vorgehen mag, ist nicht erfahrbar und tritt dann in den Hintergrund angesichts der »Kolben und Mündungen«, die auf einen Mutterschoß deuten, der nicht mehr feucht und verschwenderisch wie das Fleisch, sondern produktiv wie das Volk ist.
An dieser Stelle kann das Personal der Mütter noch durch eine eher randständige Figur komplettiert werden. In der Bearbeitung von Shakespeares *Coriolan* erfährt die Mutter des Kriegshelden, Volumnia, eine bemerkenswerte Entwicklung: Sie hat stets die Ehre und Kampfeslust ihres Sohnes gefördert, feige Söhne wären ihr ein Greuel, das sadistische Gehabe ihres Enkels beobachtet sie mit sichtlichem Vergnügen. Als jedoch das Blatt der Macht und des Erfolges sich wendet und die selbstbezogene Ehre im Paradox endet, das Coriolans Souveränität in jedem Falle auslöscht, da rät ihre Pragmatik der Machterhaltung zur Flexibilität. An die Stelle der Freundlichkeit tritt die Ratio der Mutter der Republik, der es gelingt, die Prinzipien der Stärke zu lieben, sich aber auch rechtzeitig von ihnen zu distanzieren, um die historische Chance der Macht zu wahren.
Es ist bemerkenswert, daß bei Brecht die Charakterisierungen der weiblichen Figuren blaß bleiben, auch dann, wenn sie, im Gegensatz zur *Mutter Courage,* Utopisches antizipieren sollen. Eine dramatische Entwicklung auf der Bühne, eine Produktion, die in der Unentschiedenheit noch neue Räume öffnen könnte, ist für die »Frauen« schwerlich identifizierbar. Oft scheinen sie an den Bürden zu tragen, mit denen der zu postulierende Gehalt sie versieht. Die sozialistische Identität hat den Wärmestrom der »vernünftigen Liebe«, der Solidarität, beinhalten sollen. Die Frage, ob das Baali-

sche Lust- und Gewaltprinzip, dessen Authentizität sich nicht ausweist oder erklärt, dann um ein weibliches Pendant hätte erweitert werden sollen (bzw. können) ist unbeantwortet, genauso wie die Frage, ob Unordnung und Leidenschaft, durch solidarische Produktion hinreichend perforiert, zu Haustieren domestizierbar sind.

Beispielhaft verweigern sich die Gefühle der Funktion noch *Im Dickicht der Städte*. Eine Person verschwendet sich, um gegen Ende ihre Liebe zu gestehen, während ihr Gegenüber lernt, indem er das Verschenkte, ihr Kapital, verbraucht.

Dieses frühe Stück kennzeichnet damit den entscheidenden Widerspruch zum Produktionsbegriff Brechts, nach dem jede verändernde Tätigkeit des Menschen eine produktive ist, d. h. auch diejenige, die über das »Reich der Notwendigkeit« hinausgreift. Shlink produziert die Verschwendung.

Die Basis für die Bereitstellung eines Neuen ist in der Dramatik Brechts stets das Wahrnehmen des Vorhandenen, Gegebenen, aus dem heraus der Plan des Veränderns erwächst. Eben jenes Emporranken entlang eines Planes, einer Gewißheit läßt die Produktion zwischenmenschlicher Güter im hellen Licht einer technologisch bestimmten Veränderung erscheinen, die das Einspruchsrecht des handelnden und ausgesetzten Selbst während des Prozeßverlaufes suspendiert. In gleicher Form wirft das Gebot, einen Entwurf von dem anvisierten Anderen zu fertigen und hiernach die Person dem Entworfenen anzugleichen, die Frage auf, ob hier ein Material oder ein eingreifender Mensch das Gegenüber sein soll.

Die menschliche Nähe der Figuren töten Indifferenz und/oder Dominanz. Die Forderung, schöpferisch und solidarisch zu sein, muß auch einen eventuellen gemeinsamen Rückschritt bejahen, also jeglichen Besitz verwerfen können, um der Komponente des Zwei-Seins zeitweisen Vorrang einzuräumen.

Eben die Verhaltensweise scheinen die Mütter und Lehrer in Brechts Dramatik nicht zu produzieren, obwohl oder gerade weil sie Überlegenheit und Vitalität vorstellen. Die gegenseitige Hingabe, ein Sich-Einlassen kann das produktiv machen, was möglich ist, und – vielleicht – das aushalten, was nicht möglich ist. Der allzu hoch angesetzte Ton der konstruktiven Produktion kann (und sollte) konterkariert werden mit den mal übermäßig leisen, mal übermäßig lauten Äußerungsformen des Gefühls.

Wenn das der theatralischen Figur zugebilligt wird, wird nicht nur die Frau als Brechtsches Ordnungsprinzip, das Unschuld, Demut und Tugend garantiert, entlastet. Der Frau als Spiegel, als ein Ort des Gedankens, erschließt sich dann über Güte und Gerechtigkeit hinaus der dem Humanen entsprechende Ort der Auflehnung. Ruth Berlau, die Schauspielerin, Reporterin, Genossin, Mitarbeiterin und Geliebte Brechts, die ihm »brennend, aber nicht verzehrt« teuer war, die ihm immer folgte, weil er ihr geschrieben hatte, sie werde gebraucht und die immer wieder ermahnt werden mußte, all ihren Empfindungen nur »die kleinste Größe« zu geben, den Geliebten doch »nicht zu sehr« zu lieben – schrieb folgenden Traum ihrer Auflehnung nieder: »Das Dach stürzt ein ... Komisch, daß die Haare um meinen Schoß vom Feuer zuerst gefangen wurden ... ich greife hin mit beiden Händen, versuche, die schönen Flammen auch mit der Nässe meines Schoßes zu löschen ... Paar Meter entfernt stehst du und sprichst mit vielen Leuten ... Ich schnappe Sätze auf: Es geht für dich um Leben und Tod deiner Werke. Doch zeig ich noch einmal die Fackel her –, meine brennende rechte Hand und rufe leise durch die Nacht: ›Bertolt‹ ... Schnell sehe ich dich Order geben, man muß die Feuerwehr anrufen.«*

5

> DER LEHRER: Wissen hilft ja nicht. Güte hilft.
> PELAGEA WLASSOWA: Gib es nur her, dein Wissen, wenn du es nicht brauchst. (GW I, 856)

Für Brecht war der Kommunismus keine Bekenntnisfrage. Er hatte die Sache des Proletariats zu der seinen gemacht, zählte sich aber nach wie vor zu den bürgerlichen Dichtern. Er unternahm erst gar nicht den Versuch, sich mit dem Proletariat zu verschmelzen: »Wollen die Intellektuellen sich am Klassenkampf beteiligen, so ist es nötig, daß sie ihre soziologische Konstitution als eine einheitliche und durch materielle Bedingungen bestimmte intellektuell erfassen.« (GW VIII, 609) Hauptsächlicher Gedanke seines dichterischen Schaffens war, die Methode des dialektischen Materialismus in Anwendung zu zeigen und die Welt als veränderbar darzustellen. Er betrachtete sich, wie ihn Ernst Bloch nannte, als »Leninist der Schaubühne«. Lenins Forderung, sich gegenüber dem Marxismus

* Ruth Berlau, Ein Traum. Manuskript aus dem Nachlaß. In: Wolfgang Storch, *Material Brecht-Kontradiktionen 1968-1976*. Berlin 1976. S. 25.

wissenschaftlich zu verhalten, veranlaßte Brecht, die marxistische Theoriebildung als ständigen Impuls zur Entfaltung seiner Produktion einzusetzen. Er ging bei den marxistischen Klassikern in die Lehre. Ende der zwanziger Jahre begann für ihn die Bezeichnung »Lehrer« eine große Rolle zu spielen. Am wenigsten dachte er dabei an Schullehrer, die kraft ihrer Stellung und ihres Vorwissens über Schüler Macht ausüben und diese im Sinne der Vorschriften auszeichnen oder bestrafen. Als seine Lehrer betrachtete er auch nicht bestimmte Schriftsteller und Philosophen, die er vorzugsweise las oder schätzte, sondern Autoren, Wissenschaftler und Freunde, mit denen er zusammenarbeitete, von denen er nicht nur Wissen empfing, sondern die Denken und Arbeiten als ein Verhalten praktizierten, die wie Brecht selbst als Lehrer zugleich Schüler blieben, weil Wissen keine bleibende Größe ist und ständiger Veränderung bedarf, »in Fluß« bleiben muß. Er ernannte Lion Feuchtwanger, Frank Wedekind, Karl Valentin, Alfred Döblin, Karl Kraus und Sergeij Tretjakow zu seinen Lehrern. Mit Hilfe von Fritz Sternberg lernte Brecht in Karl Marx seinen bestmöglichen Zuschauer zu erkennen. Karl Korsch wurde dann sein »marxistischer Lehrer«.
Die Lehre war der Marxismus, ihr Inhalt: die Dialektik, ihre Praxis: der Klassenkampf. Brecht war nie eingeschriebenes Mitglied der Kommunistischen Partei, aber er war als Schriftsteller ihr denkbar bester Lehrer und ihr gelehriger Schüler. Er ging in die Lehre der Partei und warb seinerseits lehrend für die Partei. »Zu euch kam ich als Lehrer, und als Lehrer/Hätte ich von euch gehen können. Da ich aber lernte/blieb ich.« (GW IV, 595) Lehrer und Schüler zugleich sein, war der Grundgedanke seines Werks, vor allen Dingen seiner Theatertheorie, seiner dramaturgischen Praxis. Ein Stück war erst dann gut, wenn Änderungen es verbesserten. Auch ein Stück sollte Lehrer im Sinne von Brecht sein, es mußte hinzulernen können. Stückeschreiben und Theaterarbeit sollten wie ein Laboratorium sozialer Phantasie betrieben werden. »Alles braucht Änderungen.« (BR, S. 515)
Die »Lehrer«-Haltung ist für ihn »Impuls zur Entfaltung von Produktion«*. Zu solcher Entfaltung ist aber nur der Intellektuelle fähig, der das abstrakte Denken in ein eingreifendes Denken zu überführen weiß. Eingreifendes Denken heißt für den Dramatiker:

* Vergl. Heinz Brüggemann, Bert Brecht und Karl Korsch. Fragen nach Lebendigem und Totem im Marxismus. In: *Jahrbuch Arbeiterbewegung*. Hrsg. v. Claudio Pozzoli. Frankfurt 1973. S. 177–188.

eine Darstellung des Zusammenlebens der Menschen zu geben, die dieses Zusammenleben erleichtern kann, »indem es dasselbe produktiv gestaltet«. 1937 regt Brecht die Gründung einer »Gesellschaft für induktives Theater« an, die den Namen Diderots erhalten soll: »Eine Gesellschaft solcher Künstler muß sich an die Seite der großen Produktivkräfte der modernen Menschheit stellen, ohne Rücksicht auf eine Gesellschaftsordnung, welche die Entfaltung dieser Produktivkräfte hemmt.« (GW VII, 309) Intellektuelle, die kein eingreifendes Denken praktizieren, die analog zur bekannten Feuerbach-These von Marx die Welt nur interpretieren, sie aber nicht verändern, nennt Brecht »Feinde der Produktion«; letztere werden verächtlich als Kopfarbeiter verspottet und zu Tuis erklärt, die Mißbrauch des Intellekts betreiben, und, da sie von ihrem Kopf leben müssen, unweigerlich Schädliches aushecken (jedenfalls Unproduktives, dem Fortschritt nichts Nützendes). Wie die Huren ihr begehrtes Körperteil vermieten, bieten die Tuis »dieser Zeit der Märkte« ihren Intellekt feil. In der Komödie *Turandot oder Der Kongreß der Weißwäscher* werden sie denn auch von Brecht auf den Strich geschickt.

Doch nicht die Tuikritik ist das Ärgernis, sondern vielmehr der ungebrochene Glaube an die Produktivität des Verstandes und die Entwicklung der Gesellschaft durch technischen Fortschritt. Galileis Lust des Forschens ist heute nur noch mit der Lust der Lemminge vergleichbar, die dazu verdammt sind, unweigerlich für ihr Aussterben produktiv zu sein. Der soziale »Verrat«, den Galilei begeht und den Brecht verurteilt, ist ein unwichtiges Problem gegenüber dem Anachronismus der materialistischen Prämisse, der Zweck der Wissenschaft sei es, »die Macht des Menschen über die Natur und seinen Lebensgenuß zu erhöhen«.*

Der Forscher Galilei und der Hauslehrer Läuffer (in der Bearbeitung des *Hofmeister* von Lenz) sind für Brecht zwei verschiedene Träger von Wissen, die er unterschiedlich bewertet: Galilei ist ein produktiver Lehrer bis zu dem Moment, wo er aus Furcht vor körperlicher Mißhandlung sein Wissen widerruft und die Sache des Volkes verrät. Läuffer ist ein armseliger Tui, der ins geistige Leben flieht und lehrt, was genehm ist. Galilei verrät, um sich geistig nicht kastrieren zu müssen, Läuffer kastriert sich, um sich geistig prostituieren zu können. Ist aber heute nicht für die Kämpfer, Lehrer und Weisen Brechts eine Lesart angebracht, bei der das Illusionäre und

* Notizen zu »Galilei«. BBA 158/35–37.

indirekt verhängnisvoll Schlagkräftige der intellektuellen Selbsteinschätzung Gestalt annimmt?
Galilei gibt zwar den Fortschritt preis, behauptet aber angeblich die *Methode* wissenschaftlicher Autonomie: im Geheimen darf er seiner Produktionslust ja weiterhin frönen, der Forschungstrieb wird in ihm manifest als Lust am Produzieren. Galileis eingreifendes, wissenschaftliches Denken umschließt den Praxisbezug und auch die Einsicht in das eigene Verhalten. Dabei geht unter, daß die Revolution der Wissenschaft und die von ihr profitierenden Erfolge der Technik die soziale Veränderung degradieren. In der Auseinandersetzung Galilei – Kirche stehen sich zwei undemokratische Herrschaftsansprüche gegenüber; und nicht eine menschenliebende Methode einem starren, menschenverachtenden Apparat. Die »objektive« Glaubenswahrheit der Kirche besiegt die ebenso »objektive« und damit der demokratischen Kontrolle entzogene Wahrheit der Wissenschaften. Das meint nun keinen Rückschritt hinter die Aufklärung, sondern die simple Beobachtung, daß der Kritiker der Wissenschaft wie selbstverständlich in den Schatten des Irrationalen gerückt ist. Das zentrale Motiv, nach dem Modell der Naturwissenschaften auch die Geschichte in den Griff zu bekommen, d. h. nach der Befreiung von den Widrigkeiten der Natur auch diejenige von den anthropomorphen Zwängen zu erreichen, ist von der Geschichte nun geradezu überlaut ausgelacht worden. Anstelle des qualitativen Sprunges des menschlichen Bewußtseins aufgrund und auf den Grad der technischen Entwicklung scheint nun vielmehr eine Selbstauslieferung an Dissoziierungssysteme (Medien, vereinzelnde Produktionsformen) stattzufinden, was selbstverständlich auch gerade als Einklang mit der Technologie gewertet werden kann. Mögen auch dem Menschen als kosmischem Subjekt durch die relativistische Physik Grenzen gezogen sein, so sind doch potentiell alle humanen Lebensbereiche einer ausgedehnten technologischen Funktionalität unterworfen. Wenn die Nachteile und inhumanen Auswüchse, die im »Spielerischen« einer Teilbereichstheorie noch korrigierbar sind, in Gestalt einer Methode auf sozial komplexe Systeme übertragen werden, gewinnen sie den Charakter eines unverrückbaren Totalitätsanspruches. Die partikulare Rationalität der Naturwissenschaften hat eine wuchernde und abstruse Irrationalität des Ganzen hervorgebracht. Zwar ist das ökologische Gleichgewicht in wohl irreparablem Maße gestört, der demokratischer Kontrolle entzogene Allmachtsanspruch objektiver Wissenschaftlichkeit aber dauert fort. Der utopische Fortbestand der bio-

logischen Existenz ist in einen Raum verschoben, wo die Gesetze der Produktion, so wie sie Brecht verstanden hat, eben nicht gelten. Aus dem Potential der Gesellschaftsveränderung wird ihre tödliche Bedrohung. Zugespitzt: Galilei steht für ein Lehrstück der Ausweglosigkeit. Er ist nicht mehr der menschliche Gott, der die Menschen verraten hat, sondern ein Götzenpriester, die Vorwegnahme eines Fachmanns, der die Katastrophen austreibt, indem er sie erklärt. Vor diesem Hintergrund ist bestenfalls noch das Hervorstreichen der dezentralen, überschaubaren Produktion denkbar, auf der Galilei seine empirischen Beobachtungen aufbaut. Die Figur selber kann noch ihren Verrat genießen, genußvoll ihre individuelle Überflüssigkeit feiern, ihren Untergang und ihr zeitloses Überleben, da die Wissenschaft das kalte Auge auf den Verräter, den Abweichler wirft. Wenn Erkenntnishunger sinnlich und konkret ist, hat er sich nun aufs Überleben zu stürzen.

Zweifellos hat auch Brecht den wachsenden Widerspruch gesehen. Er fürchtet »die totale Vernichtbarkeit des kaum bewohnbar gemachten Planeten« (GW VII, 930), er fordert Umdenken, um dem Untergang zu entgehen (so etwa in »Epilog der Wissenschaftler« (GW IV, 937), gestaltet diese Gedanken aber dramatisch nicht und bleibt letztlich bei der Annahme, daß die menschliche Natur ebenso wie die nichtmenschliche Natur mittels der naturwissenschaftlichen Methode in der Kunst veränderbar sei (GW VII, 530).

Der Warencharakter des Intellekts mag erkannt sein, die Führungsrolle und die »objektiven« Interessen und Rollen der Intelligenz in der Revolution können überprüft worden sein, es bleibt der selbsttätige, modellhafte Charakter der Kunst, die Wahrheit und Methode in der sinnlichen Gestaltung enthüllt. Wenn Methode und Wahrheit ins Wanken geraten, ist der Endzweck Kunst. Ob die auf den Märkten Bedeutung hat, steht dahin. Wie Ernst Schumacher ausführt, hat sich das vielzitierte Volk auf den Fastnachtsaktionen nicht gegen die Obrigkeit empört, sondern eher über Galilei und seine Methode lustig gemacht.* Dagegen ist er von der Gesellschaft Jesu in Schutz genommen worden. Überhaupt scheint weniger die Theorie als ihr Herrschaftsanspruch der Kirche Schwierigkeiten gemacht zu haben, da sie fachwissenschaftliche Ergebnisse in einen weiteren Zusammenhang einzubetten hatte. In diesem kulturellen und künstlerischen Zusammenhang hat die Naturwissenschaft als dogmatisches Denken einen beispiellosen Sieg davongetragen.

* E. Schumacher, *Drama und Geschichte.* S. 59–64.

Der einzelne, intellektuelle Produzent hingegen nähert sich zunehmend dem verachteten Pastorensohn Läuffer, dessen erzwungene Prostitution, allerdings schlecht honoriert, ihn zum Vorläufer eines unterwerfungsbereiten Repräsentanten der Misere macht. Da seine Ausbeuter zu einer kaum mehr zahlungsfähigen, deklassierten Adelskaste gehören, ist sein Zustand so augenfällig.

Auch weil Brecht den bürgerlichen Intellektuellen als »wildeste Ausschweifung des deutschen Idealismus« (AJ, 6. 1. 1942) kennzeichnet, der in der Lage und bereit sei, »Wille und Fähigkeit, gewisse materielle Interessen andern, meist als geistig bezeichneten, jedenfalls ›höheren‹ unterzuordnen« (GW VIII, 730), muß dem der Wissenschaftler gegenübergestellt werden, der von den Auswirkungen seiner Forschung erschreckt an die Öffentlichkeit tritt. Diese Zerrissenheit in der eigenen Person, mit der dann die Techniker des Wissens prinzipielle Werte zur Schau tragen, beschreibt die Abkehr von der naturwissenschaftlichen Objektivität, muß aber, aufgrund der fundamentalen Abhängigkeit vom Staat oder den privaten Unternehmen wiederum im Partikularen verbleiben. Aus dem intelligenten Produzenten wird also der Intellektuelle nur dann, wenn er sich zum Ort des Widerspruches ausschreibt. Die Aporien und Widersprüche, die sich daraus herleiten, sind zahllos. Der Intellektuelle in der Tradition eines Julien Benda (jenes Apologeten des reinen Denkens, der über alle Gericht hält, die Verrat an der Herrschaft des Geistes üben, indem sie sich eingreifend betätigen und in irgendeiner Form zu politischen Handlangern werden) unternimmt den Versuch, ohne direktes Eingreifen die Grundbegriffe Wahrheit, Gerechtigkeit, Vernunft und Freiheit, die niemand hinreichend definieren kann, zu verteidigen oder überhaupt zu Wort kommen zu lassen. Dabei besteht der Anspruch, einer Selbstfesselung zu entgehen und dennoch die Partei des Guten und der Wahrheit in der Folge der Aufklärung zu ergreifen. Bislang nicht auflösbar ist dabei der Widerspruch, sowohl zur Ideologieproduktion und damit zur Macht zu gehören als auch moralische Autonomie zu bewahren. Brecht hat durch sein ausgeprägtes pragmatisches und taktisches Geschick in den letzten Jahren das Problem umgangen. Der Begriff des Verrats, der nur aus der Identifikation mit einer kollektiven Wertsetzung und Unterdrückung ableitbar ist, ist in seiner Dramatik allerdings übermächtig. Die Tuis werden entlarvt, sie stehen für die Laster der Herrschaft ein. Sie leben von und für die Großmut der Macht. Die Identifikation mit den naturwissenschaftlichen Strukturgesetzen des Staates führt allerdings kaum ins Freie, wohin

ja auch die Parteilichkeit niemanden entlassen möchte. Der Intellektuelle und/oder der Technologe bleiben gleichviel Teil eines partikularen Machtsystems.
Übrig bleibt allein, die zerstörende Seite jeglicher Produktion hervorzustreichen, die Tugend aber nun auch auf die eigene Methode zu beziehen. Damit ist nun nicht gemeint, in neuer Lesart die Brechtschen Vertreter der Intelligenz im märtyrerhaften Licht des Verrats und der Nicht-Identifikation erglühen zu lassen. Im Gegenteil kann die Absicht des bürgerlichen Renegaten, überall Verrat und Auslöschung dingfest zu machen, ja auch dadurch beseitigt werden, indem gezeigt wird, auf welchem Feld und in welcher Richtung sich die Figuren und ihre Repräsentanten verpflichten wollen, was sie gefördert oder verhindert hat, verraten hat, d. h. weitergebracht. Ein versuchtes Spiel mit Regeln könnte gerade in der Parteilichkeit der Kunst als Negativität durchwirken. »Bacons Hoffnungen, gesetzt in die Erfindungsgabe der Menschheit, muten uns heute naiv an. Die Menschheit hat wohl mehr erfunden, als Bacon erwartete, aber ihre Glückseligkeit hat sich weniger erhöht, als er hoffte.«* In den Schriften Brechts wird nicht die Absicht erkennbar, das naturwissenschaftliche Gesetz, so wie er es verstanden hat, auf die Figuren herabfallen zu lassen. Möglicherweise hängt Brechts wieder verstärktes Interesse an der Lehrstückform in den letzten Jahren seines Lebens mit einer von ihm geplanten Zurücknahme seines naturwissenschaftlichen Voluntarismus zusammen. Aus fragmentarischen Notizen geht hervor, daß er bestimmte fragwürdig gewordene Aspekte seines Schauspiels *Leben des Galilei* in einem Lehrstück über Einstein zurücknehmen wollte.

6

> Auf jeden Zusammenbruch der Beweise antwortet der Dichter mit einer Salve Zukunft.
> René Char**

Aus dem umfangreichen Komplex nicht fertiggestellter Stücke, deren Material aber genügend dramatischen Zündstoff enthält und vom Glücksverlangen der Menschen handelt, ohne allzusehr an eine bestimmte welk gewordene zeitgeschichtliche Realität gebun-

* Notizen zu »Galilei«. BBA 158/35–37.
** *Dichtungen*. Frankfurt 1959. S. 111.

den zu sein, ragt das Fatzer-Fragment heraus. Der »Egoist« Johann Fatzer desertiert mit drei weiteren Soldaten, aber ihn überfällt keine Lust zu leben, er will nicht für andere, geschweige denn für die Gesellschaft funktionieren, kein Rad sein, das vom Wasser der Geschichte bewegt wird, und zu den Kameraden, die ihn vom Strick abschneiden, sagt er: »Ich bin gegen eure mechanische Art, denn der Mensch ist kein Hebel.«* In der Fatzer-Gestalt kämpft Brechts Faszination für den kompromißlos sein Leben behauptenden Einzelnen mit seiner Forderung an den für eine bessere Zukunft arbeitenden Kämpfer, sich gesichtslos zu machen und auf die eigene kleinste Größe zu reduzieren. Fatzer ist der Versuch, den asozialen Baal mit dem jungen Genossen (der *Maßnahme*) zu vereinen. Weil er die soziale Rolle, die ihm seine Kameraden zuweisen wollen, ablehnt, wird er von ihnen exekutiert, aber erreicht wird durch seine Auslöschung nichts; die drei Soldaten werden ihrerseits als Deserteure erschossen.

»Das ganze Stück, *das ja unmöglich,* einfach zerschmeißen für Experiment, ohne Realität! zur *Selbstverständigung.*«** Das »ohne Realität« macht den Reiz dieses Materialkomplexes für eine Aufführung heute aus, wenn sie die nicht zu lösende Spannung, die in der Hauptgestalt lodert, szenisch umzusetzen versteht und nicht ihren Ehrgeiz darin sieht, ein interessantes Brecht-Seminar über den gescheiterten Entstehungsprozeß des Stückes zu veranstalten. »Eine Kraftpose mit herunterhängenden Hosenträgern«, wie Georg Hensel*** nach der Uraufführung des Fragments in Westberlin geschrieben hat, ist das Stück nur dann, wenn es so Brecht-philologisch und im Detail so realistisch wie in der Schaubühne inszeniert wird, obwohl es gerade hier im Zusammenhang mit der visionären »Dunkelheit«, der Schärfe und Bitterkeit der Grüberschen Hölderlin-Inszenierungen auf die Bühne hätte kommen können.

Ingeborg Bachmann hat die »Wirkungslosigkeit« des von ihr geschätzten Dichters Brecht auf seine Fähigkeit zurückgeführt, große Worte an der richtigen Stelle zu finden. Doch diese Worte und großen Gebärden waren entweder zu wenig volkstümlich oder viel zu großartig, »um diese Nieren oder diese Hirne oder was es auch

* Programmbuch Schaubühne *Der Untergang des Egoisten Fatzer.* Berlin 1976. S. 50.

** Ebenda, S. 3.

*** Keine Lust zur Revolution. *FAZ* vom 13. März 1976.

sein mag zu treffen«: »Ich glaube, er hat kein Publikum. Er ist so fremd wie Hölderlin, und sein Pathos, das von mir bewunderte Pathos, den großen Ton, versteht es auch nicht.«* Ingeborg Bachmann beklagt, daß Brecht überall gespielt wird, inzwischen auch in jedem Schulbuch zu finden ist und dennoch auf taube Ohren stößt, nicht zu Wort kommt, und sie schlägt deshalb vor, sein Werk als ironischen, katastrophischen, zerrissenen, grandiosen »Rettungsversuch« zu begreifen. Gerade das Fatzer-Material legt Zeugnis ab von einer uns erahnten Sprache, die wir nie ganz in unseren Besitz werden bringen können: »Wir besitzen sie als Fragment in der Dichtung, konkretisiert in einer Zeile oder einer Szene, und begreifen uns aufatmend darin als zur Sprache gekommen.«**

Manfred Karge und Matthias Langhoff machten 1978 in Hamburg mit *Fatzer* die Erfahrung, daß Brecht auch im wörtlichen Sinn kein Publikum finden kann. Sie spielten das Fragment als Ergänzung zu ihrer sehr zugespitzten antipreußischen Interpretation des Kleistschen *Prinz von Homburg*, dramaturgisch eingerichtet von Heiner Müller. Sie zeigten es in seiner ganzen nervösen Spannung, in visionärer Gehetztheit und Zersprengtheit. Die Regisseure versuchten nicht, das Unvereinbare »aufgehen« zu lassen, sie glätteten nicht, sondern sie präsentierten das »Furchtzentrum« des Stücks, und die szenisch realisierte Montage sehr disparater Textblöcke, Chöre und Spielsituationen hatte den Sinn, das Material als etwas Utopisches zu behaupten.

Vom Publikum des Hamburger Schauspielhauses mit Ovationen aufgenommen wurde dagegen ein Jahr zuvor Giorgio Strehlers opernhaft gelackte Inszenierung des *Guten Menschen von Sezuan.* Opulenter hätte man Arme auf der Bühne kaum mehr zeigen können, die ästhetische Aufbereitung der lyrischen Spruchweisheiten und die choreographische Brillanz, mit der der Gegensatz von arm und reich veranschaulicht wurde, erbrachten im Endeffekt ein zum Fest hergerichtetes sozialromantisches Musical mit dem Gestus fader Brecht-Orthodoxie. Unfreiwillig wurde von Strehler, der in Mailand doch unorthodoxe, politisch überzeugende, im besten Sinn unterhaltende volkstümliche Aufführungen von der *Dreigroschenoper*, *Schweyk* und *Leben des Galilei* auf die Bühne gebracht hatte, das Brechtsche Kardinalproblem bei der Niederschrift des Stücks

* Ingeborg Bachmann, Brecht. In: *Werke.* Vierter Band. München-Zürich 1978. S. 366 f.

** Ingeborg Bachmann, Literatur als Utopie. Ebenda, S. 271.

gelöst: »Wie kann die Parabel Luxus bekommen?« (AJ, S. 52) Brecht-Aufführungen auf deutschen Bühnen finden heute in der Regel im Ausverkauf für Abonnenten statt. Das veranschaulicht gerade wieder der ungeahnte Erfolg des *Arturo Ui* im Westberliner Renaissance-Theater, wo dieses Stück mehrere Monate ensuite als Boulevard-Grusical in nicht zu unterbietender Verharmlosung über die Bühne geht, weit unter dem Wert dieses zwiespältigen, so gar nicht als Schlüsselstück über den deutschen Faschismus tauglichen Gangsterspektakels. Aber leider genügt es eben, ein Abziehbild eines zu groß geratenen Mafioso mit den zum »Jubiläum« (50 Jahre »Machtergreifung«) passenden Zügen von Adolf Hitler zu versehen, um sich einen Erfolg beim Publikum zu erspielen, das nicht zu verstehen bereit ist.

Selbst von einem den Kommunismus militant vertretenden Schauspiel wie *Die Tage der Commune*, das die DDR-Regierung sich von Brecht als Antrittsgeschenk für die eben gegründete sozialistische Republik wegen zu linksradikaler, die führende Rolle der Partei nicht beachtender Tendenzen verbat, läßt sich ein »westliches« Publikum so leicht nicht mehr verstören. Das sogenannt »Menschliche« der Stücke bleibt offensichtlich haften, die ideologischen Gesichtspunkte, die diskursiven Elemente, aber auch die tragischen Abgründe rauschen an Augen und Ohren vorbei. In Frankfurt, wo Peter Palitzsch 1977 *Die Tage der Commune* inszeniert hat, mag zwar auch von jüngeren Zuschauern einiger »Gesinnungsbeifall« gespendet worden sein, aber der größere Teil des Publikums begnügte sich mit der Gewißheit, ein Stück von Brecht zu sehen, in dem die ja jedem irgendwie einsichtige These unterbreitet wird, daß auch der Friedliebende Krieg führen muß. Die Unbedenklichkeit, mit der hier politisches Theater gemacht, mit der der Umgang mit politischen Losungen und mit Kanonen abgewickelt wird, diese Mischung aus Pariser Genrebild und Barrikadenoper bieten Gewähr dafür, daß die Freunde einer *Fidelio*-Inszenierung und die Ostermarschveteranen auf ihre Kosten kommen. Trotz des linken Eifers der Beteiligten traf Georg Hensels Kritik ins Schwarze: »Bis zur Pause wirkt der revolutionäre Elan der Kommunarden derart unterentwickelt, daß man annehmen kann, die Inszenierung stamme von einem Konterrevolutionär, doch will Palitzsch wohl nur von der Harmlosigkeit der Commune überzeugen.«* Auch nach der Pause blitzte kein den Nerv treffender Funke auf.

* Heroischer Kitsch. *FAZ* vom 27. Sept. 1977.

Solche Aufführungen haben auch längst nichts mehr mit den für lebendiges Theater nicht gerade ergiebigen Haltungen der »Werktreue« oder »Brecht-Pflege« zu tun. Auf westdeutschen Bühnen bleiben die Stücke, wenn sie gespielt werden, vor allen Dingen deshalb so tot, weil sie ohne Erkenntnisinteresse oder ohne Leidenschaft, nur mit guten Absichten, eifriger und eilfertiger Selbstdarstellung und mit viel Kunstgewerbe gespielt werden. In der DDR ist es um Brecht nicht wesentlich anders bestellt. Manfred Wekwerth zum Beispiel hat im Berliner Ensemble 1978 eine vollkommen teilnahmslose *Galilei*-Aufführung erarbeitet, der er selbst das Gütesiegel »objektiv« und »wissenschaftlich« verliehen hat. Auf diese Weise ist auch dafür gesorgt, daß keinerlei Erinnerung an lebende oder tote Personen, an aktuelle oder vergangene Konflikte aufkommt: »Der Brecht-Stil des Wekwerthschen ›Galilei‹, wenn es denn ein Stil überhaupt ist, ist nicht konservativ, sondern resignativ: die pendantische Austreibung aller Widersprüche und Risiken.«*

Manfred Wekwerth, nicht nur Regisseur, sondern auch gern und ständig schreibender Brecht-Exeget, gibt sich die erdenklichste Mühe, seinem Meister die Widersprüche, die Fremdheiten und Aufsässigkeiten wegzuinterpretieren. So ehrenhaft es immerhin ist, sich nicht einfach von Brecht abzuwenden und in das modische »Brecht-ist-tot«-Gerede einzustimmen, so lächerlich ist es, Brecht an ideologischer Verranntheit noch übertreffen zu wollen. Völlig ungebrochen gibt sich Wekwerth den Brechtschen »Vergnügungen« hin und erklärt vor lauter Lust am Produktiven die Arbeiter der DDR zu Feinden der Produktion. Als Anlaß zu dieser Arbeiterschelte dient ihm die Entdeckung von Brechts frühem Einakter *Die Kleinbürgerhochzeit* fürs Theater: die Quintessenz des Stücks ist für ihn die Heirat eines Mannes, der Wert darauf legt, alle Möbel und Gegenstände selber zu basteln, die am Hochzeitstag dann alle aus dem Leim gehen. Nicht ganz abwegig, obwohl gewiß auch Manfred Wekwerth die Behaglichkeit seiner Datscha zu schätzen weiß, ist die kritische Anmerkung zur Neigung vieler Arbeiter, den Blick für die Zusammenhänge zu verlieren und »in die Familien, Kleingärten, zu ihren Autos zu flüchten«. Ausgesprochen streng ins Gericht geht Wekwerth dann mit dem Arbeiter, der sich zuhause als Hersteller von Möbeln betätigt: »obwohl man sie besser kaufen kann, fällt er in mittelalterliche Manufaktur zurück«. Arbei-

* Benjamin Henrichs, Eiszeit für Brecht. *DIE ZEIT* vom 17. 2. 1978.

ter, die selber Möbel bauen, sind für den Regisseur Industriefeinde, Fabrikbekämpfer: »Er baut lieber die Möbel selber, indem er sich sozusagen aus der Möbelfabrik zurückzieht.«* In Anbetracht des Schrotts, der in Fabriken (nicht nur der DDR) produziert wird, ist der Wunsch, sich etwas selbst besser und schöner herzustellen, nur zu verständlich, und in der DDR wird außerdem jeder Zuschauer bei Möbeln, die auf der Bühne zusammenbrechen, sofort auf VEB-Fabrikware schließen. Abgesehen von der Lächerlichkeit dieser Lesart (Produktionsmuffel hindern die DDR-Wirtschaft am Weltniveau) für ein Stück, in dem die Spießermoral hochzeitsselig sich den Untergang bereitet (der Einakter ist eine Art satirisches Vorspiel auf die Komödien *Die Hochzeit* von Elias Canetti und *Die Wanze* von Wladimir Majakowski), ist es unverständlich, daß Wekwerth die fabrikmäßige Herstellung von Gegenständen preist, die in manueller Fertigung eine ganz andere Qualität haben und gerade heute wieder Zeugnis ablegen können von weniger entfremdeter Arbeit. »Die Bearbeitung der Hölzer hätte mir Spaß gemacht«, bekannte Brecht 1934, »gibt es doch heute kaum mehr wirklich gut gebeiztes oder gelacktes Holz, diese schönen Täfelungen und Geländer früherer Zeiten, diese hellen Tischplatten aus Ahorn, dick, wie eine Hand breit ist, die wir vergilbt in den Zimmern unserer Großeltern vorfanden, geglättet durch die Hände ganzer Generationen. Und was habe ich für Schränke gesehen! . . . Solch ein Möbel sehend, kam man auf bessere Gedanken.« (T, S. 219)

Eine etwas glücklichere Hand im Umgang mit Brecht hat man in dem von Claus Peymann geleiteten Bochumer Schauspielhaus. Hier entstehen keine exemplarischen, aber doch in die Gegenwart wirkende lebendige Inszenierungen Brechtscher Dramen. *Die heilige Johanna der Schlachthöfe* wurde hier (Premiere Dez. 1979) in einer ehemaligen Fabrik gespielt, einer 60 Meter langen und 30 Meter breiten Halle, in der auch die Zuschauer in ständiger Bewegung gehalten wurden; sie mußten sich zu verschiedenen Spielorten hinbegeben oder zur Seite treten, wenn die Polizei erschien, um die Streikenden auseinanderzutreiben. Die Ordnungshüter im Saal verwandelten sich unerwartet in knüppelnde Polizisten, die dann die Streikbrecher und Spekulanten in Sicherheit brachten und schließlich die Träger der Armsessel waren, in denen sich, hoch über den Köpfen des Publikums, die Börsenhaie ihren Kampf lieferten.

* Manfred Wekwerth, Brecht-Theater in der Gegenwart. In: *Aktualisierung Brechts. Argument*-Sonderband 50. Berlin 1980. S. 107.

Nicht die Stückparabel war das treibende Moment der Aufführung, sondern einzelne Situationen, die die Zuschauer sofort in direkten Bezug zur Realität außerhalb des Theaters bringen konnten: die Krise der Stahl- und Kohleindustrie in der Ruhrregion, Streiks, die große Zahl der Arbeitslosen, das massive Polizeiaufgebot bei Studentendemonstrationen. Die heilige Johanna, wunderbar gespielt von Therese Affolter, wurde als eine idealistische linke Studentin gezeigt, ein zartes Mädchen, kräftig durch inneres Feuer und die Stärke ihrer Argumente.

Einen wesentlichen Teil der Wirkung erbrachte die Einbeziehung des Publikums, das ständig in die Rolle von Statisten versetzt und spürbar in das Geschehen verwickelt wurde. Die Aktivität der Zuschauer stand im krassen Gegensatz zu jenem »unbeweglichen« Teil der ausgebeuteten, korrumpierten Arbeiter im Stück, die auf übergroßen Stühlen am übergroßen Tisch als Fernsehkonsumenten gezeigt wurden. Der Regisseur Alfred Kirchner liebt solche auf den ersten Blick sprechende, auf die Gegenwart hinweisenden Bilder. Der Verweis auf die Allgegenwart der Medien war auch der zentrale Einfall seiner *Courage*-Inszenierung von 1981. Auf einem Bildschirm lief ein übliches Fernsehprogramm ab mit Atombombenexplosionen, Tierversuchen und Podiumsdiskussionen zum Thema Aufrüstung, bis jemand die Feststellung traf, daß wir uns bereits wieder in einer Vorkriegszeit befänden. Die äußere Handlung des von Kirchner stark gekürzten und bearbeiteten Stücks spielte in der Gegenwart, unmittelbar vorm Dritten Weltkrieg, und als ein Demonstrationsobjekt erschien dann wie ein Zitat die von Brecht im Dreißigjährigen Krieg angesiedelte Chronik. Kirchner ging es darum, die zu Beginn des Stücks vom Feldwebel vorgebrachte Brechtsche These zu illustrieren, daß erst der Krieg Ordnung schafft, und ohne Ordnung wiederum kein Krieg zu haben ist. (GW II, 1349) *Mutter Courage und ihre Kinder* wurde in einer Manege gespielt, mit einem Clown-Entertainer, der in der Maske des Todes alles wie den Ablauf eines Totentanzes arrangiert. Kirsten Dene als Courage war eine sehr junge Mutter, voller Energie, immer obenauf, eine Witwe Begbick aus dem Ruhrpott. Die obligate Lederumhängetasche hatte sie nicht mehr, die Händlerin war zur flotten Supermarktkassiererin befördert, der man an der Rampe auch eine Ladenkasse hatte hinstellen lassen. Am Ende war diese Courage immer noch so munter wie am Anfang, ungebrochen, unbelehrt und praktisch. Ehe sie ihre Tochter beerdigen ließ, zog sie ihr die Kleider aus und nahm den Schmuck an sich. Sie trat dann eine

todesmutige Flucht nach vorn an: ihren Wagen zog sie nicht, sie trat ihn, stieß ihn vor sich her und schrie noch einmal mit verzweifeltem Mut ihr Lied ins Publikum.
Die stumme Kattrin, in deutlicher Opposition zur Mutter, hielt sich immer die Ohren zu, wenn Dinge geredet wurden, die ihr nicht paßten, setzte sich an ein Schlagzeug, um die Schlafenden der Stadt Halle zu wecken, sie erzeugte einen höllischen Lärm, aber Notsirenen heulten auf, ein Bundeswehr-Jagdbomber (Fiat G 19) rollte heran, Kattrin sprang in Panik auf die Maschine, schlug auf das Metall und wurde, während John Lennons »Imagine« eingeblendet wurde, brutal erschossen. Ihr Trommeln konnte niemand hören. Diese Bochumer *Courage* war eine wirkungsvolle, emotional aufgeheizte Inszenierung, in der alle Moden und Stile zitiert und viel Entertainment aufgeboten wurden, in der man letztlich von den Mitteln überrannt wurde, gegen die man zugleich Amok lief.
Kirchners Inszenierungen erwiesen sich als die aktuelle Variante der Methode Erwin Piscators, der in seinen berühmten Aufführungen Zeitgeschehen dokumentierte, und in dieses Geschehen das zu spielende Stück (meistens nur Fragmente davon) hineinstellte. Brecht lehnte es im Gegensatz zu Piscator eher ab, ein Drama offen zu halten für die Strömungen des Augenblicks, er brauchte Distanz, er suchte Parabeln, Umschreibungen, Übersetzungen; nicht Aktualisierung strebte er an, sondern Historisierung.
Auch Jürgen Flimm bevorzugt Aktualisierungen; er inszeniert ein Stück weniger aus der Zeit heraus, in der es entstanden ist, sondern verlegt es lieber in eine für den Zuschauer vertrautere Jetztzeit. Er verändert aber nicht den Text eines Stücks, sondern nur die äußeren Situationen, das »Klima«. Über die Methode kann man grundsätzlich streiten, nicht bestreitbar ist aber, daß ihm im Fall seiner Adaption des *Baal* in Köln eine spannende Aufführung geglückt ist, in der die Übersetzungen in die Gegenwart gestimmt und funktioniert haben. Für jüngere Menschen von heute scheint die egoistische Baal-Gestalt eine mögliche Identifikationsfigur zu sein, auch wenn sie sich verschlossener, nüchterner und weniger vital ausdrücken. In dem Outcast sehen sie ihren Protest verkörpert gegen die Unfähigkeit einer saturierten, aber völlig neurotischen Gesellschaft, Glück zu gewähren. Da hetzt sich einer unweigerlich zu Tode, aber trotzdem läßt er bis zu seinem Tod nicht davon ab, nach den Sternen zu greifen.
Flimms Inszenierung siedelte das Stück nicht mehr in Augsburg an, sondern in einer modernen Großstadt, in der die Zeit des Schwim-

mens und Kletterns auf Bäume unweigerlich vorbei ist. Baal gehörte zur heutigen Aussteigergeneration, er lehnte sich weniger auf gegen seine Umwelt, sie kotzte ihn nur an, er pfiff eben darauf, die Chance, die ihm die Gesellschaft ja auch gar nicht geben wird, zu nutzen. Zu Beginn sah dieser von Hans-Christian Rudolph gespielte Baal dem Augsburger Brecht täuschend ähnlich, er trug eine Nickelbrille, war voller Geltungssucht, führte sich schroff und wehleidig auf und verwandelte sich dann langsam in den modernen Aussteigerstudenten, wurde schließlich zum Stadtstreicher mit Cassettenrecorder, der mit seinem Tippelbruder Ekart einen Joint in irgendeiner U-Bahn-Betonebene raucht. Dieser Baal zerstörte bewußt sein Leben, er vernichtete seine Gedichte und wies alle gutgemeinten Ratschläge ab. Am Ende erbrach er seine letzten lyrischen Ergüsse.
Die Bühne war zu Beginn ein niedriger, tief in Rot ausgeschlagener Kasten, der als Baals Dachkammer, Café und Kneipe benutzt wurde. Rechts stand eine riesige Kabeltrommel, und als Holzfäller traten am Schluß Bauarbeiter mit Plastikschutzhelmen auf. Als Baal in die Wälder aufbrach, öffnete sich die Rückwand des Kastens, nicht Natur kam ins Bild, sondern die betonierte Treppe einer unterirdischen Fußgängerzone.
In einem Rundfunkgespräch erläuterte Flimm, was ihn am *Baal* interessierte: »Wie sich jemand sämtlichen sozialen Bindungen entzieht, losgeht, aussteigt, wegläuft, der Sozialität sozusagen wegläuft, dann ganz klein wieder anfängt, Annäherungen an eine Person versucht, an Ekart, dann auch dabei scheitert und schließlich mit dem Wunsch, seiner großen Subjektivität nachzuleben, wie eine Ratte in seiner Ecke verkommt.«* Seine Inszenierung vermittelte einerseits das Lebensgefühl auf Kurzzeit jener Generation, zu deren Kultfiguren ein Popstar wie David Bowie zählt, der übrigens in einer englischen Fernsehproduktion den Baal als vergammelten Playboy-Studenten und Kneipensänger (im Münchner Vorstadt-Milieu vor dem Ersten Weltkrieg) gespielt hat, und in dessen Liedern sich die Selbststilisierungen heutiger Rebellen gegen die Gesellschaft spiegeln. Ihnen wichtig sind bloße Gesten der Gewalt, die man für sich selber vollzieht, denn sie sehen keinen Sinn darin, einen Kampf zu führen, es gibt keine erreichbaren Ziele, es zählt nur der Augenblick, mit dem man der Leere entgeht, nur für die eigene Person ist es wichtig, sich einen Tag mal als Held zu fühlen:

* *Theater heute*, Heft 4, 1981.

»Though nothing will/Drive them away/ We can beat them/Just for one day/We can be heroes/Just for one day.«*
Andererseits zeigte Flimms Inszenierung doch auch leise Trauer, ließ den Zuschauer die Sehnsucht nach Landschaft (von der Brechts Baal seine Kraft und verschwenderische Lebenslust nimmt) fühlen und nach dem heißen Herzen dessen, der mit stumpfer Kälte sich davonmacht. Der im »Dickicht« der Großstadt sterbende Baal erinnerte an Klaus Michael Grübers gerade im Nachhinein so eindrückliche Inszenierung von *Im Dickicht der Städte* (1973 in Frankfurt), in der der Kampf zwischen Shlink und Garga gar nicht mehr stattfand, sondern nur noch als »memory« umherspukte, in der das Meer ausgelatschter Schuhe, in dem die Menschen herumstaksten, alle Kraft verzehrte und Lähmung verbreitete. Der Alptraum und der Sehnsuchtstraum eines Stücks. Erinnerungsbild und eine Salve Zukunft.

* David Bowie, *Heroes.* RCA Records 1982.

II. ZEITTAFEL

Die Angaben der Zeittafel folgen im wesentlichen der *Brecht-Chronik* des Verfassers. Die Werkgeschichte ist nur für die Dramen vollständig verzeichnet: Angaben zur Lyrik, zu den Romanen, Erzählungen und theoretischen Schriften sind nur ausnahmsweise aufgenommen – hier ist auf die Brecht-Kommentare zur Lyrik und zur erzählenden Prosa zu verweisen.

1898 10. Februar: Eugen Berthold Brecht in Augsburg geboren als Sohn des kaufmännischen Angestellten Berthold Friedrich Brecht und seiner Frau Sofie, geborene Brezing. Der Vater lebte seit 1893 in Augsburg und arbeitete bei der Haindlschen Papierfabrik. 1900 avancierte er zum Prokuristen, später zum kaufmännischen Direktor der Firma.
20. März: Taufe Eugen Bertholds in der evangelischen Barfüßerkirche.

1904–08 Besuch der Volksschule bei den Barfüßern in Augsburg.

1908 September: Eintritt in die Klasse Ia des Augsburger Königlichen Bayrischen Realgymnasiums.

1911 September: Brecht und Caspar Neher sind jetzt Klassenkameraden.

1913 Unter dem Namen Berthold Eugen schreibt Brecht mehrere Beiträge für die Schülerzeitschrift *Die Ernte.*

1914 Im Januar erscheint in der *Ernte* sein erstes Drama *Die Bibel.* Ab August erscheinen patriotische Gedichte und Aufsätze des Berthold Eugen im »Erzähler«, der literarischen Beilage der *Augsburger Neuesten Nachrichten.*

1915 Weitere Auftragsgedichte Brechts, die den Geist der Zeit spiegeln, sowie erste Verse und Überlegungen, die eine eher ablehnende Haltung des Schülers zum Krieg bekunden.

1916 Brecht schreibt ein Oratorium. – Im »Erzähler« erscheint »Das Lied von der Eisenbahntruppe von Fort Donald«, die erste mit Bert Brecht gezeichnete Publikation.

1917 Notabitur zwei Wochen vor Ostern. – Als Kriegsdiensthelfer muß der Abiturient einige Zeit in einer Schreibstube arbeiten und dann in einer Gärtnerei. – Das Stück *Sommersinfonie* entsteht, zu dem Neher zahlreiche Figurinen zeichnet. – Liebesabenteuer Brechts mit Rosa Marie Aman, Paula Banholzer

(Bie) und Sophie Renner. – In dem Gedicht »Von den Sündern in der Hölle« gedenkt er der Rosa Marie und seiner Freunde Müllereistert (Otto Müller), Cas (Caspar Neher) und Orge (Georg Pfanzelt). – Im Spätsommer hat Brecht eine Hauslehrerstelle in einer Villa am Tegernsee. – 2. Oktober: Immatrikulation an der Ludwig-Maximilians-Universität in München. Er besucht nur in den ersten Wochen die Vorlesungen regelmäßig, er hat zwar ein Zimmer in München gemietet, sein ständiger Wohnsitz aber bleibt der Augsburger »Zwinger«, seine Dachkammer in der Bleichstraße im Elternhaus.

1918 9. März: Tod Frank Wedekinds. Brecht, der den Dramatiker schätzte und besonders von seinem Vortragsstil beeindruckt war, veranstaltet in Augsburg eine Totenfeier und fährt am 12. März zum Begräbnis nach München.

Ende März: Brecht will ein Stück über François Villon schreiben. Nach dem Besuch der Aufführung von Johsts Grabbe-Drama *Der Einsame* in den Münchner Kammerspielen entsteht *Baal* als Gegenentwurf zu diesem Stück. Am 1. Mai ist »die halbe Komödie *Baal*« schon fertig, Mitte Juni liegt die erste Fassung des Stücks vor.

1. Oktober: Brechts Militärzeit beginnt, zunächst strenge Kasernierung, dann Sanitätssoldat in einem Augsburger Reservelazarett, in dem Seuchen und Geschlechtskrankheiten behandelt werden.

November: Als Lazarettrat gehört Brecht wahrscheinlich dem Augsburger Arbeiter- und Soldatenrat an. Er schreibt die »Legende vom toten Soldaten«.

1919 Januar: Besuch von Wahlversammlungen in München und Augsburg. Kontakt mit Mitgliedern der USPD. – Das Stück *Spartakus* entsteht, die erste Fassung von *Trommeln in der Nacht*.

März: Beginn der Freundschaft mit Lion Feuchtwanger, der von *Spartakus* begeistert ist. Die Gespräche und die Versprechungen des berühmten Schriftstellers, seine Stücke bei Verlagen und Theatern unterzubringen, veranlassen Brecht sofort zur Überarbeitung von *Baal* und *Spartakus*.

Frühjahr: Die produktivste Zeit für Brecht. Er und sein »Anhang« treffen sich meistens in Gablers Taverne oder im »Karpfen« in Augsburg. Nächtliche Streifzüge mit Gitarre und Lampions.

30. Juli: Geburt des Sohns von Paula Banholzer und Brecht, der den Namen Frank erhält.
September: Brecht konzipiert den Einakter *Die Hochzeit*. – Die Sängerin Marianne Zoff, in die sich Brecht dann verliebt, erhält ein Engagement an das Augsburger Stadttheater.
1919 schreibt Brecht insgesamt fünf Einakter, in erster Linie als Huldigung für und angeregt durch Karl Valentin, in dessen »Oktoberfestbude« er als »Klarinettist« gelegentlich auftritt. Neben der Umarbeitung des *Baal* sind *David* und *Sommersinfonie* die wichtigsten großen Stückprojekte. – Seit Oktober veröffentlicht Brecht im *Volkswillen*, der Tageszeitung der USPD für Schwaben und Neuburg, die Wendelin Thomas herausgibt, Theaterkritiken.

1920 Erneute Umarbeitung des *Baal* im Hinblick auf die geplante Buchausgabe im Georg Müller-Verlag.
21. Februar: Erste Reise nach Berlin. Im Zug entsteht das Gedicht »Erinnerung an die Marie A.«. Vorzeitige Rückkehr, da der Kapp-Putsch ausbricht.
Sommer: Arbeit am *Galgei*, die Vision von einem »Fleischklotz, der maßlos wuchert«.
27. November: Brecht entgegnet auf einen Protestbrief der Mitglieder des Augsburger Stadttheaters, der ihm nichts anderes als den unberirrbaren Willen zu dokumentieren scheint, »bei den ungenügenden Leistungen des Theaters zu beharren«.
Dezember: Der Verlag Georg Müller weigert sich, *Baal*, der im Umbruch vorliegt, auszudrucken, aus Angst vor einem Gerichtsverfahren.

1921 Mitte Februar: Brecht mit Neher und Hanns Otto Münsterer zur Gerichtsverhandlung gegen Georg Kaiser in München.
Frühjahr: Brecht pendelt nach wie vor zwischen Augsburg und München. Die Universität besucht er inzwischen kaum mehr. Da er offenbar vergißt, überhaupt zu belegen, wird ihm das Sommersemester gestrichen. Mit Datum 29. 11. 21 wird ihm die Exmatrikulationsurkunde zugestellt. – Filmprojekte mit Neher.
11. September: Kipling-Lektüre löst bei Brecht die Entdekkung aus, »daß eigentlich noch kein Mensch die große Stadt als Dschungel beschrieben hat«. Die Notiz deutet an, daß Brecht sich mit dem Thema des Stücks *Garga* zu beschäftigen

beginnt, an dem er in den folgenden Wochen intensiv arbeitet.

November: Brecht nach Berlin, um Verträge mit Verlagen und Theatern abzuschließen. Hermann Kasack möchte Brecht bei Kiepenheuer unterbringen, Klabund will Vereinbarungen mit dem Erich Reiß Verlag vermitteln.

Dezember: Arbeit an *Garga*. Bei Otto Zarek kommt es zur ersten Begegnung von Brecht und Arnolt Bronnen. Karl Kraus nennt das merkwürdige Gespann, das die Berliner Theater gemeinsam erobern will und für Schlagzeilen in den Zeitungen sorgt, die beiden »Fasolte« der Literatur. Marianne Zoff, mit der Brecht seit einiger Zeit zusammenlebt, bewacht eifersüchtig die enge Freundschaft. – Für Tilla Durieux will Brecht ein Stück *Die Päpstin Johanna* schreiben.

1922 Februar/März/April: Das Stück *Garga*, das später den Titel *Im Dickicht* erhält, ist soweit abgeschlossen, daß in Augsburg eine erste Abschrift des Manuskripts durch Sekretärinnen der Firma Haindl hergestellt werden kann. – Erstes Zusammentreffen mit dem Theaterkritiker Herbert Ihering. – In Moritz Seelers »Junger Bühne« inszeniert Brecht das Schauspiel *Vatermord* von Arnolt Bronnen. Nach heftigen Auseinandersetzungen mit den Schauspielern legt er die Regie nieder, die dann Berthold Viertel übernimmt.

26. April: Nach fünfmonatigem Aufenthalt in Berlin zurück nach München. Im Zug schreibt Brecht das Gedicht »Vom armen B. B.«.

Mitte Mai: Brecht schickt aus Augsburg an Bronnen in Berlin die ausgearbeitete Fabel zu dem gemeinsam entworfenen Filmdrehbuch *Robinsonade auf Assuncion*, die als Beitrag zu einem Wettbewerb der Zeitschrift *Tagebuch* und des Filmproduzenten Richard Oswald eingereicht wird. Die beiden Autoren gewinnen den ersten Preis.

Juni/Juli: Brecht und Bronnen in München zusammen. – Vereinbarungen über Aufführungen seiner Stücke mit den Kammerspielen und dem Residenz-Theater. – Umarbeitung von *Trommeln in der Nacht*.

29. September: Uraufführung von *Trommeln in der Nacht* in den Münchner Kammerspielen. – Am folgenden Tag arrangiert Brecht in den Kammerspielen ein Mitternachtstheater, »Die rote Zibebe«, ein Abend mit Liedern und Gedichten von Brecht und Klabund sowie Szenen von und mit Karl Valentin.

Anfang Oktober: Verhandlungen Brechts in Berlin mit dem Deutschen Theater über *Baal* und *Hannibal.* – Der Kiepenheuer-Verlag hat in einer Auflage von 800 Stück *Baal* herausgebracht.
Mitte Oktober: In Augsburg arbeitet Brecht an *Hannibal.* – Dramaturgenvertrag mit den Münchner Kammerspielen.
3. November: Heirat von Brecht und Marianne Zoff.
Ende November: Brecht wird in Berlin der von Herbert Ihering verliehene Kleist-Preis übergeben. – Der Kiepenheuer-Verlag druckt eine zweite Ausgabe von *Baal* in höherer Auflage.
20. Dezember: Premiere von *Trommeln in der Nacht* im Deutschen Theater in Berlin. Wie schon in München führte Otto Falckenberg Regie. Nach der Aufführung fährt Brecht sofort nach München zurück.

1923 Anfang des Jahres erscheint die Buchausgabe von *Trommeln in der Nacht* im Drei Masken Verlag, »der Bie Banholzer« gewidmet.
Brecht arbeitet an dem Stück *Im Dickicht* und plant mit Lion Feuchtwanger eine Bearbeitung von Marlowes *Leben Eduards des Zweiten von England.* – Mitarbeit an »kleinen Filmchen« mit Erich Engel, Karl Valentin, Blandine Ebinger, Hans Leibelt und Erwin Faber.
12. März: Geburt von Hanne, der Tochter Brechts und Marianne Zoffs.
9. Mai: Uraufführung von *Im Dickicht* im Residenz-Theater, inszeniert von Erich Engel. – Bei Feuchtwanger lernt Brecht die junge Schriftstellerin Marieluise Fleißer kennen.
Sommer: Arbeit an einer Dramatisierung des Lagerlöfschen Romans *Gösta Berling* und am *Eduard.*
August: In Berlin. Für das Unternehmen von Jo Lherman und Emil Szittya, »Das Theater«, bearbeitet Brecht das Schauspiel *Pastor Ephraim Magnus* von Hans Henny Jahnn, das Arnolt Bronnen inszeniert. – Bronnen vermittelt die erste Begegnung Brechts mit der Schauspielerin Helene Weigel.
Herbst: Vorbereitung der *Eduard*-Inszenierung an den Münchner Kammerspielen. – Beginn der Freundschaft mit Bernhard Reich und dessen Frau Asja Lazis, die Brecht genaue und kenntnisreiche Informationen über das neue russische Theater und Sowjetrußland gibt. – Bei der Schauspielerin Maria Koppenhöfer lernt Brecht Carl Zuckmayer kennen.

8. Dezember: Uraufführung des *Baal* im Alten Theater Leipzig.

1924 Brecht inszeniert *Leben Eduards des Zweiten von England.* Die Uraufführung findet am 18. März statt.
Frühjahr: Brecht mit Marianne Zoff in Capri, später in Positano bei Caspar Neher.
Juli/August: In Augsburg arbeitet Brecht am *Galgei.*
Anfang September: Endgültige Übersiedlung Brechts nach Berlin. Für eine Spielzeit wird er (neben Zuckmayer) dramaturgischer Mitarbeiter des Deutschen Theaters.
3. November: Geburt von Stefan, dem Sohn Brechts und Helene Weigels.
November: Brecht lernt Elisabeth Hauptmann kennen, die seine ständige Mitarbeiterin wird.
Ende 1924: Fortsetzung der Arbeit an *Galgei.* Das Stück hat nun eine neue Konzeption und erhält den Titel *Mann ist Mann.* Zum Mitarbeiterstab gehören Elisabeth Hauptmann, Emil Burri, Caspar Neher und Bernhard Reich.
Im Kiepenheuer-Verlag erscheint *Leben Eduards des Zweiten von England.*

1925 Februar/März: Brecht bearbeitet *Die Kameliendame* von Dumas in der Übersetzung Ferdinand Bruckners, die Bernhard Reich mit Elisabeth Bergner inszeniert.
Sommer: Brecht in Augsburg und kurze Zeit in Baden bei Wien, zu Besuch bei Marianne Zoff und seiner Tochter Hanne. – Im *Berliner Börsencourier* erscheint am 25. Juli Brechts »Ovation für Shaw«.
Herbst: Fertigstellung des Lustspiels *Mann ist Mann* in Berlin.
Dezember: Plan eines Stücks *Karl der Kühne* und mit Emil Burri skizziert er ein Stück über *Dan Drew,* den Erbauer der Erie-Bahn.

1926 Januar: Arbeit an *Dan Drew.* – Umarbeitung des *Baal* mit Elisabeth Hauptmann zu einer dramatischen Biographie für eine Aufführung bei der »Jungen Bühne«, die Brecht selbst inszeniert. – In *Scherls Magazin* erscheint Brechts Novelle »Der Kinnhaken« und in Fortsetzungen »Der Lebenslauf des Boxers Samson-Körner«, mit dem Brecht befreundet ist.
14. Februar: Premiere vom *Lebenslauf des Mannes Baal.*
März: Brecht, Bronnen und Alfred Döblin fahren zu einer gemeinsamen Dichterlesung nach Dresden, die aber nur im

Schatten einer großen Huldigung für Franz Werfel stattfindet. Die unzulängliche Ehrung der drei »Götter« veranlaßt Brecht zu dem Gedicht »Matinee in Dresden«.
Anfang Juni: Mit Caspar Neher in Paris.
Juni/Juli: Sammeln von Material für *Joe Fleischhacker*, ein Stück, das Vorgänge an der New Yorker Weizenbörse behandeln soll. Brecht fängt an, Bücher über Nationalökonomie zu lesen. Elisabeth Hauptmann befragt Börsenspezialisten in Breslau und Wien. Die bisherige Form des Dramas genügt Brecht nicht mehr, er entwickelt sein »episches Theater«, um Prozesse wie etwa die Verteilung des Weltweizens auf der Bühne darstellen zu können.
August: Brecht in Augsburg. – Er setzt sich polemisch mit Zeitschriftsbeiträgen von Thomas Mann und Klaus Mann auseinander.
25. September: Uraufführung von *Mann ist Mann* in Darmstadt. Kurz nach der Aufführung schreibt Brecht an Elisabeth Hauptmann in Berlin: »Ich stecke acht Schuh tief im ›Kapital‹. Ich muß das jetzt genau wissen ...«
11. Dezember: Uraufführung des Einakters *Die Hochzeit* am Frankfurter Schauspielhaus. Auf Anregung Brechts wird der Einakter auf einer Bühne gespielt, die als Boxring hergerichtet ist.
Im Verlag Kiepenheuer erscheint als Privatdruck in kleiner Auflage die *Taschenpostille*.

1927 Mai: Die Bekanntschaft mit dem Soziologen Fritz Sternberg führt zu einer Vertiefung der marxistischen Studien Brechts.
Juli: Brecht in Baden-Baden zur Einstudierung des Songspiels *Mahagonny* von Kurt Weill, zu dem er die Texte geschrieben hat.
Ende Juli/August: Brecht in Augsburg. Arbeit am *Fatzer*.
2. November: Scheidung von Marianne Zoff.
Dezember: Brecht bearbeitet mit Piscator, Felix Gasbarra und Leo Lania die Dramatisierung des Romans *Die Abenteuer des braven Soldaten Schweyk*.
Im Propyläen Verlag erscheinen 1927 *Bert Brechts Hauspostille, Im Dickicht der Städte* und *Mann ist Mann*.

1928 Frühjahr: Dramaturgische Mitarbeit an dem Stück *Konjunktur* von Leo Lania für die Piscator-Bühne. – Auf Grund der

Vorarbeiten von Elisabeth Hauptmann beginnt Brecht mit der Bearbeitung der *Beggar's Opera* von John Gay.
Mitte Mai/Juni: Brecht, Helene Weigel, Kurt Weill und Lotte Lenya in Le Lavandou in Südfrankreich.
August: Proben zur *Dreigroschenoper* im Theater am Schiffbauerdamm. Regie führt Erich Engel unter Mitarbeit von Brecht, Caspar Neher und Kurt Weill. Uraufführung am 31. August.
September/Oktober: Brecht in Augsburg und Kochel am See. Arbeit am *Fatzer*.
Winter: Das Songspiel *Mahagonny* wird zur Oper ausgebaut.

1929 März/April: Mit Jakob Geis inszeniert Brecht das zweite Stück von Marieluise Fleißer, *Pioniere in Ingolstadt*, im Theater am Schiffbauerdamm.
10. April: Brecht heiratet Helene Weigel.
Mai: Durch Asja Lacis lernt Brecht Walter Benjamin kennen.
Frühjahr: Arbeit mit Elisabeth Hauptmann, Emil Burri, Slatan Dudow und Kurt Weill an Lehrstücken und an *Happy End*.
Juli: Im Rahmen der Baden-Badener Musikfestwochen werden unter Brechts Regie *Der Flug der Lindberghs* und *Das Badener Lehrstück vom Einverständnis* uraufgeführt. Musiken von Kurt Weill und Paul Hindemith.
31. August: Uraufführung von *Happy End* im Theater am Schiffbauerdamm.
Herbst: In Augsburg. Brecht möchte die Arbeit an den Stükken *Fatzer, Aus Nichts wird Nichts, Dan Drew* und *Joe Fleischhacker* voranbringen.

1930 9. März: Uraufführung der Oper *Aufstieg und Fall der Stadt Mahagonny* in Leipzig.
Frühjahr: Brecht, Hanns Eisler und Slatan Dudow arbeiten an dem Lehrstück *Die Maßnahme*.
Mai/Juni: Mit Elisabeth Hauptmann und Emil Burri in Le Lavandou in Südfrankreich.
August: Brecht liefert »Die Beule« ab, das Drehbuch zu einem *Dreigroschenoper*-Film. Die neue Sicht, in der er den Stoff präsentiert, wird abgelehnt, die Gesellschaft besteht aber auf ihren Rechten und läßt G. W. Pabst mit den Dreharbeiten auf der Grundlage eines eigenen Drehbuchs beginnen. Es kommt zum »Dreigroschenprozeß«.

Herbst: Wegen der mißverständlichen Aufnahme seines Lehrstücks *Der Jasager* schreibt Brecht eine Neufassung und ordnet ihr ein weiteres Stück, *Der Neinsager,* zu.
18. Oktober: Geburt von Barbara, der Tochter von Brecht und Helene Weigel.
10. Dezember: Uraufführung der *Maßnahme* am Großen Schauspielhaus Berlin.
1930: Arbeit an *Die heilige Johanna der Schlachthöfe* und *Die Ausnahme und die Regel.* Im Kiepenheuer-Verlag erscheinen die beiden ersten Hefte der *Versuche.* Lektor ist dort Peter Suhrkamp, der mit Brecht die Anmerkungen zur Oper *Mahagonny* schreibt.

1931 Januar: Brecht überarbeitet und inszeniert *Mann ist Mann* mit Peter Lorre im Berliner Staatstheater.
Mitte Mai – Mitte Juni: Brecht mit Elisabeth Hauptmann und Emil Burri in Le Lavandou, wo auch Kurt Weill, Lotte Lenya, Bernard von Brentano und Walter Benjamin ihren Urlaub verbringen.
August: Brecht, Ernst Ottwalt und Slatan Dudow beenden das Drehbuch zu dem Film »Kuhle Wampe«.
Herbst: Brecht schreibt unter Mitarbeit von Slatan Dudow, Hanns Eisler und Günther Weisenborn *Die Mutter* nach dem Roman Maxim Gorkis.
Dezember: Brecht inszeniert mit Neher die Oper *Aufstieg und Fall der Stadt Mahagonny* als Aufricht-Produktion im Theater am Kurfürstendamm. Gleichzeitig beginnen auch die Proben zur *Mutter,* die von Emil Burri geleitet werden.
1931 Fertigstellung des Stücks *Die heilige Johanna der Schlachthöfe* unter Mitarbeit von Elisabeth Hauptmann, Emil Burri und Hans Hermann Borchardt. – Im Kiepenheuer-Verlag erscheinen Heft 3 und 4 der *Versuche.*

1932 17. Januar: Uraufführung der *Mutter* im Komödienhaus am Schiffbauerdamm. – Beginn der Freundschaft Brechts mit Margarete Steffin, die die Rolle des Dienstmädchens in der »Mutter« spielt.
11. April: Rundfunksendung der *Heiligen Johanna der Schlachthöfe* mit Carola Neher, für die Brecht die Rolle geschrieben hat.
Mitte Mai: Brecht reist zur sowjetischen Premiere des Films »Kuhle Wampe« nach Moskau.
Ende Juli/August: Brecht mit der Familie nach Unterschon-

dorf am Ammersee. – Er erwirbt ein Landhaus in Utting.

November 32 – Februar 33: Brecht und Alfred Döblin gehören zu den regelmäßigen Hörern der Vorlesungen über »Lebendiges und Totes im Marxismus« von Karl Korsch in der Neuköllner Karl-Marx-Schule. In Ergänzung zu den Vorlesungen treffen sich in Brechts Wohnung Brecht, Karl Korsch, Döblin, Bernard von Brentano, Slatan Dudow, Paul Partos, Heinz Langerhans, Elisabeth Hauptmann und Hanna Kosterlitz zu einer Arbeitsgemeinschaft, deren Thema die materialistische Dialektik ist.

1932 wird das Lustspiel *Die Spitzköpfe und die Rundköpfe*, entstanden aus einer von Ludwig Berger angeregten Bearbeitung von Shakespeares *Maß für Maß* fertiggestellt. – Im Kiepenheuer-Verlag erscheinen Heft 5, 6 und 7 der *Versuche*.

1933 Am Tag nach dem Reichstagsbrand verläßt Brecht mit Helene Weigel und seinem Sohn Stefan Berlin und fährt nach Prag. Über Wien kommt er nach Zürich. Kurt Kläber, der ebenfalls emigrierte Herausgeber der *Linkskurve*, und seine Frau Lisa Tetzner laden Brecht ein, vorläufig in ihrem Haus in Carona am Luganer See zu wohnen.

Mai: Brecht reist nach Paris und schreibt hier mit Kurt Weill das Ballett *Die 7 Todsünden der Kleinbürger*, das am 7. Juni aufgeführt wird.

20. oder 21. Juni: Brecht reist von Paris in das dänische Städtchen Thurö, wo bereits seine Familie, einer Einladung der Schriftstellerin Karin Michaelis folgend, eingetroffen ist.

9. August: Brecht kauft ein Haus in Skovsbostrand bei Svendborg auf der Insel Fünen.

September: Brecht in Paris. Margarete Steffin bereitet hier den Druck der Sammlung *Lieder Gedichte Chöre* in dem von Willi Münzenberg gegründeten Verlag Editions du Carrefour vor.

Dezember: Das Haus in Skovsbostrand wird bezogen. – Ruth Berlau, eine Schauspielerin am Königlichen Theater in Kopenhagen, die mit Laiengruppen arbeitet, macht Brecht mit dänischen Theaterleuten bekannt.

1934 *Der Dreigroschenroman* entsteht und das Lehrstück *Die Horatier und die Kuriatier* unter Mitarbeit von Margarete Steffin.

März: Hanns Eisler in Skovsbostrand. Brecht arbeitet mit

ihm und Margarete Steffin *Die Spitzköpfe und die Rundköpfe* noch einmal um.
Ende Juni: Walter Benjamin trifft in Skovsbostrand ein und bleibt den ganzen Sommer über hier.
Oktober–Dezember: Brecht in London. Trifft viel mit Karl Korsch zusammen und arbeitet mit Eisler an Liedern.
1934 erscheinen die Gedichtsammlung *Lieder Gedichte Chöre* bei Editions du Carrefour in Paris und *Der Dreigroschenroman* bei Allert de Lange in Amsterdam.

1935 Frühjahr: Reise nach Moskau. Dort erscheint, in der Übersetzung Tretjakows, ein Band mit fünf Stücken Brechts unter dem Titel *Das epische Theater*. Brecht spricht über den Moskauer Sender und führt Gespräche über antifaschistische Aktionen, Zeitschriftenpläne, Filme und das Projekt eines deutschsprachigen Theaters in der Sowjetunion, das in Engels unter der Leitung Piscators aufgebaut werden soll. – Stark beeindruckt Brecht der Auftritt des chinesischen Schauspielers Mei-lan-Fan.
8. Juni: Brecht wird von den Nazis die deutsche Staatsbürgerschaft aberkannt.
21.–25. Juni: Brecht in Paris zum Internationalen Schriftstellerkongreß für die Verteidigung der Kultur, wo er seine Rede »Eine notwendige Feststellung zum Kampf gegen die Barbarei« hält.
7. Oktober: Brecht fährt von Kopenhagen, wo er an den Proben zu Ruth Berlaus »Mutter«-Inszenierung teilgenommen hat, mit dem Schiff nach New York.
Bis Ende des Jahres in New York. Am 19. November Premiere der *Mutter* durch die Theatre Union im Civic Repertory Theatre. – Meistens mit Eisler zusammen, trifft auch Kurt Weill, George Grosz, und für einige Tage kommt Elisabeth Hauptmann, die in San Louis lebt.

1936 Ende Januar kommt Brecht zurück nach Skovsbostrand und findet Karl Korsch vor, der fast das ganze Jahr über bleibt.
April–Juli: Brecht in London. Fritz Kortner hat ihm einen Vertrag als Drehbuchmitarbeiter bei einem »Bajazzo«-Film mit Richard Tauber vermittelt. – In Moskau erscheint die erste Nummer der Zeitschrift *Das Wort*, für die Brecht, Willi Bredel und Lion Feuchtwanger als Herausgeber zeichnen.
August: Walter Benjamin trifft wieder zu einem längeren Sommeraufenthalt in Skovsbostrand ein.

4. November: Uraufführung von *Die Rundköpfe und die Spitzköpfe* in dänischer Sprache in Kopenhagen.

1937 Brecht schreibt weitere Texte in chinesischem Stil für das seit 1934 geplante und durch die Gespräche mit Korsch wieder in Gang gekommene »Büchlein mit Verhaltungslehren«, das er *Buch der Wendungen* nennen will.

24. März: Erste Fassung des Spanienstücks *Generäle über Bilbao* abgeschlossen, das später den Titel *Die Gewehre der Frau Carrar* erhält.

September: Brecht in Paris. Er nimmt an den Proben zur französischen Neueinstudierung der *Dreigroschenoper* mit Yvette Guilbert als Frau Peachum teil. Premiere am 28. September.

Oktober: Anfang des Monats besucht Brecht seinen Freund Feuchtwanger in Sanary-sur-Mer. – Am 16. Oktober Uraufführung der *Gewehre der Frau Carrar* mit Helene Weigel in Paris. Regie: Slatan Dudow.

Herbst: Zurück in Skovsbostrand schreibt Brecht weitere kleine Stücke über Deutschland, die er später zur Szenenfolge *Furcht und Elend des Dritten Reiches* zusammenfaßt. – Plan eines Stücks über Cäsar. – Im November schreibt Brecht die »Rede über die Widerstandskraft der Vernunft«.

1938 Anfang des Jahres: Die Arbeit am Cäsarstück stockt. Brecht beschließt, den Stoff als Roman zu behandeln.

März: Band I und II der *Gesammelten Werke* im Malik-Verlag, die in Prag gedruckt worden sind, erscheinen.

Mai: Brecht in Paris zur Einstudierung einiger Szenen aus *Furcht und Elend des Dritten Reiches* mit Helene Weigel und weiteren emigrierten deutschen Schauspielern.

Juni-Oktober: Walter Benjamin in Skovsbostrand. – Der Essay »Die Straßenszene« entsteht, Arbeit an einem Band *Gedichte im Exil* und am Cäsarroman. Brecht setzt sich mit der Realismusauffassung von Lukács auseinander und verfolgt die sogenannte »Expressionismusdebatte«, die im *Wort* veranstaltet wird.

23. November: Das Stück *Leben des Galilei* fertig, das Brecht in drei Wochen niedergeschrieben hat.

1939 12. Februar: Brecht und Margarete Steffin beenden die Arbeit an der Übersetzung der *Erinnerungen* von Martin Andersen-Nexö. – Brecht schreibt jetzt »viel Theorie in Dialogform«, den *Messingkauf*.

März: Auf der Grundlage eines noch in Berlin entworfenen Stücks *Die Ware Liebe* beginnt Brecht mit *Der gute Mensch von Sezuan.*
23. April: Brecht verläßt Dänemark. – Ruth Berlau besorgt in Kopenhagen den Druck der *Svendborger Gedichte.*
4. Mai: Als Gast der Studentenbühne Stockholm hält Brecht den Vortrag »Über experimentelles Theater«. – Er und seine Familie wohnen im Haus der Bildhauerin Ninan Santesson auf dem vor Stockholm liegenden Inselchen Lidingö.
2. Juni: Die beiden Einakter *Dansen* und *Was kostet das Eisen?* sind fertig. Das zweite Stück wird ins Schwedische übersetzt und von einer Arbeitertruppe einstudiert. Regie: Ruth Berlau.
Sommer: Arbeit am *Guten Menschen von Sezuan.* – Diskussionen mit emigrierten Wissenschaftlern und schwedischen Schriftstellern.
27. September–3. November: Brecht schreibt *Mutter Courage und ihre Kinder.*
7. November: In wenigen Tagen hat Brecht mit Margarete Steffin für den Musiker Hilding Rosenberg einen Radiotext geschrieben, *Das Verhör des Lukullus.* Es kommt aber nicht zu der Vertonung, weil der Stockholmer Rundfunk, der eine Sendung zugesagt hat, von der Abmachung zurücktritt.

1940 Januar: Für den Unterricht, den Helene Weigel in der Schauspielschule Naima Wifstrands in Stockholm gibt, hat Brecht kleine Übungsstücke für Schauspieler geschrieben.
17. April: Nach dem Einmarsch der Nazitruppen in Dänemark und Norwegen verläßt Brecht mit seiner Familie und Margarete Steffin Schweden und fährt mit dem Schiff nach Helsinki.
Mai/Juni: Arbeit an *Der gute Mensch von Sezuan.* Am 20. Juni ist das Stück im großen und ganzen fertig.
Juli–Anfang Oktober: Brecht Gast der finnischen Schriftstellerin Hella Wuolijoki auf Gut Marlebäk. Hier entsteht das Stück *Herr Puntila und sein Knecht Matti.*
Oktober–Dezember: In Helsinki wartet Brecht auf amerikanische Einreisevisa. – Arbeit an den *Flüchtlingsgesprächen.*

1941 Januar: Umarbeitung des *Guten Menschen von Sezuan.*
10. März–12. April: Unter Mitarbeit von Margarete Steffin schreibt Brecht *Der aufhaltsame Aufstieg des Arturo Ui.*
Mitte Mai: Brecht verläßt Helsinki mit seiner Familie und

seinen Mitarbeiterinnen Ruth Berlau und Margarete Steffin. Der einzige, von Nazi-Soldaten noch nicht kontrollierte Fluchtweg führt über die Sowjetunion.
4. Juni: Im Transsibirienexpreß erreicht Brecht die Nachricht vom Tod Margarete Steffins, die in Moskau zusammengebrochen und in ein Krankenhaus eingeliefert worden war.
13. Juni: Abfahrt mit dem Schiff von Wladiwostock.
21. Juli: Ankunft in San Pedro, dem Hafen von Los Angeles. – Brecht läßt sich in Santa Monica nieder, einem Stadtteil von Hollywood, wo viele emigrierte Schriftsteller, Wissenschaftler, Filmleute und Komponisten Unterkunft gefunden haben. – Wiedersehen mit Alfred Döblin, Lion Feuchtwanger, Leonhard Frank, Alexander Granach, Fritz Kortner. Er lernt die Mitglieder des Frankfurter Instituts kennen.
20. November: Brecht erwägt eine Version von Heywoods »The Woman Killed with Kindness« für Elisabeth Bergner.
Dezember: Arbeit an Filmstories. Die ersten Szenen von *Die Gesichte der Simone Machard* entstehen.

1942 Frühjahr: Filmstories, Pläne mit William Dieterle, Elisabeth Bergner, Paul Czinner. – Diskussionen mit den »Frankfurtisten«.
Mai: Arbeit (auf Anregung Oskar Homolkas) an einem Stück *Leben des Philantropen Henri Dunant.*
Ende Mai: Brecht soll für Fritz Lang das Drehbuch zu einem Film über Heydrichs Ermordung in Prag schreiben. Diese Arbeit beschäftigt ihn in den nächsten Monaten, wobei er »die Enttäuschung und den Schrecken der geistigen Arbeiter« erfährt, »denen ihr Produkt weggerissen und verstümmelt wird«. Der Film, »Hangmen also die«, der schließlich gedreht wird, hat nicht mehr viel mit den Vorschlägen und dem Drehbuch von Brecht zu tun. Aber für das Honorar kann er sich ein zum Arbeiten angenehmes Haus mieten.
Herbst–Januar 43: Mit Feuchtwanger schreibt Brecht das Stück *Die Gesichte der Simone Machard.*

1943 Mitte Februar–Mitte Mai: Brecht in New York. Er wohnt bei Ruth Berlau, die im Office of War Information arbeitet. – Wiedersehen mit Karl Korsch, der für einige Tage aus Boston kommt. – Brecht verabredet mit Paul Dessau, den er bei einem Brecht-Abend im Studiotheater der New School of Social Research trifft, weitere Zusammenarbeit. – Kontakt mit dem Kreis von Autoren um Wieland Herzfelde, der die

Gründung eines neuen Verlags vorbereitet. – Für Elisabeth Bergner beginnt Brecht in Zusammenarbeit mit Hofmann R. Hays eine Bearbeitung von Websters *The Duchess of Malfi*.
Ende Mai/Anfang Juni: Fertigstellung der *Gesichte der Simone Machard.*
Juni: Brecht schreibt das Stück *Schweyk im Zweiten Weltkrieg,* das am Broadway produziert werden soll. Peter Lorre soll die Titelrolle spielen. Die von Brecht erhoffte Zusammenarbeit mit Kurt Weill kommt nicht zustande.
1. August: Bei Berthold Viertel treffen sich Brecht, Feuchtwanger, Heinrich und Thomas Mann, Bruno Frank, Hans Reichenbach und Ludwig Marcuse, um eine Erklärung zur Gründung des Nationalkomitees Freies Deutschland zu formulieren, die im Juli erfolgt ist.
Oktober: Brecht arbeitet mit Peter Lorre an einer Filmstory, um die nächsten Monate einigermaßen finanziell zu sichern.
13. November: Brechts Sohn Frank als deutscher Soldat bei Porchow in Rußland gefallen.
Mitte November 43–Mitte März 44: Brecht wieder in New York. – Fortsetzung der Arbeit an *The Duchess of Malfi.* – Beteiligung an den Aktivitäten des Organizing Committee zu einem »Council for a Democratic Germany«.

1944 Mitte März–5. Juni: Nach seiner Rückkehr nach Santa Monica beginnt Brecht sofort mit der Niederschrift des Stücks *Der kaukasische Kreidekreis.*
1. September: Brecht beendet eine weitere Fassung des *Kaukasischen Kreidekreises.*
November: Häufige Gespräche über die Möglichkeiten der Verwendung von Musik im epischen Theater mit Hanns Eisler und Paul Dessau.
Ab Anfang Dezember: Brecht arbeitet nun mit Charles Laughton systematisch an der englischen Übersetzung und Bühnenversion von *Leben des Galilei.*

1945 23. Januar: Plan einer Oper *Die Reisen des Glücksgotts,* die Paul Dessau vertonen will.
11. Februar: Brecht beginnt mit der Versifizierung des »Kommunistischen Manifests« in der Art des Lukrezischen Lehrgedichts.
Frühjahr: Mit Salka Viertel und Vladimir Pozner schreibt Brecht das Exposé zu einem Film »Silent Witness« und mit

Mordecai Gorelik arbeitet er an einem amerikanischen Stück *Der Essigschwamm.*
14. Mai: Wiederaufnahme der im Februar abgebrochenen Arbeit am *Galilei* mit Laughton.
Anfang Juni: Brecht nach New York, wo er in wenigen Tagen mit Berthold Viertel die amerikanische Fassung von *Furcht und Elend des Dritten Reiches* einstudiert.
Juni/Juli: Fertigstellung der *Duchess of Malfi.*
18. Juli: Zurück in Santa Monica.
September: Brecht schreibt mit Peter Lorre und Ferdinand Reyher eine Story für den Film, »All Our Yesterdays«.
2. Dezember: Die amerikanische Fassung von *Leben des Galilei* ist abgeschlossen.

1946 Im Februar und September–November in New York. – Nach der Uraufführung in Boston im September wird *The Duchess of Malfi* mit Elisabeth Bergner in New York aufgeführt. – Brecht hat Peter Suhrkamp beauftragt, seine Bühnenrechte in Deutschland wahrzunehmen.

1947 31. Juli: Premiere von *Leben des Galilei* mit Charles Laughton im Coronet-Theatre in Beverly Hills.
August: Karl Korsch in Santa Monica.
Oktober: Brecht in New York bei Ruth Berlau.
30. Oktober: In Washington muß Brecht vor dem »Committee of Unamerican Activities« aussagen.
31. Oktober: Brecht fliegt von New York nach Paris.
5. November: Brecht fährt nach Zürich. Wiedersehen mit Caspar Neher.
Ende November: Umzug der Familie Brecht nach Feldmeilen bei Zürich. – Hans Curjel, Intendant des Churer Stadttheaters, bietet Brecht eine Inszenierung an. Als »Fleißarbeit« will er die *Antigone* des Sophokles bearbeiten.
12. Dezember: Fertigstellung der *Antigone*-Bearbeitung.

1948 Anfang Januar–15. Februar: Proben zur *Antigone*, zunächst im Volkshaus Zürich, später in Chur.
April: Brecht und Neher arbeiten an einem Stück *Der Wagen des Ares.*
5. Juni: Uraufführung von *Herr Puntila und sein Knecht Matti* im Zürcher Schauspielhaus. Brecht führte gemeinsam mit Kurt Hirschfeld Regie.
18. August: Der Essay »Kleines Organon für das Theater« beendet.

19. Oktober: Verhandlungen in Salzburg mit Gottfried von Einem, der Brecht für die Festspiele gewinnen möchte.
22. Oktober: Ankunft in Berlin. – Brecht beginnt mit den Proben zu *Mutter Courage und ihre Kinder* im Deutschen Theater. Am 8. November trifft Erich Engel ein, um an der Regie teilzunehmen. – Mit Wolfgang Langhoff arbeitet Brecht das Projekt eines Studiotheaters im Rahmen des Deutschen Theaters aus.

1949 11. Januar: Premiere von *Mutter Courage und ihre Kinder.*
23. Februar: Brecht fährt wieder nach Zürich, während Helene Weigel mit den Vorbereitungen für das »Berliner Ensemble« beginnt.
März/April: Unter Mitarbeit von Ruth Berlau schreibt Brecht *Die Tage der Commune.*
Ende Mai: Brecht zurück in Berlin, wo er sich endgültig niederläßt, nachdem er über Gottfried von Einem einen österreichischen Paß beantragt hat.
3. September: Einziger Besuch Brechts in seiner Heimatstadt Augsburg nach seiner Rückkehr aus dem Exil.
8. November: Eröffnung des Berliner Ensembles mit *Herr Puntila und sein Knecht Matti,* inszeniert von Brecht und Erich Engel.
Dezember: Brecht bearbeitet den *Hofmeister* von Lenz.
1949 erscheint ein Brecht-Sonderheft der Zeitschrift *Sinn und Form,* das folgende Erstdrucke enthält: *Der kaukasische Kreidekreis,* »Kleines Organon für das Theater« und den Anfang des Romanfragments *Die Geschäfte des Herrn Julius Cäsar.* – Im Gebrüder Weiss-Verlag kommen die *Kalendergeschichten* und das *Antigone-Modell* heraus. – Mit Peter Suhrkamp hat Brecht die Weiterführung der *Versuche* vereinbart. Heft 9 erscheint mit *Mutter Courage und ihre Kinder.*

1950 15. April: Premiere *Der Hofmeister* im Berliner Ensemble. Regie: Brecht und Caspar Neher.
März/April: Aktivitäten für die neu geschaffene Akademie der Künste, deren Mitglied Brecht geworden ist.
September/Oktober: Brecht inszeniert an den Münchner Kammerspielen *Mutter Courage und ihre Kinder* mit Therese Giehse. – Am 14. September teilt Brecht dem Komponisten Gottfried von Einem mit, daß er die österreichische Staatsbürgerurkunde nunmehr in Händen habe.
11. Oktober: Zurück in Berlin. – Brecht beginnt mit den Vor-

bereitungen zur Inszenierung der *Mutter* am Berliner Ensemble.
Dezember: *Mutter*-Proben. – Mit Neher arbeitet Brecht an dem Gottfried von Einem versprochenen und für die Festspiele konzipierten *Salzburger Totentanz.*
Im Suhrkamp Verlag erscheint 1950 Heft 10 der *Versuche*, das *Puntila* und *Die Ausnahme und die Regel* enthält.

1951 12. Januar: Premiere der *Mutter* im Berliner Ensemble.
17. März: Nach der Probe-Aufführung ihrer *Lukullus*-Oper, die von den Vertretern der Partei heftig kritisiert wird, konkretisieren Brecht und Dessau den Schluß der Oper und geben ihr den Titel *Die Verurteilung des Lukullus.*
24. März: Premiere von *Biberpelz und roter Hahn*, eine Bearbeitung der beiden Stücke von Hauptmann, im Berliner Ensemble.
29. Juni: Emil Burri hat in Zusammenarbeit mit Brecht das Drehbuch zum geplanten *Courage*-Film abgeschlossen.
3. Juli: Für Paul Dessau hat Brecht den Text für eine Kantate zu den Weltjugendfestspielen geschrieben, den *Herrnburger Bericht.*
Juli/August: Brecht in Ahrenshoop. Hier will er in der Art des *Fatzer* ein Stück über den Arbeiter Garbe schreiben, der ihm in mehreren Sitzungen sein Leben erzählt hat. – Mit seinen Mitarbeitern Ruth Berlau, Käthe Rülicke, Peter Palitzsch und Claus Hubalek redigiert Brecht das Buch *Theaterarbeit,* eine Dokumentation der ersten sechs Inszenierungen des Berliner Ensembles.
12. Oktober: Uraufführung der Oper *Die Verurteilung des Lukullus* in der Staatsoper.
November/Dezember: Übersetzung und Bearbeitung des *Coriolan.*
1951 erscheinen im Aufbau-Verlag die von Wieland Herzfelde im Einvernehmen mit Brecht besorgte Auswahl der *Hundert Gedichte* und im Suhrkamp-Verlag Heft 11 der *Versuche,* das den *Hofmeister* und *Das Verhör des Lukullus* enthält.

1952 23. Januar: Premiere von Kleists *Zerbrochnem Krug* im Berliner Ensemble. Regie: Therese Giehse, unter Mitarbeit von Brecht.
März/April: Brecht fast täglich bei den Proben zu *Urfaust.* Die Arbeit mit den »jungen Leuten« bereitet ihm Spaß.

Juli/August: Brecht in Buckow, wo er ein Grundstück mit zwei Häusern erworben hat. Arbeit an *Coriolan* und Gespräche mit Erwin Strittmatter über dessen Stück *Katzgraben*, das er bearbeiten und inszenieren will.
Herbst: Arbeit mit Hanns Eisler an dessen Textbuch zur Oper *Doktor Faustus.* – Bearbeitung des Hörspiels *Der Prozeß der Jeanne d'Arc zu Rouen 1431* von Anna Seghers mit Benno Besson. – Proben zu diesem Stück und zu *Die Gewehre der Frau Carrar.*
Dezember: Arbeit am *Coriolan.*

1953 24. Februar–Ende Mai: Brechts Hauptarbeit ist die *Katzgraben*-Inszenierung im Berliner Ensemble.
17. Juni: Im Probenhaus des Berliner Ensembles finden am frühen Morgen und mittags Betriebsversammlungen statt, an denen auch Brecht teilnimmt. Während der ersten Versammlung diktiert Brecht Briefe an den Ersten Sekretär der SED, Walter Ulbricht, an den Ministerpräsidenten der DDR, Otto Grotewohl, und an den sowjetischen Hochkommissar Semjonow.
Sommer: Brecht meistens in Buckow. Schreibt das Stück *Turandot oder Der Kongreß der Weißwäscher* und die *Buckower Elegien.* – Er beteiligt sich an den Auseinandersetzungen über Fragen der Kulturpolitik, die vom Kulturbund und von der Akademie der Künste geführt werden.
Zweite Oktoberhälfte: Brecht in Wien. Leitet die Proben zur Inszenierung der *Mutter* im neuen Theater in der Scala, die Manfred Wekwerth vorbereitet hat.
17. November: Probenbeginn von *Der kaukasische Kreidekreis* im Berliner Ensemble.
Im Suhrkamp-Verlag erscheinen 1953 *Versuche,* Heft 12, das *Der gute Mensch von Sezuan* enthält, sowie Band 1 und 2 der *Stücke.*

1954 Januar: Brecht wird in den künstlerischen Beirat des Ministeriums für Kultur der DDR berufen, das neu geschaffen worden ist.
19. März: Das Berliner Ensemble erhält ein eigenes Haus, das Theater am Schiffbauerdamm. Eröffnungsvorstellung: *Don Juan* von Molière, bearbeitet von Brecht, Benno Besson und Elisabeth Hauptmann.
Frühjahr: Hauptarbeit Brechts ist die Inszenierung des *Kaukasischen Kreidekreises.*

Juni: Die Deutsche Akademie der Künste beruft Brecht zu ihrem Vizepräsidenten.
Ende Juni: Das Berliner Ensemble gastiert mit großem Erfolg mit *Mutter Courage* beim Theater der Nationen in Paris.
7. Oktober: Premiere des *Kaukasischen Kreidekreises.*
November: Brecht überdenkt das *Garbe*-Projekt und entwirft einen Stückplan. Als Titel ist *Büsching* vorgesehen.
1954 erscheint Heft 13 der *Versuche* im Suhrkamp-Verlag.

1955 12. Januar: Premiere von J. R. Bechers *Winterschlacht* im Berliner Ensemble, inszeniert von Brecht und Manfred Wekwerth.
März/April: Bearbeitung der Komödie *Der Werbeoffizier* von Farquhar unter dem Titel *Pauken und Trompeten* mit Elisabeth Hauptmann und Benno Besson.
22.–27. April: Brecht in Frankfurt bei den letzten Proben zu *Der kaukasische Kreidekreis* mit Käthe Reichel, inszeniert von Harry Buckwitz.
Mai: Plan eines Stücks *Leben des Einstein.*
Zweite Maihälfte: Brecht nach Moskau, wo ihm der Internationale Stalin-Preis überreicht wird.
Mitte Juni: Brecht nach Paris. Das Berliner Ensemble gastiert beim Theater der Nationen mit *Der kaukasische Kreidekreis.*
18. August: Beginn der Dreharbeiten zum *Courage*-Film in den DEFA-Studios in Babelsberg. Prinzipielle Einwände Brechts gegen die Produktionsbedingungen und gegen die Regie Wolfgang Staudtes führen bald zum Abbruch der Dreharbeiten.
19. September: Premiere von *Pauken und Trompeten* im Berliner Ensemble.
Mitte Dezember: Beginn der Proben zu *Leben des Galilei* mit Ernst Busch. Brecht und Erich Engel führen Regie.
Im Suhrkamp-Verlag erscheinen 1955 Band 3 und 4 der *Stücke* und Heft 14 der *Versuche,* im Eulenspiegel-Verlag kommt die *Kriegsfibel* heraus.

1956 Anfang Januar: Brecht einige Tage in Rostock, wo Benno Besson mit Käthe Reichel *Der gute Mensch von Sezuan* inszeniert.
6.–13. Februar: Reise nach Mailand mit Elisabeth Hauptmann zur Premiere der *Dreigroschenoper* im Piccolo Teatro.

Frühjahr: Proben zu *Leben des Galilei.*
Anfang Mai: Brecht in der Charité, um die Folgen einer Virusgrippe auszukurieren.
Juni/Juli: Brecht meistens in Buckow, immer noch geschwächt und kränkelnd.
10. August: Brecht zum letzten Mal auf einer Probe im Berliner Ensemble.
14. August: Brecht gestorben.

III. KOMMENTAR

DIE BIBEL

Drama in einem Akt von Berthold Eugen. Entstehungszeit: 1913. GW III. Erstveröffentlichung: 6. Heft der Schülerzeitschrift *Die Ernte*, Augsburg 1914.

Das kleine Drama spielt in einer protestantischen Stadt in den Niederlanden, die von Katholiken belagert wird. Die Stadt geht schließlich in Flammen unter, nachdem die Bedingung der Belagerer, Annahme des katholischen Glaubens und die Bereitschaft eines Mädchens zur Liebesnacht mit dem feindlichen Feldherrn, nicht akzeptiert worden ist. Der Bürgermeister und sein Sohn plädieren für das Überleben und die Rettung der Stadt, der Großvater jedoch, »grausamer denn Ahab«, der einen schrecklichen Justizmord beging, setzt sich mit der Autorität des strengen Bibelkundigen durch, bestärkt seine Enkeltochter, die Opfertat nicht auf sich zu nehmen und nicht ihrem Herzen zu folgen, sondern allein ihrem Glauben: »Eine Seele ist mehr wert als tausend Körper.« Hebbels *Judith* und wahrscheinlich die Geschichte der Opfertat des Eustache de Saint-Pierre in Froissarts *Chroniques de France* ..., die 1914 auch Georg Kaiser den Stoff für sein Drama *Die Bürger von Calais* lieferten, dienten Brecht als Anregung.

BAAL

Entstehungszeit: 1918. GW I. Brecht arbeitete das Stück in den folgenden Jahren mehrfach um und veränderte es zuletzt für die Neuausgabe der frühen Stücke 1954. Uraufführung 1923 in Leipzig. Es gibt insgesamt fünf wesentlich voneinander abweichende Fassungen:

1. *Baal.* Theaterstück von Bert Brecht. In: Brecht, *Baal.* Drei Fassungen. Kritisch ediert und kommentiert von Dieter Schmidt. Frankfurt 1966
2. *Baal* von Bert Brecht. 1919. In: Brecht, *Baal.* Drei Fassungen. Op. cit.
3. *Baal* von Bertolt Brecht. Erstausgabe im Kiepenheuer Verlag. Potsdam 1922
4. *Lebenslauf des Mannes Baal.* Dramatische Biografie von Bertolt Brecht. 1926. In: Brecht, *Baal.* Drei Fassungen. Op. cit.
5. *Baal* von Bertolt Brecht. In: STÜCKE I, Aufbau-Verlag, Berlin 1955.

Baal, ein später Nachfahre des seine Opfer lustvoll verschlingenden syrischen Erd- und Fruchtbarkeitsgotts, ist lyrischer Dichter, Varietékünstler, Liebhaber, Vagant und Mörder. Das Stück zeigt einige Stationen seines wechselhaften Lebens während einer Zeitspanne von etwa acht Jahren: Der wegen seiner Kraftausdrücke berüchtigte Poet trägt Gedichte vor im Salon eines Mäzens, wir erleben ihn mit Weibern in seiner Dachkammer, in Wirtsstuben und Nachtcafés, wo er anzügliche Lieder singt und Aufruhr stiftet, im Gefängnis, dann in ländlichen Gegenden und Schenken, in der freien Natur mit seinem Freund Ekart, den er in einer Gefühlsaufwallung ersticht. Einsam, von Gendarmen verfolgt, stirbt er im Wald, Himmel und Sterne scheinen ihm zum Greifen nahe. Sterbend verzehrt sich das asoziale Genie Baal nach Zuspruch und menschlicher Gemeinschaft. Sein berechtigtes Glücksverlangen hat sich unter den gegebenen gesellschaftlichen Verhältnissen nur pervertiert und selbstzerstörerisch entfalten können.

Baal entstand, wie Brecht später anmerkte, »um ein schwaches Erfolgsstück in den Grund zu bohren mit einer lächerlichen Auffassung des Genies und des Amoralen«. Das betreffende Stück, auf das auch Hofmannsthals für die Wiener Inszenierung des *Baal* 1926 verfaßter Prolog anspielte, war das expressionistische Dichterdrama *Der Einsame. Ein Menschenuntergang* von Hanns Johst. Brecht reagierte gegenüber seinen Augsburger Freunden ziemlich empört über die Erstaufführung des Stücks Ende März 1918 in den Münchner Kammerspielen und kündigte einen Gegenentwurf an. *Der Einsame* war allerdings nur der unmittelbare Anlaß zur Niederschrift des *Baal* und spielte eine große Rolle für die szenische Konstruktion. Die Idee des Stücks basierte auf anderem Material, das auch Brechts Lyrik jener Jahre wesentlich beeinflußte. Besonders Werk und Leben der von ihm verehrten Dichter François Villon, Rimbaud und Verlaine sowie Frank Wedekind reizten Brecht zu dramatischer Gestaltung. Schon vor der Aufführung des *Einsamen* erwähnte er zum Beispiel gegenüber Caspar Neher den Plan eines Dichterdramas: »Ich will ein Stück schreiben über François Villon, der im 15. Jahrhundert in der Bretagne Mörder, Straßenräuber und Balladendichter war.« (BR, S. 32) Biographische Angaben über Villon haben auf die Gestaltung der Baal-Figur eingewirkt: dessen unstetes Wanderleben und die schäbigen Umstände seines Todes, sein Verrecken »im Strauch«.

Das Urbild von Baal war nicht der von Brecht später erfundene Monteur Josef K. aus Augsburg, der mit einem heruntergekomme-

nen Mediziner in Süddeutschland herumgezogen sein soll, sondern Paul Verlaine. Das homosexuell bestimmte Verhältnis Baals zu Ekart war eine Paraphrase auf das wüste Wanderleben Verlaines mit Rimbaud, das der von Brecht oft und gerne ausgebeutete Übersetzer Karl Ludwig Ammer folgendermaßen beschrieben hatte: »Voll Unruhe und Lebensdrang, trunken von Freiheit und Alkohol, den sie in Schenken und Spelunken tranken, zogen sie mit Göttergebärden und unbekümmert um Menschensitten dahin; glücklich, sich in Schande und Elend wälzen zu können, stolz auf ihre Verachtung gegen Familie, Eigentum, Moral und alle andern Einrichtungen.« Die Schilderung der Streifzüge des »Pauvre Lélian« mit seinem jungen Freund Rimbaud durch Belgien und England haben wesentlich die Handlung des »Baal« mitbestimmt. Baal sollte wie Verlaine aussehen; die Angaben des Verlaine-Übersetzers Otto Hauser übernehmend, merkte Brecht im Vorspruch der Fassungen von 1918/19 an: »Erinnert ihr euch der peinlichen Schädel des Sokrates und des Verlaine?« Neher dienten Fotos und Zeichnungen Verlaines als Vorlagen für seine zahlreichen Baal-Portraits.
Anfang Mai 1918 hatte Brecht die Hälfte des Stücks fertig, dem er den Titel gab: *Baal frißt! Baal tanzt!! Baal verklärt sich!!!* Im Juni 1918 konnte er Caspar Neher die Fertigstellung dieser Komödie melden, die 24 Szenen hatte. In der Figur seines Baal war soviel Subjektivität enthalten, daß der Stückeschreiber Zeit seines Lebens von ihr fasziniert blieb. Die Änderungen, die er an seinem ersten Stück vornahm, dokumentieren seine sich wandelnde weltanschauliche Haltung. An den positiven Verhaltensweisen und Empfindungen des Baal, seiner enormen Genußsucht und seinem Glücksverlangen, hat der Autor festgehalten, und er hat weitere Figuren geschaffen, in denen »Baalisches« aufbewahrt ist: Puntila, Azdak und Galilei. Der Physiker Galilei praktiziert die Dialektik von Arbeit und Genuß, Baal will nur genießen, und Brecht zeigt seinen Untergang in der schließlichen Unfähigkeit zum Genuß.
Obwohl Brecht vehement im Kutscher-Seminar, als er ein Referat über Hanns Johsts Roman *Der Anfang* hielt, gegen den *Einsamen* gewettert hatte, zögerte er keineswegs, den älteren, bereits anerkannten Kollegen um eine Stellungnahme zu *Baal* zu bitten. Da Johst sich in Schweigen hüllte, meinte der junge Autor ungeduldig: »Ich kann es gut glauben, daß Sie *Baal* nicht gut gefunden haben. Ohne daß ich an ihm oder Ihnen verzweifle, vielleicht hat es Sie nachträglich doch verstimmt, daß ich stellenweise den gleichen Vorwurf benutzt habe wie Sie im *Einsamen*, wiewohl darauf bei mir

kein Nachdruck liegt und ich die Nabelschnur noch vollends abbeißen kann, indem ich die Szenen herauswerfe, wenn Sie es wünschen (obgleich ein Rest bleiben muß, aber den hat *Peer Gynt* und manches andere). Aber das kann doch nicht sein, das liegt ja klar da.« (BR, S. 57) Brecht versuchte also gegenüber Johst, seinen eigenen Gegenentwurf abzuschwächen und zu erklären, ein Stück auf der Grundlage desselben biographischen Materials über Grabbe geschrieben zu haben.

Die Analogien jedoch zum *Einsamen* sind in den frühen Fassungen des *Baal* unverkennbar. Die wichtigsten Figuren und deren Beziehungen zueinander sind übernommen: Baal entspricht dem Dichter Grabbe, Johannes und Ekart sind zwei Abspaltungen des Arztes Hans Eckardt, Ekart trägt außerdem noch Züge des Musikers Waldmüller. Der visionären Ekstase des idealistisch gesehenen Dichtergenies wird der gesunde Materialismus und der Zynismus des Baal entgegengehalten. Auch auf die szenischen Gegebenheiten, die Gliederung des Stoffs, geht Brecht travestierend ein, um gegen die idealistischen Konstruktionen seiner Vorlage zu polemisieren. Wenn Grabbe in einer Kneipe seine Dichtungen vorträgt, wirft er »Perlen vor die Säue«, das gemeine Volk versteht ihn nicht und hört weg: Das Genie ist zur Einsamkeit bestimmt. Baal dagegen setzt sich unter die Fuhrleute und gewinnt sie als Zuhörer, indem er seine Gedichte ausdrücklich als »Schweinereien« ankündigt, dann aber Kunst bietet. Das Publikum wird überlistet, Baal bekennt sich zum Gebrauchswert der Kunst.

Dem Stück *Der Einsame* liegt die reaktionäre Idee zugrunde, nur die Position des einsamen, von der Gesellschaft geächteten Dichters erlaube genialische Größe. Für den Grabbe Johsts ist die Literatur das Leben, er leidet nicht unter den schlechten materiellen Bedingungen, sondern unter der gesellschaftlichen Unerheblichkeit seines Genies. Er verachtet die Welt, lebt nur für seine Kunst. »So einen Kopf müßte man halt haben!« lautet der Kommentar eines Fuhrmanns zu einem Gedicht von Baal, der darauf erwidert: »Dazu gehört auch ein Bauch und das übrige!« Dichtung ist für ihn nur aus dem Überfluß möglich, sie gehört zum Abfall seiner Lebenskunst. Sie ist Vitalität und nicht Ersatz für ein elendes Leben. Sein Leben ist Baal wichtiger als seine Kunst. Er verklärt sich im materiellen Genuß. Johsts Dichter verklärt sich im Tod. Baal dagegen endet wimmernd, kriecht auf den Händen ins Freie: Sterben hat er sich einfacher vorgestellt.

Ein Gespräch mit Johst veranlaßte Brecht nicht zuletzt, sämtliche allzu deutlichen szenischen Parallelen zum *Einsamen* völlig zu eliminieren. Ende Januar 1920 schrieb er dann an Johst: »Inzwischen habe ich mein Stück überarbeitet und z. B. alle Szenen mit der Mutter herausgeschmissen. Dadurch verscheuche ich das Gespenst des *Einsamen* ziemlich an die Peripherie.« (BR, S. 58)

TROMMELN IN DER NACHT

Komödie in 5 Akten. Entstehungszeit: 1919. GW I. Die erste Fassung hatte den Titel *Spartakus*. Das Stück wurde bis zur Uraufführung im Herbst 1922 mehrfach überarbeitet. Erstausgabe: Drei Masken-Verlag, München 1922. Letzte Fassung in: STÜCKE I, Berlin 1955.

Das Drama *Trommeln in der Nacht* schildert den Kampf eines Kriegsheimkehrers um seine Braut, »und die Revolution in den Zeitungsvierteln spielt auch eine Rolle«. Der Soldat Andreas Kragler kehrt nach vierjährigem Gefangenenlager in Afrika in die Heimat zurück und findet seine Braut Anna Balicke geschwängert vor von Friedrich Murk, einem Mann, der sich im Krieg »nach oben« gearbeitet hat. In den Augen der Familie Balicke ist Kragler »eine Leiche«, ein regelmäßiger Arbeit und bürgerlicher Ordnung entwöhnter Abenteurer. Die Eltern Annas, Besitzer einer Fabrik, in der im Krieg Geschoßkörbe hergestellt worden sind und deren Produktion jetzt auf Kinderwagen umgestellt werden soll, haben sich für Murk als Schwiegersohn entschieden. Während in der Picadillybar Verlobung gefeiert wird, begibt sich der enttäuschte Soldat in die Gesellschaft revolutionär gestimmter Leute, die ins Zeitungsviertel wollen. Anna verliebt sich wieder, während sich Murk und ihre Eltern besaufen, in ihren Andreas und läuft dem heimgekehrten Bräutigam hinterher, weil er sich zum Kämpfen gegen das Unrecht entschlossen hat. Sie will das in den Tropen verwundete »Tier« bewundern und pflegen, und solcher Dienst am Mann scheint ihr weniger schlimm als die Zukunft als stumme Leidende an der Seite eines erfolgreichen Spießers. In einem Vorwort meinte Brecht einige Jahre später: »Dieses romantische Element ist es, das wirkt, wenn die Balicke sich an der schmutzigen Unwürdigkeit des Kragler angeilt.« (GW VII, 965) Der Soldat jedoch, der nun sein Mädchen hat, läßt die Revolution Revolution sein, er will nicht im Rinnstein verrecken und bringt sich in Sicherheit. »Dies war also dieser Kragler, dieser Revolutionär, den das Mitleid wieder zu Besitztum brachte, der jammerte und krakeelte und heimging, als er hatte, was ihm gefehlt hatte.« (GW VII, 967)

Das Stück *Spartakus,* wie *Trommeln in der Nacht* ursprünglich hieß, entstand unmittelbar unter dem Eindruck der revolutionären Ereignisse in Bayern Ende 1918 und den Nachrichten von der Niederlage der Spartakisten in Berlin im Januar 1919. Brecht pendelte damals ständig zwischen Augsburg und München, den beiden Zentren der Versuche, eine bayrische Räterepublik zu schaffen. Auf Wahlversammlungen der USPD und in Diskussionen mit Freunden pries er die Vorteile des Rätesystems, er distanzierte sich wie Gustav Landauer und Ernst Toller vom »Bolschewismus«, gestand aber doch die Notwendigkeit zu, Gewalt anzuwenden, da die Revolution sonst nicht erfolgreich sein könne. Trotz der politischen Unruhe veranstalteten die Augsburger Freunde Brechts ihre üblichen Zusammenkünfte in Gablers Taverne. In den Liedern des Dichters wie der »Ballade vom toten Soldaten« oder dem »Gesang des Soldaten der roten Armee«, die er dort zur Laute vortrug, spiegelten sich die grelle Wirklichkeit, die Rohheiten der Zeit, die Hoffnungen, Zweifel und Enttäuschungen der Menschen. Nach einer Protestversammlung, bei der pathetische Reden und Verse zu Ehren der ermordeten Rosa Luxemburg vorgetragen wurden, verfaßte Brecht eine »Ballade von der roten Rosa«, in der die Aussichtslosigkeit des Kampfes dargestellt ist und Rosa als »einzige Befreite« die Flüsse abwärts treibt: »Die roten Fahnen der Revolutionen/ Sind längst von den Dächern herabgeweht«.
In dieser ernüchterten, aber dennoch leidenschaftlich bewegten poetischen Untergangsstimmung schrieb Brecht in wenigen Wochen sein Heimkehrerdrama, das »zwieschlächtigste« seiner frühen Stücke. Problematisch erschien es dem Autor später vor allen Dingen deshalb, weil es, als Zeitstück verfaßt, im Laufe der Jahre nicht mehr seinen inzwischen erworbenen politischen Erkenntnissen und Überzeugungen standhielt. Zunächst einmal war *Trommeln in der Nacht* im Umkreis des *Baal* und der Baalischen Gesänge und Klampfenlieder angesiedelt. Die Figur des Kragler war der Versuch, auch den Partner des Baal-Vorbilds Verlaine, Arthur Rimbaud, auf der Bühne zu seinem Recht kommen zu lassen. Die Afrika-Romantik, Fieberphantasien und Traumbilder Rimbauds, die aber Brecht in seinem Heimkehrer Drama nur ungenügend entfalten konnte, übertrug er dann auch auf die Gestalt des Garga in *Im Dickicht der Städte.* Der Plan zu einem Stück *Der grüne Garraga* tauchte damals auf, und als der Stückeschreiber 1921 mit der Niederschrift des *Dickicht* begann, sollte dieses Stück *Garga* heißen. Der Entschluß, das Schauspiel über Kragler als Zeitstück zu schreiben, drängte die

Rimbaud-Motive notwendigerweise in den Hintergrund. Eine weitere wichtige literarische Anregung brachte für Brecht die Lektüre des Afrikaheimkehrerromans *Abu Telfan* von Wilhelm Raabe. Ein Hauptpunkt der Handlung wurde dadurch das Aufeinanderprallen der Erfahrungen von Heimkehrer und Daheimgebliebenen: Der eine hat die Ferne kennengelernt, Abenteuer durchgestanden und Opfer für das Vaterland und für die Menschen in der Heimat erbracht, die anderen haben die Enge ihrer Verhältnisse nicht aufbrechen können, aber mit dem Krieg ihre Geschäfte gemacht. Der Heimkehrer Kragler stört den bürgerlichen Familienfrieden. In erster Empörung gesellt sich der Gedemütigte zu den Verlierern des Krieges, er schließt sich den Revolutionären an, aber sobald er seine Geliebte wieder in den Armen hält, entscheidet er sich, seinen Anteil am Sieg als Überlebender des Kriegs nicht mehr zu gefährden. Und auch mit Rimbaud hätte Kragler seine Absage an die Idee der Revolution ausdrücken können: »Kenne ich noch die Natur? Kenne ich mich selbst? Keine Worte mehr! Ich begrabe die Toten in meinem Bauch. Schreie, Trommel, Tanz, Tanz, Tanz, Tanz! Ich merke nicht einmal die Stunde, wo die Weißen landen und ich ins Nichts versinke.«

Brecht erkannte sehr schnell, daß sein Stoff ein Angriff auf das deutsche bürgerliche Trauerspiel war. Die Figuren seines Stücks waren Nachkommen des Personals aus Hebbels *Maria Magdalena* und aus zahlreichen naturalistischen Dramen wie *Rose Bernd* von Hauptmann, wie *Familie Selicke* von Holz/Schlaf oder wie *Die Ehre* von Sudermann, in dem es eine Familie Heinecke gibt. Die Geschichte der Liebe von Andreas und Anna in *Trommeln in der Nacht* hat im Gegensatz zu Hebbel nur noch lächerliche Akzente. Vater Balicke ist ein Meister Anton, der die Gesetze der Zeit erkannt hat, der die Welt »versteht« und seinen Schnitt zu machen weiß, Mutter Balicke sinkt nicht aus Gram über das Mißgeschick ihrer Tochter tot um, sie greift allenfalls zu einem starken Schnaps und rät ganz pragmatisch zu Abortivmitteln, und die Betroffene selbst leidet nicht im geringsten wie Klara unter ihrer »Schande«, sie sorgt sich bei der bevorstehenden Geburt ihres unehelichen Kindes lediglich um ihre Taille.

Brecht sympathisierte bei der ersten Niederschrift der *Trommeln in der Nacht* mit seinem Helden. Dieser war gedacht als einer der von den Bürgern gefürchteten Outsider und vom Leben Enttäuschten, »denen nichts mehr heilig ist«. Gleichzeitig sollte er ein Gegenheld sein zu den von den Führern der Linken stilisierten Edelproletariern, eine Antwort auch auf die einfältige Parole »Der Mensch ist gut« und alle sonstigen revolutionären Phrasen: »Lauter solche kleine Wörter erfinden sie und blasen sie in die Luft, und dann können sie sich zurücklegen, und dann wächst das Gras.« Für den Sieg einer Idee will der Soldat nicht in den Tod gehen, er ist ihm ja eben erst knapp entgangen. Auch die Imperialisten haben ihn für eine Idee in den Krieg geschickt. Er sieht keinen Unterschied der Ideen, er sieht nur die idealistische Gebärde: »Mein Fleisch soll im Rinnstein verwesen, daß eure Idee in den Himmel kommt.« Die Hoffnung seiner roten Freunde war, daß er seine Geliebte in den Rinnstein hauen würde zugunsten ihrer »Höllenfahrt« zur Revolution.

Ein realistischer Schluß war das zweifellos. Aber ein »Abbild der ersten deutschen Revolution« war dieses Drama nicht und sollte es ja auch gar nicht sein: »Die Revolution, die als Milieu dienen mußte, interessierte mich nicht mehr, als der Vesuv einen Mann interessiert, der darauf einen Suppentopf stellen will.« (GW VII, 965) Der Verfasser bekannte später, daß er Kragler als Realisten gefeiert habe, »da er sich der Verführung des für ihn gegenstandslosen Ideals entzog«. Ohne auf die wahren Inhalte der Revolution einzugehen, bewertete sie Brecht als Wirklichkeit, die den Menschen betrifft. Der Umstand vor allen Dingen, daß ein Mann wie Kragler immer wieder Soldat spielen wird und eben nur kein Soldat der Revolution sein will, wurde außer Acht gelassen. Durch seine »demonstrative Anteilnahme für den kleinen Realisten Kragler« unterschlug der Dramatiker nicht nur seinen »Respekt vor den proletarischen Revolutionären«. Die Frage, woran die Revolution verloren ging, erschöpfte sich eben nicht allein in der Tatsache, daß die Revolutionäre versagten und die Sozialdemokraten Verrat übten. Ein wichtiger Grund des Scheiterns war auch die Interessenverschiedenheit der revoltierenden Volksmassen. Die Kraglers waren positive und negative Figuren, Proletarier ohne Bewußtsein, eher Kleinbürger, Getretene, die auch gerne einmal traten und dann plötzlich als kleine Nazis auferstanden. Die Absage, die die Kraglers der Revolution erteilten, war zugleich ihr Einverständnis mit den bestehenden Machtverhältnissen. In ein Lehrstück über den »Typ Kragler«, als das es Brecht später betrachtet wissen wollte, ließ sich *Trommeln in der Nacht* nicht ohne weiteres verwandeln. Der Soldat Andreas Kragler blieb ein Sonderfall, er entsprach überhaupt nicht dem »Typ« des Heimkehrers, er war ein verunglückter Abkömmling von Baal, von Rimbaud, ein wenig Woyzeck auch, jedenfalls ein exotisches »Gespenst«, das unglücklicherweise in das Berlin der Spartakus-Zeit verschlagen wird. Die Welt des Dramas *Trommeln in der Nacht* war unverkennbar augsburgisch, auch wenn es in der Reichshauptstadt spielte, in einem Berlin, das Brecht 1919 nur vom Hörensagen kannte. Ein paar Stichworte aus Zeitungsmeldungen über »Ausschreitungen im Tiergarten«, über Behinderungen im Verkehr sowie über die Besetzung der Druckereien im Zeitungsviertel lieferten Brecht den Schauplatz. Alle weiteren geographischen und alle atmosphärischen Details gingen auf Augsburg und Umgebung zurück.

Brecht bearbeitete *Trommeln in der Nacht*, hauptsächlich die Schlußszenen, mehrfach bis zur ersten Buchausgabe 1922, die ihrerseits 1953 Grundlage einer weiteren kritischen Revision war. Die Handlung, die erst in einer Novembernacht 1918, »von der Abenddämmerung bis zur Frühdämmerung«, spielte, wurde jetzt in den Januar 1919 verlegt, und Kraglers Gegenpart, der politisch hellhörige Schankwirt Glubb, wurde verstärkt durch die Erwähnung eines Neffen, von dem es heißt, daß er Arbeiter bei Siemens war und im November als Revolutionär gefallen ist. Die Umbenennung des Dramas in Komödie unterstrich die Distanzierung des Autors von der Figur des Kragler, änderte aber grundsätzlich nichts am Charakter des Stücks als groteskes bürgerliches Trauerspiel. Mit dem Versuch, sein Stück historisch genauer zu fixieren, es zu einem Schauspiel über die gescheiterte deutsche Revolution zu machen, betonte er gerade die Schwächen und verschärfte er die Zwiespältigkeit. Statt die Ähnlichkeit Kraglers mit jener Mehrheit von deutschen Soldaten, mit dem Heer von Millionen geschlagener und enttäuschter kleiner Leute zu betonen, die für eine Revolution nicht zu gewinnen waren, erklärte Brecht seinen Helden zu einem Nutznießer des Kampfes der Arbeiter.

Die Geschichte seit dem Scheitern der Novemberrevolution hatte gezeigt, daß es mehr Kraglers als zum Aufstand entschlossene Proleten gab. 1927, als Erwin Piscator sich für *Trommeln in der Nacht* interessierte und es zu einem politischen Stück über die Novemberrevolution umgeändert haben wollte, sah sich der Stückeschreiber außerstande, die gewünschten Korrekturen auszuführen. Die Änderungen von 1953 zielten dann in die Richtung einer politischen Aktualisierung, wobei er jedoch Grundgestus und Sprache des frühen Stücks seinen späteren Dramen nicht anzugleichen versuchte. Mit gutem Grund wies Brecht auf die Mängel der Akte drei, vier und fünf hin: hier kamen die Schwächen seines Dramas zum Vorschein. Der Widerspruch der beiden Motive Rimbaud als romantischer Revolutionär und bürgerliches Trauerspiel der ewigen Spießer wurde hier nicht erhellend genug ausgetragen. Zwei verschiedene Stücke kamen sich in die Quere. Die beiden ersten Akte hatten die notwendige Geschlossenheit, auch als Zeitstück, dann wirkte sich die Verwendung der revolutionären Ereignisse in Berlin von 1918/19 als Kulisse eher belastend aus. Im Schauspiel *Im Dickicht der Städte* verfolgte Brecht sein großes Thema vom Glücksverlangen des Menschen mit ungleich dialektischerem Geschick weiter. Mit der *Kleinbürgerhochzeit* lieferte er das Satyrspiel zur Liebesgeschichte von Andreas und Anna, und als eine Art Fortsetzung der beiden ersten Akte *Familie Balicke* erwog Brecht 1922 noch den Plan eines weiteren bürgerlichen Trauerspiels *Familie Murk*.

DIE KLEINBÜRGERHOCHZEIT

Einakter. Entstehungszeit: 1919. GW III. Der frühere Titel war *Die Hochzeit*. Uraufführung 1926 in Frankfurt am Main.

Das Stück mit seinen verrückten Dialogen und komischen Situationen ist ein kleines realistisches Sittenbild aus dem deutschen Kleinbürgerleben. Ein Paar feiert im Kreis von Eltern, Verwandten und Freunden Hochzeit. Es werden Geschichten erzählt, Zoten gerissen und dabei wird tüchtig verzehrt und gesoffen. Das Familienleben, »das Beste, was wir Deutsche haben«, zeigt sich im schönsten Licht. Die selbstgezimmerten Möbel gehen im Verlauf des turbulenten Fests aus dem Leim, alles ist in dieser Welt aus den Fugen, und als das Brautpaar die Gäste endlich vom Hals hat, wirft sich der Bräutigam, nach dem ersten kräftigen Ehestreit, wie es üblich ist, auf seine Frau, die bereits schwanger ist, und das Bett kracht ebenfalls zusammen. »So stell ich mir die Liebe vor«, heißt es in der Operette *Hochzeitsnacht im Paradies*. Der Alltag ist weniger zimperlich. Was zu beweisen war.
Eine glänzende Fingerübung von Brecht im Stil bayrischen Volkstheaters und nach dem Geschmack von Lautensack und Karl Valentin, voller Bosheit und antibürgerlicher Satire. Das Stück ist auch der Ausgangspunkt zum Film *Kuhle Wampe*, dessen erster Entwurf ein Verlobungsmahl in der Art dieses Einakters vorsieht und den Zerfall der bürgerlichen Familie im proletarischen Milieu vorführt. Im Film von 1932 finden sich diese Anklänge nur noch in der in einer Laubenkolonie spielenden Verlobungsszene.

DER BETTLER ODER DER TOTE HUND

Einakter. Entstehungszeit: 1919. GW III. Uraufführung 1967 in Westberlin.

Ein Gespräch zwischen einem Kaiser, der sich zwischen zwei »großen Ereignissen« mit einem einfachen Mann aus dem Volk unterhalten will. Er gerät an einen Bettler, dessen Hund gestorben ist und der dem Herrscher nun wie ein Narr »Wahrheiten« sagt. Geschichte und große Gestalten der Weltgeschichte gibt es für ihn nicht, er läßt nur »Geschichten« gelten, und schließlich leugnet er auch die Existenz eines Kaisers überhaupt: »Nur das Volk glaubt, es gibt einen, und ein einzelner glaubt, er sei es.« Keine Drohung kann den Bettler einschüchtern, seinen Gesprächspartner, dem er den Tag verdirbt, bezeichnet er als blind, taub und unwissend. Der Kaiser entfernt sich, erstaunt über den »Mut« des Mannes, der bewirkt, daß er überhaupt zuhört und die Ordnungshüter nicht geholt werden. Es stellt sich am Ende heraus, daß der Bettler blind ist und den Kaiser gar nicht erkannt hat. Er trauert weiter um seinen toten Hund.
Das kleine Stück ist in der Nähe von Wedekinds *König Nicolo* angesiedelt, und es kündigt zaghaft die Haltung zur Geschichte an, mit der später Brecht seine Chroniken wie »Fragen eines lesenden Arbeiters« verfaßt hat.

ER TREIBT EINEN TEUFEL AUS

Einakter. Entstehungszeit: 1919. GW III. Uraufführung 1975 in Basel.

Ein Bursche und das Mädchen Anna bandeln vor einem Bauernhaus miteinander an. Der Vater kommt dazu, und das Mädchen muß zu den Kühen. In der Nacht besucht der Bursche seine Anna mit Hilfe einer Leiter. Er steigt bei ihr durchs Fenster ein. Dieses Komplott wird entdeckt, der wütende Vater nimmt die Leiter weg, um den Eindringling zu stellen. Aber das Liebespaar entkommt unbemerkt aufs Dach. Dort werden sie schließlich zur Freude des ganzen Dorfes vom Pfarrer und vom Nachtwächter entdeckt: »Der Teufel hat Eure Tochter geholt!«
Die windschiefen Dialoge dieses Einakters könnten auch Karl Valentins vertrackter Dialektik entsprungen sein. Die Bauerngeschichte mit Gebetläuten, Fensterln, Sorge um den guten Ruf und

der Kassiopeia überm Dach ist eine ungeheuer artistische, völlig ins Groteske gesteigerte Persiflage eines bayrischen Heimatschwanks.

LUX IN TENEBRIS

Einakter. Entstehungszeit: 1919. GW III. Uraufführung 1969 in Essen.

Eine Farce über die Geschäfte mit Moral: In einer Bordellgasse betreibt Paduk »Volksaufklärung« mit einer Ausstellung über Geschlechtskrankheiten. Er macht das große Geschäft und bewirkt, daß das »schändliche Gewerbe« in den Hurenhäusern schwer geschädigt wird, aber die Bordellwirtin Frau Hogge, die Paduk als alten Kunden ihres Hauses bloßstellen könnte, überzeugt den eigenartigen Vorkämpfer der Moral, daß ihr Geschäft auf die Dauer doch die besseren Chancen bietet. Paduk wird ihr Partner.

DER FISCHZUG

Einakter. Entstehungszeit: 1919. GW III. Uraufführung 1967 in Heidelberg.

Ein Fischer kommt mit zwei Kumpanen stockbesoffen nachhause, er weckt seine Frau, läßt sich waschen und für alle Kaffee kochen. Einer der Männer nutzt die Gelegenheit und läßt sich mit der im Ehebett vernachlässigten Frau ein. Der Fischer ahnt, was gespielt wird und befestigt listig über dem Bett ein Netz mit einem schweren Stein. Die Liebenden gehen ihm schon bald ins Netz, der fallende Stein weckt den Säufer, der sofort das ganze Fischerdorf zusammentrommelt und den »Fischzug« öffentlich macht. Erst nachdem sich der Liebhaber mit einem Kübel Schnaps losgekauft hat, werden die Liebenden im Netz hinausgetragen und zur allgemeinen Belustigung ins Wasser geworfen. Beim anschließenden Trauerfest säuft der Fischer kräftig weiter und, abwechselnd jammernd und fluchend, erklärt er seine Frau für tot. Die Totgesagte kehrt nach einer Weile durchnäßt ins Haus zurück, weist allen die Tür, löscht die Lichter und trägt ihren besoffenen Mann auf dem Rücken ins Bett: »Das Netz hätten sie einfach in den Brunnen geworfen, die Schweine!«
Ein deftiger, aber doch bewegender und trauriger Schwank, der von

Sean O'Casey sein könnte. Obwohl die Dialoge im Stil der Valentiniaden gehalten sind, hat Brecht ein realistisches Milieu gezeichnet, das die harten Lebensbedingungen armer Fischer aufzeigt. Die Quelle für die Handlung des Einakters ist wohl eine Episode im Achten Gesang von Homers *Odyssee*, die der Sänger Demodokos in der Stadt der Phaiaken erzählt, wo ein Fest zu Ehren des Odysseus gegeben wird: Ares und Aphrodite verlieben sich ineinander und machen den Gatten der »schaumgeborenen« Göttin der Liebe zum Hahnrei. Hephaistos befestigt ein kunstvolles Netz aus eisernen Ketten um die Pfosten des Ehebetts, das die Liebenden auch prompt besteigen, sobald sich der Gatte entfernt zu haben scheint: »Und sie stiegen beide auf das Lager und schliefen ein. Und rings um sie ergossen sich die künstlichen Bande des vielverständigen Hephaistos, und da war keines von den Gliedern zu bewegen noch zu erheben. Da erkannten sie, daß kein Entrinnen mehr war.« Der zurückkehrende hinkende Feuergott entdeckt die beiden und ruft zornentbrannt die Götter herbei, damit diese seine Schmach selbst in Augenschein nehmen. Die Olympischen ergötzen sich nachsichtig entsetzt an dem Anblick, außer Poseidon, der wenig Geschmack an diesem Vorfall findet und den Ares auslöst. Aphrodite aber zieht sich nach Paphos auf Cypern in einen lauschigen Pinienhain zurück, um sich dort von den Anmutgöttinnen salben zu lassen.

Brecht hat den kleinen Homerischen Götterskandal in den harten, eintönigen Alltag eines Fischerdorfs transponiert und, wie fast immer in seinen frühen Stücken, mit gegen den Strich gebürsteten Bibelverweisen versehen. Der Titel des Einakters spielt auf den rätselhaften Fischzug des Petrus im See Genezareth an, der alle in Schrecken versetzt. Jesus aber sprach zu Simon Petrus: »Fürchte dich nicht! denn von nun an wirst du Menschen fangen.« (Luk. 5,10) Brechts Fischer Mack ist nicht gerade ein eifriger Fischer, im Fangen von Menschen entwickelt er plötzlich ein großes Talent und wie Petrus erklärt er sich zum Sünder vor seinem Herrn. Doch weder der Trick mit dem Netz noch der dümmliche religiöse Tick ändern etwas an seiner Lage. Er hat offensichtlich Menschenfängerei betrieben mit diesem Fischzug, in Wirklichkeit ist er ebenfalls nur das Opfer von Menschenfängerei.

PRÄRIE

Einakter. Entstehungszeit: 1919. Die am 3. 10. 1919 beendete Fassung trägt die Bezeichnung »Oper nach Hamsun«. Unveröffentlicht (BBA, 1-25).

»Prärie machen« heißt das in dem Stück *Im Dickicht der Städte* (das Brecht damals schon zu konzipieren begann) verkündete unerbittliche Gesetz des Stärkeren, das Garga erfolgreich lernt. Der Stoff von *Prärie* folgt Knut Hamsuns Novelle *Zachäus*, in der zwei Männer gegeneinander kämpfen: der brutale Koch und ehemalige Soldat Polly erledigt den eher schwächlichen intellektuellen Feldarbeiter Zachäus. Streitobjekt ist eine Zeitung, die Polly in der öden Langeweile eines sommerlichen Lagers als Zeugnis guter Vergangenheit und bunten Lebens aufbewahrt. Aus dem Streit um die Zeitung erwächst eine tödliche Feindschaft. Der immer wieder herausgeforderte Schwache wehrt sich am Ende und erschießt den ihm körperlich Überlegenen mit dem Revolver. Die Lagerkameraden lassen sich interessiert die Einzelheiten des tödlichen Kopfschusses erläutern, um dann behaglich einzuschlafen.
Brecht hat gegenüber Hamsun die Gefühlskälte aller Beteiligten verschärft und läßt außerdem die beiden Männer auch noch um die Magd Lizzy kämpfen, und in seinem Stück erledigt am Schluß der starke Polly den Schwächling Zachäus, nachdem dieser sich insgeheim mit der Magd verabredet hat. Bei Brecht hat der Schwächere keine Chance: es gilt das Prärie-Gesetz. Keine Hoffnung auf Zukunft und schreckliche Langeweile im Dschungel der Großstadt treibt die Männer hier zum Kampf.

IM DICKICHT DER STÄDTE

Entstehungszeit: 1921/22. GW I. Das Stück hieß zunächst *Garga*. Es wurde 1923 im Residenztheater München unter dem Titel *Im Dickicht* uraufgeführt. Bei der Berliner Aufführung 1924 hieß das Stück *Dickicht*. Die frühe Fassung ist in dem Band enthalten: Brecht, *Im Dickicht der Städte*. Erstfassung und Materialien. Ediert und kommentiert von Gisela E. Bahr. Frankfurt 1968. Die Erstausgabe im Propyläen Verlag, Berlin 1927, bietet eine spätere Fassung unter dem Titel *Im Dickicht der Städte*

George Garga arbeitet als Angestellter in einer Leihbücherei in Chicago und träumt von Tahiti, einer anderen Welt, in die er sich einspinnen kann, wenn der eintönige Alltag mit den Sorgen um seine Familie, deren finanzielle Stütze er ist, ihn allzu sehr bedrückt.

Eines Tages kommt der Holzhändler Shlink in die Bibliothek, nicht um Bücher auszuleihen, sondern um Gargas eigenwillige Ansichten über Bücher zu kaufen. Shlink will den Angestellten festlegen, seine Ansichten in Ware verwandeln, zu Geld machen. Daß Garga sich weigert und auf seiner Freiheit beharrt, beeindruckt den Händler. Garga reagiert untypisch, sein Verhalten scheint nicht ausschließlich von materiellen Gesichtspunkten bestimmt, er hat zum Beispiel noch ein persönliches Verhältnis zu den Büchern, die er empfiehlt. In dem Bibliotheksangestellten glaubt der Holzhändler, wie der vom Land zugewanderte Garga wegen seiner gelben Hautfarbe ein »Fremder« in der Stadt, einen Menschen gefunden zu haben, der sich wie er nach »Verständigung« sehnt und die persönliche Isolierung überwinden möchte. Garga scheint für ihn ein geeigneter »Partner« zu sein. Auch auf den Unternehmer, obwohl er durch das kapitalistische System materiell begünstigt ist und sich alles leisten kann, wirkt sich die Entfremdung aus, denn er besitzt, wie Herbert Marcuse schreibt, »sein Eigentum nicht als Feld freier Selbstverwirklichung und Betätigung, sondern als bloßes Kapital«. Shlink will herausbringen, ob menschliche Annäherung durch »Kampf« möglich ist. Er will den täglichen Kampf um die Existenz, der sich ihm freilich anders darstellt und den er anders empfindet als Garga, auf ein »geistiges« Feld verlagern, das heißt, er will bei seinem Vorhaben die Wirklichkeit möglichst ausklammern.
Es geht Shlink um den »idealen« Kampf, um einen Kampf aus purer Lust am Kampf, wobei er nur menschliche, aber keine materiellen Interessen hat. Nachdem er sich von Gargas Kampfeignung überzeugt hat, eröffnet der Holzhändler den Kampf. Sein erster »Schlag« trifft die wirtschaftliche Existenz seines Gegners. Garga wird entlassen. Damit ist die Voraussetzung für dessen »Freiheit«, auf die er so stolz verwies, beseitigt, seine »Plattform« ist erschüttert. Garga hat überhaupt nicht verstanden, um was es geht. Ein Anschlag auf seine wirtschaftliche Existenz ist für ihn nichts neues. Er verweigert den Kampf, tritt den Rückzug an und glaubt zunächst noch, seine Freiheit bewahren zu können. Auf diese Weise wird er jedoch erst richtig in den Kampf verwickelt. Alle Aktivität liegt bei Shlink, Garga pariert zwar die Schläge seines Gegners, aber er reagiert nur, wenn er gereizt wird. Auch Tahiti, der »Inhalt« seiner Freiheit, die Vorstellung, mit der er sich wenigstens Freiheit vorlügen konnte, wird von Shlink vernichtet. Der Holzhändler nimmt den Traum einfach wörtlich und gibt Garga eine Schiffskarte. Indem er ihm den Weg nach Tahiti zeigt, auch hier also die

Aktivität übernimmt, macht er es dem Träumer unmöglich, dorthin zu fahren. Daß ihm der Weg nach Tahiti verbaut worden ist, merkt Garga auch wieder viel zu spät. Vorerst begreift er nur, daß ihm »die Haut abgezogen« worden ist. Er legt seine Kleider ab, steigt symbolisch aus seiner Haut und, seinen Lieblingsautor Rimbaud zitierend, flieht er in die Rolle des Outlaw, des von der Gesellschaft Ausgestoßenen: »Ich bin ein Tier, ein Neger, aber vielleicht bin ich gerettet . . . Ich verstehe die Gesetze nicht, habe keine Moral, bin ein roher Mensch. Ihr irrt!« Mit diesem Zitat veranschaulicht er unbewußt das Ausmaß der Beschädigungen, die die Lebensverhältnisse am Menschen bewirken: er kann sich nur noch in seinen tierischen Funktionen wie Essen, Trinken und Zeugen als frei handelnd fühlen, während er sich in seinen menschlichen Funktionen als Tier begreift. Garga bekennt sich, auf seine Lage als sozial Deklassierter verweisend, zu dem Tier in ihm, versucht dem Bild zu entsprechen, das der Unterdrücker vom Unterdrückten hat. Er bewertet die Kampflust Shlinks als Laune eines Reichen, als Liebhaberei. Der Grund für den Kampf, den Garga dann auf seine Weise aufnimmt, ist ihm unklar, er will ihn auch gar nicht wissen. Klar ist ihm nur, daß er »harpuniert« worden ist. Zwei Wochen nach dem Vorfall in der Leihbücherei sucht er Shlink in dessen Kontor auf, um ihn zu töten. Der Holzhändler entwaffnet den Gegner, indem er sich ihm unterwirft. Er tritt ihm seinen Holzhandel ab und schafft somit für Garga »gleiches Kampfterrain«. Dessen Reaktion ist bloße Rache. Ohne sein Eigentum, die materielle Basis, hält er Shlink für erledigt. Garga läßt sein Holz doppelt verkaufen, vernichtet die Geschäftsbücher, schenkt das Gebäude der Heilsarmee und erklärt, daß er nach Tahiti fahren werde. »Wie bist du unterlegen!« erkennt schon zu Beginn des Kampfes seine Schwester Marie.

Um frei zu sein, verläßt Garga seine Familie, die in den Kampf hineingezogen wird. Shlink mietet sich bei den Gargas ein und verdient Geld als Kohlenträger. Immer wieder will Garga aufgeben, »das Handtuch werfen«, doch er kann die »Nuß«, die er einmal in den Mund genommen hat, weder ausspucken noch zerbeißen. Die Stricke, die Shlink um ihn gelegt hat, sitzen fest. Garga kommt von seinem Gegner nicht los. Als er merkt, daß der Holzhändler ihn liebt, heiratet er und verlangt von seiner Schwester, die in Shlink verliebt ist: »Liebe ihn! Das schwächt ihn!« Shlink soll Marie heiraten, doch das Mädchen wirft sich lieber einem anderen Mann an den Hals, weil sie merkt, daß sie als Kampfobjekt dienen soll. Jetzt ist Shlink wieder am Zug. Garga muß sich wegen des doppelten Holzverkaufs vor Gericht verantworten. Das Angebot Shlinks, für ihn ins Gefängnis zu gehen, lehnt er aus Stolz ab und in der Absicht, seinen Gegner moralisch herabzusetzen. Seine moralische Standfestigkeit behauptet er auch um den Preis der Liquidierung der eigenen Familie. Die Familie löst sich auf, die Mutter geht weg und sucht sich irgendwo eine Arbeit, Gargas Schwester und seine Frau gehen auf den Strich. Da er Shlink nicht besiegen kann, faßt Garga den Plan, ihn in den Boden zu stampfen. In einem Brief, den er bei seiner Entlassung der Presse übergibt, beschuldigt er den Holzhändler, der malaischer Herkunft ist, der Unzucht mit seiner Schwester. Er hetzt die Rassenfanatiker auf seinen Gegner. Für Shlink ist Garga längst uninteressant geworden, er hat sich inzwischen wieder ganz seinen Geschäften zugewandt und wird nun nach drei Jahren durch das Geheul der Lyncher an Garga erinnert. Er macht einen letzten Versuch, Garga als Kampfpartner zu gewinnen, scheitert aber an dessen falscher Kampfauffassung. Der Holzhändler überläßt ihm sein Geschäft ein zweites Mal und vergiftet sich, ehe ihn die Lyncher aufspüren.

Aus den beklagenswerten gesellschaftlichen Verhältnissen zieht Garga enormen Nutzen, er zerrt seine zerrüttete Familie ans Licht der Öffentlichkeit, um daraus für sich Kapital zu schlagen. Er denunziert Shlink als den Schuldigen und übernimmt dessen gesellschaftliche Rolle als Unternehmer. Er wird Geschäftemacher. »Das Chaos ist aufgebraucht. Es war die beste Zeit.« Mit dieser Erkenntnis bricht Garga nach New York auf, um dort sein Glück zu machen, nachdem er durch den Verkauf der Holzhandlung zu Geld gekommen ist. Seine Zeit als Outlaw ist vorbei, seine Träume sind begraben. Er hat die kapitalistische Lektion gelernt.

Was Shlink an menschlicher Substanz hinzugewinnt, verliert Garga, da er mit unmenschlichen Waffen kämpft. Der Kampf, so wie ihn Shlink wollte, hat gar nicht stattgefunden: »Ja, so groß ist die Vereinzelung, daß es nicht einmal einen Kampf gibt.« Die Gegner müssen einsehen, daß ihre Handlungsweise von den gesellschaftlichen Umständen, unter denen sie leben, beeinflußt sind. Die Zusammenhänge sind ihnen nicht bewußt. Sie fühlen nur das »Dikkicht«, in das der Mensch verschlagen ist. Ihr Kampf offenbart sich als »wilde Verzerrung der Lust am Wettkampf«. Shlink ist der moralische Sieger, obwohl seine Kampfmethoden zunächst nicht weniger gemein sind als die Gargas. Am Anfang bemächtigt er sich skrupellos der Verlobten des Büchereiangestellten, um ihn an sich zu binden. Garga dagegen realisiert den Kampf nur auf dieser Ebene, er will nur sein nacktes Leben sichern, sich nicht mit seinem Gegner messen, ihn nur vernichten. Für ihn ist wichtig, daß er der Stärkere ist. Daß sein Sieg andere Menschen ruiniert, hält er für ein Naturgesetz. Nur Shlink bietet »menschliche Einsätze« an. Seine Erniedrigungen sind erotisch begreifbar, sind jedoch keine Schwäche, sondern gehören zu seiner menschlichen Wirklichkeit. Seine Liebe ist nicht immer der einzige Inhalt seiner Kampflust mit Garga. In dem Moment, wo sein Interesse für den Gegner statt für den Kampf die Oberhand gewinnt, handelt auch Shlink schäbig und bereitet sich eine Niederlage. Ein Fehlgriff ist zum Beispiel seine Eifersucht auf Jane, die Verlobte und spätere Ehefrau Gargas. Sein erotisches Interesse ist eine Erklärung für sein Festhalten an Garga auch dann noch, wenn er eingesehen hat, daß mit ihm gar keine Verständigung möglich ist. Wider alle Vernunft kommt er am Schluß Garga entgegen, läßt sich dazu herab, ihm seine Liebe zu gestehen. Die einzige Art, sich ein wenig Erfüllung zu verschaffen, ist die Unbedingtheit, mit der sich Shlink mit seiner Seele und seinem Vermögen an den jungen Mann hängt.

Mit *Im Dickicht der Städte* habe er *Die Räuber* von Schiller verbessern wollen, erklärt Brecht, jenes Drama, in dem »um bürgerliches Erbe mit teilweise unbürgerlichen Mitteln ein äußerster, wildester, zerreißender Kampf« geführt wird. In Garga sieht er eine Art von Karl Moor, der einen »verzweifelten Freiheitskampf gegen das um ihn dichter und dichter werdende Dickicht Shlinkscher Intrigen« kämpfen muß. »Es war die Wildheit, die mich an diesem Kampf interessierte, und da in diesen Jahren der Sport, besonders der Boxsport mir Spaß bereitete, als eine der ›großen mythischen Vergnügungen der Riesenstädte von jenseits des großen Teiches‹, sollte in meinem neuen Stück ein ›Kampf an sich‹, ein Kampf ohne andere Ursache als den Spaß am Kampf, mit keinem anderen Ziel als der Festlegung des ›besseren Mannes‹ ausgefochten werden.« (GW VII, 948)Aus diesen Vorhaben entstand schließlich ein Stück »über die Schwierigkeit, einen solchen Kampf herbeizuführen«. Der ideale Kampf, den Brecht vor Augen hat, ist nur zu realisieren, wenn gesellschaftliche Verhältnisse geschaffen sind, die eine Selbstverwirklichung des Menschen gestatten, wenn der Mensch sich, wie Hegel sagt, »als Resultat seiner eigenen Arbeit begreift«.

Die Motive der Handlung fand Brecht, soweit es die Geschichte der Familie Garga in Chicago betrifft, in Upton Sinclairs Roman *Der Sumpf*, soweit es die Geschichte des Kampfes zwischen Shlink und

Garga betrifft, in J. V. Jensens Roman *Das Rad.* Jensen beschrieb den Kampf des alternden Sektenpredigers Evanston mit dem jungen Dichter Ralph Winnifred Lee, einem Hohepriester der Moral und Redlichkeit, der in seinen Versen das Rad als Symbol des technischen Zeitalters verherrlicht. Evanston ist ein verkommenes Subjekt, ein Zyniker, der sich als Religionsstifter und Glücksprophet Macht und Reichtum verschaffen will. Er hängt sich an Lee, weil er ihn für die Ziele seiner verquollenen Weltanschauung gewinnen möchte. Auf einer Brücke im Herzen Chicagos findet die entscheidende Begegnung dieser beiden »geistigen Großmächte« statt: »Und hiermit begann der Kampf zwischen zwei Menschen, zwei verschiedenen Nervensystemen, ein Kampf, der unerbittlich war und nur mit der Ausrottung einer der Parteien enden konnte, weil er von der einen Seite blind und mit der ganzen Stärke des elementaren Appetits geführt wurde und weil es für die andere das Leben galt.« Weil er den Kampfmethoden seines Gegners nicht gewachsen ist, beschließt Lee, ihn umzubringen. Evanston durchschaut diese Absicht und entwaffnet Lee, indem er sich vor ihm demütigt. Der junge Dichter versucht dann, seinen Gegner weltanschaulich zu »verdauen« und sieht plötzlich eine Mission darin, »ihn auszuhalten«. Als ihm Evanston aber mit Liebeserklärungen körperlich zu nahe kommt, tötet er ihn und betrachtet diese Tat nicht als Mord, sondern als Notwehr gegenüber einer Kraft, die man aus der Welt schaffen muß. Er hat das Gefühl, einen Teufel überwältigt zu haben. Der Sieger bekennt sich zum tätigen Leben des Amerikaners, gibt das Dichten auf und wird Unternehmer: »Geistesleben ist all das Gerede, das Bedauernswürdige führen um uns und über uns und unter und neben dem, was wir tun . . . Alle Ästhetik ist nur eine Krankheit im Wirklichkeitssinne . . . wenn sie nicht gar ein menschlicher Hinterhalt auf das Eigentumsrecht ist . . .« Jensen breitete in seinem Roman sehr geschwätzig und mit viel Pathos die Darwinschen Thesen vom rückhaltlosen Kampf ums Dasein aus und vermischte sie unbedenklich mit sozialen Problemen.

Was für Lee im *Rad* Whitman ist, verkörpert für Garga im *Dickicht* Rimbaud. Das Verhältnis der beiden Dichter Verlaine und Rimbaud, das wesentlich die *Baal*-Fabel bestimmt hatte, beschäftigte Brecht immer noch. Die Baal-Figur war ein Versuch, Verlaine zu portraitieren. In der Partner-Gestalt, Ekart, kam Rimbaud zu kurz. Der Plan, mit Kragler die Rimbaud-Problematik abzuhandeln, erwies sich bald als unvereinbar mit dem politischen Umfeld, in dem *Trommeln in der Nacht* angesiedelt war. Der Ansatz für das Stück

Im Dickicht der Städte, das zuerst *Garga* heißen sollte, war das Rimbaud-Portrait. In einer Arbeitsnotiz erläuterte der Autor: »George Garga gleicht Arthur Rimbaud im Aussehen. Er ist im Wesentlichen eine deutsche Übersetzung aus dem Französischen ins Amerikanische.«
Außer den erwähnten literarischen Quellen war der kalte, endgültige, im Stil einer testamentarischen Verfügung gehaltene Ton der *Knabenbriefe* von Charlotte Westermann ein wichtiges Vorbild. Bestimmte Motive und Stilelemente gehen auf die Lektüre von Gauguins *Noa-Noa* und George Horace Lorimers *Briefe eines Dollarkönigs an seinen Sohn* zurück. Die Art, wie Shlink sich am Schluß seinen Verfolgern durch Einnehmen von Gift entzieht, dürfte von der Haltung des Sokrates in Platons *Phaidon* angeregt sein. Den wichtigsten Einfluß übte allerdings die landschaftliche Umgebung aus, in der der Autor lebte und arbeitete. Nur solange er in Augsburg war, näherte er sich mit den Augen Garga-Rimbauds dem Stück, dann stellte sich das Thema der Isolierung des Menschen in der Großstadt.
Als Brecht 1921 *Im Dickicht der Städte* schrieb, war ihm der gesellschaftliche Hintergrund nur vage bewußt, die soziale Problematik interessierte ihn nur wenig. Das Stück knüpfte unter umgekehrten Vorzeichen an *Baal* an, aber das Gesicht der Landschaft, in der es spielte, hatte sich geändert. Baal, der Dichter, fühlte sich in der Landschaft geborgen. Ihm schien die Sprache noch ein Mittel der Verständigung. Rimbauds Dichtung war monologisch. An der »Kälte« der Städte leidend, lag Brecht aber wieder mehr an einer Figur, die gegen die Isolierung ankämpfen will. Thema des Stücks wurde die Auseinandersetzung der beiden Figuren, die Tragik ihres Mißverstehens. Die nunmehr dialektische Konstruktion erforderte einen neuen Titel. Die Figur des Garga betrachtete Brecht, je länger er sich mit dem Stoff beschäftigte, mit immer größerem Abstand, und besonders anläßlich der letzten Überarbeitung für die erste Buchausgabe von *Im Dickicht der Städte* eliminierte er viele »autobiographische« Stellen. Mit Baal vermochte sich der Autor noch zu identifizieren, bei Garga war ein Einverständnis nicht so ohne weiteres möglich. Die Beziehung Gargas zu Rimbaud durfte, anders als die Beziehung Baals zu Verlaine, nurmehr das Verhältnis eines Schauspielers zu seiner Rolle haben.

HANNIBAL

Fragment. Entstehungszeit: Oktober 1922 in Augsburg, angeregt durch die Münchner Aufführung des Grabbeschen *Hannibal* mit Albert Steinrück. Die erste Szene wurde anläßlich der Verleihung des Kleist-Preises an Brecht am 13. 11. 1922 im *Berliner Börsen-Courier* veröffentlicht. GW III.

Von den drei Szenen spielen zwei im Heer des Hannibal. Die erste schildert den mühevollen Alpenabstieg des Heeres. Die Soldaten sind solches Wetter nicht gewohnt, verfluchen die »Eisberge« und ihren Feldherrn Hannibal, der sie dorthin geführt habe, geradewegs »in die Hölle . . . In den Sumpf«. Sie drohen den unermüdlichen Antreiber Hannibal zu töten, wenn sie nicht in zwei Tagen die wärmende Sonne spüren.
Die dritte Szene steht in direktem Bezug zur ersten. Das Heer hat sich im Hochsommer in den Arnosümpfen verloren. Die Soldaten verdammen die Sonne, die ihnen »wie abgehäutet« vorkommt. Das Elend des Massenheeres steht gegen die technokratische Intelligenz, welche die amorphe Masse dirigiert und deren persönlicher Einsatz mit der Herausforderung wächst. In den kurzen Dialogfetzen, die die Verständigung zwischen dem Feldherrn und seinen Untergebenen und Offizieren darstellen, werden keine psychologischen Beweggründe angeführt. Auch der imperialistische Machtanspruch tritt in den Hintergrund. Vorherrschend sind die taktischen Erwägungen, die die Methode der Territorialisierung des zu erobernden Gebietes behandeln.
Grabbes Drama aus dem Jahre 1835 war auf die Gestalt des großen, verkannten Einzelnen ausgerichtet, dessen Genialität von seinem Volk und der Geschichte nicht erkannt wird. Die Einsamkeit des Helden steht vor der Masse des Niedrigen, Mittelmäßigen. Der Hannibal Brechts sieht nur noch die taktische Verwertbarkeit seiner Truppen, nicht ihre moralische Situation und ihre einstige Aufgabe.
Damit befindet er sich auf dem gleichen Niveau wie die Finanziers des Krieges, die in Karthago Rat abhalten. Die vermutlich epochale Leistung der Alpenüberquerung im Herbst und die Siege des Feldherrn erscheinen ihnen unwesentlich angesichts der erforderten Verluste. Sie taxieren das verlorene Material, etwa die Transport- und Kriegselefanten, und applaudieren in der Regierungsversammlung, als die vergleichsweise preiswerten Menschenopfer bekannt gemacht werden, an deren Füßen allerdings kostbare Stiefel, mithin

Güter, sich befanden. Eine Stimme, die das Menschenleben für wertvoller erachtet als die höchsten Gebirge der Welt, wird mit der Entgegnung »Gefühlsduselei« beschieden.
Die Wirklichkeit des Ersten Weltkrieges und die ihm vorausgehenden Diskussionen im deutschen Reichstag werden herausgearbeitet. Die einsame Stellungnahme Karl Liebknechts gegen die Bewilligung der Kriegskredite ist erkennbar.
Nach Brechts Aussage sollte das Drama *Hannibal* als Vorlage dienen, auf der die technischen Möglichkeiten einer großen Bühnenmaschinerie zur Verwendung kommen können. Die Monumentalität der Auftritte spiegelt so die noch undifferenzierte Vorstellung des jungen Brecht von der Massengesellschaft. Vor diesem Hintergrund erhält der Grabbesche Schwerpunkt der Ein-Mann-Monumentalität eine gänzlich andere Färbung. In zwei Szenen aus dem letzten Akt, die nicht in die Werkausgabe aufgenommen sind, schildert Brecht den zum Scheitern verurteilten Versuch des großen Feldherrn, in der Anonymität unterzutauchen.
Dem politisch und militärisch gescheiterten Hannibal ist es nicht möglich, sein bekanntes Gesicht in der Sphäre verschwinden zu lassen, die er vorher beherrschte. Da er aus der Menge der »Mittelmäßigkeit« herausragt, muß er seine Niederlage zudem mit Einsamkeit bezahlen. Wenn die einzelnen Menschen in der Masse sich an ihn erinnern, sehen sie das Elend, das seinen Triumphen zugrunde liegt. Nach den sozialen Kriterien der Bevölkerung wird der Preis des Ruhmes neu taxiert. Auch die Maske, unter der Hannibal auftritt, verwischt nicht die Spuren des Blutzolles, den die Kämpfenden und ihre Angehörigen zu entrichten hatten.
Die einsame Stimme, die in der Ratsversammlung die Opfer anprangerte, wird aus dem Saal geschafft, mithin zum Schweigen gebracht. Den Feldherrn rettet nur der Freitod vor dem endgültigen Identitätsverlust. Er kommt seinen Mördern zuvor.
Brechts Versuch, der großen Geste des verkannten Einzelnen in tragischer Situation die Strukturierung und begründende Aufschlüsselung einer im Wortsinne monumentalen Szenerie entgegenzusetzen, hat in dem Fragment *Hannibal* noch keine überzeugende Form angenommen. Der monumentale Entwurf der Wirklichkeit soll die Gefahr, die von der Masse droht, bannen.
Brecht wollte den Zustand der gefährdeten menschlichen Existenz innerhalb des Entwurfes einer Überprüfung unterziehen. Unter Beachtung der sensationellen Wirkung zeitgenössischer Filme und Sportfeste mußte das formal ein vergeblicher Versuch bleiben.

GÖSTA BERLING

Bearbeitung des Romans von Selma Lagerlöf *Gösta Berlings Saga* (Erstausgabe 1891) unter Benutzung einer Dramatisierung von Ellyn Karin. Entstehungszeit: 1922–24. Das Vorspiel, abgedruckt in GW I, erschien zuerst 1924 in Heft 1 der Zeitschrift *Das Kunstblatt.*

Der Dorfpfarrer Gösta Berling ist wegen unvorbildlichem Verhalten im Amt, worunter besonders seine Trunksucht gemeint ist, von seiner Stellung entfernt worden. Die Bevölkerung schätzt ihn trotz oder wegen der Vorfälle und fordert ihn auf zu bleiben. Nach dieser »Aufhebung« des bischöflichen Gebotes erscheint ein Freund Berlings, Christian Bergh, der den Gesandten der Amtskirche gerade auf eine derartige Weise ins Tal zurückgefahren hat, daß beide bei einem neuen Glas Alkohol meinen, dem Kirchenmann sei damit ein für allemal die Lust vergangen, gegen Görlings Exzesse zu Felde zu ziehen. Bergh preist die spontane Lebenslust und das Vergessen eines jeden kommenden Tages, das die Berauschung bietet, während Berling in die »schwarzen und ewigen Wälder« hinunterlaufen möchte, in denen er in »Nässe und Wind« aufgehen will.
In dieser Metaphorik ist der mögliche Freitod aus Überdruß oder aus dem weitergehenden Impuls heraus, zurück zu den Elementen zu streben, zwar angedeutet, aber nicht präzisiert. Die »Wälder« stehen auch für jene Vorstellung von Freiheit und Grenzenlosigkeit, deren Hedonismus den Rausch als festgewordenen Zustand meiden will. In diesem Moment betritt die Majorin Ekeby die Szene, die auf ihrem Landsitz das Strandgut des bürgerlichen Lebens sammelt. Sie verspricht Berling eine Existenz »wie meinen anderen Tieren/ Ein Leben in Freude auf Ekeby/ Mit Branntwein und Tanz bei den Kavalieren!«. Die Offenherzigkeit und ruhevolle Entschiedenheit zu ihrem Leben hinter den Grenzen der Gesetze scheinen ihm zu gefallen, obgleich das Fragment vor der ausgeführten Annahme der Einladung abbricht. Der obsessive Wille, sich sofort in den »Wäldern des Nordens« zu verlieren, ist infrage gestellt.
In dem zeitgenössisch populären Roman, der einen die Sühne und die gemeinschaftliche Produktivität bejahenden Ausgang nimmt, zeigt die Majorin am Gegenstand ihres eigenen Lebens die Maxime auf, daß jeder Mensch die Pflicht zu leben habe, so gut er eben könne. Die Metaphorik der Brechtschen Bearbeitung deutet auf eine abweichende Ausrichtung hin. Die Motive verweisen auf die

Vorstellungswelt, die in dem Schauspiel *Baal* und der frühen Lyrik zum Ausdruck kommt. Die Figuren sollen Menschen verkörpern, deren Haut gleichsam einem Tierfell ähnelt. Ihr Leben ist mit jeder gesellschaftlichen Konvention unvereinbar; d. h. Brecht versucht hier wiederum darzustellen, daß gerade die normierte Massengesellschaft jede Individualität vernichtet oder zumindest einebnet. Der naturgemäße Mensch könne demnach nur in ungebundener, nutzloser und verschwenderischer Existenz den wahren Lebensgenuß feiern.

Zwei Akte dieser Romanbearbeitung hat Brecht geschrieben, ohne hier eine neuartige Ausdrucksform anzustreben. Es handelt sich um eine sprachlich oft nur holprige Gelegenheitsarbeit, an der der Autor das Interesse verlor, als Ellyn Karin eine Aufführung verbot.

LEBEN EDUARDS DES ZWEITEN VON ENGLAND

Historie nach Marlowe. Entstehungszeit 1923/24. GW I. Eine erste, fragmentarische Fassung findet sich in: *Brecht, Leben Eduards des Zweiten von England.* Vorlage, Texte und Materialien. Ediert von Reinhold Grimm. Frankfurt 1968. Erstausgabe: Kiepenheuer Verlag, Potsdam 1924. Für die Ausgabe STÜCKE II (Suhrkamp Verlag 1953/ Aufbau Verlag 1955) nahm Brecht keine wesentlichen Änderungen mehr vor. Uraufführung 1924, Münchner Kammerspiele.

Wie im *Dickicht* spielt auch in dieser Historie nach Marlowe der Kampf zweier Männer im »Dschungel« der Zeit eine wichtige Rolle. Die Figuren erweisen sich als »roh verstrickt« in ihr Selbst, sie besitzen nicht mehr die Unabhängigkeit, die sie in Marlowes Stück noch haben, sie handeln nicht mehr »vernünftig« im Sinne ihrer Interessen und politischen Machtstellung. Marlowes Eduard will zwar auch seinen Buhlknaben Gaveston um jeden Preis halten, aber der König in ihm gibt sofort nach, wenn er seine Stellung ernsthaft gefährdet sieht. Er stimmt der zweiten Verbannung seines Günstlings zu, und aus politischen Erwägungen bestimmen dann Mortimer und die Peers, daß er zurückkommen kann. Brecht läßt die zweite Verbannung überhaupt weg. Sein Eduard handelt streng nach dem Satz »Ich falle oder leb mit Gaveston«. Gegen alle Vernunftregeln widersetzt er sich den Gesetzen, die seine Herrschaft garantieren. Er pfeift auf seine Königswürde und bereitet sich selbst den Untergang. Schon die erste große Schlacht endet für Eduard vernichtend. Er überlebt nur, weil es ihm gelingt, die Peers in eine Falle zu locken und feige zu ermorden. Dem Mortimer schenkt er das Leben: der König will ihn sich als Gegner erhalten, mit dem er »kämpfen« kann. Er verschont seinen Feind aus »arger Lust«. Der Hof, sein Königtum und die Sicherung der Macht sind ihm nicht wichtig, er bleibt im Feld mit seinen Spießgesellen: »Der Regen wäscht die Nieren und alles ist besser/ Als London.« Da er einmal den Kampf aufgenommen hat, kann er nicht mehr zurück, er ist in ein Geschehen verwickelt: »In Zeltlager verstrickt und Heerzüge/ Entwindet sich der Mensch nicht mehr dem Krieg/ Um den vertilgten Gaveston.« Auch Mortimer kämpft nicht aus politischen Gründen gegen den König. Brecht zeigt ihn als Philosophen, der die Einsicht »in die Nichtigkeit menschlicher Dinge und Taten« gewonnen hat und nur schwer zu überreden ist, sein Studierzimmer zu verlassen, denn »wer anfängt/ Einen Hahn zu rupfen, ihn zu essen, oder/ Weil sein Gekräh gestört hat, solchen kann am Ende/ Gesättigt, aus Geschmack am Schinden, Lust ankommen/ Abzuziehen die Haut dem Tiger.« Wie ein Liebender verfällt Mortimer seinerseits der Idee des Kampfes mit dem König, für den er die Rolle des Gaveston übernimmt: »Drum wickle ich mich/ Gescheut wie ein Verbrannter, in eines andern/ Haut, nämlich in die Haut dieses Schlächtersohns.« Bevor er Eduard umbringen läßt, tritt Mortimer ihm noch einmal gegenüber und muß erkennen, daß er als der physische Sieger der menschliche Verlierer ist. Eduard »erkennt« sich und »nicht gelüstig/ Auf Sterben, schmeckt er Nützlichkeit/ Schrumpfender Vernichtung.« Sterbend nimmt Eduard eine königliche Haltung ein, er bedauert nichts und weigert sich, der Krone zu entsagen. »Ihr kämpft gut«, muß der Unterlegene einräumen. Zwar ist der Kampf der Gegner kein Schattenboxen, aber zwischen Eduard und Mortimer gibt es ebensowenig »Verständigung« wie zwischen Shlink und Garga. Eduard preist die »Finsternis« als das Beste, die Königin lacht über die »Leere« der Welt, und Mortimer erinnert den jungen Thronfolger, von dem er gestürzt wird, an das Bild vom ewig kreisenden Rad der »Fortuna«, das Rad, das erst aufwärts und dann nach unten treibt: »Weils eben rund ist. Wer dies gesehn hat, fällt er/ Knabe, oder läßt er sich fallen? Die Frage/ Ist spaßhaft. Schmeck sie!«

Brecht, der Ende 1922 einen Vertrag als Dramaturg mit den Münchner Kammerspielen abgeschlossen hatte, erhielt im Rahmen seiner Abmachungen die Möglichkeit, ein Shakespeare-Stück dramaturgisch einzurichten und es zu inszenieren. Ursprünglich bestand die Absicht, *Macbeth* auf die Bühne zu bringen, dann einigte man sich aber auf Marlowes *Eduard II.*, dieses bunte und blutige Panorama wilder Leidenschaften, in dem Brecht ähnliche Motive und dramatische Konflikte wie im *Dickicht* entdeckte. Die vorliegende Übersetzung des Stücks von Alfred Walter Heymel, die zuerst gespielt werden sollte, gefiel Brecht nicht besonders. Lion Feuchtwanger, ein vorzüglicher Kenner des Englischen, machte den Vorschlag, gemeinsam einen neuen Text nach dem Original anzufertigen. Aus der Übersetzung wurde wie immer bei Brecht in solchen Fällen eine eingreifende Bearbeitung. Feuchtwangers Anteil bestand hauptsächlich im Überprüfen verstechnischer Probleme, er kritisierte zu »glatt« geratene Stellen, half beim Aufrauhen der Verse, die »holprig« sein sollten wie die Schlegel-Tiecksche Shakespeare-Übertragung. »Das Problem war einfach: Ich benötigte gehobene Sprache, aber mir widerstand die ölige Glätte des üblichen fünffüßigen Jambus. Ich brauchte Rhythmus, aber nicht das übliche Klappern.« Die Sprache sollte der ungleichmäßigen Entwicklung menschlicher Schicksale und dem Hin und Her historischer Vorgänge, den »Zufälligkeiten« entsprechen. Es war ein Protest gegen die Glätte und Harmonie des konventionellen Verses und zugleich ein Versuch, »die Vorgänge zwischen den Menschen als widerspruchsvolle, kampfdurchtobte, gewalttätige zu zeigen«. Brecht vereinfachte die Handlung seiner Vorlage und verkleinerte das Personal. Der gesellschaftliche Hintergrund, die politische Aktion mußten zurücktreten zugunsten einer menschlichen. Es ging nicht darum, Geschichte darzustellen. Der Untertitel »Historie« war formal gedacht, ebenso die epische Gliederung des Stoffs. Die genauen Daten in den Szenenüberschriften sind zum größten Teil erfunden, sie sind lediglich ein Mittel zur Konkretisierung der Fabel, also dessen, was die Menschen tun und was mit ihnen geschieht. Die formalen Stichworte, die Brecht auch später immer wieder ins Spiel brachte, waren Historie, Chronik und Moritat. Die Inszenierung der Marlowe-Adaption war die erste entscheidende Etappe Brechts auf dem Weg zum »epischen« Theater.

MANN IST MANN

Lustspiel. Entstehungszeit: 1924/26. GW I. Mitarbeiter: Emil Burri, Elisabeth Hauptmann, Caspar Neher, Bernhard Reich und Slatan Dudow.
1. Bis 1924 arbeitete Brecht an einem Stück *Galgei*, das für *Mann ist Mann*

benutzt wurde. Der sogenannte Ur-*Galgei* entstand im August 1918. Das Stück hieß auch *Der dicke Mann auf der Schiffschaukel, Galgei auf der Schaukel* und *Klamauk.*
2. Erste Fassung 1925. BBA 150/45–203. Auszugsweise veröffentlicht in: *Brechts »Mann ist Mann«*. Hrsg. von Carl Wege. Frankfurt 1982.
3. Erstausgabe im Propyläen Verlag, Berlin 1926. Die Uraufführung fand im September 1926 in Darmstadt statt.
4. Malik-Ausgabe von 1938. Diese Fassung geht im großen und ganzen auf die Staatstheaterfassung von 1931 zurück.
5. Letzte Fassung in STÜCKE II, Berlin 1955. Sie stellt den Versuch einer Wiederherstellung der Fassung von 1926 dar. Die Szenen 1–8 entsprechen der Malik-Ausgabe, die 9. Szene ist geändert, dann folgen wieder die beiden letzten Szenen der Propyläen-Ausgabe, ebenfalls leicht geändert.

Der Packer Galy Gay geht eines Morgens auf den Markt, um einen Fisch zu kaufen, landet aber in den Militärbaracken von Kilkoa, weil er nicht nein sagen kann. Drei Soldaten einer Maschinengewehrabteilung der englischen Armee überreden den Packer, beim Appell den vierten Mann zu spielen, der bei einem Einbruch in eine Pagode abhanden gekommen ist. Zunächst reagiert Galy Gay schwerfällig wie ein »Elefant«, läuft dann aber, nachdem er ins Laufen gekommen ist, »wie ein Güterzug«. Er spielt seine Rolle gut, und sie gefällt ihm: »Und es kommt auch nur darauf an in der Welt, daß man auch einmal einen kleinen Ballon steigen läßt und ›Jeraiah Jip‹ sagt wie ein anderer ›guten Abend‹ und so ist, wie die Leute einen haben wollen, denn es ist ja so leicht.« Da ihr Kamerad Jip nicht rechtzeitig zurückgekehrt ist, bitten die Soldaten Galy Gay, die Rolle zu behalten. Sie locken den Zögernden mit einem »Geschäft«: Sie hätten einen Elefanten an der Hand, den könne er haben, und ein Käufer sei auch da. Der Packer nimmt an, verleugnet sogar seine Frau, die der Sergeant Fairchild hereinführt, um die Einbrecher endlich zu identifizieren. Auf Galy Gay ist jedoch Verlaß. Jetzt hat er »Blut geleckt«. Die Soldaten montieren ihn vollständig um, noch ehe die Armee nach der nördlichen Grenze aufbricht, denn sie wissen, ein Mann ist wie der andere, »man macht zuviel Aufsehens mit Leuten«.
Der Elefant, den die Soldaten vorführen, besteht aus nichts anderem als aus zwei Männern und einigen Zeltbahnen. Doch Galy Gay unterdrückt seine Zweifel, weil die Kantinenwirtin Witwe Begbick das Tier vorbehaltlos kauft. Dann wird der Packer wegen Betrugs verhaftet, in einem fiktiven Prozeß zum Tode verurteilt und an-

schließend erschossen. Als Jeraiah Jip darf er überleben und dem Füsilierten die Totenrede halten. Wirklichkeit und Spiel kann Galy Gay nicht mehr auseinanderhalten, am Schluß der Prozedur fragt er verwirrt: »Wer aber bin ich?« Die Soldaten versichern ihm, daß er ein Mann geworden ist, »der in den kommenden Schlachten seinen Platz ausfüllen wird«. Immer noch hat der Packer Rückfälle, er meldet Zweifel an der Auslöschung seiner Individualität an. Das traurige Los des Sergeanten Fairchild, einst berühmt und gefürchtet als »Blutiger Fünfer« und »menschlicher Taifun«, jetzt aber ein erbärmliches Wrack, ein Zivilist, der von niemand respektiert wird, bestimmt Galy Gay, sich endgültig dem Kollektiv anzuvertrauen und seine Persönlichkeit an den Nagel zu hängen. Der Typ des alten Kolonialoffiziers, ein gemeiner Sadist mit menschlichen Anwandlungen, hat ausgespielt. Fairchild will der Blutige Fünfer bleiben und entmannt sich, um seinen Namen behalten zu können. Galy Gay verzichtet auf seinen Namen, will nicht länger ein Charakterkopf sein und wird dadurch zum »Mann«. Erst als Soldat gewinnt er Lebenskraft, Selbstbewußtsein und ist »unaufhaltsam wie ein Kriegselefant«, eine »menschliche Kampfmaschine«. Der unscheinbare Packer blüht auf, endlich darf er sich verwirklichen, das Kriegsspiel ist für ihn so schön wie ein Orgasmus. Er schießt eine ganze Festung zusammen und ebnet der Armee den Weg nach Tibet.

Das Motiv der Verwandlung bestimmt die Struktur des Stücks. Es gibt insgesamt vier Verwandlungen, drei gipfeln in dem sogenannten Montageakt, dem neunten Bild, das in mehrere Nummern aufgeteilt ist. Der Bonze der Pagode, in die die Maschinengewehrabteilung eingedrungen ist, verwandelt den zurückgebliebenen Soldaten Jip in einen Gott und kassiert von den Gläubigen, die das Wunder sehen wollen, Geldspenden und Opfergaben. Die Soldaten müssen nicht nur den Galy Gay ummontieren, sondern auch die Kantine der Witwe Begbick umbauen, ihren Bierwaggon marschbereit machen. Ihre Gegenleistung wiederum ist die Verwandlung des Sergeanten Fairchild in einen Zivilisten. Gongschläge, ein Megaphon und Jazz bilden den theatralisch-formalen Rahmen der verschiedenen Verwandlungen, setzen sie voneinander ab oder führen sie ineinander über. Das Lustspiel ist aufgezogen als große Sportveranstaltung und verrücktes Kabarett der Komiker. Ein technischer Apparat umrahmt grotesk Komik, Zirkuseinlagen und Clownsnummern im Geiste Valentins und Chaplins. Kilkoa, das indische Kolonialmilieu des Stückes, ist von der Soldaten-Camp-

Atmosphäre der Kiplingschen Kurzgeschichten und Balladen geprägt. Das Lustspiel steckt nicht nur voller Kipling-Zitate, viel entscheidender sind die versteckten Kipling-Anklänge, die eigenwillige Umdeutung und Nutzbarmachung vieler Motive.

Hätte es nicht eine unverblümte antimilitaristische Aussage, die hauptsächlich erst durch nachträgliche Einfügungen erreicht wurde, so wäre das Schauspiel *Mann ist Mann* als das zwiespältigste der frühen Stücke Brechts zu klassifizieren. Dieses Werk, von Verwandlung handelnd, mußte sich gegen mehrere Wandlungen der Auffassungen des Verfassers von der Rolle des Individuums und der Persönlichkeit in der Gesellschaft behaupten. Der Kern der Fabel und die Figur des Galy Gay war noch »augsburgisch«, Brecht hatte die »Vision vom Fleischklotz, der maßlos wuchert, der, nur weil ihm der Mittelpunkt fehlt, jede Veränderung aushält, wie Wasser in jede Form fließt«. Galy Gay war konzipiert als ein Mann, der manipuliert wird, ein Menschenautomat, der unsterblich ist aus Unfähigkeit zu leben. Es war ein Mann, der gelebt wird, dessen Baal-Natur keinen Freiraum mehr hat, die lediglich so stark ist, daß sie zum Überleben ausreicht. Als sich Brecht dann um 1924 für gesellschaftliche Prozesse und Mechanismen zu interessieren begann, polemisierte er gegen den Individualismus und gegen das Schicksal großer Einzelner. Die »Persönlichkeit« lehnte er jetzt als etwas Anachronistisches ab. Das Stück über die Verwandlung des Packers Galy Gay in den Militärbaracken von Kilkoa schien ihm nun geeignet für die theatralische Darlegung seiner Behauptung »Mann ist Mann«. In der 1926 abgeschlossenen Fassung des Lustspiels hielt er die Entpersönlichung des Menschen für notwendig: zählen sollte nur noch die Leistung im Kollektiv, denn der Einzelne wächst im Kollektiv, hier kann er zur »menschlichen Kampfmaschine« werden. Boxer, die Brecht bewunderte, wurden damals als solche grandiosen Kampfmaschinen gefeiert. Daß der zur Maschine verwandelte Charakterkopf zum Mörder wurde, zählte nicht: der Krieg in Indien, das Kollektiv der Soldaten waren nur Requisiten einer theatralischen Parabel.

Noch im April 1928 bewertete der Autor das Verhalten der Hauptfigur von *Mann ist Mann* positiv: »Dieser Zeitgenosse Galy Gay wehrt sich überraschenderweise durchaus dagegen, daß aus seinem Fall eine Tragödie gemacht wird, er gewinnt etwas durch den mechanischen Eingriff in seine seelische Substanz und meldet sich nach der Operation strahlend gesund.« In seinen Lehrstücken korrigierte Brecht wenig später seine Auffassungen von Individuum und

Masse. Wenn er nun forderte, daß der Einzelne sich in das Kollektiv einzuordnen hat, handelte es sich nicht »um eine mechanische Abrichtung und nicht um die Herstellung von Durchschnittstypen«, sondern um gesellschaftliche Bewußtwerdung in einem Kollektiv, das eine menschenwürdige, sozialistische Gesellschaftsordnung erkämpfen will. Entscheidend war die »Qualität« eines Kollektivs und die Rolle, die es dem Individuum zuweist.
Für die zweite Berliner Aufführung von *Mann ist Mann* 1931 im Staatstheater, bei der er selbst Regie führte, versuchte Brecht, sein Lustspiel im Sinne seiner neuen Erkenntnisse über Individuum und Masse umzuändern. Galy Gay wurde nun zu einem sozial negativen Helden, gezeigt wurde die Ummontierung eines armen Schlukkers, der nichts zu verlieren hat, in einen mörderischen Soldaten und anonymen Befehlsempfänger. Über ihn hieß es jetzt im Zwischenspruch: »Man kann, wenn wir nicht über ihn wachen/ Ihn uns über Nacht auch zum Schlächter machen.« Die Kiplingsche Kolonialromantik wurde zurückgenommen, die Jazzkapelle gestrichen. Brecht ließ das Stück mit dem Montageakt enden, weil er damals, wie er später kommentierte, »keine Möglichkeit sah, dem Wachstum des Helden im Kollektiv einen negativen Charakter zu verleihen«. (GW VII, S. 951) 1931 beschränkte er sich darauf, *Mann ist Mann* als groteskes Antikriegsstück zu spielen. Die Soldaten erschienen als fürchterliche Ungeheuer, sie liefen auf Stelzen, trugen Teilmasken und Riesenhände. Galy Gay verwandelte sich am Schluß ebenfalls in solch ein Ungeheuer.
Erst nach dem Zweiten Weltkrieg entschloß sich Brecht, auch die Darstellung des Wachstums seines Helden ins Verbrecherische zu zeigen. »Das Problem des Stückes«, gab er nun zu bedenken, »ist das falsche, schlechte Kollektiv (der ›Bande‹) und seine Verführungskraft, jenes Kollektiv, das in diesen Jahren Hitler und seine Geldgeber rekrutierten, das unbestimmte Verlangen der Kleinbürger nach dem geschichtlich reifen, echten sozialen Kollektiv der Arbeiter ausbeutend.« Zu zeigen wäre demnach der Punkt, wo sich Kommunismus und Faschismus ganz nahekommen und sie dennoch alles trennt. Zu einer Bearbeitung von *Mann ist Mann,* in der das Problem des positiven und negativen Kollektivs konsequent zu behandeln wäre, hatte Brecht weder die Kraft noch die Zeit, die frühen Stücke visierten eine gesellschaftliche Problematik an, die in den fünfziger Jahren etwas zu außerhalb der aktuellen Fragestellungen und der schriftstellerischen Interessen des Autors lagen.
Bleibt die Rolle der Witwe Begbick, die ebenfalls 1931 geändert

wurde, später aber im Gegensatz zu Brechts Behauptung, nicht wieder der früheren Fassung angepaßt wurde. Ursprünglich feuerte sie die Soldaten mit Abenteuerromantik an, sie war eine gute Mischung aus Puffmutter und Engel der Maschinengewehrabteilung. In der späteren Fassung blieb sie zwar Kantinenwirtin, aber statt vital sollte sie nunmehr nachdenklich weise sein. Statt des flotten, Kipling nachempfundenen Songs »Ach, Tom, bist du auch beir Armee, beir Armee« hatte sie ständig das pseudo-tiefsinnige »Lied vom Fluß der Dinge« zu singen, damit die Ummontierung des Galy Gay kommentierend. Die Absicht Brechts war, mit dem »Beharre nicht auf der Welle« eine positive Vorstellung von Verwandlung in das Lustspiel einzubringen. Der Gedanke vom Fluß der Dinge ist hier aber völlig undialektisch aufgefaßt, alles, wird behauptet, ist ständiger Verwandlung unterworfen, nicht nur die Persönlichkeit, auch die Dinge sind relativ und vergänglich. Da die Veränderung, von der die Begbick singt, ohne historische Dimension bleibt, wird erneut die Beliebigkeit, das mechanistische der Verwandlung eines Menschen gerechtfertigt: Beharre nicht bei dem, was du bist, scheint sie Galy Gay ermuntern zu wollen, du wirst doch zu dem werden, wozu du bestimmt bist. Festgestellt wird nur, daß alles fließt, die Frage, wie es fließt und wie es zum Fließen zu bringen ist, wird nicht gestellt.

DAS ELEFANTENKALB

Zwischenspiel für das Foyer zu dem Stück *Mann ist Mann.* Entstehungszeit: 1925/26. GW I. Erste Veröffentlichung in der Buchausgabe von *Mann ist Mann,* Berlin 1926.

Dieses kleine Nonsense-Spiel ist eine lustige Variation zum Thema des Elefantenverkaufs in *Mann ist Mann,* das den Zuschauer in die richtige Haltung als Betrachter theatralischer Vorgänge versetzen soll. Formale Vorbilder sind neben Shakespeares Handwerkerspiel im *Sommernachtstraum* oder den Zwischenspielen des Cervantes die turbulenten Stummfilmgrotesken Chaplins oder Harald Lloyds sowie komische Westernoperetten. Der Einakter ist eine Huldigung an das Publikum der Sportplätze, Music Halls und Wettbüros, während dem bürgerlichen Bildungspublikum die Devise entgegengehalten wird: »Wenn Sie nur etwas sehen wollen, was einen Sinn hat, müssen Sie aufs Pissoir gehen.« Das Zwischenspiel zu *Mann ist*

Mann belegt auch bereits Brechts Interesse an der alten chinesischen *Kreidekreis*-Fabel, aus der er hier parodistisch die Mutterprobe verwendet. (Klabunds Adaption des *Kreidekreis*, für Elisabeth Bergner geschrieben, erschien 1925.)

DIE DREIGROSCHENOPER

Nach John Gays *The Beggar's Opera*. Mitarbeiter: Elisabeth Hauptmann, Kurt Weill. Entstehungszeit: 1928. GW I. Uraufführung am 31. August 1928 im Theater am Schiffbauerdamm in Berlin. Es gibt mehrere voneinander abweichende Fassungen (nach 1931 wurde das Stück nicht mehr wesentlich verändert):

1. *The Beggar's Opera. Die Luden-Oper*. Von John Gay. Übersetzt von Elisabeth Hauptmann. Deutsche Bearbeitung: Bert Brecht. Musik: Kurt Weill. Vervielfältigtes Bühnenmanuskript von Felix Bloch Erben. Berlin-Wilmersdorf 1928.
2. *Die Dreigroschenoper (The Beggar's Opera)*. Ein Stück mit Musik in einem Vorspiel und acht Bildern nach dem Englischen des John Gay. Übersetzt von Elisabeth Hauptmann. Deutsche Bearbeitung von Bert Brecht. Musik von Kurt Weill. Felix Bloch Erben/Universal-Edition. Wien–Leipzig 1928.
3. *Die Dreigroschenoper*. Von Brecht, Hauptmann, Weill. In: VERSUCHE, Heft 3, Berlin 1931. (Fassung in einem Vorspiel und neun Bildern.)

Zum Entsetzen des »Bettlerkönigs« Jonathan Peachum heiratet seine Tochter Polly heimlich bei Nacht den berüchtigten Gentleman-Räuber Mackie Messer. Zur Hochzeit des Brautpaars versammeln sich in einem Pferdestall die Mitarbeiter Mackies (seine »Platte«) in schöner Eintracht mit Hochwürden Kimball und dem Polizeichef Brown. Mackie Messer und Tiger-Brown sind alte Kriegskameraden von Indien her, sie schwelgen gerne in ihren Erinnerungen und halten immer noch aufs Beste zusammen. Peachum jedoch zwingt den Polizeichef, dem Räuber die Freundschaft zu kündigen und ihn zu verhaften, er würde sonst seine Bettlerarmee gegen den Krönungszug der Königin mobilisieren. Browns Tochter Lucy, ebenfalls mit Mackie Messer so gut wie verheiratet, befreit den Geliebten, aber der nützt die Gelegenheit nicht zur rettenden Flucht, sondern begibt sich in alter Gewohnheit zu den Huren, wo ihn der Polizeichef erneut verhaften lassen muß. Jetzt findet sich niemand mehr, der Mackie aus dem Gefängnis helfen will, weder die »Platte«, noch seine Frau Polly, noch Lucy sind zur Opferung von Geld bereit, mit dem man einen Aufseher bestechen könnte.

Mackies Gang zum Galgen ist unaufhaltsam. Dort aber erscheint in letzter Sekunde »der reitende Bote des Königs«, der den Räuber begnadigt und ihn in den Adelsstand erhebt.
Elisabeth Hauptmann, damals ständig auf der Suche nach geeigneten Stoffen für Brecht, wurde 1927 auf die *Beggar's Opera* des John Gay aufmerksam, die 1920 vom Lyric Theatre in London ausgegraben und dort über zwei Jahre gespielt worden war. Sie begann, den Text der im Geiste Swifts geschriebenen Satire aus dem 18. Jahrhundert, in der die Regierung Sir Robert Walpoles als eine Bande von Dieben und Bettlern portraitiert ist, ins Deutsche zu übersetzen, und Brecht entschloß sich gleich, das Stück zu bearbeiten. Der Schauplatz der Handlung war jetzt das viktorianische London, ein »literarisches« London allerdings wie das Kipling-Kilkoa in *Mann ist Mann,* und statt des Feudaladels wurde das räuberische Wesen des Bürgertums kritisch durchleuchtet und verspottet. Brechts eigentlicher Beitrag waren die im Tonfall von Kipling und vor allen Dingen von Villon verfaßten Songs und Balladen. Für den aggressiven und lästerlichen Ton dieser Lieder erwies sich die Originalmusik von Pepusch als ungeeignet. Kurt Weill übernahm es, zu der Bearbeitung, die »Gesindel« heißen sollte, eine neue Musik zu komponieren. Wie schon Pepusch, der musikalisch die Form der Händel-Oper parodiert hatte, legte es Weill darauf an, bekannte Mittel und Klischees der bürgerlichen Oper parodistisch zu verwenden. Die Autoren hielten sich dennoch bei dieser »Luden-Oper«, wie sie ihre Version der *Bettleroper* dann nennen wollten, an ein strenges Bauprinzip: drei Akte, die jeweils drei Szenen hatten, die beiden ersten Akte endeten mit einem gepfefferten Singspiel-Finale, das Finale zum letzten Akt bestand aus einem ironisch paraphrasierten Opernfinale und aus einem Schlußchoral. Eine Reihe der Songs entstand erst während der von Erich Engel im Berliner Theater am Schiffbauerdamm geleiteten Proben, an denen Brecht und Kurt Weill teilnahmen. Den endgültigen Titel *Die Dreigroschenoper* soll Lion Feuchtwanger vorgeschlagen haben.
Die Uraufführung der *Dreigroschenoper* ging als legendärer Erfolg der Zwanziger Jahre in die Theatergeschichte ein. Das Werk lief fast ein Jahr lang en suite in Berlin. Brecht war sich bewußt, daß er, wie es der Leiter des Schiffbauerdammtheaters, Ernst Josef Aufricht, formulierte, nur eine »literarische Operette mit einigen sozialkritischen Blinklichtern« verfaßt hatte, und der Erfolg beim bürgerlichen Publikum veranlaßte ihn, die Tendenz seiner Bearbeitung der

englischen Vorlage zu unterstreichen und zu verschärfen. In den Anmerkungen zur ersten Buchveröffentlichung der *Dreigroschenoper* innerhalb der *Versuche* erklärte er: »Die Vorliebe des Bürgertums für Räuber erklärt sich aus dem Irrtum, ein Räuber sei kein Bürger. Dieser Irrtum hat als Vater einen anderen Irrtum: ein Bürger sei kein Räuber.« Mit dem Druck der *Dreigroschenoper* hatte er lange gezögert, nur die Songs waren 1929 als Buch erschienen. Innerhalb der Reihe seiner *Versuche* schien ihm die Plazierung angemessener. Inzwischen hatte er auch im Dialog Verschärfungen angebracht, mit Texten, die aus *Happy End* oder aus seinem *Dreigroschenfilm*-Drehbuch *Die Beule* stammten. Das Drehbuch wurde damals abgelehnt, und *Der Dreigroschenroman*, in dem Brecht dann die marxistische Lesart des Stoffs auf unterhaltsam grimmige Art lieferte, erreichte nie die Popularität des Bühnenstücks. Der »fragwürdige Mythos« (Henning Rischbieter) der *Dreigroschenoper* überlebte alle Korrekturen des Autors. Gegenüber Aufführungsversuchen nach dem Zweiten Weltkrieg blieb er skeptisch: »In Abwesenheit einer revolutionären Bewegung wird die ›message‹ purer Anarchismus.« Für Wiederaufführungen schrieb er aktualisierende Songtexte, in denen Mackie Messer und seine Räuberkumpane als verkappte Hitlerbrüder dargestellt sind, die das Bürgertum für seine Versuche der Welteroberung und seine Raubzüge braucht. Diese Aktualisierungen waren ziemlich hilflose und platte Versuche, einer allzu leichten Konsumierbarkeit des Stücks entgegenzuwirken. Zu diesem Problem meinte Ernst Bloch bereits 1935: »Hier sind künstlerische Grenzen überhaupt gezogen, auch Stärkerem als dem Versuch der ›Dreigroschenoper‹ und ihren befreiten Schlagerwaffen. Der Nagel, den noch die politisch gezielteste Musik und Dichtung auf den Kopf treffen, ist der gegebenen Wirklichkeit nur sehr mittelbar einer zum Sarg«. Begeistert äußerte sich Brecht dann über Strehlers Mailänder Inszenierung der *Dreigroschenoper*, die er im Februar 1956 sah: »Die Aufführung – glänzend in Anlage und Detail und sehr aggressiv – dauerte von halb zehn bis zwei Uhr nachts; die Oper ist ungekürzt . . . Das Stück wirkt sehr frisch. Strehler, vermutlich der beste Regisseur Europas, hatte das Stück auf 1914 verlegt, und Teo Otto hat herrliche Dekorationen gemacht (statt Pferdestall jetzt Autogarage usw.). Das ist sehr gut, und nach dem dritten Weltkrieg könnte man es auf 19 . . verlegen.« (BR, S. 774)

AUFSTIEG UND FALL DER STADT MAHAGONNY

Oper. Mitarbeiter: Elisabeth Hauptmann, Caspar Neher, Kurt Weill. Entstehungszeit: 1927-29. GW I. Uraufführung 1930 in Leipzig. Der Oper voraus ging das Songspiel *Mahagonny*, das im Juli 1927 in Baden-Baden uraufgeführt wurde. Die erste Fassung der Oper basierte auf dem Songspiel und Handlungsteilen eines geplanten *Miami*-Stücks sowie auf Material im Umkreis des Lustspiels *Mann ist Mann*.

1. *Aufstieg und Fall der Stadt Mahagonny*. Oper in drei Akten von Brecht. Musik von Kurt Weill. Universal-Edition. Wien-Leipzig 1929. (Die 2. Aufl. des Textbuchs, 1930, bringt im Anhang noch die deutsche Fassung des Benares-Song.)
2. *Aufstieg und Fall der Stadt Mahagonny*. Oper in drei Akten von Brecht. Musik von Kurt Weill. Universal-Edition. Wien-Leipzig 1929 (3. Aufl. 1930). Wesentliche Änderungen, Umstellungen und andere Szeneneinteilung ab dem letzten Drittel des 2. Akts. Diese Fassung ist im wesentlichen identisch mit der ersten Buchausgabe in den VERSUCHEN.
3. *Aufstieg und Fall der Stadt Mahagonny*. Oper. In: VERSUCHE. Heft 2. Berlin 1931. Jimmy, Fatty, Billy, Jack und Joe haben jetzt deutsche Namen.

Die Konstabler im Rücken und eine Wüste vor Augen, landen drei Schwindler, Leokadja Begbick, Dreieinigkeitsmoses und Willy, der Prokurist, in einer öden Gegend am Meer. Da ihnen der Weg zur Goldküste verbaut ist, beschließen sie, eine Stadt der Vergnügungen zu gründen, die »Netzestadt«, in der die Goldgräber mit ihrer Beute wie Fische ins Netz gehen sollen, denn von Männern, sagt man, bekommt man das Gold leichter als von Flüssen. Die neue Stadt mit dem Namen Mahagonny lockt mit »sieben Tage ohne Arbeit«, mit »Gin und Whisky«, mit »Mädchen und Knaben«: »Überall gibt es Mühe und Arbeit/ Aber hier gibt es Spaß.« Das Unternehmen Mahagonny ist nur möglich, »weil alles so schlecht ist«, weil jeder gegen jeden kämpft, »und weil es nichts gibt, woran man sich halten kann«. Die Rechnung der drei Schwindler geht auf: alle, denen es in den großen Städten nicht mehr gefällt, »die Unzufriedenen aller Kontinente«, wollen in die Paradiesstadt. Eines Tages trifft hier, aus Alaska kommend, der Holzfäller Paul Ackermann mit seinen Kameraden Heinrich, Joseph und Jakob ein. Für ihr erspartes Geld hoffen sie nun in den Genuß der irdischen »Glückseligkeit« zu kommen. Für Paul findet sich das Mädchen Jenny Smith aus Oklahoma, die alles tut, »was man verlangt von mir«. Nach ihren Wünschen gefragt, erwidert sie: »Es ist vielleicht zu früh, davon zu reden.«

Wie alle großen geschäftlichen Unternehmungen gerät auch Mahagonny schließlich in die Krise: den »Haifischen« wird es mit der Zeit langweilig, die Paradiesstadt »gibt« ihnen nichts mehr. Paul Ackermann macht sich zum Sprecher der Enttäuschten, ihm »fehlt« etwas in dieser von Regeln und Gesetzen bestimmten Idylle. Als Hauptgrund für die Nichterfüllung seiner Glückserwartungen nennt er die vielen Verbotstafeln. Pauls Aufstand gipfelt in der Nachricht von einem Taifun, der sich drohend auf die Stadt zubewegt. Die Schreckensmeldung gibt Paul Ackermann neuen Auftrieb: »Wir brauchen keinen Hurrikan/ Wir brauchen keinen Taifun/ Denn was er an Schrecken tun kann/ Das können wir selber tun.« In der Nacht des Grauens fordert der Empörer die Leute von Mahagonny auf, alle Hoffnung fahren zu lassen, denn »ihr sterbt mit allen Tieren/ Und es kommt nichts nachher.« Sämtliche bestehenden Gesetze werden nun verworfen, und das neue Gesetz zum besseren Wohlbefinden der Menschen heißt »du darfst«. Der Taifun zerstört viele Städte, aber um Mahagonny macht er einen unerwarteten Bogen, und ein Jahr nach der Schreckensnacht herrscht wieder Hochbetrieb in der Stadt der Freude. Es wird nach Herzenslust gegessen (Herr Jakob Schmidt erleidet den glückseligen Tod durch Fressen), es wird rasch und viel geliebt (die Männer stehen Schlange für ein bißchen Sinnlichkeit, während die Liebe für Jenny und Paul »ein Halt« zu sein scheint), auch die Lust der Menschen am Wettkampf wird gestillt (Dreieinigkeitsmoses macht Joseph beim Preisboxen zu Hackfleisch, ein glatter Mord zwar, aber völlig legal), und Saufen kann man auch nach Belieben. Paul Ackermann allerdings vergißt die Einschränkung der grenzenlosen »Freiheit«: man darf nur alles, wenn man Geld hat. Als er eines Tages nicht mehr bezahlen kann, wird er vor Gericht gestellt. Dort springt niemand für ihn in die Bresche. Selbst das Mädchen Jenny »verleugnet« ihren geliebten Herrn, sie zahlt seine Zeche nicht und zeugt im Prozeß wider ihn: »Ja, Liebe, das ist leicht gesagt:/ Doch, solang man täglich älter wird/ Da wird nicht nach Liebe gefragt/ Da muß man seine kurze Zeit benützen.« Wegen Mangel an Geld wird Paul Ackermann zum Tode verurteilt. Auf dem Weg zum Richtplatz gibt er zu bedenken: »Ihr wißt wohl nicht, daß es einen Gott gibt?« Im Spiel von Gott in Mahagonny erhält er von Witwe Begbick und ihrem Anhang die klare Antwort: »Nein!« Paul Ackermann, der glaubte, er könnte für Geld Freude und Freiheit kaufen, stirbt auf dem Elektrischen Stuhl. Mahagonny indessen geht in zunehmender Verwirrung dem totalen Chaos und dem Untergang entgegen.

Während die Stadt schon brennt, demonstrieren »die noch nicht Erledigten« unbelehrt für ihre Ideale und für den Fortschritt des Goldenen Zeitalters, und niemand kann geholfen werden.

Die Oper *Aufstieg und Fall der Stadt Mahagonny* wurde von Brecht und Weill aus dem für das Baden-Badener Kammermusikfest 1927 verfaßten Songspiel »Mahagonny« entwickelt. Das Werk war gedacht als eine Polemik gegen die herkömmliche Oper, zugleich aber auch eine Kampfansage an die Puristen der Neuen Musik, an deren grundsätzliche Opernfeindschaft und ihre Vorstellungen von Musik als Gemeinschaftserlebnis außerhalb des Kulturbetriebs. Das Songspiel war von Brecht und Weill als »Stil-Studie« für ein größeres Unternehmen aufgefaßt worden. Sie hatten fünf Mahagonnygesänge der *Hauspostille* in eine Abfolge gebracht, die in etwa dem Fabelverlauf der späteren Oper entspricht. (Die Gesänge wurden mit Ausnahme des »Benares-Song« in die Oper übernommen.) Als abschließendes Finale hatte Brecht »Aber dieses ganze Mahagonny« geschrieben, jenes sechszeilige Leitmotiv, das in der Oper immer wieder auftaucht, sowie eine den Modellcharakter des Spiels betonende Schlußsentenz: »Denn Mahagonny das gibt es nicht. Denn Mahagonny das ist kein Ort. Denn Mahagonny ist nur ein erfundenes Wort.«

Was war Mahagonny? Laut Arnolt Bronnen gebrauchte Brecht das Wort 1923 zum erstenmal für die Naziaufmärsche in München: »Es war für ihn aufgetaucht, als er die Massen braunbehemdeter Kleinbürger gesehen hatte, hölzerne Gestalten mit ihrer falsch eingefärbten, durchlöcherten roten Fahne.« Für Brecht wurde Mahagonny der Begriff für das aus einer Mischung von Anarchie und Alkohol erträumte Utopia des Spießbürgers. Die ersten Gesänge zu diesem Thema waren Ausdruck seiner zwiespältigen Faszination für die männlichen Exzentriks, mit denen er in den Augsburger und Münchner Vorstadtkneipen Bekanntschaft gemacht hatte. Spürbar genoß er das Imponiergehabe und die Stammtischseligkeit dieser Holzfäller, Fuhrleute, Landstreicher und Skatbrüder. Die »Männer von Mahagonny« schilderte er als einen Trupp gescheiterter Individualitäten, auf der Suche nach Abenteuern, Glück und Liebe.

Während der Arbeit am Songspiel bereits gewann Brecht zunehmend Interesse an einer parabelhaften Darstellung des bisher nur flüchtig skizzierten Lebens in Mahagonny, jedenfalls begann er in dem Stoff eine gute Möglichkeit zu sehen, die Krisenanfälligkeit des Kapitalismus theatralisch abzuhandeln. Das Mahagonny der Oper, die Netzestadt, hatte wenig Ähnlichkeit mehr mit dem bajuwari-

schen Vorläufer. Das reale Vorbild für dieses kapitalistische Paradies und Sündenbabel wurde für Brecht Berlin mit seinen Vergnügungszentren, wo die Frauen amerikanisiert und in Girls verwandelt sich tummelten und die Kunden sich Träume von der Südsee und andere Räusche sowie Rauschgift verkaufen ließen.
Die Mahagonny-Welt war ein Spiegelbild der kapitalistischen Welt, wie sie sich dem Stückeschreiber Ende der Zwanziger Jahre darbot. Im Regiebuch ihrer Inszenierung von 1931 in Aufrichts Theater am Kurfürstendamm gebrauchten Brecht, Caspar Neher und Kurt Weill die Formulierung »Sittenbilder des 20. Jahrhunderts«. Die Stadt Mahagonny sollte als ein »Gleichnis vom heutigen Leben« wirken. Es war keine parabolische Moralität, sondern eine realistische Parabel: In Mahagonny herrscht das Gesetz des Geldes, das die totale Verdinglichung der zwischenmenschlichen Beziehungen mit sich bringt. Es gibt Ausbeuter und Ausgebeutete, die Gruppe der Gründer und die Gruppe der Ankommenden. »Die schräge infantile Betrachtung«, schreibt Adorno, »die sich an Indianerbüchern und Seegeschichten nährt, wird zum Mittel der Entzauberung der kapitalistischen Ordnung, deren Höfe sich in Koloradofelder, deren Krisen sich in Hurrikane, deren Machtapparatur sich in parate Revolver verwandeln. In Mahagonny wird Wild-West als das aus dem Kapitalismus immanente Märchen evident, wie es Kinder in der Aktion des Spieles ergreifen.«
Für die Gestaltung der Fabel seines Stoffs benutzte Brecht möglicherweise die Goldgräbergeschichte *The Luck of Roaring Camp* von Bret Harte, die wesentlichsten Momente der Fabel allerdings sind »umfunktionierte Theologie«. Aufgrund der zahlreichen Analogien zu Bibelepisoden interpretiert G. Sehm die Oper als »eine in Religionskritik mündende Bibel-Parodie«. Paul Ackermann, der anarchistische Rebell gegen die bestehenden Verhältnisse, der kein »Mensch« sein will, gleicht dem Heiland, zu dem Pilatus im Neuen Testament das achtungsvolle »Sehet, welch ein Mensch!« spricht. Die Stationen der Passionsgeschichte vom Abendmahl bis zur Kreuzigung werden von Brecht parodistisch benutzt. Der Holzfäller (Christus war Zimmermann) wird wie Jesus angeklagt, Ruhe und Ordnung gestört, das Volk »erregt« zu haben, sein Tod allerdings hilft dann weder ihm noch den Menschen. Wie das Volk Israel den Ägyptern entkommen Witwe Begbick und die ihr beigesellten Helfer Moses und Willy, der Prokurist, in denen man unschwer Moses und Aaron sehen kann, den Konstablern. Die Flüchtlinge haben bald ihr »gelobtes Land« gefunden, in dem nun

zwar nicht Milch und Honig fließen, aber doch reichlich Gin und Whisky ausgeschenkt werden. Nach den Anweisungen der Witwe Begbick, die wie der Herr in der Bibel über allem waltet, stellt Moses Gesetzestafeln her, die schließlich vom halsstarrigen und auf Gold versessenen Volk mißachtet werden. Die Tafeln werden zerstört, der Herr aber vergibt Übertretung und Sünden, und neue Tafeln werden angefertigt. Es ist aber der alte Wein in neuen Schläuchen. Die Witwe Begbick bleibt oberster Herr. Die neue Regelung ermöglicht, daß ihre Geschäfte nunmehr wieder florieren. Wie in der Bibel wird der Bund des Herrn mit den Kindern Israels erneuert. Paul Ackermann hat die Gesetze der Bergpredigt blasphemisch in ihr Gegenteil verkehrt. Über die Ermahnung in dem Lied »Gegen Verführung« hinaus verkündet er mit der Abschaffung der Verbote nicht die Freiheit, sondern das neue Gesetz der Anarchie. Diebstahl, Mord, Ehebruch – alles ist nunmehr erlaubt. Weil die eigentliche Ordnung, die durch Geld geregelten gesellschaftlichen Verkehrsformen, nicht aufgehoben wird, stimmen die Verantwortlichen der neuen Regelung gerne zu.

Die Ausarbeitung des Songspiels zur Oper war auch eine Absage an Hindemiths Baden-Badener »Kammermusik«-Konzept, das zwar neue Formen der Vermittlung von Musik, jedoch keine generellen gesellschaftlichen Neuerungen beinhaltete. Brecht und Weill hatten nun die originelle Idee, in ihrem Werk den verantwortlichen Leitern der Donaueschinger/Baden-Badener Musiktage einen kleinen Denkzettel zu verpassen. Die Entscheidung von Hindemith und seinen beiden Mitstreitern Heinrich Burkhard und Joseph Haas, 1927 neben den Avantgarde-Komponisten auch die von Fritz Jöde angeführte musikalische Jugendbewegung nach Baden-Baden einzuladen, brachte ihnen viel Spott und Kritik ein. Die Künstler aus Berlin sahen sich ständig von singenden Waldläufern umringt, die auch das Einnehmen des Frühstücks als zu preisendes Gemeinschaftserlebnis auf dem Programm hatten. In ihrer Oper ließen nun die Verfasser die offensichtlich von öffentlichen Waldmusiken und Aufmärschen reformgekleideter Musikbarden begeisterten Veranstalter als Paul Ackermann, Heinrich Merg und Joseph Lettner auftreten, die von ihren gemeinsamen Erlebnissen in den Wäldern schwärmen und Ruhe und Eintracht ersehnen. Beim Preisboxen bleibt Joseph Lettner sehr bald auf der Strecke. (Joseph Haas, der damals sogar mitgesungen haben soll, zog sich nach den harten Auseinandersetzungen von 1929, enttäuscht von Hindemiths zögernder Haltung, zurück.) Paul Ackermann, ein Aufrührer zwar

und zu kühnen Taten immer bereit, muß schließlich hingerichtet werden, weil er den ökonomischen Problemen zu wenig Aufmerksamkeit gewidmet hat. (Brecht mußte 1930 öffentlich gegen Hindemith Stellung beziehen.) Voller Wehmut nimmt Paul Abschied von seinem »letzten Freund« Heinrich. (Heinrich Burkhard zog 1930 nach Berlin, wo er mit Hindemith die Baden-Badener Musiktage als »Neue Musik Berlin« fortzuführen gedachte. Es folgte sehr bald der endgültige Bruch von Brecht mit Hindemith, als die Aufführung der *Maßnahme* von den Veranstaltern abgelehnt wurde.)
Zu den Interpretationen der Figur des Paul Ackermann einerseits als Jesus-Parodie, andererseits als verschlüsseltes Hindemith-Portrait paßt auch die Assoziation zum *Ackermann aus Böhmen,* jenem mittelalterlichen Prosadialog zwischen Mensch und Tod. Der Akkermann von 1400 ist ein leidenschaftlicher Aufrührer, der sein schweres Leid zum allgemeinen menschlichen Los erklärt und ein »Zetergeschrei« anhebt. Er wird vom Tod erst mit eiskaltem Spott, dann mit begütigender Weltverachtung auf die Nichtigkeit des Lebens und den eitlen Lauf der Welt hingewiesen. Der Mensch, muß der Bauer hören, sei durchaus entbehrlich im großen Plan der Schöpfung. Am Ende muß sich der Rebell in Gottes Wille und unanfechtbare Gerechtigkeit fügen. Die Oper *Aufstieg und Fall der Stadt Mahagonny* ist nicht zuletzt eine moderne Variante dieses mittelalterlichen Totentanzes.

DER OZEANFLUG

Radiolehrstück. Entstehungszeit: 1928/29. GW I. Mitarbeiter: Elisabeth Hauptmann und Kurt Weill. Zu dem Stück gibt es Musiken von Paul Hindemith und Kurt Weill. Uraufführung im Juli 1929 in Baden-Baden. Zuerst veröffentlicht in der Zeitschrift *Uhu* vom 8. 4. 1929, erste Buchausgabe im 1. Heft der VERSUCHE 1930.

In diesem »Radiolehrstück« stehen sich Radio und Hörer gegenüber. Diskussionsgegenstand und Lehrstoff ist Charles Lindberghs erfolgreicher Atlantikflug im Mai 1927, der in die Geschichte der Luftfahrt einging. Brecht preist den Flug als eine entscheidende Schlacht im »Kampf gegen das Primitive«, gegen Ausbeutung und Unkenntnis. Das Radio stellt die Stadt, die Kontinente, ein Schiff, die Naturgewalten und die Masse dar, der Hörer verkörpert den Part des Fliegers. Nicht der Flieger, der als erster den Atlantik überflog, soll verherrlicht werden, sondern seine Tat. Er tritt deshalb im

Plural als die Flieger in Erscheinung. Der Pionierflug soll als eine kollektive Leistung gewertet werden, an der auch die sieben Konstrukteure des Flugzeugs beteiligt sind: »Sie haben gearbeitet, ich/ Arbeite weiter, ich bin nicht allein, wir sind/ Acht, die hier fliegen.« Ein gemeinsamer Schlußbericht von Radio und Hörer zieht Bilanz: aufgezeigt wurde »das Mögliche«, um »das noch nicht Erreichte« ins Blickfeld zu rücken.

Der ursprüngliche Titel des Stücks war *Lindbergh,* später hieß es *Lindberghflug,* dann *Der Flug der Lindberghs.* In der ersten Fassung hieß der Part des Fliegers Lindbergh, dann änderte Brecht in »die Lindberghs« um. Als Begründung für die letzte Titeländerung und die Streichung des Namens Lindbergh, die er im Januar 1950 vornahm, schrieb Brecht: »Lindbergh hat bekanntlich zu den Nazis enge Beziehungen unterhalten; sein damaliger enthusiastischer Bericht über die Unbesiegbarkeit der Nazi-Luftwaffe hat in einer Reihe von Ländern lähmend gewirkt. Auch hat Lindbergh in den USA als Faschist eine dunkle Rolle gespielt.« Zusätzlich verfaßte der Stückeschreiber einen Prolog:

> »Hier hört ihr
> Den Bericht über den ersten Ozeanflug
> Im Mai 1927. Ein junger Mensch
> Vollführte ihn. Er triumphierte
> Über Sturm, Eis und gefräßige Wasser. Dennoch
> Sei sein Name ausgemerzt, denn
> Der sich zurechtfand über weglosen Wassern
> Verlor sich im Sumpf unserer Städte. Sturm und Eis
> Besiegten ihn nicht, aber der Mitmensch
> Besiegte ihn. Ein Jahrzehnt
> Ruhm und Reichtum und der Unselige
> Zeigte den Hitlerschlächtern das Fliegen
> Mit tödlichen Bombern. Darum
> Sei sein Name ausgemerzt. Ihr aber
> Seid gewarnt: Nicht Mut noch Kenntnis
> Von Motoren und Seekarten tragen den Asozialen
> Ins Heldenlied.«

Den *Lindberghflug* schrieb Brecht als Beitrag zum Baden-Badener Kammermusikfest, das 1929 den Teilnehmern als zentrales Thema Radiokunst für die Massen im technischen Zeitalter empfohlen hatte. Ein Hörspiel, meinte Brecht, sollte dem Rundfunk nicht zum Gebrauch dienen, sondern ihn verändern: »Die zunehmende Konzentration der mechanischen Mittel sowie die zunehmende Spezialisierung in der Ausbildung – Vorgänge, die zu beschleunigen sind – erfordern eine Art *Aufstand* des Hörers, seine Aktivisierung und seine Wiedereinsetzung als Produzent.« (GW VIII, 125 f.) Brecht, mit Weill liiert, interessierte sich seit langem auch für eine Zusammenarbeit mit dem Anführer der musikalischen Avantgarde, Paul Hindemith, der außerdem der maßgebliche Leiter des Kammermusikfests war. Der mit Brecht befreundete Hörspielpionier Ernst Hardt vom Westdeutschen Rundfunk in Köln, der die Einstudierung besorgte, schlug Brecht vor, außer Kurt Weill, der die dem Flieger zugeordneten Texte komponiert hatte, auch noch Paul Hindemith an der Musik zu beteiligen. Hermann Scherchen dirigierte. »Auf der linken Seite des Podiums war das Rundfunkorchester mit seinen Apparaten und Sängern, auf der rechten Seite der Hörer aufgestellt, der, eine Partitur vor sich, den Fliegerpart als den pädagogischen durchführte. Zu der instrumentalen Begleitung, die der Rundfunk lieferte, sang er seine Noten. Die zu sprechenden Teile las er, ohne sein eigenes Gefühl mit dem Gefühlsinhalt des Textes zu identifizieren, am Schluß jeder Verszeile absetzend, also in der Art einer *Übung*. Auf der Rückwand des Podiums stand die Theorie, die so demonstriert wurde.« (GW VIII, 126) Brecht arrangierte noch eine zweite, konzertante Aufführung des *Lindberghflugs*, bei der er den Fliegerpart von einem Chor singen ließ, um den Hörern des Konzerts keine Gelegenheit zu geben, sich in den Helden einzufühlen. »Nur durch das gemeinsame Ich-Singen kann ein weniges von der pädagogischen Wirkung gerettet werden.«

DAS BADENER LEHRSTÜCK VOM EINVERSTÄNDNIS

Entstehungszeit: 1929. GW I. Geschrieben unter Mitarbeit von Elisabeth Hauptmann und Slatan Dudow. Musik von Paul Hindemith. Uraufführung im Juli 1929 in Baden-Baden. Erste Buchveröffentlichung im 2. Heft der VERSUCHE, 1930.

Das ursprünglich nur als »Lehrstück« bezeichnete Spiel erhielt seinen Titel, weil es für das Baden-Badener Kammermusikfest verfaßt und dort 1929 als zweiter Beitrag von Brecht neben dem Radiolehrstück und mit einer Musik von Paul Hindemith uraufgeführt worden war. Das *Lehrstück vom Einverständnis* setzt an der Stelle ein, wo der *Ozeanflug* aufhört, mit dem Appell, über dem Triumph, nunmehr auch fliegen zu können, »das noch nicht Erreichte« nicht

zu vergessen. Verhandelt wird die Situation von vier abgestürzten Fliegern, die gerettet werden wollen. Zunächst wird untersucht, ob es üblich ist, »daß der Mensch dem Menschen hilft«. Die Antwort fällt negativ aus: Sämtliche Leistungen der Menschen, die Entdekkungsreisen, die Fortschritte in der Technik oder die Erkenntnisse der Wissenschaft haben die Armut nicht beseitigt und die Lage der unterdrückten Massen nicht verbessert: es weiß niemand mehr »was ein Mensch ist«. Bilder von Kriegshandlungen und Erschießungen belegen eindrücklich, daß der Mensch des Menschen Wolf ist. In einem grotesken Clownspiel sägen zwei Männer einem dritten, um ihm zu helfen, nach und nach sämtliche Glieder ab, und weil er am Ende über unangenehme Gedanken klagt, demontieren sie ihm auch noch den Kopf. »Hilfe«, so wird vorgeführt, hat immer mit Gewalt zu tun: »Um Hilfe zu verweigern, ist Gewalt nötig/ Um Hilfe zu erlangen, ist auch Gewalt nötig./ Solange Gewalt herrscht, kann Hilfe verweigert werden./ Wenn keine Gewalt mehr herrscht, ist keine Hilfe mehr nötig./ Also sollt ihr nicht Hilfe verlangen, sondern die Gewalt abschaffen.«
Den abgestürzten Fliegern kann nicht geholfen werden. Das Kollektiv (der Gelernte Chor) rät ihnen, sich mit ihrem Schicksal einverstanden zu erklären, ihrer Entindividualisierung zuzustimmen. Als entscheidende Haltung, die nötig ist, wird Einverständnis empfohlen nach dem Beispiel, das »der Denkende« gegeben hat: er überstand, so heißt es, einen Sturm, indem er sich »in seiner kleinsten Größe« an den Boden preßte. Er war einverstanden mit dem Sturm. Zum Überleben ist völlige Unkenntlichkeit nötig, die Bereitschaft, »niemand« zu sein. Der Pilot widersetzt sich dieser Anweisung des Kollektivs und stirbt, die drei Monteure geben sich auf und werden vorm Tode bewahrt. Nur die Revolutionäre, die sich aufgegeben haben, können Kämpfer und Änderer sein. Für sie bedeutet »Einverständnis«: die Welt verändernd, sich zu verändern.
Brechts Verhaltenslehren sind nicht radikaler als die Forderungen vieler Philosophen. Sie tragen den von Marx und Engels konstatierten »konkreten Daseinsverhältnissen« Rechnung. Das Sich-Aufgeben, die Selbstauslöschung, ist der Entschluß des Menschen, seine »Entmenschung« nicht länger zu ertragen. Forthin gilt für ihn, im Elend nicht nur das Elend zu sehen, sondern ebenso den Wendepunkt. Brecht, der denkende Stückeschreiber, macht den Versuch, einem Gedanken von Marx (in dessen *Einleitung zur Kritik der Hegelschen Rechtsphilosophie*) als theatralisches Exerzitium pro-

duktiv zu machen: »Wie die Philosophie im Proletariat ihre materiellen, so findet das Proletariat in der Philosophie seine geistigen Waffen, und sobald der Blitz des Gedankens gründlich in diesen naiven Volksboden eingeschlagen hat, wird sich die Emanzipation der Deutschen zu Menschen vollziehen. Die Philosophie kann sich nicht verwirklichen ohne die Aufhebung des Proletariats, das Proletariat kann sich nicht aufheben ohne die Verwirklichung der Philosophie.«
Das Badener Lehrstück bietet eine erste Summe der Erfahrungen des Autors beim Studium der Werke marxistischer Klassiker sowie der Lehren des chinesischen Dialektikers Mo-Di oder Me-ti, für den Kunst und Wissenschaft noch eine Einheit bildeten. Bestimmend für den Menschen, lehrt das Stück, ist nicht das Sein, sondern das Werden, der »Fluß der Dinge«, die Produktivität. Sie bewirkt die ständige Veränderung, nicht geradlinig, sondern in Widersprüchen, denn das, was widerspricht, geht aus dem hervor, dem zu widersprechen ist. »Da der Mensch nichts ist, kann er alles werden«, sagt der Denkende im Prolog des damals geplanten Lustspiels *Aus Nichts wird Nichts.*

DER UNTERGANG DES EGOISTEN JOHANN FATZER

Fragment. GW III. Entstehungszeit 1927–1930. Mitarbeiter waren Elisabeth Hauptmann und Emil Burri. Uraufführung am 11. 3. 1976 in der Schaubühne am Halleschen Ufer/ West-Berlin.

Das vorhandene fragmentarische Material besteht aus Szenenentwürfen, die die Handlung skizzieren und die Bezeichnung *Fatzer Dokument* erhalten haben, sowie aus kommentierenden und reflektierenden Textteilen, die in Abgrenzung zu den ersteren *Fatzer Kommentar* genannt werden. In Heft I der *Versuche* hat Brecht im Juni 1930 zwei Szenen und ein Gedicht publiziert.
Dieser Torso enthält den Entschluß von vier Soldaten (Fatzer, Keuner, Büsching, Leeb), dem Ersten Weltkrieg im Jahre 1917 zu entfliehen. Sie gelangen nach Mühlheim, verstecken sich dort und versuchen, Proviant herbeizuschaffen. Die erste Szene zeigt Fatzer bei seinem Gang durch die Stadt. Er sieht die Versorgungsschwierigkeiten und beobachtet daraufhin die Verhaltensweisen der notleidenden Menschen unter dem Gesichtspunkt, ob durch diese der Krieg verkürzt oder ausgetrocknet wird. Die zweite Szene präzi-

siert Fatzers Individualismus, dem taktisch abwägendes Verhalten und Unterordnung fremd sind. Diese Abweichung von den Erfordernissen läßt alle gemeinsamen Unternehmungen scheitern. Aber auch der Zusammenhalt der Deserteure wird brüchig. Als Fatzer in einen gewalttätigen Streit mit Fleischern gerät, leugnen die anderen Soldaten, ihn zu kennen.

Das anschließende Gedicht und die in der Werkausgabe gedruckten Texte für den kommentierenden Chor beinhalten spröde, gleichsam erratische Satzsequenzen, die über Recht und Unrecht der Aktion eines Einzelnen reflektieren. Der ausgedehnte Raum dieser epigrammatischen Gedanken läßt sich durch zwei Grenzbestimmungen näherungsweise andeuten. Der Satz »Tauche wieder unter in die Tiefe, Sieger« transportiert die Kälte, welche Ruhm wie auch Mitleid verneint. Der Appell »Sinke doch! Auf/ dem Grunde/ Erwartet dich die Lehre« fordert andererseits die Hoffnungslosen auf, das Zugrunde-gehen in eine neue Haltung zu überführen, die nach den Grundlagen sucht.

Im Druck in der Reihe der *Versuche* gehen dem Text *Keuner*-Geschichten voraus. Es ist denkbar, daß die für Geschichten erforderliche Lesehaltung auch auf das Fragment zu übertragen ist. Jedenfalls wird eine der Analyse zugängliche Fassung erst mittels der weiteren Auswertung des vorhandenen Materials für die Uraufführung durch die Schaubühne am Halleschen Ufer bereitgestellt.

Die geordneten Fragmente übertreten den lehrstückhaften Charakter; erzählt wird die Geschichte von der Niederlage und der großen Erschöpfung einer Revolution, die von vornherein gescheitert war.

Die vier Soldaten sitzen nun, zu Beginn der Handlung, in einem Panzer und beschließen dort, diesen Ursprungsort zu verlassen und den Krieg zu liquidieren. Den Anstoß dazu gibt Fatzer, der eine Führungsrolle in der Gruppe übernimmt, ohne die individuelle Stärke in ein gemeinschaftliches Verantwortungsbewußtsein zu verlängern. Nachdem sie sich bis Mühlheim durchgeschlagen haben, vegetieren die Soldaten in einem kleinen Versteck dahin, mit dem Kaumann, einer der vier, und seine Frau ihnen Unterschlupf geboten haben. Ihr Kampf gegen den Krieg beschränkt sich auf den reinen Widerstand gegen die nackte Existenzbedrohung. Nur die geschichtliche Entwicklung verleiht ihrer Aktion nachträglich den vorrevolutionären Glanz. Eine New Yorker Zeitung, die Ergebnis des sozialen Kampfes ist, konfrontiert die Deserteure mit konkretisierten Vorstellungen des Umsturzes. Die gesellschaftliche Verän-

derung nimmt hierbei jedoch eine Form an, die den wertbestimmenden Charakter des Individualismus verneint. Zum Gegenpol der Selbstsucht Fatzers wird der Denkende der Gruppe, Koch, in früherer Fassung Keuner genannt. Er fordert den Ausbruch aus der hermetischen Isolation, die eskaliert, als Fatzer sich das sexuelle Begehren der Frau Kaumanns zunutze macht. Es ist ein Ritual der einseitigen, verständigungslosen Unterwerfung.
In dieser lähmenden Öde und Ausweglosigkeit unternimmt Fatzer einen Freitodversuch. Er wird gerettet, da er gebraucht wird. Fatzer versucht nun, der Gedrängtheit des Fluchtzimmers zu entfliehen. Diese Illusion der Bewegungsfreiheit bedroht das Überleben der übrigen Deserteure. Fatzer verrät nicht nur sie, sondern auch die Perspektiven, für die sie ausgebrochen waren. Sein Tod, seine Exekution werden beschlossen. Es wird keine Sieger geben.
Der Reiz des Fragments ist in der Außenseiterhaftigkeit seiner Personen begründet. Die zum Gesetz erhobene Geschichte hat keinen unmittelbaren Einfluß. Die Figuren sind zu früh ausgebrochen, agieren jedenfalls unzeitig. So kann Fatzers Verhalten nicht ohne weiteres in die Kette »objektiver« Fehler eingereiht werden; seine Abweichung schaffen ja streckenweise erst die Instanz, die als retrospektiv herangetragenes Wertsystem die Spur des Falschen feststellt. Die historische Belanglosigkeit und Beliebigkeit der vier Soldaten tritt hinzu. Die Außenwelt bedroht sie zwar existentiell, in ihrer Enklave allerdings sind sie vom Krieg vergessen und sich selbst ausgeliefert. Die Bedürfnisse nach Veränderung verschärfen sich, wenden sich gegeneinander und nach innen.
Die Soldaten entfliehen dem System des Krieges, Fatzer entfernt sich vom selbstgeschaffenen Bild der gemeinschaftlichen Aktion. Fatzer verübt den Verrat zweimal. Zuerst läßt er die herrschende Tötungsmaschinerie hinter sich, dann die vorweggenommene proletarische Gesellschaftlichkeit. Beide Wertereservoirs bleiben ihm fremd, so daß auch der lehrstückhafte Korrektur- und Vermittlungsversuch ihn verfehlen muß. Als letztlich asoziales Element kann Fatzer weder auf den »richtigen« revolutionären Zeitpunkt warten noch darauf verzichten, Einspruch zu erheben gegen jede Disziplinierung, in deren Gestalt die Vermittlungsversuche Kochs ihm gegenübertreten.
Die Worte »Ich mach mir nichts draus/ ob ich Furcht zeig. Ich/ will nicht verrecken« konzentrieren die körperlichen und emotionalen Impulse, die jede Zustimmung, gar diejenige in eine heroische Haltung, verweigern. Die Kameraden, die zusammen aus dem Tank

entkamen, erfüllen für sich ebensowenig die eingesetzte Hoffnung wie es jene Menschen taten, denen Fatzer auf seinem Rundgang begegnete, die auch alles daran setzten, die Verhältnisse zu ertragen. Brecht konzedierte, als er sein Verdikt über das Fragment sprach, einzig die Funktion der angebotenen »Selbstverständigung«. Ohne die Ausrichtung auf eine antiindividualistische Lösung verstecken zu wollen, kann festgehalten werden, daß gerade der fehlende Umschlag der Destruktion in Produktion es nahelegt, der pädagogisch-didaktischen Schwerpunktsetzung eine Rezeptionshaltung vorzuziehen, die existentielle Grenzsituationen aufzuspüren versucht.
Dem kommen zwei Leitmotive entgegen, die eher an vom Expressionismus geprägte Wahrnehmungen erinnern. Das »Loch«, durch das die Soldaten zu Beginn des Krieges in ihr »Grab« kriechen, gebiert sie neu als Deserteure. Dieser Mutterschoß ist stählern. Sie gelangen in ein weiteres Loch, ihr Fluchtzimmer, in dem Fatzers Geschlechts-»Genuß« der gewaltsam geöffneten Vagina die Wiedergeburt nicht verwirklicht, sondern eher abbricht. Die Kälte des Kampfes ist durch nichts gebrochen; das Miteinander einer Befreiung bleibt eher in noch weitere Ferne gerückt. Als zweites Motiv kann die unversöhnte Entfernung zwischen Masse und Individuum angeführt werden. Der isolierte Akt der Desertion ist auch als ein Vorausgehen lesbar. Er muß nicht notwendig alle Bedingungen des Scheiterns in sich tragen. Die Soldaten unternehmen, mit der Ausnahme Kochs, allerdings nicht einmal den Versuch, ihre Vereinzelung zu durchbrechen. Fatzers »Abweichung« liegt ja nicht allein in den Handlungen, die seinem Auftrag, die Nahrung zu beschaffen, zuwider laufen. Er nähert sich darüber hinaus den Menschen, für die er eine Hoffnung durch seine Handlung fixieren wollte und die für ihn seine Hoffnung sein mußten, mit Stolz und Verachtung. Er stellt ihre Apathie fest und prüft ihren Nutzwert. Diese Distanzierung, die die Menschen zur amorphen Masse entfernt, fordert das Scheitern.

DER BROTLADEN

Fragment. GW III. Entstanden 1929 unter der Mitarbeit von Elisabeth Hauptmann und Emil Burri. Uraufführung am Berliner Ensemble 1967.

Zwei etwa gleichwertige inhaltliche Schwerpunkte kennzeichnen das Fragment. Zum einen werden menschliche Existenzen durch

die Gesetze des Kapitalismus zerstört, dessen Reinform, hier die sich selbst überlassenen Kräfte des Arbeitsmarktes, anhand der Massenarbeitslosigkeit vorgeführt wird.
Die Vorarbeiten zu dem Schauspiel *Joe Fleischhacker* aus den Jahren 1924–1929 sind wiederzuerkennen. Dieses Vorhaben wurde in das Stück *Die heilige Johanna der Schlachthöfe* aufgenommen, was dann auch auf den zweiten Schwerpunkt hinweist, Brechts Interesse an einer Unternehmung und sozialen Institution wie der Heilsarmee. Wie auch in dem weiteren Heilsarmee-Stück *Happy End* sollte in dem Fragment *Der Brotladen* die Handlung in einer ärmlichen Vorstadtlandschaft der großen amerikanischen Metropolen angesiedelt sein. Die Anglizismen in der Namensgebung erinnern daran. Am Ende einer neuen Beschäftigung mit dem Stoff wählte Brecht jedoch einen zeitgenössisch greifbareren Schauplatz, das Berlin der Weltwirtschaftskrise.
Aus der oben skizzierten Schwerpunktsetzung treten zwei individuelle Hauptfiguren hervor, die am Schnittpunkt der Handlungsstränge sich gegenübertreten, als der kampfbereite, idealistische Washington Meyer der widerstandsarmen Witwe Niobe Queck seine rückhaltlose Hilfe anbietet.
In der krisengeschüttelten gesellschaftlichen Szenerie ist der Kriegszustand zum Regelfall geworden; jede Nuance der Hierarchie wird verbissen verteidigt. Die hungernden, völlig rechtlosen Arbeitslosen (die Als) werden von den Arbeitslosen, die noch eine Unterstützung empfangen, ausgegrenzt. Die kleinbürgerlichen Produzenten wie der Brotladenbesitzer Meininger verschärfen die Ausbeutung ihrer Angestellten, da ihre eigene Lebensgrundlage ihnen von kleineren Kapitalhändlern wie dem Immobilienmakler Flamm schon fortschreitend entzogen ist. Der Geldhandel gründet aber auf nicht minder schwachen Fundamenten, da die Großbanken und die staatlichen Einrichtungen nurmehr heillos durch die Krise taumeln.
Der Zeitungshändler Ulysses Schmitt wählt aus der Menge der andrängenden Arbeitslosen den jungen Washington Meyer für die Tätigkeit des Zeitungverkaufens. Das Verkaufsprinzip fordert eine derartige Verknappung des Lohnes, daß das eigene Überleben und die bedingungslose Verteidigung des nicht eigenen Gutes zusammenfallen. Washington lernt die Technik des Verkaufes, des Betruges und der Selbstbehauptung. Die ihn bedrohende Gewalttätigkeit, die auch der nur ein wenig Stärkere über den Schwächeren ausübt, besiegt er durch List.

Der Gegentypus zu dieser Figur wird mit der Witwe Niobe Queck vorgeführt, die ihr Schicksal, das sie ebenso versteht, klaglos erträgt. Selbst völlig mittellos muß sie ihre Arbeitskraft als rechtlose Handlangerin dem Vermieter, eben dem Brotladenbesitzer Meininger, überlassen. Als dieser einen gegebenen Auftrag, eine Holzlieferung, verleugnet und der Witwe die Kosten und die Verantwortung aufbürdet, ist ihr Ruin vollkommen. An dieser Stelle treten Washington Meyer und Ajax Januschek, derjenige, der zuvor Washington beraubte, hinzu. Sie ergreifen aus Mitleid die Partei der ausgebeuteten Frau, woraufhin Ulysses Schmitt die eklektische Mythosszenerie mit seinem Appell vervollständigt, nach dem er vor jedem Mitleid warnt, da es nur noch mehr Rechtlose in den Untergang zieht.

In dieser Situation ergreift das institutionalisierte Mitleid die Initiative. »Fräulein Hippler« von der Heilsarmee organisiert einen Arbeitsablauf, der allen Beteiligten vermeintlich gerecht wird. In Wirklichkeit verschachert die Heilsarmee das Holz an Meininger, kauft es ihm wieder ab und schafft es weg, ohne den Arbeitslosen Arbeit zu verschaffen. An deren Stelle tritt das gemeinsame Absingen eines Chorals. Die gewaltvolle Auflehnung der Betrogenen läßt Meininger durch seine abhängigen Mieter niederschlagen. Als Waffe im Kampf der Armen gegen die Armen dient das begehrte Brot, gemäß der Regel, eher die Subsistenzmittel zu verschwenden und sie so dem Markt zu entziehen, als sie ihrem Gebrauch zuzuführen. Washington Meyer gibt nicht auf nach verlorenem Kampf, wird aber von der Masse, für die er kämpfte, verstoßen und daraufhin von der Polizei erschlagen.

Brecht hatte zusammen mit Elisabeth Hauptmann ausgiebige Recherchen zum Thema Heilsarmee durchgeführt. Im Zentrum ihres Interesses standen dabei die hierarchische Aufgliederung der »Armee«, ihr Geschäftsgebahren und ihre ideologischen Fundamente. So war die effektive Hilfe häufig nur den Sündern und Abweichenden zugedacht, die sich quasi als Vorspeise einer aktiven Reue unterzogen. Das in diesem Fragment verarbeitete Programm einer Holzverteilung hatte Brecht einer Festschrift zum 60. Gründungstag der Heilsarmee entnommen. Die Weigerung einer solchen sozialen Institution, die Ursachen des Elends zur Kenntnis zu nehmen, identifizierte Brecht mit der reformistischen Haltung der deutschen Sozialdemokratie, die auch damals Hilfsprogramme zur Stützung der Investitionsbereitschaft der Unternehmen entwikkelte.

Das Fragment entwirft ein Bild der Not und der Katastrophe, das im Berliner Norden angesiedelt sein könnte. Die Sprache und Namensgebung erinnert aber eher an gigantische Geschehnisse in einem mythischen Raum, der von der Historie getrennt ist. Da tritt Washington, der Staatsmann, gegen Ajax, die Kampfmaschine von Troja, an – und gewinnt. Die Witwe Queck schlüpft in die Gestalt einer hellenistischen »mater dolorosa«. Odysseus heißt der Zeitungshändler oder Kioskbesitzer, der vor den Sirenen, die zum selbstmörderischen Mitleid verführen, warnt.
Die beiden individuellen Hauptfiguren bleiben vereinzelt. Das Unrecht, das an Niobe Queck verübt wird, tritt in den Hintergrund, als der einsame Widerstandskämpfer von den Menschen, für die er kämpft, geopfert wird. Auch seine Individualität ist obsolet.
Formal ist also die Exposition der antiken Tragödie gewahrt. Ihre Transponierung auf das armselige Alltagsgeschehen deutet weniger auf die Hybris der Personen als auf eine Ironisierung der tradierten tragischen Form. Die Größe des tragischen Konflikts und der Untergang seiner Protagonisten schrumpfen im Wortsinn auf den Umfang einer Semmel, von welcher der »Staatsmann« erschlagen wird. Der tragische Entwurf schlägt um in ein satirisch gebrochenes Geschehen.
Es ist eine doppelte Brechung. Dabei ist es geläufig, daß auch die hochindustrialisierte Gesellschaft dazu tendiert, ihre Helden, auch wenn sie nurmehr Führungspersönlichkeiten sind, mit der Aura und dem Schleier des entrückten, einsamen Genies zu umkleiden. Die Mythisierungen und Legendenbildungen um Rockefeller und Vanderbilt beispielsweise sind zahlreich. Das ist die inhaltliche Vorgabe, die der Lächerlichkeit preisgegeben wird. Dieser Eindruck wird noch verstärkt in der Profanierung des Fatums, das ja nun in Gestalt der Krönung des rationalen Fortschrittes über die Menschen hereinbricht: es agieren die außerordentlich dunklen Gesetze des freien Marktes.
Die künstlerische Ebene der Bearbeitung des Stoffes trägt dem Rechnung. Die hergebrachte Form dieser Konfliktdarstellung wird benutzt und zugleich komödiantisch umgebogen. Die Figuren sprechen die alte, vortechnische Sprache und spielen neben einem Fließband, das ihr Spiel reglementiert. Der kommentierende Chor besteht aus den Arbeitslosen. Der Untergang der Helden schließlich überschreitet in seiner stillen Belanglosigkeit nahezu schon die Grenzen einer Komödie; es ist ein Verschwinden ohne zurückbleibende Spuren.

Besonders Max Frisch und Friedrich Dürrenmatt versuchten, diesen Ansatz weiterzuentwickeln. In Frischs »Lehrstück ohne Lehre« *Biedermann und die Brandstifter* kommentiert in antikem Versmaß ein Feuerwehrchor parodierend die alles andere als tragischen Geschehnisse (Uraufführung 1958 in Zürich). Die »tragische Komödie« *Der Besuch der alten Dame* von Friedrich Dürrenmatt verwendet in mit dem Brechtschen Fragment vergleichbarer Weise die gegenseitig sich konterkarierende Struktur aus kapitalistischer Moral und dem angeblich schicksalhaften individuellen Konflikt (Uraufführung 1955 in Zürich).

AUS NICHTS WIRD NICHTS

Fragment. GW III. Verfaßt gemeinsam mit Elisabeth Hauptmann und Emil Burri. Das »Lustspiel« entstand in den Jahren 1929–1931.

Die Schauspieler tragen den »Denkenden« auf die Bühne. Das eingeübte Stück »Eine amerikanische Tragödie« wird zugunsten einer Darstellung fallengelassen, die »das Leben des Menschen unter den Menschen« vorführen soll. Das Motto, bzw. die These des Denkenden zu diesem Thema lautet eben »Aus Nichts wird Nichts«. Das Fragment hat den Charakter eines Lehrspiels für Schauspieler. Der Denkende erläutert zuvorderst seine Programmatik der schauspielerischen Darstellung. Die Leidenschaft des Spielens soll zurückgenommen werden, so daß der Zuschauer die Möglichkeit gewinnt, seine eigenen Gefühle und Gedanken mit denen der Darstellung zu vergleichen. Die vorgestellten Personen sollen, auf Distanz gerückt, nicht selbstverständlich erscheinen, sondern vielmehr auf ihre Selbstverständlichkeit hin geprüft werden können.
In einem durch einige wenige Requisiten abgesteckten Bühnenraum berichten die Schauspieler von einer Geschichte. Zu Beginn der Handlung überantworten zwei arme Rinderhirten ihr Gut, die Herde, die von Räubern bedroht ist, an Bogderkhan, jenes »Nichts«, das, dem Verhungern nahe, nun hofft, »Etwas« zu werden. Es ist die schwächste und elendste und deshalb auch die billigste Arbeitskraft. Der Darsteller des Bogderkhan versucht, die gesellschaftliche Qualitätslosigkeit gegen die individuelle Zeichnung abzuheben. Die Reste einer Personenstruktur sind noch vorhanden; sie sind allerdings durch die objektive Nichtigkeit von der vollendeten Verkümmerung bedroht.

Als die Rinderherde von Soldaten überfallen wird, versteckt sich das »Nichts«, um in realistischer Einschätzung seiner Stärke der sicheren Auslöschung zu entgehen. Die Hirten kehren zurück, trotz des Verlustes ganz zufrieden, der Gewalt entronnen zu sein. Bogderkhan spielt ihnen vor, wie er die Soldaten verfolgt und getötet habe. Er ist nun »Etwas« geworden. Denn in völliger Umkehrung der Ausgangssituation stellt er jetzt eine Bedrohung für die Hirten dar, die Racheaktionen befürchten.
Das »Nichts« ist somit nicht nur etwas Gleichwertiges geworden, sondern hat seine Bedeutungslosigkeit aufgehoben in das Gegenteil; mithin ist es nun »Etwas«, das die Macht verkörpert, andere Menschen auszulöschen.
Das Lehrspiel basiert auf der zwar nicht eben tiefschürfenden, hingegen für Brecht in diesem Zeitraum bestimmenden Beschreibung hochkapitalistischer Wirklichkeit, nach der der Mensch so viel gilt, wie er hat – nichts, ohne den besonderen, nicht originär menschlichen Reichtum. Die Masse dieser so beschriebenen Menschen besitzt allerdings die Möglichkeit des Umsturzes, indem sie das Gesetz aufhebt, nach dem man ist, was man hat. Vorbedingung hierfür ist hingegen, daß die Armen nicht, wie in diesem Fragment vorgeführt, die Armen ausbeuten. Der »Aus Nichts wird Nichts«-Song resumiert, daß in dem Aufstieg qua Betrug, der suggeriert wird, der Abstieg bereits beschlossen ist. Wie auf der Ebene dieses aufgeführten Beispieles endet auch die Erfolgskurve der mächtigen Usurpatoren in der Leere. Sich dieses Gesetzes stets gegenwärtig, kann der ermüdete Kämpfer, so sagt das letzte Lied, die Hoffnung bewahren, seinen alten Niederlagen neue hinzufügen, ohne dabei endgültig zu unterliegen.
Im Mittelpunkt dieses Übungsstückes für Schauspieler steht der kritisch beobachtende Denkende. In seiner anfänglichen Rede und seinen Kommentaren sind Grundzüge des »epischen Theaters« angedeutet. Nach vorausgehender Reflexion soll das »Spiel in der 3. Person« in Distanz zur Figur treten, ihre Besonderheiten gleichsam zitierend vorführen. Es ist in diesem Zusammenhang von Bedeutung, daß im Gegensatz zum Lehrstück, das dem Laien vorbehalten ist, das »Nichts« hier nicht den Prozeß einer Auflösung markiert, sondern in der Spielübung als gesellschaftlicher Stellenwert der Figur in das Zentrum gerückt ist. Funktional ist hiermit eine Verbindungsebene zu der Figur des »Keuner« im Prosawerk gegeben. In beiden Fällen steht der Vermittlungsgehalt im Vordergrund.

HAPPY END

Komödie in drei Akten von Dorothy Lane. Entstehungszeit: 1929. Für das Theater bearbeitet von Elisabeth Hauptmann. Songs von Bert Brecht. Musik von Kurt Weill. Uraufführung am 31. August 1929 im Theater am Schiffbauerdamm, Berlin. Gedruckt in: Elisabeth Hauptmann, *Julia ohne Romeo.* Aufbau Verlag. Berlin und Weimar 1977.

Bei der Arbeit an diesem Stück überwarf sich Brecht mit dem Regisseur seines enormen Erfolges mit der *Dreigroschenoper:* Erich Engel schied während der Proben aus, die schon angefangen hatten, als der letzte Akt noch nicht vorlag. Brecht verlor das Interesse an dem Projekt, das in erster Linie gestartet worden war, um einen weiteren Hit nach dem Muster der *Dreigroschenoper* zu kreieren. Er überließ das Stück Elisabeth Hauptmann, als er bemerkte, daß die Stoffe, die er zu diesem Zeitpunkt auf der Bühne abzuhandeln für wichtig hielt, in dieser musikalischen Komödie nicht seinen politischen Intentionen gemäß eingebracht werden konnten. Auf Wunsch von Weill blieb Brechts Name als Autor der Songs auf dem Programmzettel, und die Arbeit mit den Schauspielern setzte Brecht auch bis zur Premiere in gewohnter Weise fort. Was er an der Komödie gelten ließ, übernahm er in seine nächsten Stückvorhaben. Der *Dreigroschenoper*-Erfolg konnte nicht wiederholt werden, die Uraufführung, mit hervorragenden Schauspielern besetzt, brachte eine Niederlage für alle Beteiligten, obwohl deren Arbeit für sich gesehen hohe Qualität hatte. Weills Musik jedenfalls, nicht nur die Songnummern, die zu seinen besten gehören, hält den Vergleich mit der *Dreigroschenoper* spielend aus. Wenn *Happy End* auch immer noch im Schatten der fast zum Mythos gewordenen *Dreigroschenoper* steht, so hat das Stück sich nach einem Broadway-Erfolg in den sechziger Jahren inzwischen doch zu einem recht publikumswirksamen Gaunermusical gemausert, dessen sozialkritische Seitenhiebe und Pointen überzeugender sind als ehrgeizige Imitationen der *Dreigroschenoper* wie *Frank V.* von Friedrich Dürrenmatt.

Happy End spielt in Chicago um die Jahrhundertwende, es ist, wie später *Arturo Ui,* ein Gangsterspektakel, und der Anführer einer Gang, Bill Cracker, in dessen »Ballhaus« sich die Matadore des Verbrechens einfinden, liebt es wie Giri im *Arturo Ui,* die Hüte der Leute zu sammeln, die er erschießt oder erschießen läßt. Bill erscheint in seiner Bar mit dem Hut seines eben von ihm erledigten

schärfsten Konkurrenten, und die Bande fordert ihn auf, den festlichen Anlaß mit dem »Bilbao-Song« zu feiern, einem 400 Jahre alten Lied, das von Bills Ballhaus in Bilbao berichtet, wo die Liebe noch lohnte, wo noch der rote Mond durch das Dach schien und man in großen Brandylachen sitzen konnte. Ein mysteriöser Gast, dem es in einem Taxi schlecht geworden ist, läßt sich von einem Polizisten in die Bar tragen: es ist die Dame in Grau, von den Gangstern »die Fliege« genannt, eine stadtbekannte Persönlichkeit, die offensichtlich die wahre Chefin und Königin der Chicagoer Unterwelt ist. Sie ermahnt Bill, mit diesen »Privatschlächtereien« aufzuhören, und gibt dann der Bande präzise Anweisungen für einen Bankeinbruch am Weihnachtsabend. Ehe sie sich, wiederum hilfebedürftig, von einem Polizisten zur Droschke führen läßt, verhängt sie noch über einen Banditen, dessen Abrechnungen nicht stimmen, das Todesurteil: sie läßt sich von ihm Feuer geben, und das bedeutet, wie alle wissen, »daß der Mann die nächsten drei Stunden nicht überlebt«.
In ihrem unablässigen Kampf mit der Sünde wagen sich die Soldaten der Heilsarmee bis in die dunkelsten Schlupfwinkel Chicagos vor. An ihrer Spitze marschiert Lilian Holiday: »Mut ihr versinkenden Leute, wir kommen, schaut her.« Und mutig betritt sie »die Höhle des Tigers«, mit ihrem Trupp verteilt sie den »Schlachtruf« in Bills Ballhaus, und mit den Gangstern geht sie hart ins Gericht. Lilian fordert sie auf, schnell noch einen anständigen Beruf zu ergreifen, ehe es für sie zu spät ist und sie im Höllenschlund kochen werden: »Dann wird man die Schuppen, die euch von den Augen fallen, in Waschkörben forttragen müssen.« Lilian Holiday fürchtet sich auch nicht vor Bill Cracker, dem sie ins Gewissen redet, schließlich gibt sie dem angeblich Hartgesottenen einen Kuß, der ihn erwecken soll, und unterdessen wird der von der Dame in Grau verurteilte Bandit in der Küche umgelegt. Mit der Hilfe von Whisky nimmt das religiöse Gespräch zwischen der Heilsarmistin und Bill keinen allzu langweiligen Verlauf. Lilian erweist sich als mit allen Wassern gewaschen, wenn es gilt, granitene Herzen zu bezwingen, und zum Entsetzen ihrer Leute, die die Polizei geholt haben, um sie aus den Klauen der Verbrecher zu befreien, singt sie den »Matrosensong«, entschlossen, Bill daran zu hindern, die Fahrt in die Hölle anzutreten, die sie ihm eben noch prophezeit hat, »wenn Sie so weitermachen«.
Für Lilian beginnt eine schwere Zeit. Die Heilsarmee will sie aus ihren Reihen verstoßen wegen dieser Angelegenheit in Bills Ball-

haus. Andererseits zieht es nun Bill zur Heilsarmee, weil das Matrosenlied, mit dem sich das Mädchen Schwierigkeiten eingehandelt hat, auf ihn seine Wirkung nicht verfehlt hat. Allerdings ist da noch die Sache mit dem Mord in der Küche. Wenn sie den Kuß, den sie Bill, während der Schuß fiel, gegeben hat, öffentlich eingesteht, rettet sie ihm das Leben, aber für die Heilsarmee ist sie nicht mehr tragbar, obwohl sie, wie sich gleich ganz praktisch erweist, als Rednerin unersetzlich ist. Bill, betrunken und fast bekehrt, verläßt enttäuscht den Gottesdienst, als man ihm mitteilt, daß Lilian entlassen worden ist.

Die Vorbereitungen für den Bankeinbruch laufen auf Hochtouren. Bills Ansehen ist bei den Ganoven wegen seiner Schwäche für die Heilsarmee erheblich gesunken, »die Fliege« befürwortet zwar immer noch, daß er den Hauptpart beim Coup übernimmt, aber alle vermuten, daß er »dicht vor dem Streichholz« steht. Die Banditen beziehen die ihnen zugewiesenen Posten, Bill bleibt noch zurück und erhält überraschend Besuch von der obdachlosen Gottesstreiterin. Sie bittet den Mann, dessen weiche Stelle sie getroffen hat, nicht in alte Ideale zurückzufallen und von seinem verbrecherischen Vorhaben abzulassen, und wie Witwe Begbick in »Mann ist Mann« den Sergeanten Fairchild abzulenken weiß, treibt Lilian ihrem Bill mit Whisky und dem »Lied vom Surabaya-Johnny« Tränen in die Augen. Der sentimentale Revolverheld bekämpft seine Rührung mit einem Gegenlied: »Nur jetzt nicht weich werden/ Um Gottes Willen/ Nicht weich werden/ Nur keine Noblesse/ Sondern eine in die Fresse.«

Als Zeitungsjunge verkleidet, erscheint »die Fliege« und bittet Bill um Feuer, er hat den verabredeten Einbruch verpaßt. Die Bande erhält den Auftrag, den »Betbruder« zu erledigen, damit er nicht »auf irgendeiner Bußbank« zum Verräter wird. Vor der Abrechnung muntert die Verbrecherkönigin ihre Leute noch mit der »Ballade von der Höllenlili« auf. Lilian ist an die Stätte ihres wohltätigen Wirkens zurückgekehrt, sie will wieder ganz klein anfangen. Auch Bill taucht bei der Heilsarmee auf, er setzt sich an die Orgel und spielt »Sei willkommen, später Gast«. Die Ereignisse überstürzen sich. Die Bande stellt Bill zur Rede, die Polizei ist bereits dem weihnachtlichen Bankeinbruch auf der Spur, der angeblich in der Küche von Bills Ballhaus ermordete Ganove aufersteht von den Toten, und »die Fliege« wird an der Abrechnung mit Bill gehindert, weil sie ihren verloren geglaubten Mann überraschend bei der Heilsarmee wiederfindet. Lilian bekommt ihren Bill, und alle treten

in die Heilsarmee ein, denn »was ist ein Dietrich gegen eine Aktie, was ist ein Einbruch in eine Bank gegen die Gründung einer Bank«. So bewahrheitet sich Lilians Aufforderung, in Bill Cracker einen ebenso großen »Star« zu sehen, wie Herr Rockefeller einer ist. Die Heilsarmee muß wie ein Geschäft betrieben werden. Die Bekehrten singen den Choral »Hosiannah Rockefeller«, in dem Glaube und Profit, Recht und Mord gepriesen werden, und Lilian singt, die Fahne ihrer Organisation hochhaltend, ihr »Obacht, gebt Obacht« für das Heer der armen Leute, die betrogen sein wollen.
Eine »Magazingeschichte«, die allzu flüchtig geschrieben worden ist und in der die Songs nicht so zwingend in den dramatischen Zusammenhang integriert sind wie in der *Dreigroschenoper* oder in *Mahagonny*, und dennoch haben gerade die Brüche, das oft unvorbereitete harte Gegeneinandersetzen verschiedener Lieder oder Stimmungen und die geschickte Verwendung von echten und parodierten Heilsarmeetexten ihren Reiz. Das Ärgernis, das durch das unerwartete politische Argument am Ende des Stücks sowie das effektvolle »Hosiannah Rockefeller«-Finale bei der Uraufführung entstanden ist, erklärt sich auch mit dem Vorurteil, daß ein sogenanntes amerikanisches Rührstück, dessen Weltbild im Prolog eben als »hollywoodlich« klassifiziert wird, nicht zur Deutlichkeit vordringen darf.

DER JASAGER

Schuloper. Entstehungszeit: 1930. Nach dem japanischen Stück *Taniko*, in der englischen Nachdichtung von Arthur Waley, deutsch von Elisabeth Hauptmann. Musik von Kurt Weill. Uraufführung am 23. 6. 1930 im Zentralinstitut für Erziehung und Unterricht in Berlin. Veröffentlicht als Sonderdruck aus dem 4. Heft der VERSUCHE, Berlin 1930 und in: *Brecht, Der Jasager und der Neinsager.* Vorlagen, Fassungen und Materialien. Herausgegeben von Peter Szondi. Frankfurt 1966.

Die Lehrstücke betrachtete Brecht als Versuche der Selbstverständigung, die, da er selber hier Lernender war, nur denen nützlich sein konnten, die sich selber als Lernende damit auseinandersetzten. Für die Spieler waren sie ergiebiger als für die Betrachter: »Es handelte sich bei diesen Arbeiten um Kunst für den Produzenten, weniger um Kunst für den Konsumenten.« Nebeneinander untersuchte Brecht verschiedene Themen, die dann auch die formale

Konzeption der Stücke mitbestimmten. Wichtig schien ihm das Herausarbeiten neuer gesellschaftlicher Verhaltensweisen, die Demonstration von kommunistischer Ethik mit einer neuen historischen und humanen Qualität. »Unsere Sittlichkeit«, erklärte er, Lenin zitierend, »leiten wir aus den Interessen des proletarischen Klassenkampfes ab.«

Im *Jasager* wird erneut die Frage nach gesellschaftlich richtigem und falschem Einverständnis aufgeworfen. Für den Revolutionär ist es wichtig, Einverständnis zu lernen: »Viele sagen ja, und doch ist da kein Einverständnis/ Viele werden nicht gefragt, und viele/ Sind einverstanden mit Falschem. Darum: Wichtig zu lernen vor allem ist Einverständnis.« Ein Knabe schließt sich in diesem Stück der Forschungsreise seines Lehrers an, um für seine kranke Mutter »bei den großen Ärzten in der Stadt jenseits der Berge« Medizin und Unterweisung zu holen. Unterwegs wird der Junge ebenfalls krank. Einem alten Brauch zufolge muß der, welcher auf einer solchen Reise erkrankt, ins Tal hinabgeworfen werden. Allerdings muß der Betroffene dazu sein Einverständnis geben. Der Knabe erklärt sich, wie es von ihm »dem Brauch gemäß« gefordert wird, einverstanden. Er wird getötet, und die Expeditionsteilnehmer setzen ihre Reise fort: »Und beklagten die traurigen Wege der Welt/ Und ihr bitteres Gesetz/ Und warfen den Knaben hinab.«

Als Vorlage seiner Schuloper benutzte Brecht das japanische Nô-Spiel *Taniko*, das ihm Elisabeth Hauptmann nach der Version von Arthur Waley aus dem Englischen übersetzt hatte. Waley allerdings hatte den *Wurf ins Tal* von Seamis Schwiegersohn Zenchiku sehr frei bearbeitet und außerdem den Schlußteil, die Auferstehung des Knaben, nicht übersetzt. Aus Waleys Bearbeitung ging nicht hervor, wie der im Stück geschilderte Brauch motiviert war. Durch Brechts säkularisierende Bearbeitung wurde das »Brauch«-Motiv reaktionär, das Jasagen des Knaben war kein produktives Einverständnis, sondern eine christliche Gehorsamsübung, die Opferung des Lebens für einen geglaubten Sinnzusammenhang der Welt.

DER JASAGER UND DER NEINSAGER

Schulopern. Entstehungszeit: 1930. GW I. Sie entstanden auf Grund der Kritiken der 1. Fassung des *Jasagers*. Zur 2. Fassung und zum *Neinsager* hat Weill keine Musik komponiert. Erste Buchveröffentlichung im 4. Heft der VERSUCHE, 1931.

Die zustimmenden Kritiken seitens kirchlicher Kreise bewirkten, daß Brecht den *Jasager* revidieren wollte. Das Argument eines Schülers der Karl-Marx-Schule in Neukölln, in der die Schuloper der Diskussion wegen einstudiert wurde, ließ er als unbedingt zutreffend gelten: »Das mit dem Brauch ist, glaube ich, nicht richtig.« Aufgrund der Diskussionsprotokolle, die er später dem Abdruck in den *Versuchen* als Anhang hinzufügte, schrieb Brecht eine Neufassung des *Jasagers.* Die Mutter des Knaben ist jetzt an einer Seuche erkrankt, von der die ganze Stadt betroffen ist. Die Reise des Lehrers in die Stadt jenseits der Berge, der sich der Knabe anschließt, wird unternommen, um die Seuche zu bekämpfen. Die Teilnehmer der Reise beschließen, als auch der Junge unterwegs krank wird, ihn zu fragen, ob er einverstanden ist, daß sie ihn töten. Die Reise duldet keinen Aufschub, weil eine ganze Stadt auf die Medizin wartet. Der Knabe antwortet mit »Ja« nicht »dem Brauch gemäß«, sondern »der Notwendigkeit gemäß«.
Außerdem schrieb Brecht noch als Ergänzung den *Neinsager* und ordnete an: »Die zwei kleinen Stücke sollten womöglich nicht eines ohne das andere aufgeführt werden.« Im *Neinsager* ist der Knabe, der sich einer Forschungsreise in die Stadt jenseits der Berge anschließt, nicht mehr mit dem Brauch einverstanden: »Wer A sagt, der muß nicht B sagen.« Sein Plan, so argumentiert er, für seine Mutter Medizin zu holen, ist durch seine Erkrankung hinfällig geworden. Er fordert die Einführung eines neuen Brauchs, der lehrt, in jeder veränderten Lage neu nachzudenken. Das Lernen der Expeditionsteilnehmer kann warten. (Die ablehnende Antwort bezieht sich auf die Handlung und die Fragestellung der ersten Fassung des *Jasagers.*) Die zweite Fassung und *Der Neinsager* sollen sich ergänzen, das Nein des Knaben ist keine Widerlegung seines Ja im vorausgehenden Stück, sondern seine Rechtfertigung. »Wichtig zu lernen vor allem ist Einverständnis.«

DIE MASSNAHME

Lehrstück. Entstehungszeit: 1930. GW I. Geschrieben zusammen mit Hanns Eisler und Slatan Dudow. Musik von Hanns Eisler. Uraufführung im Dezember 1930 in Berlin. Eine kritische Ausgabe erschien in der edition suhrkamp, Frankfurt 1972, herausgegeben von Reiner Steinweg. Die erste vollständige Fassung lag im Juli 1930 vor; die Fassung der Uraufführung erschien als 9. Versuch und Sonderdruck aus dem 4. Heft der VERSUCHE, 1930; eine auf Grund der Kritiken nochmals geänderte, dritte Fassung ist der als 12. Versuch im 4. Heft der VERSUCHE, 1931, abgedruckte Text. Weitere Änderungen in der Druckvorlage einer Moskauer Ausgabe von 1935. Dem Abdruck in GW I liegt die wiederum veränderte Fassung der Malik-Ausgabe von 1938 zugrunde.

Das Stück, eine »Veranstaltung« für einen Massenchor und vier Spieler, stellt eine »Maßnahme« von drei Agitatoren der Kommunistischen Partei vor einem Parteigericht zur Diskussion: Bei der Ausübung ihres Auftrags, illegal nach China zu gehen und dort die Revolution voranzutreiben, haben sie ihren vierten Mann, den jungen Genossen, der sich ihnen kurz vor der Grenze als Führer anschloß, erschießen müssen. Der junge Genosse hat ihrer Meinung nach durch sein undiszipliniertes Verhalten eine erfolgreiche Parteiarbeit verhindert und das Leben aller vier Kämpfer in Gefahr gebracht. Die drei Agitatoren rekapitulieren nunmehr, wie sich der junge Genosse in den verschiedenen politischen Situationen verhalten hat. Gemeinsame Basis ihres Handelns ist ihre Überzeugung gewesen: »Wer für den Kommunismus kämpft, hat von allen Tugenden nur eine: daß er für den Kommunismus kämpft.«
Der Weg aller in die Illegalität hat in einem Parteihaus nahe der chinesischen Grenze begonnen: Mit seiner Bereitschaft, namenlos, als leeres Blatt, »auf welches die Revolution ihre Anweisungen schreibt«, über die Grenze zu gehen, bekundet der junge Genosse auch sein Einverständnis mit seiner »Auslöschung«. Er gibt sich auf, verwischt damit seine Spuren, zum »Lob der illegalen Arbeit«. Bald zeigt es sich, daß der junge Genosse ein voreiliger Revolutionär ist, ein engagierter Enthusiast, aber kein zäher, geduldiger, der Vernunft verpflichteter Kämpfer. Er soll die Reiskahnschlepper dazu bringen, Schuhe mit Brettern zu fordern, die ihnen die Arbeit erleichtern würden. Der »Fehler« des jungen Genossen ist sein Mitleid, er schiebt den Kulis Steine unter die Füße, und diese Hilfe verhindert, daß seine erfolgreich begonnene Agitation Folgen hat. Der junge Genosse bestärkt die Kulis nicht, die Arbeit zu verweigern, sondern er hilft ihnen, und als er sie dann an die Forderung nach praktischeren Schuhen erinnert, sehen die Kulis dafür keine Notwendigkeit mehr, weil es auch mit einem Stein gegangen ist. Ihr Aufseher hat das Heft wieder in der Hand, die Unterdrückten folgen sogar seinem Befehl, den »Narren« zu verjagen. Einen weiteren Fehler begeht der junge Genosse beim Verteilen von Flugblättern vor den Toren einer Textilfabrik, in der gestreikt wird. Als fälschlicherweise einer der Arbeiter, die sich noch nicht den Streikenden

angeschlossen haben, als Flugblattverteiler verhaftet werden soll, greift der junge Genosse ein, der Polizist schlägt den Arbeiter nieder und wird dann mit Hilfe des illegalen Kämpfers von einem anderen Arbeiter entwaffnet. Der Vorfall bewirkt nicht die angestrebte Solidarität der Arbeiter mit den Streikenden, sondern nur die Verstärkung der Polizeibewachung. »Er hatte ein kleines Unrecht verhindert, aber das große Unrecht, der Streikbruch, ging weiter.«

(In der Fassung der Uraufführung ist die Frage der Spontaneität radikaler gestellt: Der Streik in der Fabrik ist hier noch nicht im Gange, der Polizist erschlägt beim Versuch, den angeblichen Flugblattverteiler zu verhaften, den Arbeiter und wird entwaffnet. Der Vorfall löst zwar einen spontanen Streik der Textilarbeiter aus, aber der Kuliverband erreicht die Bestrafung des Polizisten. Dadurch wird ein wirksamer politischer Streik für lange Zeit unmöglich. Das Gerechtigkeitsgefühl des jungen Genossen hat lediglich bewirkt, daß über die ökonomischen und politischen Forderungen der Arbeiter gar nicht mehr gesprochen worden ist.)

Der junge Genosse versagt zum drittenmal, als er sich weigert, mit einem unmenschlichen Reishändler zu essen, um ihn als nützlichen Verbündeten auf Zeit für Waffenlieferungen zu gewinnen. Der Kämpfer muß auch bereit sein, den »Schlächter« zu umarmen, wenn auf diese Weise die Sache der Revolution vorankommt. Die Ungeduld des jungen Genossen wächst. Er hält die Zeit für ein offenes revolutionäres Handeln gekommen, er schlägt vor, das Stadthaus zu besetzen und dem Elend den Kampf anzusagen. Von der Methode, zu der die marxistischen Klassiker raten, »das Elend in seiner Gänze zu erfassen«, hält er nichts mehr. Die drei Agitatoren entgegnen: »Deine Revolution ist schnell gemacht und dauert einen Tag/ Und ist morgen abgewürgt./ Aber unsere Revolution beginnt morgen/ Siegt und verändert die Welt.« Kein Argument der Vernunft vermag den jungen Genossen zu überzeugen, im Anblick des Kampfes will er nichts mehr gelten lassen, er zerreißt die Schriften der Klassiker und tut »das allein Menschliche«. Auf offener Straße brüllt der Empörer los, gibt sich zu erkennen, und die Agitatoren haben gerade fünf Minuten Zeit, den Gewehrläufen der Soldaten zu entkommen. Sie flüchten mit dem Erkannten, der nun auch sie erkennbar macht, in die Kalkgruben vor der Stadt. Ihre Propagandaarbeit können sie nur wieder aufnehmen, wenn sie den jungen Genossen wieder unkenntlich machen. Sie müssen ihren Mitkämpfer, der versagt hat, töten. Die Ungeheuerlichkeit ihrer

Entscheidung ist ihnen bewußt: »Noch ist es uns, sagten wir/ Nicht vergönnt, nicht zu töten. Einzig mit dem/ Unbeugbaren Willen, die Welt zu verändern, begründeten wir/ Die Maßnahme.« Der junge Genosse erklärt sich einverstanden, er gibt eine »der Wirklichkeit gemäße« Antwort: »Einverstanden mit dem Vormarsch der proletarischen Massen/ Aller Länder/ Ja sagend zur Revolutionierung der Welt.« Auch das Parteigericht, »der Kontrollchor«, erklärt sich einverstanden mit der Maßnahme: »Begreifen des Einzelnen und Begreifen des Ganzen: Nur belehrt von der Wirklichkeit, können wir/ Die Wirklichkeit ändern.«

Die Maßnahme ist das abschließende Stück des Lehrstück-Komplexes, in dem immer wieder neue Gesichtspunkte zur Frage des »Einverständnisses«, der Unterordnung individuellen Wollens unter den kollektiven Willen einer revolutionären Partei, geltend gemacht werden. Jedes weitere Stück dient der Konkretisierung. Der erste Entwurf zur *Maßnahme* zum Beispiel ist noch mit *Der Jasager (Konkretisierung)* bezeichnet. Die Handlung beschränkt sich auf eine Variation des Inhalts vom *Jasager:* »In das Parteihaus kommen zu Herrn Keuner drei Agitatoren, um das chinesische ABC des Kommunismus zu holen. Herr K. hält eine Rede, in der er die drei fragt, ob sie einverstanden seien, daß man mit allen Mitteln das chinesische Proletariat in seiner Revolution unterstütze. Sie antworten mit ja. In das ja stimmt ein Knabe ein, der im Vorzimmer schreibt. Als die drei Agitatoren mit den Schriften weggehen, bittet sie der Knabe ihn mitzunehmen.« Um die Fragestellung seines Stücks zu verschärfen, macht Brecht aus der Rolle des Knaben einen jungen Genossen, der wie die Agitatoren bereits ein »Träger des Wissens« ist.

Das Stück *Die Maßnahme* ist zu behandeln als ein Ensemble von mehreren Fassungen, eine Art »work in progress«, das die Bemühung Brechts dokumentiert, den Prozeß seines Lernens zur Voraussetzung eines Lehrstücks zu machen. Ziel solcher Übungen für Dialektiker ist nicht Indoktrination. Es geht um das Bewußtmachen von eigenen und fremden Haltungen. Kritik und Änderungen sind Bestandteil des schriftstellerischen Verfahrens. Denn der Zweck des Lehrstücks ist es, politisch unrichtiges Verhalten zu zeigen und dadurch richtiges Verhalten zu lehren. Der jeweilige politische Lehrwert der Veranstaltung ist für Brecht entscheidend. Das Stück ist von ihm so angelegt, daß jederzeit bestimmte Teile heraus- oder hineinmontiert werden können. Gerade deshalb ist jedoch das gemeinsame Interesse für das Studium des Marxismus aller an der

Aufführung der *Maßnahme* Beteiligten die Voraussetzung einer produktiven Beschäftigung mit diesem Stück. Weder der Text noch die Musik suggerieren die Glorifizierung psychischer Akte, gehandelt wird lediglich von ihrer Ermöglichung. Was Brecht und Eisler zur Musik der *Maßnahme* angemerkt haben, in der der Jazz als »Technikum« eingesetzt ist und der Montagecharakter ausdrücklich betont wird, gilt auch für die Dichtung: »Hier werden Möglichkeiten gezeigt, eine neue Einheit von Freiheit des Einzelnen und Diszipliniertheit des Gesamtkörpers zu erzielen.« Es handelt sich um ein Improvisieren mit festem Ziel.

In einem an die *Maßnahme* anschließenden Lehrstückfragment heißt es: »Einverstandensein heißt auch: nicht einverstanden sein.« Wer einverstanden ist mit den Zielen der Revolution und mit der Änderung der unmenschlichen Verhältnisse, muß ebenso vehement mit allen Zuständen und Gegebenheiten nicht einverstanden sein, die der Verwirklichung der Ziele entgegenstehen. Zum Ja gehört immer auch das Nein. Parteiarbeiter, argumentiert Brecht, wird man nicht durch leidenschaftliche Bekenntnisse zur Arbeiterklasse, zu denen sich dann irgendwann der Katzenjammer gesellt, sondern nur durch die Aneignung politischer Kenntnisse und der Lehren der marxistischen Klassiker. In der *Maßnahme* hat Brecht vor allen Dingen versucht, wesentliche Punkte der Gedanken Lenins in szenische Vorgänge umzusetzen.

Strenggläubige kommunistische Kritiker haben dieses Lehrstück immer abgelehnt, besonders die orthodoxen Vertreter des sozialistischen Realismus. Ihre Vorwürfe zielen auf die angeblich mangelnde historische Konkretheit und die Abstraktheit der Fragestellung. Sie vermissen die von ihnen als Literatur gepriesene Dramatisierung von revolutionären Erlebnissen und Erfahrungen. Auch jene bürgerlichen Kritiker, die als Absicht Brechts nur die Propagierung von Parteidisziplin herauslesen, ignorieren die marxistische Fragestellung des Stücks. Einverständnis ist hier nicht mit Parteidisziplin gleichzusetzen. Der junge Genosse wird nicht für seine Fehler »bestraft«. Auch die anderen Agitatoren haben Fehler gemacht. Der junge Genosse muß aber »ausgelöscht« werden, weil er, der die Gefahren illegaler Arbeit unterschätzt und aus seinen Fehlern nicht gelernt hat, den Auftrag und das Leben der Mitkämpfer gefährdet. Er darf nicht gesehen werden, weil die Polizei ihn kennt. Da die Genossen ihn nicht aus der Stadt wegbringen können, beschließen sie, ihn zu töten. Die »Auslöschung« wird mit dem Betroffenen diskutiert, er willigt in seine Liquidierung ein, er anerkennt die Interessen des proletarischen Klassenkampfes. In der *Maßnahme* wird kein Zentralkomitee bemüht und kein Verdammungsurteil gefällt. Zum vorweggenommenen Schlüsselstück über die Moskauer Prozesse taugt *Die Maßnahme* nicht.

DIE HEILIGE JOHANNA DER SCHLACHTHÖFE

Schauspiel. Entstehungszeit: 1929–1931. GW I. Hervorgegangen aus der Arbeit an den Fragmenten *Joe Fleischhacker*, *Der Brotladen* und dem Stück *Happy End*. Mitarbeiter: Elisabeth Hauptmann, Emil Burri und Hans Borchardt. Die 1931 beim Verlag Felix Bloch Erben gedruckte Bühnenfassung erschien in dem von Gisela E. Bahr herausgegebenen Band *Brecht, Die heilige Johanna der Schlachthöfe*. Bühnenfassung, Fragmente, Varianten. edition suhrkamp, Frankfurt 1971. Erstveröffentlichung des Stücks im 5. Heft der VERSUCHE, 1932. Brecht bearbeitete die VERSUCHE-Fassung noch einmal für die Malik-Ausgabe 1938. Uraufführung: Deutsches Schauspielhaus Hamburg 1959.

Pierpont Mauler, der »Fleischkönig« der Chicagoer Schlachthöfe, bekommt von seinen New Yorker Geschäftsfreunden den Wink, vorübergehend die Hand vom Fleischhandel zu lassen, da der Markt allzusehr verstopft sei. Gegenüber seinem Kompagnon Cridle spielt Mauler daraufhin den Empfindsamen, der die blutigen Geschäfte satt hat: sinkende Marktchancen beleben seine philantropischen Neigungen. Cridle willigt in das günstige Kaufangebot ein, nachdem ihm Mauler zugesagt hat, bei der Ausschaltung des Konkurrenten Lennox noch behilflich zu sein. Lennox wird daraufhin mit Billigpreisen in einer Schlacht um den Markt besiegt, seine Fleischfabrik geht pleite. Die Arbeiter, deren Löhne von Tag zu Tag gesenkt worden sind, die wie Schlachtvieh gezwungen werden, zu allem bereit zu sein, stehen auf der Straße: »Die Hölle selbst/ Schließt ihr Tor für uns!/ Wir sind verloren. Der blutige Mauler hält/ Unsern Ausbeuter am Hals und/ Uns geht die Luft aus!« Mauler aber, der derart die Gesunden im Würgegriff packt, gefällt sich gleichzeitig in der Rolle des Wohltäters: für die Kranken hat er modern eingerichtete Spitäler bauen lassen. Allerdings geht der Philantrop nicht ohne Leibwache an die Stätte seines fürsorglichen Wirkens.

Um den Arbeitslosen der Schlachthöfe Trost zu spenden, verlassen die Schwarzen Strohhüte ihr Missionshaus. An der Spitze eines dieser Heilsarmeestoßtrupps steht Johanna Dark, die Gott als Rettung

anpreist in einer Zeit planmäßiger Willkür und roher Gewalt, aber mit ihrer Predigt bei den Armen kein Gehör findet. Da dem Hunger kein Lied gewachsen ist, muß sie sich die Frage stellen, »wer an all dem schuld ist«. Als der Name Mauler fällt, begibt sich Johanna zur Viehbörse. Denn nach dem Sieg über Lennox will nun auch Cridle, bis sich der Markt erholt hat, die Fleischproduktion ganz einstellen und die Arbeiter der Maulerschen Fabriken aussperren. Außerdem plant er, unterdessen selbsttätige Schlachtmaschinen aufzustellen, um Arbeitsplätze einzusparen. Der Konkurrenzkampf hat zur Folge, daß der Markt mit Fleisch überschwemmt ist und die Preise gefährlich sinken: »Der Handel, der so blühend war, liegt brach.« Maulers Weitblick zahlt sich aus, beziehungsweise Cridle wird von Mauler zur Kasse gebeten, der aber die fällige Kaufsumme für den Maulerschen Anteil an der gemeinsamen Fabrik nicht vertragsgemäß aufbringen kann, so daß er seinen eigenen Anteil nunmehr Mauler überlassen muß. Trotz aller Warnungen ist Johanna entschlossen, sich einzumischen »in irdischen Zank«: »Ich will's wissen.«
Sie tritt auf Mauler zu, den sie sich zum Werkzeug ihrer Mission auserkoren zu haben scheint. Der Fleischkönig weicht ihren Fragen aus, aber die Anwesenheit des Mädchens stimmt ihn überraschend milde, als wehte ihn ein Hauch aus einer anderen Welt an. Die »Güte« Johannas irritiert ihn, sie fasziniert ihn und stört ihn zugleich, denn sie paßt im Grunde nicht zu seiner Weltsicht: »Mit Ochsen hab ich Mitleid, der Mensch ist schlecht. Die Menschen sind für deinen Plan nicht reif. Erst muß, bevor die Welt sich ändern kann, der Mensch sich ändern.« Der Makler Slift erhält den Auftrag, Johanna mit Geld zu bestechen, sie aber, wenn sie ablehnt, zum Schlachthof zu geleiten und ihr dort den Beweis vor Augen zu führen, daß die Armen »schlecht sind und tierisch, voll Verrat und Feigheit«. Slift rät ihr ab, sich mit dem »Abschaum« der Welt einzulassen, aber Johanna trotzt wiederum der Warnung: »Ich will ihn sehen.«
Zum zweiten Mal geht Johanna den Weg nach unten, zu den Armen »in die Tiefe«, wo sie Schreckliches zu sehen bekommt: der Arbeiter Luckerniddle ist in den Sudkessel gefallen und in die Blattspeckfabrikation geraten, seine Kollegen verschweigen den Vorfall aus Angst, sie könnten ihre Stellung verlieren, und die Frau des Toten gibt ihre Nachforschungen für ein paar Teller Suppe auf. Johanna erliegt der Versuchung nicht, die von Mauler erhoffte Schlußfolgerung zu ziehen. Nicht die Schlechtigkeit der Armen hat man ihr

gezeigt, sondern nur deren Armut. Und ihrerseits wird nun Johanna den Mauler in Versuchung führen: sie wird ihn mit den Armen konfrontieren.

An der Viehbörse stürzen, ausgelöst durch Cridles Aktienverkäufe, die Kurse. Fleisch gibt es jede Menge, die Preise für Vieh werden von Mauler ins Bodenlose gedrückt, und doch fehlen die kaufkräftigen Abnehmer für das Büchsenfleisch. Johanna erscheint mit den Schwarzen Strohhüten am Ort der dunklen Geschäfte der Fleischfabrikanten, und sie liest dem Mauler die Leviten: »Heben Sie die moralische Kaufkraft, dann haben sie auch Moral. Und ich meine mit Kaufkraft etwas ganz Einfaches und Natürliches, nämlich Geld, Lohn. Und das führt mich wieder zur Praxis: wenn ihr so fortfahrt, dann könnt ihr am End euer Fleisch selber fressen, denn die da draußen haben eben keine Kaufkraft.« Mauler fällt beim Anblick der Armen, die Johanna mitgebracht hat, in Ohnmacht. Was er gesehen hat, scheint ihn zu rühren, erwachend verkündet er seinen Entschluß, den Markt nunmehr durch Fleischkauf zu stützen, um den Arbeitslosen die Rückkehr an die Arbeitsplätze zu ermöglichen: zum niedrigen Tagespreis von fünfzig erwirbt er die gesamten Lagerbestände und zugleich die Produktion der folgenden zwei Monate.

Im Haus seines Maklers Slift beschwört Mauler die Vision vom Aufstand der Entrechteten: »die werden uns, wo sie uns fassen/ Auf die Pflaster schlagen/ wie faulen Fisch. Wir alle hier, wir/ Sterben nicht mehr im Bett. Bevor wir/ So weit sind, wird man in Rudeln uns/ An Mauern stellen und diese Welt säubern von uns und/ Unserm Anhang.« Um ihn von seiner Schwäche abzubringen, brät ihm Slift ein Beefsteak und macht dann dem in die Betrachtung seiner »großen Natur« Verstrickten klar, daß er sich »das ganze Fleisch der Welt« aufgeladen hat. Mauler ist dennoch nicht verloren: Wie sich jetzt herausstellt, deckt sich seine wohltätige Anwandlung mit dem Rat seiner Freunde in New York, Fleisch zu kaufen, da mit einer Aufhebung der Zollgesetze im Süden zu rechnen sei. Und Mauler kauft auch noch das Vieh der Viehzüchter von Illinois, denen Johanna bei ihrem Wohltäter Gehör zu verschaffen wußte.

Noch immer sind die Schlachthöfe geschlossen, und die Fleischfabrikanten werden nervös, weil ihnen jemand das Vieh aufkauft, das sie dringend brauchen für Büchsenfleisch, zu dessen Lieferung sie sich kontraktlich verpflichtet haben. Sie finden sich bei den Schwarzen Strohhüten ein, deren Major ihnen als Gegenleistung für einen Monatsscheck anbietet, die murrenden Arbeiter mit warmen Sup-

pen und Musik abzuspeisen und ihnen einzureden, daß das Unglück wie der Regen kommt. Johanna gerät außer sich vor Zorn, als sie erfährt, daß die Arbeiter immer noch ausgesperrt sind, und sie vertreibt die Packherren mit einer umgekehrten Fahne, die sie als Stecken benutzt, aus dem Versammlungsraum, wie Jesus einst die Verkäufer und Käufer aus dem Tempel gejagt hat. Und der entsetzte Heilsarmeemajor weist nun seinerseits Johanna samt ihren Armen die Tür. Sie beschließt, ein weiteres Mal Mauler aufzusuchen: »*Ein* Gerechter muß doch unter ihnen sein!«
Der Fleischkönig ist stolz auf seine furchtlose Johanna: »Und wenn ich auch dabei gewesen wäre/ Hätte sie mich auch hinausgeworfen, und das/ Lieb ich an ihr und lieb's an diesem Haus/ Daß solche dort wie ich nicht möglich sind.« Ihre Haltung ermuntert ihn, seinen Gegnern die Haut abzuziehen. So teuer wie möglich sollen die Fabrikanten von ihm das Vieh kaufen, das sie brauchen, um wiederum ihm billiges Büchsenfleisch liefern zu können. Johanna erscheint und erregt Maulers Mitleid. Das Leben mit dem »Abschaum« hat sie verändert. Gierig ißt sie von dem Teller, den ihr der Gönner reicht. Am eigenen Leib erfährt sie die Unterwerfung unter die Gesetze des Magens, der sie zuvor bei Frau Luckerniddle mit Unverständnis begegnet ist. Die wohltätige Haltung Maulers allerdings verfängt bei ihr nicht mehr, seine Rede über die Unentbehrlichkeit des Kapitalismus und der Religion macht ihr klar, daß ihr Platz nur bei den streikenden Arbeitern sein kann. Gott, auch das besagt das Bekenntnis Maulers zum System, ist für die Reichen ein Ablenkungsmanöver. Johanna gesellt sich zu den Wartenden auf den Schlachthöfen, ihr, gibt sie Mauler zu verstehen, ist nur zu helfen, wenn allen geholfen wird.
Auf der Börse triumphiert Mauler, und die, die sich verspekuliert haben, beklagen die ewig undurchsichtigen Gesetze der menschlichen Wirtschaft. Im Schnee auf den Schlachthöfen erzählt Johanna einen apokalyptischen Traum, in dem sie an der Spitze eines riesigen Demonstrationszuges marschiert ist, aber die ihr zuhören, verstehen sie nicht. Johanna lernt einige Arbeiterführer kennen und übernimmt es, einen Brief zu überbringen, der zum Generalstreik aufruft. Aber nun kommen ihr Zweifel, sie glaubt, daß Güte noch etwas bewirken und Gewalt vermieden werden kann. Deshalb überbringt sie den Brief nicht. Auf dem Weg zu den Schlachthöfen, die Grenze zur Armut überschreitend, um Johanna zu finden, erreicht Mauler die Nachricht vom Börsenkrach. Sein Makler hat die Viehpreise zu hoch getrieben und den allgemeinen Zusammen-

bruch herbeigeführt. Mauler nimmt die Nachricht gelassen, fast glücklich entgegen: »Den Niedrigen mag das Unglück niederschlagen./ Mich muß es höher, in das Geistige tragen.«
Der Generalstreik ist zum Scheitern verurteilt, weil sich nicht genügend Arbeiter daran beteiligt haben, Johanna wird bewußt, daß sie einen schweren Fehler begangen und versagt hat. Pierpont Mauler erniedrigt sich und wird erhöht: bußfertig begibt sich der ruinierte Geschäftsmann zum Betlokal der Schwarzen Strohhüte. Die Heilsarmeeleute aber haben in Mauler ihren Retter aus finanzieller Not erwartet, statt Geld bringt er ihnen nur sein Herz. Ihre Gesichter sind entsprechend lang. Alle vom Börsenkrach betroffenen Unternehmer fordern Mauler auf, sie aus der Krise zu führen. So erweist sich wiederum dessen Sinn für das Höhere, seine Empfindsamkeit und Einsichtigkeit als weise Vorahnung, und ganz im Sinne der ökonomischen Wende empfiehlt auch ein weiterer Brief seiner New Yorker Freunde Einschränkung der Produktion, Preisabsprachen und Konzernbildung. Die Schwarzen Strohhüte werden großzügig subventioniert werden, als Gegenleistung müssen sie die Sache der Unternehmer mit geeigneten Bibelsprüchen beschönigen. Mauler macht sich Johannas früheren agitatorischen Gestus zu eigen, mit dem sie ihren Feldzug für Gott geführt hat, um die Rückkehr zu Ruhe und Ordnung zu verherrlichen. Er rät, wieder ein Mädchen wie Johanna zu nehmen, »die durch bloßes Aussehen Vertrauen erweckt«. Johanna selbst ist auf die Schlachthöfe zurückgekehrt. Sie erlebt, wie die Streikführer verhaftet werden und bricht erschöpft zusammen, als Journalisten sie als »unsere liebe Frau vom Schlachthof« ansprechen und ihr die Folgen des gescheiterten Generalstreiks erläutern. Arbeiter suchen mit Laternen nach einer alten Genossin, die die Streikenden ermuntert hat und deshalb von Soldaten niedergetrampelt worden ist; statt dessen entdecken sie Johanna, lassen sie aber liegen: »Die da gehört nicht zu uns.«
Von einem Haufen armer Leute geleitet, wird Johanna zu den Schwarzen Strohhüten gebracht. Den dort versammelten Schlächtern und Viehzüchtern kommt sie wie gerufen. Sie soll groß »herausgebracht« werden, ihres menschenfreundlichen Wirkens auf den Schlachthöfen wegen: »Sie soll unsere heilige Johanna der Schlachthöfe sein. Wir wollen sie als eine Heilige aufziehen und ihr keine Achtung versagen.« Johanna, die Fürsprecherin der Armen, wird als Beweis dienen, daß bei den Unternehmern »die Menschlichkeit« an erster Stelle steht. Während ihr von den Heilsarmeemädchen die Uniform wieder angezogen wird, beklagt sie, daß sie zur Verände-

rung der Welt nichts beigetragen, daß sie im entscheidenden Augenblick die Lage nicht erkannt hat. Sie verurteilt ihr Verhalten: »Den Geschädigten war ich ein Schaden/ Nützlich war ich den Schädigern.« Sterbend verwirft sie alle »folgenlose Güte«, denn Menschen können sich nur da menschlich verhalten, »wo Menschen sind«. Ihre nunmehr »vernünftigen« Worte und ihr radikales Bekenntnis zur revolutionären Gewalt werden von den Umstehenden, die das Bündnis von Religion und Geschäft beglaubigen wollen, überschrieen. Sie hat sich von Mauler entfernt, spricht nun die Sprache des Elends, »und zwar jenes Elends, das/ von einem Zorn kommt, der uns alle wegfegt«. Während der Hosiannah-Rufe der Schwarzen Strohhüte sinkt Johanna tot zusammen. Wie auf Schillers Jungfrau von Orleans wird auf sie, nachdem ihr die Fahne entfallen ist, die man ihr gereicht hat, ein Fahnenmeer niedergelassen, »bis sie ganz davon bedeckt ist«, und wie bei Schiller ist »die Szene von einem rosigen Schein beleuchtet«. Und Mauler beschwört seine faustische Zerrissenheit, die zwei Seelen in seiner Brust: »Denn es zieht mich zu dem Großen/ Selbst- und Nutz- und Vorteilslosen/ Und es zieht mich zum Geschäft/ Unbewußt.«

Parallel zur Arbeit an den Lehrstücken bemühte sich Brecht um die Konstruktion des von ihm geforderten Dramas der großen Form, in der die für die Zeit entscheidenden Stoffe und seine Erkenntnisse beim Studium des Marxismus zur Darstellung gebracht werden konnten. Die neue Form der Dramatik sollte vor allen Dingen der »Ungeheuerlichkeit« gegenwartsnaher Stoffe gerecht werden. Bei sämtlichen Stückplänen, die er in diesem Zusammenhang verfolgte, suchte er nach einer Möglichkeit, die angeblich undurchschaubaren Gesetze des Kapitalismus auf simple wirtschaftliche Vorgänge zurückzuführen. Als Modell schwebten ihm die Börsenkämpfe um Weizen oder die Börsengeschäfte Chicagoer Fleischkönige vor. Das Ergebnis verschiedener Versuche in dieser Richtung war das Schauspiel *Die heilige Johanna der Schlachthöfe.* Akuter Anlaß war die Wirkung der Weltwirtschaftskrise, die der New Yorker Börsenkrach im Oktober 1929 ausgelöst hatte.

Die Handlung der *Heiligen Johanna* besteht aus drei Fabelsträngen, der Geschichte des Heilsarmeeleutnants Johanna Dark, der Geschichte des Fleischfabrikanten Mauler und der Geschichte der Arbeiter in den Chicagoer Schlachthöfen. Die drei Geschichten, die von den gleichen Widersprüchen bewegt werden, sind alle in Beziehung gesetzt zu den klassischen, von Marx im *Kapital* angeführten Wechselperioden des industriellen Zyklus. Der Grundgedanke des

Marxschen Werkes, »das ökonomische Bewegungsgesetz der modernen Gesellschaft zu enthüllen«, ist der gemeinsame Nenner von ursprünglich drei verschiedenen, nebeneinander entwickelten Stückvorhaben Brechts. Das älteste ist der Plan eines Dramas über das elende Leben und Sterben eines Arbeiters im Großstadtdschungel, basierend auf Upton Sinclairs Roman *Der Sumpf*.
Sinclair hatte auf die grauenhaften Mißstände in den Schlachthöfen Chicagos aufmerksam gemacht, die es zuließen, daß ein verunglückter Arbeiter in den Sudkesseln verschwand und zu Blattspeck verarbeitet wurde. Eine der Hauptwirkungen des Romans in Amerika war, daß die Gesetze zur Lebensmittelüberwachung verschärft wurden und die Nachfrage nach Fleisch vorübergehend zurückging. Bei Sinclair fand Brecht zwar viele Hinweise auf die Machenschaften der Monopolherren, Trusts und Kartelle, jedoch kein Material über die Ursachen der wirtschaftlichen Aufschwünge und Krisen. Aus dem Roman und aus einem weiteren Buch Sinclairs, *Die Börsenspieler*, ging lediglich hervor, daß die Börse eine zentrale Rolle in der kapitalistischen Produktion einnahm. Erst das Studium des *Kapitals* und anderer Schriften von Marx zeigte Brecht, daß die Lage auf dem Arbeitsmarkt weitgehend vom Börsengeschehen mitbestimmt wird, beziehungsweise gab ihm Aufschluß darüber, daß »Expansion und Kontraktion des Kapitals« die Nachfrage und Zufuhr von Arbeit regelt.
Um Aufstieg und Fall eines Chicagoer Börsenhelden ging es in einer zweiten Gruppe von Stückentwürfen. Die Biografien der Schlüsselfiguren des amerikanischen Großkapitals brachten Brecht auf den Gedanken, ein Weltanschauungsdrama von klassischer Strenge zu schreiben, in dem Unternehmer wie Vanderbilt, John Pierpont Morgan oder Carnegie als eine Art Macbeth oder Hamlet der Weizenbörse auftreten sollten, die Schlechtes tun, um Gutes wirken zu können. So war Joe Fleischhacker (in dem geplanten gleichnamigen Stück, das schließlich den Titel *Weizen* haben sollte), ein gerissener Geschäftemacher und passionierter Philantrop und als ein Typ von Unternehmer angelegt, dessen Auftreten unterstreicht, daß der Geschichtsprozeß analog zu Shakespeare von wirkenden Individuen getragen wird.
In einem dritten Komplex von Stückprojekten in jener Zeit widmete sich Brecht der damals ungeheuer rührigen Heilsarmee, die zu den bevorzugten Zielgruppen unternehmerischer Philantropie gehörte und bei der es verdächtig nach einer Verquickung von Geschäft und Religion roch. Das gewaltige Heer fanatisierter Gottes-

kämpfer wurde von den kleinen Rockefellers aller Länder unterstützt. Brecht und seine Mitarbeiter waren der Überzeugung, daß die Sendboten der weltweiten Organisation, die 1929 ihren 100. Geburtstag feierte, den an Hunger und Kälte leidenden »kleinen Leuten« nicht nur eine Suppe, sondern Geborgenheit und Gefühlswerte vermittelten, die diese von politischer Erkenntnis und Protesthandlungen abhielten. Nachdem er das Thema in der mit Elisabeth Hauptmann verfaßten Gaunerkomödie *Happy End* zu leichtgewichtig aufgegriffen hatte, brachte er in dem Stück *Der Brotladen,* in dessen Mittelpunkt die große Arbeitslosigkeit von 1929 stand, die unternehmerfreundliche Rolle der Heilsarmee in den sozialen Kämpfen zur Sprache.
In der Schlacht um den Brotladen, in die der Zeitungsjunge Washington Meyer die Arbeitslosen führt und in der er sein Leben verliert, steht die Heilsarmistin Leutnant Hippler auf Seiten des Bäckermeisters. Die religiöse Organisation verständigt sich mit dem Ausbeuter über die Aneignung des Holzes, das von rechtswegen der Witwe Queck gehört. Letztere aber fügt sich ergeben in das Unrecht, um in »Verklärung« unterzugehen. Washington Meyer spricht und handelt hier wie ein heiliger Johannes der Berliner Hinterhöfe.
Happy End war also der unmittelbare Vorläufer des Fragment gebliebenen Stücks *Der Brotladen,* das nun seinerseits seine vollendete Ausformung in der *Heiligen Johanna der Schlachthöfe* erfuhr. Die Titelgestalt Johanna Dark entstand aus einer Kombination der Figur des Heilsarmeeleutnants Lilian Holiday mit der des Zeitungsjungen Washington Meyer. Eine Vertiefung der Figur erbrachte der Einfall, sie nach dem Vorbild des Bauernmädchens Jeanne d'Arc zu gestalten. Bald zeigte sich, daß für eine solche Glaubensstreiterin ein Gangsterchef wie Bill Cracker aus *Happy End* kein geeigneter Gegenspieler mehr war. Wenn die historische Johanna den designierten König Frankreichs zu überzeugen vermochte, konnte auch einer der neuzeitlichen Großkapitalisten der bevorzugte Mann ihres missionarischen Eifers sein. Die Chicagoer Schlachthöfe empfahlen sich als ein ausgezeichnetes Operationsfeld für die Heilsarmee. Johannas Dauphin bekam den Namen John Pierpont Mauler, dessen Börsengeschäfte sie unbeabsichtigt durch ihre klassenversöhnlerischen Unternehmungen fördert, weil sie vom Vertrauen auf Gott mehr als von revolutionärer Gewalt hält.
Der Aufbau des Schauspiels folgt den Phasen des periodischen Zyklus, den laut Darstellung von Marx im *Kapital* die moderne Indu-

strie durchläuft: Die Szenen 1–4 bezeichnen das Ende der Prosperität, 5–8 verdeutlichen die Überproduktion, Szene 9 zeigt die Krise, die Szenen 10 und 11 entsprechen der Stagnation. In der Schlußapotheose (Szene 12) wird die Wiederherstellung des Kreislaufs gefeiert und seine Gesetzmäßigkeit von den Kapitalisten bestätigt. Jede der Phasen wird durch einen Brief mit ökonomischen Ratschlägen eingeleitet, die Mauler von Freunden aus New York erhält. Diesen Botschaften, die die »Bewegung« auslösen und das Handeln Maulers bestimmen, steht der Brief gegenüber, den Johanna nicht überbringt. Ein erfolgreicher Generalstreik, zu dessen Gelingen sie etwas beitragen sollte, hätte eine eingreifende Änderung herbeigeführt, der Mechanismus des kapitalistischen Reproduktionsprozesses wäre durchbrochen worden. Das Scheitern des Generalstreiks versetzt die Schlachtherren in die Lage, die Krise zu überwinden, in die sie durch die Profitgier Maulers gestürzt sind. Durch die Zerstörung von Produktivkräften – Vieh wird vernichtet, damit die Preise hoch gehalten werden können – wird der Ausgleich zwischen Produktionskraft und Konsumtionskraft wiederhergestellt.

Ein weiteres strukturbildendes Element dieses Stücks ist der Erkenntnisprozeß, den Johanna durchmacht. Sie weiß nach drei Gängen in die Tiefe, was analog zur Suche Fausts »die Welt im Innersten zusammenhält«. Im ersten Gang wird ihre Auffassung, daß Gott und der Sinn für das Höhere den wahren Reichtum darstellen, schwer erschüttert. Sie beginnt zu ahnen, daß sich der Arme solchen Reichtum nicht leisten kann, und sie entschließt sich, zu dem zu gehen, der ihr als verantwortlich für das Elend der Arbeiter genannt wird. Johannas zweiter Gang in die Tiefe zeigt ihr nicht, »wie schlecht die sind«, mit denen sie Mitleid hat, sondern sie begreift, daß die Armut den Menschen entmenscht. Der Preis, den man in dieser schlechten Welt für Gutsein bezahlen muß, ist zu hoch: »Verkommenheit, voreiliges Gerücht!/ Sei widerlegt durch ihr elend Gesicht!« Im dritten Gang in die Tiefe gesellt sich Johanna zu den Elenden, und sie träumt davon, den Lauf der Gestirne »sichtbar« zu beeinflussen. Aber zu wirklich proletarischer Solidarität ist sie nicht fähig. So können die Kapitalisten aus ihrem Opfergang noch ideologisches Kapital schlagen. Das sterbende Mädchen kann ihre Kanonisierung nicht verhindern.

Bei ihren verschiedenen Gängen in die »Tiefe« macht Johanna einen Wandlungsprozeß durch. Mit ihrer Heiligsprechung sorgen die Unternehmer für eine ihren Zielen dienende Legendenbildung.

Dem Tod folgt die Verklärung der Heldin. Bei Schiller, auf dessen *Jungfrau von Orleans* Brecht mit z. T. wörtlich übereinstimmenden Regieanweisungen ausdrücklich verweist, rettet die Heldin auch die Herrschaft der Herrschenden, die durch das Mädchen auf ihre Aufgabe verwiesen worden sind, für das Wohl ihres Landes zu sorgen und keine das Volk schädigenden Machtinteressen zu vertreten. Die Heiligsprechung verpflichtet die Herrschenden auf die Tat der Heldin, die in die Region göttlicher Idealität erhoben wird. Ihre Idealisierung ist vom Autor gewollt, der damit der sittlichen und ästhetischen Erziehung des Zuschauers Vorschub leisten will. Brecht betreibt dagegen mit seiner parodistisch gemeinten Schlußapotheose die Entlarvung einer Legende, denn, wie Helmut Jendreiek schreibt: »Die Fleischkönige lagern die von ihnen gefeierte Humanität Johannas ins Metaphysische aus. Sie sichern sich dadurch ein moralisch-religiöses Alibi und halten sich die Welt frei für ihr Geschäft.«

Sind die Drehpunkte der Fabel den Phasenwechseln des industriellen Zyklus angepaßt, so ist das inhaltliche Geschehen wie so oft bei Brecht als konkretisierender und polemisierender Gegenentwurf angelegt. Die Konfrontation Maulers mit Johanna geht zurück auf Shaws sarkastische Komödie *Major Barbara.* Shaw zeigt, wie der Rüstungsfabrikant Undershaft, dem es nur ums Geld geht, seine Tochter Barbara, die Heilsarmistin ist, für seine »Moral der Kanone« zu gewinnen versucht, und das gelingt ihm auch, denn am Ende ist sie die Erbin einer sozial eingerichteten, arbeiterfreundlichen Kanonenfabrik und glaubt, daß es eine Moral bei Waffengeschäften gibt. Shaw sympathisiert mit dem Zyniker der Moral in seinem Stück und verspottet den naiven Fortschrittsoptimismus und das Sendungsbewußtsein seines Heilsarmeemädchens. Brecht verstärkt noch die väterlich-philantropischen Züge des Kapitalisten, um auf die Gefährlichkeit der Maulers zu verweisen, und er verstärkt die Kritik an der Heilsarmistin, indem er sie zur Einsicht in die Unhaltbarkeit ihrer moralisierenden Position zwingt.

Grundsätzlicher ist der Gegenentwurfcharakter der *Heiligen Johanna der Schlachthöfe* zu Schillers romantischer Tragödie *Die Jungfrau von Orleans.* Ausgehend von seiner These der Unvereinbarkeit von Dramaturgie und Versformen der Klassik mit der Kompliziertheit neuer Stoffgebiete schafft Brecht sich dennoch die Möglichkeit, die Weltwirtschaftskrise in einer Bühnenhandlung darzustellen und in der Form des Jambus über Geld zu sprechen. Er verwendet Zitate und Situationen Schillers (sowie Hölderlins und

Goethes) »zum Zweck des parodistischen Kontrasts«. Das klassische Drama wird erledigt, indem es erfüllt wird. Mit der Apotheose der Johanna durch die Kapitalisten wird außer Schiller auch noch die Rettung Fausts, wie sie Goethe am Schluß seiner Tragödie vorführt, parodistisch kommentiert. Denn *Die heilige Johanna der Schlachthöfe* soll »die heutige Entwicklung des faustischen Menschen« zeigen. Brecht veranschaulicht, was das Bürgertum unter Selbstverwirklichung allein noch zu verstehen bereit ist: erfolgreiches Unternehmertum. Mauler ist nicht die »bloße Inkarnation des Kapitals«, sondern entspricht vollkommen dem bei Marx beschriebenen Kapitalisten, der »ein menschliches Rühren« für seinen eigenen Adam zu kultivieren beginnt und deshalb einen faustischen Konflikt »zwischen Akkumulations- und Genußtrieb« durchleidet.

Die Johanna Schillers will Frankreich retten, sie ahnt nicht, daß sie mit ihren Siegen vor allen Dingen die Herrschaft des Königs sichert. Ihr Opfer findet Erfüllung in der Verklärung. Ihr guter Wille ist entscheidend, die Machtverhältnisse bedeuten dagegen nichts. Johanna Dark aber erreicht ihr Ziel nicht. Ebenfalls von Natur ein guter Mensch wie das lothringische Bauernmädchen, will sie den Armen helfen. Sie glaubt an die Güte der Menschen. Es gelingt ihr, den König der Schlachthöfe zu guten Taten zu veranlassen, die jedoch, wie sie zu spät begreift, nur ihm selbst nützen. Für die Betroffenen zahlt sich das Gutsein nicht aus, vielmehr schwächt es noch ihre Position im Kampf gegen ihre Peiniger. Die Siege der Johanna Dark vermögen die Welt nicht zu ändern. Brecht akzeptiert die Schillersche (an Kant anknüpfende) Formel vom guten Menschen nicht und widerspricht damit dem klassisch-idealistischen Begriff von Humanität. Gutsein allein genügt nicht, wichtiger ist es, eine gute Welt zu hinterlassen.

DIE AUSNAHME UND DIE REGEL

Lehrstück für Schulen. Entstehungszeit: 1930. GW I. Mitarbeiter: Elisabeth Hauptmann, Emil Burri. Paul Dessau komponierte 1948 zu dem Stück eine Musik. Uraufführung 1938 in Palästina. Erste Buchveröffentlichung war für das 8. Heft der VERSUCHE vorgesehen, das 1933 nicht mehr ausgeliefert werden konnte.

Dieses Lehrstück, das parallel zur *Heiligen Johanna der Schlachthöfe* und zur *Maßnahme* entstanden ist, spielt ebenfalls in der in

jenen Stücken beklagten »Zeit blutiger Verwirrung/ Verordneter Unordnung, planmäßiger Willkür/ Entmenschter Menschheit«, und es fordert die Zuschauer auf, das Verhalten der Spieler befremdlich zu finden, die Handlung nicht einfach für selbstverständlich hinzunehmen und alle Verhältnisse und Vorkomnisse für veränderbar zu halten. Vor dem Zuschauer wird die Geschichte einer Reise verhandelt, sie wird zu gleicher Zeit gespielt und kommentiert, als episches Ereignis dargestellt.
Im ersten Teil wird das Geschehene gezeigt, der Wettlauf um die Zeit, den ein Kaufmann mit Führer und Kuli in der mongolischen Wüste unternimmt. Er will vor anderen Kaufleuten in Urga sein, um einen Vorteil bei den Schlußverhandlungen über eine Erdölkonzession zu haben. Zu seiner Rechtfertigung beruft er sich auf den menschlichen Eroberungsgeist, auf den Menschen als Protagonisten der Geschichte und als Vorkämpfer für Wohlstand und sozialen Fortschritt. Er versteckt sein nacktes Profitinteresse hinter Ideologie, die in Wahrheit eine Rechtfertigung der Herrschaft des Menschen über Menschen beinhaltet. Dem Führer schärft der Kaufmann ein, den Kuli härter anzufassen und zu schnellerem Marschtempo zu zwingen. Als er den Mann dennoch freundlich mit dem Träger reden sieht, entläßt er ihn in Han, der letzten Polizeistation vor der menschenleeren Wüste Jahi. Der Kuli vertreibt sich die Angst vor Räubern durch Singen, und damit sie von jenen nicht verfolgt werden können, verwischt er die Spuren im Sand. Der Kaufmann, entschlossen, sein Ölgeschäft nicht zu verpassen, zwingt den Kuli, der nicht schwimmen kann, einen reißenden Fluß zu durchqueren. Dabei bricht sich der Kuli einen Arm. Weil dieser nun allen Grund hat, sich hier, wo keine Zeugen sind, seines Herrn zu entledigen, steigert sich die Angst des Kaufmanns bis zur Panik. Sie irren orientierungslos in der Wüste umher. In dieser verzweifelten Lage schlägt der Kaufmann auch noch den Verletzten. Die Wasservorräte gehen dem Ende entgegen, heimlich trinkt der Kaufmann aus seiner Flasche. Auch der Kuli hat noch eine Wasserflasche, die ihm der Führer als Reserve zugesteckt hat. Aus Sorge, sein Arbeitgeber könne verschmachten und er könne dann belangt werden, reicht er dem Schinder brüderlich die Flasche. Der aber hält sie für einen Feldstein, mit dem ihn der Kuli erschlagen will. Vorsichtshalber erschießt er »die Bestie«.
Im zweiten Teil des Stücks wird das Geschehene vor einem Gericht verhandelt. Klägerin ist die Frau des getöteten Kulis. Sie verlangt, daß der Mörder bestraft wird und erhebt Anspruch auf Schadener-

satz, weil sie und ihr Kind den Ernährer verloren haben. Durch die Aussage des Führers, der mit der nachfolgenden Karawane gereist ist und in der Hand des toten Kulis noch die Wasserflasche gefunden hat, wird geklärt, daß der Kaufmann einen gutmütigen und wehrlosen Menschen erschossen hat; aber er wird dennoch freigesprochen, weil er davon ausgehen mußte, daß der Kuli ihn in dieser Situation haßte und töten wollte. Er konnte nicht wissen, daß der Mann eine Ausnahme bildete: »Daß ihm sein Feind zu trinken gibt/ Das erwartet der Vernünftige nicht.« Die Frau des Toten wird mit ihrer Klage abgewiesen.

In einer Gesellschaft, in der Klassengegensätze bestehen, fällt auch das Gericht ein Klassenjustizurteil. Der Kaufmann gehörte nicht der Klasse an, der sein Träger angehörte. Wer auf die Ausnahme wartet, ist ein Narr. Die Regel ist: Auge um Auge. Wer wen? sollte das Lehrstück ursprünglich heißen. Der Kuli praktizierte zu seinem Schaden Güte, Menschlichkeit, Verständnis, Selbstlosigkeit, er ging unvorsichtigerweise davon aus, »daß der Mensch dem Menschen ein Helfer ist«, während in Wirklichkeit eine Wolfsmoral herrscht, wie der Führer es warnend ausspricht: »Gib einem Menschen zu trinken, und ein Wolf trinkt.«

Kaufmann und Kuli verkörpern das Verhältnis Herr und Knecht. Sie sind aufeinander angewiesen, dürfen sich aber nicht der Hoffnung hingeben, ihre Gegensätze versöhnen zu können. In der Regel muß der Ausgebeutete immer mit dem Schlimmsten rechnen, von der Ausnahme, daß ein Herr (wie in Tolstois Erzählung *Herr und Knecht*) sich für den sozial Niedrigstehenden opfert, darf er sich nicht beeindrucken lassen. Solange die Polizei noch präsent ist, fühlt sich der Ausbeuter sicher, in der Wüste, wo er mit seinem Träger allein ist, hat er Angst, hier manifestiert sich allzu deutlich, daß der Herr vom Knecht abhängig ist. Der Ausbeuter hat dem Ausgebeuteten in solcher Lage voraus, daß er eine Änderung der Zustände für möglich hält. Weil er etwas zu verlieren hat, wird er unberechenbar und macht Fehler. Erst vor Gericht sind für ihn die Verhältnisse wieder in Ordnung.

Diese »Geschichte einer Reise« sollte nicht realistisch gespielt werden, auch nicht als starres Lehrstück mit einem Dogma, es ist mehr ein bestürzender Diskurs, ein Spiel mit Witz und dialektischer Ironie, eine Art Vorläufer des Volksstücks *Herr Puntila und sein Knecht Matti.* Der Kaufmann ist nicht »böse« an sich, wie ein Kaufmann in einem Stück von Gorki, er handelt nur immer situationsgemäß, entsprechend seiner Klassenzugehörigkeit. Auch wenn die

Arbeiter um ihre Rechte gar nicht kämpfen, argumentiert Brecht, handelt die »aneignende Klasse« unter allen Umständen so, »wie es die Erwartung des Widerstandes der hervorbringenden Klasse ihr befiehlt«. So will das Stück dem, der seit ewigen Zeiten die Lasten schleppt, empfehlen, nicht länger an den Gott der Dinge, wie sie sind, zu glauben, sondern die Verhältnisse für änderbar zu betrachten. Er soll sich nicht als Objekt undurchschaubarer kapitalistischer Praktiken benutzen lassen, sondern sich als Subjekt der Geschichte begreifen lernen, andernfalls bleibt er in dem ausweglosen Kreislauf gefangen und an einen Herrn gekettet, der gelegentlich die Zügel etwas schleifen läßt, um sie im gegebenen Moment sofort wieder zu straffen. Als Ergänzung zu *Die Ausnahme und die Regel* empfiehlt es sich, Becketts *Warten auf Godot,* wenn nicht zu spielen, so doch mitzudenken, jenes Stück von Beckett, in dem sich in Gestalt von Pozzo und Lucky das Bild von Herr und Knecht zum ewigen Weltgesetz versteinert zu haben scheint.

Als Anregung und Ausgangspunkt für *Die Ausnahme und die Regel* diente das chinesische Stück *Die zwei Mantelhälften,* das Elisabeth Hauptmann nach einer französischen Vorlage ins Deutsche übertragen hatte und das Brecht bearbeiten wollte. Während der Arbeit an der Aktualisierung der Fabel, die auf den chinesischen Bürgerkrieg Bezug nehmen sollte, entschloß er sich zu einer Teilung in zwei Stücke. Das zweite, zu dem Entwürfe, Chöre und Dialoge unter dem Titel *Die Regel und die Ausnahme* oder *Die Ausnahme und die Regel, Zweiter Teil* vorliegen, ist nicht fertiggestellt worden. Offensichtlich dachte Brecht an ein formal kompliziertes Lehrstück in der Art des *Brotladen* oder des *Fatzer,* denn auch zum ersten Teil, der erst 1938 in Palästina zur Uraufführung gelangte, schrieb er 1932 Chortexte, die von einem linken und einem rechten Chor gesprochen werden, Texte, die das Geschehen und vor allen Dingen die unterschiedlichen Klassenstandpunkte und Betrachtungsweisen nochmals kommentieren, um auf diese Weise die Zuschauer in den Prozeßcharakter des Stücks hineinzuziehen. Es werden noch einmal die Punkte hervorgehoben, auf deren Beurteilung besonderer Wert gelegt wird. Bevor zum Beispiel der linke Chor den Epilog spricht und zugunsten der Sache der Ausgebeuteten Stellung bezieht sowie darauf drängt, »Abhilfe« zu schaffen, erklärt der rechte Chor:

»Das Urteil erscheint hart.
Aber das Öl muß aus dem Boden,
Und der Packen muß geschleppt werden.

Nicht um glücklich zu sein,
Ist der Mensch geboren. Möge nun also
der Vorgang vergessen werden.«

DIE MUTTER

Leben der Revolutionärin Pelagea Wlassowa aus Twer. Nach dem Roman Maxim Gorkis. Entstehungszeit: 1931. GW I. Mitarbeiter: Slatan Dudow, Hanns Eisler, G. Weisenborn. Uraufführung im Januar 1932. Veröffentlicht im 7. Heft der VERSUCHE, 1933. Brecht änderte das Stück noch mehrfach um, u. a. für die Malik-Ausgabe 1938 und für die Neuinszenierung im Berliner Ensemble 1951.

Die Einrichtung des Romans für das Theater sollte der prärevolutionären Situation, die die Bearbeiter als vorgegeben ansahen, gerecht werden. Damit ist vorweg der wesentliche Unterschied zu allen anderen Bearbeitungen Brechts gesetzt. Das Stück *Die Mutter* thematisiert das gesellschaftlich richtige Verhalten im Gegensatz zu dem falschen, bzw. verbesserungswürdigen, das die sonstigen Arbeiten schwerpunktmäßig kennzeichnet.
Die der Sozialdemokratie nahestehende Berliner Volksbühne sollte der Ort der Aufführung sein. Ihr Dramaturg Günther Stark und der Dramatiker Günther Weisenborn hatten die Romanhandlung zu einer Bilderfolge der historischen Revolution von 1905 verdichtet. Nachdem Brecht, Eisler und Dudow zur Arbeit hinzugezogen worden waren, wobei Stark aus arbeitstechnischen und ideologischen Erwägungen ausschied, entstand die Fassung, in der angesichts der Wirtschaftskrise und der fortlaufenden Verelendung eine kompromißlose Haltung zugunsten der Revolution propagiert wurde. Diese Neubearbeitung erwies sich für die Berliner Volksbühne als nicht mehr tragbar.
Im Roman hatte Gorki, angeregt durch Geschehnisse in Nischni Novgorod, zwei Lebensläufe, den von Pelageja Vlasova und den ihres Sohnes Pavel, zu einem Aufriß der proletarischen Bewußtseinsentwicklung verflochten. Es werden die Gewalttätigkeiten und grundlosen Streitereien geschildert, die aus dem hoffnungslosen Elend der russischen Arbeiter entstehen. Als der Mann Pelagejas stirbt, scheint dieses Leben der weitergegebenen Unterdrückung zuerst seinen Fortgang durch das neue Familienoberhaupt Pavel zu finden. Der letztere schließt sich einer illegalen Arbeitergruppe an. Über deren Arbeit und die schließliche Verhaftung Pavels lernt Pe-

lageja die Wirklichkeit außerhalb der häuslichen Enge kennen. Sie überwindet ihre Furcht vor Gott und der auf dieser Gläubigkeit ruhenden Obrigkeit und entwickelt sich zur konsequenten Rebellin. Pavel wird verurteilt, entwirft aber in seiner Verteidigungsrede die Ziele der proletarischen Revolution auf jene klare Weise, die es der zuhörenden Mutter, die bis dahin eher gefühlsbetonte Unterstützerin war, ermöglicht, nun als aktive Revolutionärin das Erbe ihres Sohnes anzutreten. Sie reist durch die Städte des Landes, um Pavels Lehre zu verbreiten und wird endlich selber verhaftet. Als Ausblick auf die Fortdauer der revolutionären Entwicklung dienen die Schriften, die Pelageja noch vor der Verhaftung weitergeben kann.
Aus der Beschreibung eines gewöhnlichen Arbeiteralltags entsteht durch Perspektivverengung die Geschichte eines allgemeinen Schicksals. Brecht übernahm diesen paradigmatischen Ansatz. Nur endet in der Dramatisierung die Handlung nicht mit der Verhaftung, sondern mit der siegreichen Revolution. Aus der mit dem Schicksal hadernden, aber letztlich fatalistischen Frau wird nicht nur eine Kämpferin, sondern eine den Erfolg symbolisierende Revolutionärin. Die Gewalt innerhalb der verelendeten Familie ist getilgt. Von vornherein sind es die sozialen Bindungen, die über die Familie hinausgreifen und etwa im gemeinsamen Lernen und Kämpfen den Weg aus der Unterdrückung weisen. Die Oktoberrevolution hatte Gorkis Roman, da Teil der ihr vorausgehenden Historie, als eine Analyse der vergangenen Zeit erscheinen lassen. Ein Bilderbogen durch die Geschichte erschien Brecht denn auch unzeitgemäß. Der familiäre Vordergrund mußte deshalb zurückgezogen werden, zumal jedes Zugeständnis an die Rezeptionsschablone »slawische Charaktere« den erhofften Mobilisierungseffekt zunichte gemacht hätte.
In die Vorlage der historischen Biographie werden aus diesem Grunde Elemente einer aktuell möglichen Biographie eingebaut. Die angebotenen Verhaltensmodelle sollen so für die Zuschauer ergreifbar sein. Der »Bericht vom 1. Mai 1905« verweist direkt auf den Berliner Blutmai des Jahres 1929, als der sozialdemokratische Polizeipräsident Zörgiebel die Maidemonstration untersagt hatte und dann auf die dennoch zusammengekommene Menschenansammlung das Feuer eröffnen ließ (33 Tote). Ebenfalls unüberhörbar ist die Anspielung auf den Revisionismus der SPD, die mit der Politik des »kleineren Übels« auch noch die Brüningschen Notverordnungen absicherte. So führt der Arbeiter Karpow aus: »Wir sind

für das kleinere Übel. Jeder Klarblickende sieht mit Sorge, daß wir vor einer der größten Wirtschaftskrisen stehen, die unser Land je durchgemacht hat.«
Diese Verweise dienen dazu, das Experiment, die Revolutionierung der Mutter, in den Erfahrungsraum der Zuschauer einzubetten. Brecht betont das Feld der Praxis. Die praktische Intelligenz soll anhand der vorgeführten Beispiele überzeugt und nicht überredet werden. Der Geruch der schlechten, d. h. nicht nährreichen Suppe begründet die Beunruhigung der Wlassowa. Der Tee schafft später die Verbindungs- und Konfliktstruktur zu der revolutionären Gruppe. Als die Polizei in die Wohnung eindringt, zerstört sie die kümmerlichen materiellen Reste, die auf eine Existenzwahrung noch hindeuten. Nicht die theoretische Begründung des Streiks, sondern der zerbrochene und auch zuvor schon fast leere Schmalztopf bewirken die Bewegung innerhalb der Figur. Ihre ersten Erfahrungen mit der außerfamiliären Wirklichkeit macht Pelagea, als sie aus humanem Mitgefühl für einen Gefangenen die Flugblätter in die Fabrik bringt, was ihr auch nur aufgrund ihrer praktischen Fähigkeiten und nicht wegen taktischer Vorüberlegungen gelingt. Entsprechend dieser Neubestimmung verkehrt sich auch die Rangfolge von Lehren und Lernen zugunsten einer wechselseitigen Beeinflussung. Der Lehrer und die Lernenden lernen voneinander. In diesem Rollentausch ist auch die soziale Enge und Rollenzuweisung aufgehoben. Im Vordergrund steht das aktuell Notwendige. So muß der theoretisch gebildete Sohn, der auf der Flucht nur kurze Zeit seine Mutter sehen kann, die »hausfraulichen« Tätigkeiten übernehmen, da Pelagea mit dem Druck der Flugschriften beschäftigt ist. Diese Fähigkeit zur überschaubaren, zähen Arbeit erlaubt es der Mutter, das Verhör zum Austausch wichtiger Informationen zu nutzen, indem sie über die persönlichen Gefühle des Moments die Aussicht auf die Dauerhaftigkeit dieser Empfindungen stellt. In dieser Hinsicht ist das individuelle, persönliche Element nicht gelöscht; Pelageas Verhalten ist kein Reflex der gesellschaftlichen Wirklichkeit, sondern fixiert Situationen, in denen die Realität durch konkret sinnliche Gegebenheiten etwas über sich aussagt. Keine photographische Sequenz skizziert den Weg zur Revolution, dagegen wird der Prozeß vorgeführt, der zu der Gestalt des Dargestellten geführt hat. Die individuellen Gefühle der Mutter sind beispielsweise gerade in ihrem Schweigen dargestellt, mit dem sie verhindert, daß die Hohlheit des nachbarlichen Mitgefühls, das den Tod ihres Sohnes zum Anlaß nimmt, die Unabänderlichkeit des

Schicksals klagend zu bejahen, auf die gleiche Stufe wie ihre mütterliche Trauer gerückt erscheint. Statt dessen kommt die Selbstrechtfertigung des Besitzenden zu Wort, dessen Mitleid gerade die Stabilität des Bestehenden garantieren soll.

Diese Verbindung von Person und dem Zusammenhang, in dem sie steht, bringt das Verhalten vor der »Vaterländischen Kupfersammelstelle« exemplarisch zum Ausdruck. Die Narben, die das individuelle Leid in Pelagea hinterlassen hat, werden ebenso sichtbar wie die aus ihnen entstandene Fähigkeit zur Verstellung. Ihre Wörter ziehen hinter den offiziellen Lügen die Wirklichkeit hervor. Sie nimmt die Regierungsverlautbarungen auf dem Hintergrund all ihrer eigenen Erfahrung wörtlich. Sie spielt im Rahmen der verordneten Wirklichkeit, zeigt ihre Kenntnis über diese, sonst könnte Pelagea die Propaganda nicht »auf die Probe stellen«, und bricht durch ihr scheinbares Einverständnis die abgeschlossene Wirklichkeit zugunsten ihrer Risse auf. Eben diese personifizierte Methode des praktischen Lernens ist es, mit der die umstehenden Frauen, der Lehrer und das Publikum konfrontiert werden.

Hieraus ist auch die Funktion der Chöre abzuleiten, von denen Brecht im Rahmen einer Erweiterung des Stückes Ende 1932 sagte, sie sollten im Zuschauerraum plaziert sein und dem Zuschauer »die richtige Haltung vormachen, ihn einladen, sich Meinungen zu bilden, seine Erfahrungen zu Hilfe zu rufen, Kontrolle zu üben«. Die Chöre richten sich gerade an den Praktiker im Zuschauer.

Diesem Primat der Bewegung und Fortführung ist auch dic nach der Uraufführung hinzugefügte musterähnliche Szene »Der Papiermantel« zuzuordnen. In diesem szenischen Vorschlag ist das für die Arbeiterin Bezahlbare, der Papiermantel, funktions- und wertlos. Diesen Mantel kennzeichnet Pelagea als das Ware gewordene Ergebnis der Politik des kleineren Übels, nach der der Profit des Textilfabrikanten gewahrt bleiben muß und es dem Frierenden deshalb nur übrig bleibt, die Ungerechtigkeit der Natur anzuklagen, wenn er gegen die Ungerechtigkeit der Menschen nichts unternehmen will.

Diese Stoßrichtung gegen den Reformismus verstärkte Brecht noch in den Änderungen, die er für die Malik-Ausgabe 1938 vornahm. Aus der Figur des alten Arbeiters Smilgin, der zuvor eher isoliert innerhalb des Fabrikgeschehens auftaucht, wird eine lernende Gegenfigur zu dem Sozialdemokraten Karpow. Smilgin überwindet die Position des Rückzuges durch Verhandlungen, ergreift die offensive Position und stirbt für die Sache der Gegengewalt. Pelagea

Wlassowa erhält nun die Parteimitgliedschaft; an die Stelle der Dokumentarfilmprojektionen und Transparente als Schlußszene des Stückes tritt die abschließende Rezitation der »Mutter«. Vor dem Hintergrund der siegreichen Revolution verweist sie auf die zukünftigen siegreichen Kämpfe. Aus der mitfühlenden Frau ist die Kämpferin geworden, die programmatisch den Lernprozeß vollzogen hat und auf das Ergebnis des allgemeinen Lernprozesses zeigt. Es ist dies eine Entwicklung, die sich innerhalb des Proletariats abspielt. Kein Klassenwiderspruch wird aufgelöst, sondern Differenzen im Bewußtsein der Arbeitenden werden hinsichtlich einer revolutionären Entschiedenheit gelöst. Will die Mutter ihren Sohn zunächst aufgrund persönlicher, gefühlsbetonter Erwägungen »aus der Sache« heraushalten, da sie um seine Sicherheit, die Arbeit und die gemeinsame Existenz fürchtet, so lernt sie bald angesichts der Gewalt und Radikalität der kapitalistischen Verhältnisse die beiden individuellen Existenzformen in der Parteinahme für »die dritte/ Gemeinsame Sache« aufgehoben zu sehen. Im gemeinsamen Kampf um die letztliche Befreiung, sagt Pelagea Wlassowa, kann ihr auch der Tod den Sohn nicht nehmen.

Diese Mütterlichkeit ist nicht ohne tragische Züge. Auch die unentwegte Antizipation der überpersönlichen, solidarischen Liebe verwischt nicht die Konturierung des Weges der Wlassowa. An jedem Ort, in den sie gelangt, versucht sie, einen familienähnlichen Zusammenhang aufzubauen, dessen Organisation sie dann wieder durch den notwendigen wie notgedrungenen Ortswechsel verlassen muß. Einerseits findet sie also überall die Fermente dessen, was sie sucht, andererseits verliert sie all das, was sie eingerichtet hat, sofort wieder.

Dieser lange Atem des Opfermutes ist nur im Rahmen der angestrebten Aufbewahrung in der »dritten Sache« plausibel. Ob diese Diskrepanz zwischen individueller und historischer Zeit die Anwendung des Verhaltens der Wlassowa für proletarische wie nichtproletarische Zuschauer erleichtert hat, mag dahin gestellt sein. Einen vergleichbaren Mangel an individuellem Einspruch skizziert die Szenenfolge nach Pawels Tod. Nachdem er auf dem Weg in das rettende Ausland erschossen worden ist, arbeitet Pelagea dennoch und gerade deshalb mit ihren Mitteln weiter für den revolutionären Kampf. Als sie nach ihrer erfolgreichen Bekämpfung der Streikbrecher auf dem Lande erschöpft erkrankt, ist es gerade die notleidende Partei, die sie zu Weltkriegsbeginn wieder in den Aktivismus treibt. Die praktische Intelligenz ist in den historisch notwendigen

Apparat eingegangen. Das Individuum steht dauerhaft im Bericht, in der bleibenden historischen Funktion für den Fortschritt. Der Arbeiter Smilgin erscheint in der Szene, die seinen Tod während der Demonstration schildert, im Spiel als kommentierender Beteiligter. Wie die ganzen Ereignisse der Demonstration, so wird auch sein Tod indirekt inszeniert. Die vernichtete Person überlebt im dargestellten Bericht; sie ist aufbewahrt für die kommende Zeit als ein Held, der im Produkt des Kollektivs seinen Platz hat. Es ist für den Einzelnen auch eine erlittene Revolution.
Die Sprache der Berichte erinnert in ihrer ausgefeilten Form an Verherrlichungen, die sonst Königen in ihren Heldenepen vorbehalten waren. Gerade hierin bleibt stets eine Grundlinie lesbar, die den einsamen Schrei des Hingerichteten trotz aller historischen Gesetzmäßigkeit hörbar macht. In dieser Hinsicht kann auch das Wissen um die bessere Zukunft den souveränen Glücksanspruch des Einzelnen nicht einebnen. »Die auf ihn schossen, waren andere als er und nicht ewig auch unbelehrbar./ Freilich, er ging noch gefesselt mit Ketten, geschmiedet/ Von den Genossen und angelegt dem Genossen, doch/ Dichter wuchsen die Werke, er sah es vom Weg aus . . . Ihn aber führten seinesgleichen zur Wand jetzt/ Und er, der es begriff, begriff es auch nicht.«

DIE RUNDKÖPFE UND DIE SPITZKÖPFE

Ein Greuelmärchen. Entstehungszeit: 1929–34. GW II. Das Stück ging hervor aus einer geplanten Bearbeitung von Shakespeares *Maß für Maß*, die der Regisseur Ludwig Berger angeregt hatte. Mitarbeiter: Emil Burri, Hanns Eisler, Elisabeth Hauptmann und Margarete Steffin.

1. Fassung: *Die Spitzköpfe und die Rundköpfe* oder *Reich und Reich gesellt sich gern* (15 Szenen). Gedruckt im 8. Heft der *Versuche*, das 1933 nicht mehr ausgeliefert werden konnte.
2. Fassung: *Die Rundköpfe und die Spitzköpfe*. Fassung in 11 Szenen und mit Liedern, entstanden 1933/34 in Dänemark. Uraufführung 1936 in Kopenhagen. Der deutsche Text, der der dänischen Bühnenfassung am nächsten kommt, ist gedruckt in dem von Gisela E. Bahr herausgegebenen edition suhrkamp-Band *Die Rundköpfe und die Spitzköpfe* – Bühnenfassung, Einzelszenen, Varianten. Frankfurt 1979.
3. Fassung: *Die Rundköpfe und die Spitzköpfe*. Ein Greuelmärchen. Erschien 1938 in Band II der Malik-Ausgabe.

In einem Vorspiel wird der Parabelcharakter des Stücks demonstriert, das in einem Land namens Jahoo spielt, wo der Unterschied von arm und reich vorhanden ist und es außerdem eine Einteilung in Leute mit runden und spitzen Köpfen gibt. Das von den Spielern dargestellte Greuelmärchen soll verdeutlichen, daß die Rassenlehre, die die Kopfform als das entscheidende Kriterium für die Beurteilung eines Menschen ins Feld führt nur ein demagogisches Verdunkelungsmanöver ist, mit dem von den nach wie vor ausschlaggebenden Besitzverhältnissen abgelenkt und die Ausformung von Klassenbewußtsein verhindert werden soll.

Der Vizekönig von Jahoo läßt sich von seinem Staatsrat Missena die wirtschaftliche Krisensituation schildern, in der sich das Land befindet: es gibt eine Getreide-Schwemme, aber der Weltmarkt ist hoffnungslos vollgestopft, so daß dieser Überfluß Not erzeugt. Weil Getreide weniger Geld bringt, als das Mähen kostet, können die Pächter ihre Pacht nicht mehr bezahlen, die Pachtherrn wiederum verlangen vom Staat das Eintreiben der Pacht um jeden Preis. Im Süden des Landes versammeln sich die Pächter bereits unter dem Zeichen der Sichel: die Bauern beginnen sich gegen ihre Unterdrücker zu erheben.

Die Reichsten der Reichen, die »Großen Fünf«, sind wütend über die Laschheit des Staates, das übliche Mittel, die Krise mit einem Krieg zu bewältigen, der neue Märkte schaffen könnte, lehnt der Vizekönig als zu riskant ab: er fürchtet den Widerstand der Sichel. Missena empfiehlt dem Herrscher, den Demagogen Iberin die Staatskrise lösen zu lassen. Der Vizekönig wird sich für einige Zeit »ins Dunkel« zurückziehen und diesem Mann, der die spitzköpfigen Tschichen für alles Unglück und den Verfall der Sitten verantwortlich macht, die Staatsgeschäfte per Vollmacht überlassen. Iberin entstammt dem Mittelstand, er wirft Armen und Reichen gleichermaßen Habsucht vor, spricht von seelischem Zusammenbruch und von niedrigem Materialismus, und er setzt anstelle des Kampfes von arm und reich »den Kampf der Tschichen gegen die Tschuchen«, der Spitzköpfe gegen die Rundköpfe. Dieser Retter in der Not, der faschistische Diktator auf Zeit, hat schon eine Weile auf seine große Stunde gewartet.

Die neue Zeit unter dem Statthalter Iberin, dessen Anhänger, die »Iberinsoldaten«, die Ausführung der antitschichischen Verordnungen überwachen, ist gekennzeichnet durch Fanatismus und Denunziation. Die Bordellmutter Frau Cornamontis allerdings läßt sich von dem ideologischen Übereifer nicht anstecken, sie hält sich weiterhin an nüchterne Tatsachen. Als Geschäftsfrau hängt sie halt die gewünschte Fahne heraus, sie ist gewohnt, jedes Gefühl auf das,

was es letztlich einbringt, zu beschränken. Zu den Mädchen der Cornamontis gehört Nanna, die Tochter des Pächters Callas, der seine Familie nicht mehr ernähren kann und sich den Sichelleuten anschließen will. Das Mädchen hält es für klüger, dem Pachtherrn de Guzman, ihrem einstigen Liebhaber, wieder ihre Reize anzutragen und um Pachterlaß zu bitten. De Guzman ist aber nicht einmal bereit, einen Gaul zum Pflügen auszuleihen. Als die »Huas« kommen, die Hutabschlägertrupps des neuen Regimes, versucht Nanna aus dem Umstand Kapital zu schlagen, daß der Pachtherr Tschiche ist. Die Huas nehmen sich ihrer Sache an, verhaften den Spitzkopf und mißhandeln ihn als Schänder tschichischer Mädchenehre. Die Sache erregt großes Aufsehen, das Volk hat einen sichtbaren Beweis dafür bekommen, daß es den Reichen an den Kragen geht, denn der von den Huas überfallene Spitzkopf war sogar einer der »Großen Fünf«.
Die Aktionen der Iberinleute, die vor den reichen Tschichen nicht zu Kreuze kriechen, beeindrucken auch den Pächter Callas. Eine durch Lautsprecher verbreitete Rede des Iberin, der alle Schuld an der Misere dem schlimmen, spitzköpfigen Feind zuschiebt, veranlaßt ihn, der Sichel nicht beizutreten. In seinem Nachbarn Lopez sieht er fortan nicht mehr den gleichfalls Unterdrückten, sondern den Tschichen, den Feind mit der anderen Kopfform. Callas ist überzeugt, daß ihm Iberin schneller als die Sichel zu Ackergäulen und Pachterlaß verhelfen wird. Das Ziel der Mächtigen, die Solidarität der armen Leute zu verhindern, ist erreicht: als die Hütte seines spitzköpfigen, von den Iberinsoldaten überfallenen Nachbarn in Flammen aufgeht, nimmt Callas nicht einmal dessen obdachlose Kinder bei sich auf. Die beiden Frauen der Pächter beklagen ihr Los: »Durch unsere Not bisher vereint/ Sind wir durch unseres Kopfes Form uns nunmehr Feind.«
Die aufgebrachte Volksmenge erreicht, daß der Pachtherr de Guzman vor Gericht gestellt wird. Der eingespielte Justizapparat ist der Forderung Iberins, dem natürlichen Rechtssinn des Volkes Rechnung zu tragen, nicht gewachsen. Bisher wurde immer hinter verschlossenen Türen verhandelt. Iberin setzt sich selbst an den Richtertisch. Für ihn hat der Fall nur eine »einfache Wahrheit«: ein Tschiche hat ein tschuchisches Mädchen verführt, deshalb wird er zu Tode verurteilt. Das Thema Pachtwucher bleibt unerörtert, Iberin nennt es Callas gegenüber »das Kleinste, was dir geschah«: »Dir aber gebe ich dein Kind zurück, das einst/ An deiner Hand auf tschuchischen Feldern ging.« Nur Frau Cornamontis ist hellhörig

genug für diese Art Rechtsprechung, sie läßt sich so leicht nichts vormachen und singt »Die Ballade vom Knopfwurf«: »Was du immer anfängst, Freund, hienieden/ Unrecht oder Recht: du wirst bezahlen.«
Callas jedoch hat den Sinn für eine realistische Einschätzung seiner Situation völlig verloren, daß er das Urteil des Iberin als Freibrief für die Aneignung der Gäule des Pachtherrn auslegt, beweist nur die Blindheit, mit der er geschlagen ist. Der Pächter entführt die Pferde vom Hof des Klosters der Bedürftigen Schwestern von San Barabas, wo gerade Isabella, die Schwester des verhafteten Pachtherrn mit ihren Anwälten vorgefahren ist, um die Bedingungen ihres geplanten Eintritts in das Kloster auszuhandeln. Seit die Tschichenverfolgungen eingesetzt haben, stellt die Klostervorsteherin höhere Geldforderungen, die Tat des Callas begünstigt ihre Position.
Die Kunde vom Pferderaub des Callas verbreitet sich rasch, Callas wird als Volksheld gefeiert. Die Pachtherren beginnen unruhig zu werden. Denn laut Iberin gilt das, was die Besitzenden als »nackten Aufruhr« bezeichnen, als nachahmenswerte Heldentat eines Tschuchen. Die Tochter des Callas ist weniger realitätsfern, sie bedauert schon, »wie eine Königin« gefeiert zu werden: »Seit drei Tagen bin ich jeder Belästigung entrückt. Ich kann nichts mehr verdienen. Anstatt begierig blicken mich die Männer verehrungsvoll an. Das ist katastrophal.« Es gelingt ihr nicht, ihren Vater zu bewegen, das Angebot der Anwälte der Familie de Guzman anzunehmen, sich die beiden Gäule als Gegenleistung für die Zurücknahme des Vorwurfs der Verführung schenken zu lassen. Callas vertraut siegessicher auf Iberin, der aber in dem Moment, wo die Armee den Sichelaufstand unter Kontrolle hat, sich der Gunst der Reichen versichern und dem Volkshelden den Prozeß machen muß. Die zweite Gerichtssitzung ist bereits deutlich vom stabilisierten Selbstbewußtsein der Herrschenden geprägt. Callas verstrickt sich in Widersprüche, klammert sich an ein Recht, das er allein für sich beansprucht. Nicht einmal zur Solidarität mit dem Pächter Parr ist er fähig, der sich, seinem Beispiel folgend, die Pferde einfach genommen hat, die er zum Pflügen braucht. Inzwischen ist der Besitz des Tschichen de Guzman in tschuchische Hände transferiert worden: die strittigen Pferde gehören nunmehr dem Kloster San Barabas. Iberin weiß, daß er an den Eigentumsverhältnissen nicht rütteln darf und spricht Callas das Recht auf die Pferde ab: »Nicht gegen Eigentum erging mein Urteil/ Nur gegen seinen Mißbrauch.«

Viel zu spät geht dem hirnlosen Einzelkämpfer ein Licht auf, zur Sichel bekennt er sich in dem Moment, wo die Nachricht von der blutigen Niederwerfung ihres Aufstands eintrifft. Dem Pächter bleibt der Verweis auf seine tschuchische Bauernehre. Doch die ist nichts »wert«. Nanna muß froh sein, daß sie wieder bei Frau Cornamontis Aufnahme findet. Grundsätzlich ist für die Pachtherrn wieder alles im Lot. Es bleibt nur das Problem, daß einer der ihren von Iberin zum Tode verurteilt worden ist. Die Anwälte des Verurteilten sind zwar guter Dinge, aber de Guzman selbst, der ins Gefängnis Heilig Kreuz verlegt wird, aus dem noch keiner lebend wieder herausgekommen ist, muß doch fürchten, daß ihn der mechanische Lauf der Gesetzesmaschinerie treffen kann. Als seine Schwester Isabella ihm erzählt, daß sie von Zazarante, der rechten Hand Iberins, begehrt wird und den Wink bekommen hat, sie könne etwas für den Bruder tun, wenn sie ihm zu willen sei, verlangt er von ihr, den Opfergang anzutreten: »Wenn man mich hängt, zahlt dir kein Pächter Pacht/ Und deine Keuschheit liegt am freien Markt./ Sie will bezahlt sein, und das liegt an dir.« Die tugendsame und klostersüchtige Isabella begibt sich ins Caféhaus der Cornamontis, um sich von Nanna »Liebesunterricht« erteilen zu lassen. Die Kuppelmutter findet aber, daß es Sache Nannas ist, den Weg zu Zazarante anzutreten: »Sie wird in Ihren Kleidern gehen und Ihr Wesen nachahmen. Aber ihr Erfolg wird größer sein, als der Ihre es sein könnte.«

In den Todeszellen von Heilig Kreuz sitzen die verhafteten Sichelleute und der Pachtherr de Guzman. Während draußen die Galgen aufgeschlagen werden, erscheint in einem Mauerloch Callas, um seinen Pachtherrn zu bitten, ihm die Pacht nachzulassen. Die Anwälte de Guzmans machen dem Verzweifelten, der in seinem Elend mit Selbstmord droht, den Vorschlag, gegen einen einjährigen Pachterlaß anstelle des Pachtherrn, der ja seine Begnadigung so gut wie in der Tasche habe, zum Galgen zu gehen. Callas handelt sogar zwei Jahre heraus und wird dann mit den anderen Verurteilten abgeführt. Nun hat er allen Grund, Gott zu bitten, daß sein Pachtherr nicht gehängt wird. Der Knecht darf die Freiheit zum Tode auskosten, oder er wird weiterleben als folgsamer Knecht seines gütigen Herrn. Der Vizekönig kehrt im rechten Moment zurück und korrigiert das Urteil gegen den Tschichen de Guzman: nicht zuletzt weil Pächter und Pächterstochter alles unternommen haben, um ihren Pachtherrn nicht gehängt zu sehen. Und er spricht auch Callas frei, denn der Pächter muß frei sein, um die Pacht zu zahlen.

Die Abmachung des Callas mit den Anwälten erklärt er für »unsittlich«. Die Anhänger der Sichel werden hingerichtet, Callas wird zum Essen gebeten, denn Leute wie er werden als Soldat gebraucht für den Eroberungskrieg, den Jahoo jetzt führen wird, und Iberin, der Retter des Staates, darf es seinen Callassen klarmachen. Die Herrschenden feiern ihren Sieg und trinken darauf, »daß da bleibt, was ist«. Nachdem im Hof die Pächter, das Sichellied singend, den Galgentod gestorben sind, erblicken die Pachtherren schreckensbleich auf der eben neugetünchten Gefängnismauer ein rotes Sichelzeichen. Vielleicht fällt der Regen eines Tages »doch von unten nach oben«?

Siedelt man dieses Parabelstück in dem Swift entlehnten Phantasieland Jahoo an, kann man die Gefahr vermeiden, es als satirisches Schlüsselstück über die Rassenideologie des Dritten Reiches und die Rolle Hitlers gegenüber dem Großkapital anzusehen. Die bloße Gleichsetzung Tschichen mit Juden verbietet sich. Auch bei der Umarbeitung des Stücks in Dänemark ging es Brecht, trotz aller Bemühungen, auf aktuelle Parallelen hinzuweisen, nicht um eine äußere Hitlerähnlichkeit: »Schon die Tatsache, daß es in gewisser Weise ein sehr idealisiertes Abbild eines Rassepropheten ist (was für die Parabel ausreicht), verbot dies auch dort, wo es die Polizei nicht verboten hätte.«

Die Arbeit an *Die Rundköpfe und die Spitzköpfe* begann als Bearbeitung der Komödie *Maß für Maß*, die der Regisseur Ludwig Berger 1929 an der Berliner Volksbühne in einer aktualisierten Fassung inszenieren wollte. *Maß für Maß* betrachtete Brecht als das »fortschrittlichste« aller Shakespeare-Stücke: »Er verlangt von den Hochgestellten, daß sie nicht nach anderem Maß messen, als sie selbst gemessen sein wollen. Und es zeigt sich, daß sie nicht von ihren Untertanen eine moralische Haltung verlangen dürfen, die sie selber nicht einnehmen.« Der Versuch, das elisabethanische Stück, dessen Fabel Shakespeare in einem Schauspiel von George Whetstone gefunden hatte, in eine zeitgemäße spielbare Form zu bringen, genügte ihm nicht. Die alte Fabel erwies sich aber als geeignete Grundlage für das Erzählen einer völlig neuen Geschichte. Die Angelo-Fabel Shakespeares, in der ein Herzog von Wien einen Statthalter einsetzt und unpopulär sein läßt, um sich selbst nicht beschmutzen zu müssen, bot Brecht die Möglichkeit zu zeigen, wie wenig das von der Klassengesellschaft hochgehaltene Prinzip der Gerechtigkeit wert ist. Sein Angeler in den ersten Entwürfen zur Bearbeitung von *Maß für Maß* war eine Komödienfigur, deren moralischer Rigorismus nicht zum Zuge kommen kann, weil die kapitalistische Gesellschaftsordnung gewisse ökonomische Gesetzmäßigkeiten in sich birgt, über die sich einer nicht einfach hinwegsetzen kann, wenn er reüssieren will. Dieser Angeler sollte jede Art von Reformismus bloßstellen, Reformen, wollte Brecht vor allen Dingen veranschaulichen, erweisen sich, auch wenn sie noch so gut gemeint sind, als geschickte Ablenkungsmanöver und schwächen nur die Chancen für revolutionäre Auseinandersetzungen, für den unvermeidlichen Krieg der Klassen.

Die zunehmende Bedeutung, die ein Politiker wie Hitler 1932 gewann, veranlaßte Brecht, die Figur des Angeler, den er jetzt Angelas und schließlich Angelo Iberin nannte, mehr zu einer Marionette der Kapitalisten zu machen und als wichtigsten Punkt des Stücks die Funktion einer Rassenideologie als Ablenkungsmanöver vom Klassenkampf zu zeigen. Die Regierenden der ersten abgeschlossenen Fassung des Schauspiels von 1932 sehen den einzigen Ausweg aus der wirtschaftlichen Krise des Staates in der Einführung einer Salzsteuer, sie haben aber nicht den Mut, diese unpopuläre Maßnahme anzuordnen, weil mit einem Aufstand der unterdrückten Pächter zu rechnen ist. Als rettender Ausweg wird dem Rassenideologen Angelas, der die Bevölkerung nicht in arm und reich, sondern in Spitzköpfe und Rundköpfe einteilt, die Macht übertragen. Allerdings muß er sich verpflichten, nach der Niederlage der revolutionären Pächter, die sich in der »Sichel« vereinigen und eine Armee aufstellen, die Salzsteuer zu erheben. Parallel zur Geschichte des Angelas hat Brecht nunmehr die in dialektischer Beziehung zu Kleists Novelle *Michael Kohlhaas* gestaltete Callas-Handlung eingeführt, in der ein Mann zum Verräter an seiner Klasse wird, weil er die neue Rassenlehre für ein gerechtes Mittel hält, zu zwei Pferden zu kommen, die er notwendig für die Bestellung seines Ackers braucht.

Dem Kohlhaas Kleists werden unrechtmäßig zwei Pferde beschlagnahmt, Pächter Callas werden die für ihn lebenswichtigen Pferde vorenthalten. Kohlhaas ist Roßhändler, der Geldwert seiner Gäule gilt ihm wenig, die Rechtsordnung dagegen ist ihm alles. Aus Rechtssinn kämpft er um die Gäule. Ein anscheinend privater Fall wächst durch das Unrechtsbewußtsein des Betroffenen ins »Großpolitische«. Callas dagegen tut alles, um seiner Tat keine politische Dimension zuwachsen zu lassen, er ist auf einen persönlichen Vorteil aus. In völliger Verkennung der politischen Verhältnisse stimmt er dem Kompromißvorschlag der Anwälte de Guzmans, ihn zum legalen Besitzer der Pferde zu machen, nicht zu und erhält das Recht auf sie prompt dann wieder abgesprochen, als Recht wieder Recht ist und man wieder erkennt, »was Pferd ist und was Reiter«. Die Pferde können ihm schon deshalb nicht überlassen werden, weil seine Tat inzwischen zu einem »Fall von grundlegender Bedeutung für das Land geworden ist«. Callas verliert seine Gäule, kommt aber mit dem Leben davon; als Pächter, der kärglich sein Leben fristet, wird er eben gebraucht, während Kohlhaas seine beiden Rappen wohlgenährt zurückerhält, für den Bruch des Landfriedens aber mit dem Leben bezahlen muß. Callas weiß am Ende auch, daß das über ihn verhängte Los einem Todesurteil gleichkommt:

»Callas: Hast du gehört, der Hund hat mich zum Tod verurteilt.

Nanna: Das habe ich nicht gehört. Die Gäule hat er dir abgesprochen.

Callas: Das ist das gleiche.«

Nach dem Machtantritt Hitlers und den zunehmenden Judenverfolgungen in Deutschland baute Brecht eine Reihe von weiteren aktuellen Anspielungen in sein als politische Parabel gedachtes Stück ein, er verstärkte den Gleichnis-Charakter des »Greuelmärchens« und betonte das Phrasenhafte der Rassenideologie unter antikapitalistischen Vorzeichen.

Das Salzsteuer-Motiv wurde gestrichen und statt dessen die Pachtherren als Kriegstreiber vorgeführt, die ihre wahren Absichten vorläufig aber noch zu verbergen wissen.

Der Figur des Angelo sind nun alle Züge subjektiver Ehrlichkeit genommen, er erweist sich als skrupelloser Demagoge, der ohne weiteres am Schluß auf die vom Großkapital befohlene Linie umschwenkt. Der ursprüngliche Ausgangspunkt der Komödie, der Angriff auf den Reformismus, ist nun völlig getilgt zugunsten des politischen Gleichnisses über den geglückten Versuch der herrschenden Geldleute, das Volk mit Hilfe einer Rassenideologie als Volksgemeinschaft zu einigen, um ihre Einigung unter revolutionären Vorzeichen zu verhindern. Sieht man von der politischen Entwicklung ab, die der Faschismus in Deutschland genommen hat, und wendet das Gleichnis mehr auf Länder an, wo es revolutionäre Situationen gegeben hat, die aber mittels militärischer Stärke der Machthaber und mangels einer Einigung der Arbeiterklasse auf der Grundlage von revolutionärer Gewalt sich nicht entfalten konnten, dann dürften durchaus die parabelhaften Vereinfachungen dieses »Greuelmärchens« stimmen und funktionieren.

Vor allen Dingen handelt es sich bei *Die Rundköpfe und die Spitzköpfe* um eines der theatralisch ergiebigsten Stücke Brechts. Sein technischer Standard ist äußerst komplex, bestimmte Motive sind auf mehreren Ebenen einander zugeordnet (ganz zentral das Motiv der Stellvertretung), und die Figuren sind alle überzeugend durchgestaltet, sie haben nicht nur einen bestimmten sozialen Gestus, sondern gründen sich auf das reiche Material eines differenzierten Rollenfundus, in dem die ursprüngliche Gestalt der Shakespeare-Komödie oder die Muster unverkennbarer Brecht-Figuren aufscheinen. Frau Cornamontis etwa ist die Fortschreibung der Witwe Begbick aus *Mann ist Mann* und *Mahagonny* und zugleich eine Vorwegnahme der Mutter Courage. Shakespeare hat eine Reihe solcher Kuppelmütter entworfen, und ganz gewiß hat sich Brecht hier an der Titelfigur der spanischen Komödie *Celestina* orientiert, eine mit allen Wassern gewaschene Kupplerin, die er um 1930 auch zur Hauptfigur eines Stückes machen wollte. In Nanna Callas sind die Spuren der Jenny aus der *Dreigroschenoper* und aus *Mahagonny* gegenwärtig, einer Hure, die Spaß an der Liebe hat, ihre Liebesfähigkeit aber zu Markte tragen muß und die weiß, daß sie sich nicht verlieben darf, um nicht unterzugehen. Nanna kann es sich nicht leisten, Männer, die sie nicht liebt, zu meiden. Nur reiche Frauen wie Isabella können Liebe verweigern, müssen ihren Körper nicht vermieten und zur Ware machen. Sie können es sich sogar erlauben, sich kostbar als eine keusche Jungfrau ins Kloster zurückzuziehen. Nannas Lage ist hoffnungslos, solange der Unterschied von arm und reich nicht aufgehoben ist, solange der Regen von oben nach unten fällt und das Wasser nicht »seine eigne Sach betreibt«.

»Freilich dreht das Rad sich immer weiter
Daß was oben ist, nicht oben bleibt.
Aber für das Wasser heißt das leider
Nur: daß es das Rad halt ewig treibt.«

DIE SIEBEN TODSÜNDEN DER KLEINBÜRGER

Ballett. Musik von Kurt Weill. Entstanden im Mai 1933 in Paris. GW III. Uraufführung dort am 7. 6. 1933 im Théâtre des Champs-Elysées. Deutscher Erstdruck im Suhrkamp Verlag, Frankfurt 1959.

Das Ballett erzählt den Weg des Mädchens Anna, das aus der Provinz Louisianas stammt, in die großen Städte. Dort sollen, nach

Berücksichtigung aller vorgeschriebenen Tugenden, der endgültige Erfolg und sein Lohn errungen werden. Die sieben mageren und die sieben fetten Jahre treten zusammen; Entbehrungen und Sieg gehören in diesem kleinbürgerlichen Ideologiekonzept in einen gemeinsamen Kontext.
Brecht verarbeitet hierbei wiederum die Vorstellung, daß in einer bürgerlich-kapitalistischen Gesellschaft die Individualität nur entfremdet/ gespalten Überlebens- und Erfolgschancen hat. Aus dem Mädchen Anna entstehen die Managerin Anna I und die Künstlerin Anna II. Begabung und Schönheit sollen verkauft, ihr Warenwert möglichst optimal ausgenutzt werden. Eine Tournee führt Anna I/ II durch sieben Städte, in denen jeweils eine Todsünde der Kleinbürger überwunden wird. Das Vernunftprinzip (Anna I) überwindet derart schrittweise die Versuche der Anna II, ihre Identität mit Wünschen, Brüchen und Unstimmigkeiten zu wahren.
Der Katalog der sog. Todsünden folgt der mittelalterlichen Aufzählung der »devotia moderna«, einem aus der Scholastik stammenden Regelkanon, der vorderhand das soziale Verhalten der Menschen zum Thema nimmt: Trägheit (ursprünglich war diejenige des Herzens gemeint, nämlich »acedia«), Stolz, Zorn, Völlerei, Unzucht, d. h. Lust, Habgier und Neid. Wie auf einem Gemälde Pieter Breughels, der für Brecht eine große Bedeutung hatte, werden Tugenden und Untugenden vorgeführt, bei denen die Akteure des Balletts nahezu an Marionetten erinnern. Brecht vollzieht eine Umwertung der Sünden. So bedeutet »Trägheit« in dieser Bearbeitung nun eine Faulheit im Begehen eines Unrechts. »Stolz« ist hier die Beachtung eines intakten Selbstwertgefühls, das dann allerdings die Verwertung der Person als Ware behindert. Der aktive Zorn über das Unrecht in der Umwelt und die Verletzungen, welche die eigene Person hinnehmen muß, ist eine wirklichkeitsfremde und obendrein ruinöse Verhaltensweise. Da die äußere Korrektheit der Ware selbstverständlich ist, kommen die körperliche Sättigung und der Selbst-Genuß der Ware Mensch ihrer Zerstörung gleich. Nur der vollständig und regelgerecht konditionierte Körper ist in diesem Regelsystem brauchbar. In besonderem Maße ist für diese Leistung die Kontrolle über die Lust und die Neigung zur selbstlosen Liebe nötig. Bei der Beherzigung all dieser umgewerteten Tugenden muß das rechte Maß gehalten werden. Das allgemeine Einverständnis in Tüchtigkeit und Erfolg bestraft etwa eine Habgier, die die vorgedachten Formen verläßt. Der Neid auf die endlich Glücklichen könnte schließlich alle Errungenschaften des kleinbürgerli-

chen Erfolges zunichte machen, da sie dann nicht in Ruhe genossen werden können.
Die mittelalterliche Bestimmung der Todsünden sollte ein Minimum an gemeinschaftlicher Ethik gewährleisten. In diesem Ballett ist das moralische Gerüst nurmehr als verbergende Oberfläche notwendig. Die großen Städte als Umgebung lassen dagegen erkennen, daß gerade die Abweichung, auch als stabilisierender Gegenpol, nützlich und unentbehrlich sein kann.
Der Bedeutung dieser profanierten Todsünden ist das Kleinbürgertum ja gerade deshalb ausgesetzt, weil es noch vor der Eingangstür zur staatstragenden Macht steht. Anna II hat sich all die menschlichen Eigenschaften bewahrt, die als Sünden auf dem Weg umgangen sein sollen. Das alter ego und der Familienchor, der jede Szene kommentiert, bewahren sie mühselig. Am Ende ihrer Abrichtung soll das kleine, eigene Haus am Mississippi stehen.
So wie das Ziel letztlich auf einen Rückzug hinausläuft, so ist der bezeichnende Ort für dieses Ballett die Szenerie hinter den Kulissen. Ihre Selbstachtung verlernt Anna II, als ihr erster Auftritt in einer billigen Kaschemme in einem Fiasko endet. Ihr künstlerisch gelungener Tanz zeigt zu wenig Ware unter dem langen Rock. Vor den maskenhaften Gesichtern der Zuschauer erscheint ihr Anspruch, Kunst, Körper und Mensch voneinander zu trennen, als purer, lächerlicher Hochmut. In einer anderen Szene schützt Anna II als Statistin ein Pferd, das geschlagen und mißhandelt wird. Sie verliert ihre Arbeit. Ihr Korrektiv Anna I drängt sie, sich zu entschuldigen. Anna II muß sich auf den Knieen dem düpierten Star nähern und wird wieder eingestellt, in eben der Weise zugerichtet, nun jeden Fehltritt vermeidend, wie das geschlagene Pferd.
Die Spaltung des Menschen in der Wettbewerbsgesellschaft fordert die Normtreue des Kunstschaffenden und -repräsentierenden. Der weibliche Star soll ja gerade ein Desiderat vorstellen, einerseits das Wunschbild vorführen und andererseits das Leiden an dem eigenen Mangel lindern. In diesem Ballett wird zudem die Rolle einer Multiplikatorin der gewünschten Tugenden exemplifiziert.
Auch das Gefühlsleben untersteht dieser Herrschaft. Anna I empfiehlt Anna II, den nutzlosen Geliebten zu verlassen. Eine zufällig hervorgerufene Eifersucht führt zum Kampf der Personenhälften. Dabei zeigt Anna II ihren »weißen Hintern«, der als Produktionsmittel mehr als eine Fabrik wert sein soll und nun, für einen Moment dem Blick der Straße geöffnet, seine Aura verliert. Das Gesetz der Massenattraktivität ist aber die Gleichzeitigkeit von vermeintli-

cher Nähe und unerreichbarer Entrücktheit. Seine wahre Gestalt rückt den gewünschten Körper in die Nähe der Gewöhnlichkeit. Da die Liebe und das Glück entgegen allen Beschwörungen doch nicht stets auf der Seite stehen, an der das Geld zu finden ist, muß Anna II nun noch die letzte Versuchung, die des Neides, überwinden. In einer großen Stadt sieht sie andere Frauen, die ihre Maske tragen und doch offensichtlich sorgenlos und genußvoll sich den Sünden der Kleinbürger hingeben. In einer abschließenden Tanzbewegung bahnt sich Anna II letztlich stolz ihren Weg durch die verfallenden Tagtraumbilder.

Die siegreiche Anna kehrt nun zurück in das kleine Haus am Fluß. Sie hat alles gelernt, auch die Bescheidenheit. Nicht Kapital und Macht hat sie angehäuft, sondern vermutlich einen Hausstand.

In der Verdopplung bzw. Spaltung der Figur folgt Brecht dem Entwurf *Die Ware Liebe* aus dem Jahre 1930. Diese dramaturgische Anlage hat Brecht auch weiterhin verwendet. Die Figurenspaltung als parabolische Anlage wird später in dem Theaterstück *Der gute Mensch von Sezuan* wiederaufgenommen.

Gerade der Verzicht auf psychologische Angebote und die formale Betonung der epischen Elemente, hier Tanz, Pantomime, vorstellender und kommentierender Gesang, lenken den Blick auf den grundsätzlichen Widerspruch: der Alltag formt zwar die Persönlichkeit, aber eben deren Konturierung steht der Anpassungsfähigkeit entgegen.

Die Umkehrung der mittelalterlichen Todsünden weist ihre Produktivkraft aus. So kann die Fähigkeit zu Selbst-Genuß in die Liebe führen; Empörung und Unzufriedenheit über jede Verletzung der Menschenwürde legt die Gegenwehr nahe etc. Schon im Ballettentwurf ist das Terrain des kleinbürgerlichen Wertesystems bedroht; unmittelbar neben der Schutzform namens Verzicht und Askese liegt der Sinnverlust. Die Sünden bringen Ertrag. Im Gegensatz zu späteren Stücken, wie etwa dem schon genannten *Der gute Mensch von Sezuan*, ist die Umwelt noch nicht in klare Fronten des »Gut und Böse« eingeteilt. Die vorgestellten Werte können gewendet werden. Die Kontrolle von beispielsweise Stolz und Zorn erleichtern die Herrschaft; ihre Behauptung als unabdingbare Eigenschaften des Einzelnen weisen den Weg in die Subversion.

DIE HORATIER UND DIE KURIATIER

Lehrstück über Dialektik für Kinder. Entstehungszeit: 1934/35. GW II. Mitarbeiter: Margarete Steffin. Uraufführung 1958 in Halle. Zuerst veröffentlicht in der Zeitschrift *Internationale Literatur*, Heft I, Moskau 1936.

Eine der ersten dramatischen Arbeiten Brechts im Exil war das Lehrstück *Die Horatier und die Kuriatier*. Er begann nach abschließenden Korrekturen am *Dreigroschenroman* 1934 mit der Niederschrift und stellte es nach seiner Moskaureise im Frühjahr 1935 in Zusammenarbeit mit Margarete Steffin fertig. Ursprünglich hatte er beabsichtigt, den Ablauf des Spiels gemäß dem Konzept seiner Lehrstücke als öffentliches Verhör zwischen Spieler und Zuschauer zu organisieren. Beeindruckt vom Auftreten des chinesischen Schauspielers Mei-lan-Fan, der ihn zum Abfassen von »Bemerkungen über die chinesische Schauspielkunst« veranlaßte, entschloß sich Brecht jedoch, dieses kleine Stück über Dialektik, das er nunmehr elegant und spielerisch aufgeführt sehen wollte, mehr in die Nähe der »Gepflogenheiten« des chinesischen Theaters zu rücken. Im Vordergrund sollte nicht mehr so sehr die Erprobung und Aneignung des Arguments stehen, sondern eher die Kunstübung. Die Beteiligung des Zuschauers sollte nicht durch eigens dafür geschaffene Texte oder szenische »Eingriffe« erfolgen, sondern durch eine jederzeit von außen korrigierbare Spielweise, bei der nach jedem Satz »ein Urteil« des Publikums möglich ist und bei der jede Geste der Begutachtung des Publikums unterworfen wird. Die Spielweise Mei-lan-Fans hatte laut Brecht für den Zuschauer die Wirkung, in die Lage eines Beurteilers gebracht zu werden, der die Züge eines Schachspielers mitverfolgen kann.
Eine äußerst wichtige Funktion für die zeitliche Fixierung und »Meßbarkeit« der Vorgänge gedachte der Autor der Musik zuzuweisen. Leider fand Hanns Eisler damals keine Zeit mehr, die zum dialektischen Aufbau der gewünschten experimentellen Kunstübung passende Musik zu komponieren, was dann Brecht zu der etwas trotzigen Anweisung bewog, man solle ohne Musik auskommen und nur Trommeln benützen: »Die Trommeln werden nach einiger Zeit monoton wirken, jedoch nur kurze Zeit lang.«
Die Vermutung von Hans Bunge, Brecht habe *Die Horatier und die Kuriatier* für die Rote Armee geschrieben, läßt sich nicht belegen, der politische Bezug und die Anwendbarkeit der Fabel auf die damals drohende Gefahr einer kriegerischen Auseinandersetzung

zwischen der Sowjetunion und Nazideutschland schließen die Möglichkeit einer solchen Auftragsarbeit aber nicht aus. Möglicherweise ermunterte der sowjetische Autor Sergeij Tretjakow seinen Freund Brecht zu einem solchen Stück für junge Rotarmisten. Daß es Brecht auf den aktuellen politischen Bezugspunkt ankam, unterstreicht jedenfalls die von ihm gleichzeitig notierte Version der von Livius entlehnten Geschichte vom Kampf zwischen Rom und Alba Longa, die unter dem Titel »Die Mittel wechseln« im geplanten *Buch der Wendungen* Platz finden sollte. »Drei Leute von Su sah man mit drei Leuten von Ga kämpfen«, erzählt dort Me-ti und berichtet im Folgenden vom Kampf zwischen Horatiern und Kuriatiern, der denselben Verlauf wie im Stück nimmt. Die einen Krieg eröffnenden Kuriatier haben die besseren Waffen, mit deren Hilfe sie trotz heftiger Gegenwehr des Feindes zwei wichtige Schlachten gewinnen können. Aber beim entscheidenden dritten Waffengang wendet der letzte Heerführer der Horatier eine List an: er trennt die Kuriatier durch seine plötzliche Flucht und besiegt die Gegner einzeln: »Er hatte begriffen, daß Flucht nicht nur ein Zeichen der Niederlage, sondern auch ein Mittel zum Sieg sein kann.« (GW V, 471)

Im Unterschied zu Livius, der die Auseinandersetzung von jeweils drei stellvertretend für die beiden Lager kämpfenden Brüdern als Folge von Grenzverletzungen sowohl der Horatier als auch der Kuriatier schildert, stellt Brecht die politischen Verhältnisse gleich zu Anfang klar: die Kuriatier führen einen Erobererkrieg gegen die Horatier. Ihr Krieg ist ein geschicktes Ablenkungsmanöver der herrschenden Schichten, um den drohenden Bürgerkrieg im eigenen Land zu verhindern, bei dem es um den Landbesitz und die Verfügungsgewalt über die Erzgruben geht. Die Horatier sind nur unzulänglich gerüstet, nicht auf einen Krieg vorbereitet, sie müssen ihre Hütten, ihre Äcker und ihre Werkzeuge verteidigen: »Warum/ den Tod fürchten, aber nicht/ Den Hunger?/ Wir unterwerfen uns nicht!« Die Kuriatier machen sich Mut durch die Aussicht auf große Beute und Siegesfeiern. Ihre besseren Waffen, zeigt das Stück, helfen ihnen aber letztlich nicht.

Brecht hat die Liviuserzählung sozial völlig neu motiviert, und er zeigt, wie der Unterdrückte, um sich zu behaupten, gezwungen ist, alles Handeln ständig an die gegebenen Bedingungen anzupassen, gemäß dem von Lenin gerne zitierten Sprichwort »Ein Geprügelter ist das Doppelte wert«. Strategische Konzepte müssen immer beweglich sein, in jeder Lage neu überprüft und anders angewendet

werden. Es gilt, mit allen Mitteln zu kämpfen und die Mittel immer wieder zu wechseln. Am Beispiel der »sieben Lanzenverwertungen« exerziert Brecht die vielseitige Verwendungsmöglichkeit einer Waffe vor: »Viele Dinge sind in einem Ding.« Derartige Erkenntnis bleibt allerdings nutzlos, wenn Quantität nicht in Qualität umschlagen kann, wenn der Kämpfer, nachdem er Geschick bewiesen und allen Einsatz geleistet hat, physisch nicht mehr in der Lage ist, sein Wissen und seine Planungen umzusetzen: »Schlimmer als eine verlorene Schlacht/ Ist ein Vorstoß ins Leere.« In solch verzweifelter Lage, in der sich die Horatier befinden, hilft dann nur die Flucht nach vorn, die Umwandlung einer Niederlage in neue Energie: »Und doch ist der Rückzug/ Des unentwegt Kämpfenden/ Ein Teil des neuen/ Vormarschs.«
Brechts Stück durchsetzt die Erzählung des Livius mit Leninschen Überlegungen zur revolutionären Strategie und Kriegsführung und verändert dadurch die Vorlage in ein Lob des Denkens und des Lernens. Der Kampf gegen einen materiell und physisch überlegenen Gegner kann nur gewonnen werden, wenn der Kämpfer weiß, wofür er sich schlagen muß. Gefordert wird vom Kämpfer gegen Unterdrückung Ausdauer, Disziplin, Festigkeit, Vorsicht und dialektische Erkenntnisfähigkeit. Der Stückeschreiber will mit seinem Spiel die strategische Leitformel Lenins veranschaulichen: »Man soll nicht von vorneherein darauf verzichten, manchmal im Zickzack zu gehen, machmal umzukehren, die einmal gewünschte Richtung aufzugeben und verschiedene Richtungen zu versuchen.«
Die Schlußwendung des Stücks, die gegen die Ratschläge und Anfeuerungen der eigenen Leute unternommene unerwartete Flucht des Horatiers, die in Wirklichkeit ein Angriff ist, findet sich bei Livius nur als strategischer Trick erwähnt. Auch am Schluß noch hat Brecht den Text seiner römischen Vorlage leninisiert, er gibt der List einen aktuellen, revolutionären Akzent: »Hat doch die Rote Armee, wenn sie auf dem Rückzug war, ihren Sieg damit eingeleitet, daß sie vor dem Feind floh, und jedesmal an jeder Front machten manche Leute diese Periode der Panik durch.«
Brecht hat es erfolgreich vermieden, die Fabel auf der Gleichheit oder Ungleichheit der Kräfte aufzubauen. Statt dessen hat er ihr ein soziales Umfeld gegeben, dem er dann durch die an Techniken des chinesischen Theaters angelehnte Spielweise theatralische Anschaulichkeit geben will. Als Regisseur fordert er langsame Bewegungen der Spieler, große Gesten, streng fixierte Positionen sowie größte szenische und gedankliche Klarheit. Es ist kein fatales Stück mit

»heroischer Ethik aus der Feudalzeit«, wie Henning Rischbieter kritisiert, kein »strategisches Sandkastenspiel einer Offiziersschule«, sondern ein experimentelles Übungsstück in dialektischem Denken. Die leicht veränderte Dramaturgie dieses Lehr- bzw. Schulstücks zeigt den Weg Brechts vom Konzept des »Theaters der großen Pädagogik« zum mehr direkt Stellung beziehenden Zeitstück. Wenn auch die Rote Armee nicht unbedingt der Auftraggeber war, so war sie doch der Adressat, der vor den sich zum Krieg rüstenden Hitlerarmeen gewarnt werden sollte: »Es ist nicht zu leugnen, daß dieses Lehrstück vom Jahr 1934 eine wichtige Prognose für das Schicksal der damaligen Kuriatier gestellt hat« (Hans Mayer).

DAS WIRKLICHE LEBEN DES JAKOB GEHHERDA

Fragment. Entstehungszeit: etwa 1936. Mitarbeit: Margarete Steffin. Der 1. Akt ist gedruckt in GW III.

Der einst renommierte, von vielen Ausflüglern besuchte Wochenendgasthof »Zu den zwei Rittern« steht kurz vor der Pleite. Das Lokal ist heruntergekommen, infolge der Wirtschaftskrise gibt es nicht mehr viel Leute, die Geld haben. Vorbei sind die Zeiten, wo das Personal das Sagen hatte, wo noch Hochbetrieb war und die Gäste kujoniert werden konnten: »Es war reine Menschenfreundlichkeit, nennen Sie es sentimental, wenn wir im Verkehr mit dem Publikum keinen Gummiknüppel benutzten.« Der Gastwirt setzt seine letzte Hoffnung in einen Segelclub, auch wenn er sein Lokal für diese Leute eher als zwielichtige Absteige betreiben und das Abwaschmädchen Sylvia zu gewissen Freundlichkeiten anhalten muß. Letztere aber möchte sich für diesen lumpigen Gasthof nicht »versauen« lassen. Der Freund des Abwaschmädchens, das die Stellung dennoch nicht verlieren möchte, droht mit Anzeige, ein Zeuge findet sich allerdings nicht, allen Gasthofangestellten ist das eigene Hemd näher als der sogenannte »Lebenswandel« ihrer Kollegin. Auch der Kellner Jakob Gehherda kann sich nicht erinnern, auch er will seinen Arbeitsplatz nicht gefährden. Aber in einem Traum sagt er, »was ist«. Herr Joppe, der Freund des Mädchens, fordert Gehherda auf, ihn anzurufen, wenn Gäste gegenüber seiner Sylvia wieder zudringlich werden sollten. Nachdem die Leute vom Segelclub eingetroffen sind, verwandelt sich Gehherda im Traum in den

»Schwarzen Ritter«, und als solcher steigt er vom Sockel, um der, die reinen Herzens ist, zu Hilfe zu kommen, denn »wo hätt einer ein Herz in der Brust und keinen Stein?« Herr Joppe zum Beispiel rührt keinen Finger für seine Braut. In der grauen Schlucht geht allein der Schwarze Ritter für die bedrängte Unschuld in den Kampf, und er besiegt den zudringlichen Gast. Er schenkt ihm sein Leben, verlangt aber, daß er Sylvia heiratet. Und merkwürdigerweise verwandelt sich der zur Ehe verdonnerte Mann in Herrn Joppe. Wer wagt es da noch, den Schwarzen Ritter zu unterschätzen, der der Menge zuruft: »Elende Krämer. Um des schnöden Mammons willen hetzt ihr die Menschen, aber der Schwarze Ritter wird euch nicht in die schmutzigen Hände fallen. Nie!« Bevor dieser Traum endet, erdolcht er sich. Unterdessen sitzt Sylvia bei den Gästen herum, Herr Joppe erkundigt sich telefonisch nach dem Stand der Dinge. Gehherda läßt ausrichten, daß alles in Ordnung ist.
Die Sache mit dem Segelclub entpuppt sich bald als »Seifenblase«. Gehherda wird Oberkellner und traktiert nun die Kollegen mehr als zuvor der bankrotte Gastwirt. »Solange ich hier bin«, verkündet der nun mit etwas mehr Macht ausgestattete kleine Mann, »herrscht hier Ordnung, und wenn Köpfe rollen müssen.« Wieder setzt Musik ein, »die dem Vorgang Unwirklichkeit gibt«. In einem dritten Traum versucht Jakob Gehherda »das Unmögliche«. Das »unerbittliche Naturgesetz« wird von ihm umgestoßen, bei ihm dürfen hoch und niedrig zusammenkommen. Er arrangiert, daß die Köchin Frau Lange eine vermögende Frau wird und mit dem Gastwirt als Gatten ins vornehme Hotel Astoria darf, um dort standesgemäß ihrer Tochter samt gräflichem Verlobten zu begegnen. Ganz ohne Staatsstreichromantik kommt der das Glück schaffende Traumkellner nicht aus. In den Schmuckkästchen sind Patronengurte versteckt, im Innern der Violinkästen der zur Feier des Tages bestellten Musiker befinden sich Maschinengewehre, und der Einsatz von Militär und Nebel über dem Hudson wird auch noch nötig. Im Traum des Schwarzen Ritters herrscht schließlich wieder »Prosperity«: »Durch den Gehirntrust ist der Grund der Weltkrise entdeckt worden, welcher dann durch eine Verfügung des Präsidenten sofort beseitigt wurde.« Zuguterletzt scheint auch wieder der Gasthof zu florieren, doch das Personal wird erst die Astoria-Sache hinter sich bringen, die Gäste sollen warten, sie werden solange einfach eingeschlossen: »Dienst am Kunden, wir müssen unsern Betrieb wieder hochbringen, Friedrich!« Schlußtableau: Ein Vater steht mit seinem

Sohn vor dem Denkmal des Jakob Gehherda. Erst nach dessen Tod hat die Welt erkannt, was sie an ihm gehabt hat: »Mancher der sogenannten großen Männer, von denen in der Zeitung steht oder sogar in den Lesebüchern, ist in Wirklichkeit gar nichts, während solch ein scheinbarer Alltagsmensch, dem sie alles hinaufpacken, das Zeug in sich hatte, uns allen zum Vorbild zu dienen.«
Über die Entstehungsgeschichte dieses grotesken Stücks, das Dürrenmatt neiderfüllt Brecht mißgönnen wird, ist so gut wie nichts bekannt, die vorhandenen Szenen, Lieder und Notizen sind im dänischen Exil geschrieben, möglicherweise ist es als ein Versuch gedacht gewesen, die mit Kurt Weill nach *Die sieben Todsünden der Kleinbürger* abgebrochene Arbeit wieder aufzunehmen, denn sowohl stofflich als auch dramaturgisch erinnert *Das wirkliche Leben des Jakob Gehherda* an die Revue- und Kinostücke der Zwanziger Jahre, man denkt an Horváth oder Georg Kaiser. Gezeigt werden die Träume eines Dutzendmenschen, der im Alltag weder die Kraft noch die Mittel hat, irgend etwas am gewöhnlichen Lauf der Dinge zu ändern. Das Kuschen ist diesem hergelaufenen Unbedeutenden in Fleisch und Blut übergegangen, jedesmal wenn er Rückgrat beweisen müßte, greift er zur Maske des Schwarzen Ritters, praktiziert er Heldentum im Traum. Nur im Traum gelingt es diesem Kellner Gehherda, seine Ideen von Ritterlichkeit, Gerechtigkeit und angenehmem Leben auch zu verwirklichen, während er wach, mit den Realitäten seiner Umwelt konfrontiert, sich als ein bejammernswerter Konformist, ein kleingläubiger, unbedeutender Mensch erweist.
Während er im Leben ein Objekt der Politik ist, spielt er sich im Traum zum Subjekt auf. Es sind schlechte Kinoträume, denen er nachhängt, auch diese Träume tragen noch den Stempel des täglichen Kuschens, sie drücken die Sehnsucht nach Rache des Zukurzgekommenen aus. Es ist gar nicht so abwegig, daß die Reporter, die das Duell in der grauen Schlucht verfolgen, im Schwarzen Ritter Adolf Hitler oder Hans Albers vermuten, denn sowohl der eine als auch der andere beherrschte die Träume nicht nur der Dienstmädchen, fungierte als Vorbild für das zweite, bessere Leben der kleinen Leute. In beiden wurde die Sehnsucht des Dutzendmenschen Gestalt, auch mal ganz groß zu sein.
Rückgratlose sind ganz besonders von der Macht fasziniert, die ihr Denken längst außer Kraft gesetzt hat. Dumm gemacht von der Macht der anderen und von der eigenen Ohnmacht, verwandeln sie ihre Träume in blutige Wirklichkeit. Und haben sie die Macht,

neiden sie den anderen Ohnmächtigen ihre Träume. So betrachtete Hitler einen Hans Albers als schlimmen Konkurrenten, und der »blonde Hans« wurde denn auch als Publikumsliebling von ihm in den Schatten gestellt. Wie Fritz Kortner glossiert: »Den Kampf Hitler-Albers um das Dienstmädchen gewann Hitler. Sieger blieb Albers.«

FURCHT UND ELEND DES DRITTEN REICHES

Vierundzwanzig Szenen. Entstehungszeit: 1935–38. Mitarbeit von Margarete Steffin. Ursprünglicher Titel: *Deutschland – Ein Greuelmärchen*. Titel der Uraufführung einiger Szenen in Paris 1938 war »99%«. Die erste Fassung bestand aus 27 Szenen, die für den dritten Band der Malik-Ausgabe zusammengestellt worden waren, der dann nach dem Einmarsch der deutschen Truppen in Prag nicht mehr gedruckt werden konnte. Für die Buchausgabe im Aurora-Verlag, New York 1945, eliminierte Brecht vier Szenen und fügte eine neue hinzu. Dieser Fassung folgt auch der Druck in GW II.

Aus dem verfügbaren Material, zugetragenen Informationen und Zeitungsausschnitten, entwarf Brecht ein montiertes Wirklichkeitsbild der zeitgenössischen deutschen Gegenwart und ihrer zu befürchtenden Tendenzen. Mit einer nahezu filmischen Optik versucht er unter Verwendung einer Vielzahl von Orten und Berufsgruppen eine geographische und soziale Gesamtsicht zu geben. Der Begriff der »Montage«, den Brecht einführt, ist hierbei auf den Gesamtzusammenhang zu beziehen, wohingegen die einzelnen Bilder in sich abgeschlossen und für sich spielbar sind. Das angebotene Szenenmaterial kann in größere Sequenzen eingeteilt werden. Dann thematisieren die ersten fünf Szenen den »Verrat« und das aus diesem entstandene Mißtrauen in unterschiedlichen Personen auf verschiedenen gesellschaftlichen Ebenen. Die mittleren Szenen sind auf die Rolle der mittelständischen Berufe zentriert; die letzten Szenen zeigen die Verschärfung der innenpolitischen Zustände zugunsten eines ehrlichen Terrorismus, der auch die ehemaligen Parteigänger des deutschen Faschismus zweifeln macht, aber zugleich keine erkennbaren Widerstandskräfte auf den Plan ruft. Eine derartige Grobeinteilung ist aber allenfalls als Hilfskonstrukt dienlich.
Hinsichtlich der inneren dramatischen Gliederung der Szenen ist eine Ordnung identifizierbar. Die einzelnen Handlungsstränge füh-

ren alle in eine Situation, die das Aufrechterhalten der Lüge über die wahre Beschaffenheit der Verhältnisse unmöglich erscheinen läßt, bzw. falls doch an der Selbsttäuschung festgehalten wird, ihr jegliche Grundlage entzieht. Analog zu dieser Thematik der Lüge ist die soziale Verbundenheit der Personen gestaltet. Am Ende einer jeden Szene steht die Vereinzelung, so daß ein Zusammenfinden im Grunde nurmehr als Massensyndrom im kollektiven Rausch stattfinden kann.

Das im Wortsinn Gezeichnet-Sein von dem Herrschaftssystem stellt die Szene »Das Kreidekreuz« vor. In der Küche eines großbürgerlichen Berliner Hauses sitzen die Domestiken beisammen und hören einem SA-Mann, dem Liebhaber des Dienstmädchens, zu. Als ein Arbeiter, der Bruder der Köchin, hinzukommt, nötigt der SA-Mann diesen dazu, in eine spielerische Darstellung der Überwachungs- und Kontrolltaktiken einzusteigen. Seine Tätigkeit besteht darin, die vor einem Arbeitsamt wartenden Arbeitslosen auf oppositionelle Äußerungen hin auszuhorchen, solche zu provozieren, und nach erfolgreicher Arbeit den Betreffenden wie Schlachtvieh mit einem Kreuz zu versehen. Das Kreuz ist in seine Hand gemalt, mit der er dem anderen brüderlich auf die Schulter klopft. Das »witzige Spiel« droht stets seinen Rahmen zu verlassen und schafft so eine Atmosphäre pausenloser Bedrohung. Die Attitüde des kleinen Machthabers bricht vor der teils bewundernden und teils fürchtenden Frau zusammen, als der SA-Mann die Ausbeutung ihrer Ersparnisse eingestehen muß. Während sie einer notleidenden Freundin einen Zuschuß für den Wintermantelkauf geben will, hat er das Geld für den Kauf seiner SA-Stiefel gebraucht. Nachdem die Organisation ihr Versprechen auf kostenlose Uniform gegenüber den Parteigenossen gebrochen hat, sind diese zur Selbstausplünderung für ihre faschistischen Statussymbole gezwungen. Auch diejenigen, die zum Machtapparat gehören und ihn abstützen, stehen seinen Direktiven machtlos gegenüber.

Das gleiche gilt insbesondere für die Internierten in den Konzentrationslagern. In mehreren Szenen führt Brecht aus, wie die Querelen, die vor der Machtübernahme der Nazis den Widerstand schwächten, fortdauern. Weder die Konflikte innerhalb der Linken, noch die Gegensätze zwischen dem privilegierten Kopfarbeiter und dem Handarbeiter sind abgeschwächt. Vielmehr hat das Mißtrauen alle erreicht, die überhaupt Kontakt mit dem Ordnungsapparat haben. Der entlassene Arbeiter wird von den ehemaligen Genossen gemieden. Die Gefahr des Verrats ist größer als alle Erfahrung.

Derjenige, auf den die Unterdrückung mit dem Finger gezeigt hat, dessen Namen bekannt ist, bleibt auch unter Freunden allein.
In wie starkem Maße die Vereinzelung gerade die völkischen Grundfesten Familie und Ehe zerstört hat, führt die Szene »Der Spitzel« aus. Die Überwachung und Bespitzelung durch die Schüler und seinen eigenen Sohn sind für einen Lehrer angstbesetzte Selbstverständlichkeit geworden. Als nach einem leicht kritischen Gespräch mit seiner Frau der Sohn verschwunden ist, gerät er in einen Zustand der Furcht vor der eventuell drohenden Verhaftung. Der Sohn kommt zurück, ohne daß das Erwartete eintritt. Die Angst jedoch bleibt. Dieses besondere Problem der Intelligenz behandeln auch die Szenen »Rechtsfindung« und »Die Bergpredigt«. Gerade die Konservativen, die in mittelständischen Berufen tätig sind, haben als Mitmacher, Handlanger und Stillhalter eben die Grundwerte weggeworfen, auf die sie sich zuvor beriefen. Mensch, Charakter und Individuum haben entweder im Dienste für die nationale Sache oder zur Verfügung zu stehen. Die Situation der Unternehmer spart Brecht konsequenterweise aus. Das Primat seiner Faschismustheorie, nach dem das System das ausführende Organ der Produktionsmittelbesitzer ist, läßt psychologische Differenzierungen dieser Begünstigtenschicht überflüssig erscheinen.
Die wohl in Brechts Augen entscheidende Vereinzelung trifft die ehemaligen Parteigänger des Nazismus, die im Verlauf der Geschichte ihren tödlichen Irrtum realisieren müssen. In einem kleinen Dorf in Württemberg wählt »Der alte Kämpfer« den Freitod, nachdem er sieht, daß alle seine Ideen, welche die Aufhebung der vereinzelten Egoismen zugunsten eines Volksganzen vorsahen, in der Wirklichkeit des Regimes keine Bedeutung haben. Aufgrund der Versorgungsschwierigkeiten sollen die Einzelhändler gezwungen werden, Attrappen in ihre Schaufenster zu hängen. Nachdem auch sein Sohn »abgeholt« wird, erhängt sich der idealistische Faschist im Schaufenster seines eigenen Metzgerladens. Die Szenenfolge aus dem deutschen Alltag endet mit der Legalisierung der Okkupation Österreichs. Ratlos sitzen im Arbeitervorort Berlin-Neukölln einige Oppositionelle beisammen und hören im Radio das Jubelgeschrei, mit dem die Wiener Bevölkerung Hitler empfängt. Entmachtet sagen sie, daß auf einem Flugblatt, das sie nicht mehr drucken können, vielleicht auch nur ein Wort stehen würde: »Nein«.
Ursprünglich sollen 30 Szenen vorhanden gewesen sein. In der für 27 Szenen angelegten Druckfassung von 1938 sind noch die Szenen

»Die Internationale«, »Die Wahl«, »Das neue Kleid« und »Was hilft gegen Gas« vorgesehen. Neue Akzente setzen sie nicht. Die ersten drei führen weitere Einzelheiten des Überwachungsalltags ein. Einzig die vierte der genannten Szenen bringt mit dem Verweis auf die Sowjetunion die Konkretion einer Widerstandsmöglichkeit. In einer Arbeiterwohnung übt der Sohn der Familie, ein HJ-Junge, den Ernstfall mit der Gasmaske. Der Bruder der Hausfrau erinnert sich an den ersten Weltkrieg und die Revolution, die ihn an der östlichen Kampflinie beendete. Die Gasmaske zeigt so auf den Maulkorb, der ihr vorausgeht. »Wir halten so lange das Maul, bis wirs aufmachen müssen: wenn das Gas da ist.«
Gleich einem filmischen Report beleuchtet das Stück die ferne deutsche Wirklichkeit; es versucht ihren Details Namen zu geben und ist dabei der Präzision und nicht der großen Erklärungsstruktur verpflichtet. Diese leistet dabei einen vorweggenommenen Gegenentwurf zur biographischen, individuumbezogenen Geschichtsbewältigung in der Bundesrepublik der fünfziger Jahre. Die Montage transportiert Bilder und Gesten des Verstummens, des Erschrekkens. Sie zeigt, wie die Summe harmloser Rechtsbeugungen, wenn sie hingenommen werden, den Boden bereitet für Krieg und Ausrottung. Gerade der Alltag soll unter Beweis stellen, daß jene Anpassung, die darauf bedacht ist, draußen und nicht berührt zu bleiben, realiter zum Scheitern verurteilt ist und zum Mitmachen führen muß. Das abgestufte System des Verrats und der Verdächtigung muß notwendig in jenen Zustand der abgebrochenen Kommunikation führen, der in der Szene »Die jüdische Frau« als bewußtes Spiel seine monologische Form erhält.
Die formale Verfahrensweise, anhand der Einzelschicksale durch ihre Typisierung zur Andeutung gesellschaftlicher Zusammenhänge fortzuschreiten, fand das für Brecht durchaus ambivalente Lob der Verfechter des »Realismus« als ästhetische Norm. So begrüßte Georg Lukács nach der Veröffentlichung der Szene »Der Spitzel« in der Zeitschrift *Das Wort* im März 1938 Brechts Entwicklung zugunsten der Schaffung »bleibender Gestalten«. Ein lebendiges Bild wird, laut Lukács, durch die vorgeführten Menschenschicksale gezeichnet. Unter einem Gesichtspunkt wurde das Lob nahezu zur vorweggenommenen Grabrede, in der er dann Brechts Wirkung als eine der aristotelischen Katharsis loben sollte. Dabei ist gerade diesem formalen Beobachtungsmoment nur bedingt zuzustimmen. Die Szenen entwickeln kein Schicksal, sondern reihen kürzere und längere Blickfolgen hintereinander. Das Ergebnis ver-

weist als Gesamteindruck eher auf die Haltung einer verzweifelt zynischen Komödie. Es werden Verhaltensweisen vorgeführt, die aus sich heraus jeden realistischen Effekt sprengen. Wenn der völlig desorientierte Richter in der Szene »Rechtsfindung« mit zunehmender Verzweiflung Haltungen ausprobiert, sie vorzeigt und dann doch wieder verwerfen muß, dann bleiben von der Figur eben nur diese erfolglos vorgeführten, zum Scheitern verurteilten Haltungen übrig – nicht ihr Schicksal. Gezeigt werden dabei die Fehler, die die Katastrophe erzeugt haben und die weiterhin vorherrschen. Auch der Haltung des sogenannten »schweykschen« Widerstandes, dessen scheinbare Mitarbeit das Gegenteil deutlich oder gar machbar erscheinen lassen sollte, ist keine Figur zugeordnet. Vielmehr weist Brecht darauf hin, daß sich das offengelegte Gesetz des verbrecherischen Systems aus eben der Summe dieser Einzelhandlungen und Unterlassungen konstituiert.
Damit ist allerdings nicht die Frage nach der Zielrichtung der Szenenfolge beantwortet. Die charakterisierten Gesten der Parteigänger und Widerstandleistenden markieren eine Suche, die wohl kaum das Deutschlandbild Brechts, dem ein unterstelltes Widerstandspotential zugrunde lag, retten konnte. Hiermit sind nicht die mangelnden Widerstandsperspektiven gemeint, die in den präzisen Facetten des deutschen Alltags einfach nicht auszumachen waren, sondern es ist zu bemerken, daß die Fundierung der faschistischen Herrschaft in der deutschen Bevölkerung merkwürdig diffus und dunkel bleibt. Die Menschen erscheinen als allgemein geknechtete und unterdrückte, was zur Folge hat, daß die Herrschaft entrückt. Die Vision eines endlosen Gefangenenlagers entsteht, in dem selbst die Aufseher sich als Betrogene zu erkennen beginnen. Die totalisierte Herrschaft erscheint in dieser Gestalt als nicht kunstfähig. Es tritt hinzu, daß die psychologischen und sozialen Strukturen, mit denen gewichtige Teile der deutschen Bevölkerung dem Nazismus verknüpft waren, nicht im Mittelpunkt stehen. In dem Maße wie Brecht das Vertrauen in das deutsche Volk in seinem Verständnis nicht verlieren wollte, scheint er seinen eigenen Bildern nicht getraut zu haben.
Die gleiche, notwendige Unentschiedenheit prägt die Bühnenbearbeitung, die Brecht unter dem Titel *The Private Life of the Master Race* für Aufführungen in New York und San Francisco anfertigte. Das Szenenmaterial wurde in drei Teile gruppiert, die jeweils durch eine kommentierende Stimme und mittels des Chores einer Panzerbesatzung verbunden wurden. Die Stimme leitete darüber hinaus

die einzelnen Szenen ein. Der Panzerkarren war als Zentrum der Dekoration vorgesehen. Sein rollendes Geräusch sollte auch gegen Ende der Szenen den einsetzenden Terror markieren. Nach dem dritten Teil kennzeichnet der Chor seine Handlung. »Geknechtet fuhrn wir aus, die Welt zu knechten/ Und vergewaltigt brauchen wir Gewalt . . .« Die Geschichte hat nicht nur das resignativ-realistische »Nein« gegen die »Volksbefragung« mit Hohn bedacht. Brecht versuchte auch auf Kosten der historischen Präzision an der deutschen Bevölkerung als einem Ort und einem Reservoir der anderen, neuen Zeit festzuhalten.

DIE GEWEHRE DER FRAU CARRAR

Einakter. Unter Benutzung einer Idee von J. M. Synge. GW II. Entstehungszeit: 1937. Mitarbeit: Margarete Steffin. Uraufführung: 16. 10. 1937 in Paris.

Die Figur der Teresa Carrar dient Brecht als Vorlage für grundsätzliche Standortbestimmungen, die den Ort des antifaschistischen Widerstands und Kampfes zwischen Pazifismus und aktiver Parteinahme kennzeichnen sollen.
Teresa Carrar ist die Witwe eines beim asturischen Arbeiteraufstand tödlich verwundeten Fischers. Sie versucht ihre beiden Söhne, die zur republikanischen Kampflinie wollen, um gegen die faschistischen Insurgenten zu kämpfen, zurückzuhalten und ist so gezwungen, sie nahezu zu bewachen. In dieser Situation trifft ihr Bruder ein, der von der nahegelegenen Front kommt, um den schlechtversorgten Republikanern wenigstens die Gewehre seines gestorbenen Schwagers zuzuführen. Teresa Carrar hat ihren ältesten Sohn zur Arbeit aufs Meer geschickt, so daß seine Freundin, die Milizsoldatin Manuela, der Mutter nur hilflos die Unterstützung der Generäle vorwerfen kann, als sie ihrem Freund mitteilen will, daß die Dorfversammlung das Ausrücken aller wehrfähigen Männer beschlossen hat. In ihrer Defensivposition holt Teresa den Pfarrer zu Hilfe, der allerdings im Gespräch mit dem Bruder eingestehen muß, daß die Neutralität keinen sicheren Schutz gewährleistet. Als der Bruder zusammen mit dem jüngsten Sohn die versteckten Gewehre findet, bricht der Streit offen aus. Teresa Carrar verlangt ihr Eigentum zurück. Eine Nachbarin, deren Tochter im Kampf gegen die Aufständischen gefallen ist, kommt hinzu und

versucht, Teresa Carrar ihr Verständnis auszudrücken. Aber gerade die Großmut der anderen Mutter empört sie. In dem Maße, wie Teresa Carrar den vorgebrachten Argumenten keine eigenen mehr entgegenzusetzen in der Lage ist, versteift sich ihre Haltung. Der Umschwung erfolgt erst mit dem Mord an ihrem ältesten Sohn, der fischend von einem Patrouillenboot der Francoleute erschossen wird, »weggewischt« wie seine Positionslampe. Auf die gleiche Weise sollen, so verkündet es der für Propaganda zuständige General im Radio, alle Republikaner von der spanischen Erde »gewischt« werden. Teresa Carrar nimmt nun die Waffen ihres Mannes und geht mit ihrem Bruder und ihrem letzten Kind in den Kampf.
Das Beispielhafte dieses Lern- und Entwicklungsprozesses wird in dem für die schwedische Erstaufführung im Frühjahr 1938 geschriebenen Prolog und Epilog verdeutlicht. In einem Konzentrationslager für spanische Flüchtlinge in Südfrankreich kommt es wegen der Okkupation der tschechoslowakischen Republik zum Gespräch zwischen einem Internierten, dem Wachtposten und einem französischen Zivilisten. Der gefangene spanische Arbeiter betont den internationalen Charakter der Unterdrückung und beginnt die Geschichte der Carrar als paradigmatische Antwort auf die Frage »wozu kämpfen« zu erzählen. Der Epilog drückt dann den Geschichtsoptimismus aus. Es wird klar, daß diejenigen, die wie Teresa Carrar gelernt haben, sich gegen die allgemeine Unterdrückung mit klarem Bewußtsein zur Wehr zu setzen, auch dafür stehen, daß die »Gewehre« nicht immer begraben sein werden.
Die frühe Fassung des Stückes hatte den Titel *Generäle über Bilbao*. Brecht war wohl von Anfang an bemüht, als Schauplatz der Handlung einen entscheidenden und repräsentativen Ort des Krieges zu wählen. Wie er seiner wichtigsten Quelle, den außenpolitischen Berichten der dänischen Zeitung *Politiken*, entnahm, war seit Herbst 1936 die nordspanische Stadt Bilbao der letzte, eingeschlossene Stützpunkt der Regierung. In diesem, bis zum endgültigen Fall der Stadt im Juni 1937 sich hinziehenden Abwehrkampf kommen die Spezifika des Bürgerkrieges zum Ausdruck. Dies sind vor allem die mangelnden Hilfeleistungen der nichtfaschistischen Regierungen Europas für die Republik, die erbitterte Grausamkeit des Kampfes, die verlustreichen Auseinandersetzungen auch hinter der republikanischen Front und der massive Einsatz der Bombardements durch die faschistischen Hilfstruppen. Symbolbedeutung hat die Auslöschung des Ortes Guernica durch die deutsche Luftwaffe angenommen. Durch die sich abzeichnende Niederlage war Brecht

gezwungen, den Schwerpunkt der Handlung an die andalusische Front zu verlagern. Es bleibt die Ferne vom zentralen Kriegsschauplatz gegeben, dem Kampf um die Hauptstadt, vor der die Offensive der Aufständischen abgeschlagen war. Eine Verteidigungslinie war nach verlustreichen Kämpfen am Rio Jarama und bei Gualdalajara aufgebaut worden. Hingegen war die Metropole Malaga am 8. 2. 1937 in die Hände der Aufständischen gefallen. Brecht wählte also stets den Ort der möglicherweise entscheidenden Kriegswende und versuchte in diesem Zusammenhang die Kennzeichen des modernen Krieges herauszuarbeiten. Direkte Folge der Technisierung ist der Ausrottungscharakter der Kampfhandlungen, denen die ideologische Absicht zugrunde liegt, den Andersdenkenden zu löschen. Gerade aus diesem Charakteristikum ist die Differenzierung des Christentums im Stück zu begreifen, das aber letztlich gegen die enorme Bedeutung der Medien im Propagandakrieg unterliegen muß. Die neutralistische Position des Paters ist somit nicht nur historisch unterlegen, sondern auch überholt.
All dieser neuen Kennzeichen war man sich in Kreisen der Exilierten mehr oder weniger bewußt. Klar war aber, daß im Spanischen Bürgerkrieg die faschistischen Mächte ein militärisches und technologisches Erprobungsterrain vorfanden. Die Politik der Nicht-Einmischung, durch welche die westlichen Demokratien den aufständischen Generälen zu Hilfe eilten, ist in der Figur der Fischerfrau Carrar somit dargestellt und – als leidenschaftlicher Appell gegen sie – zu Ende geführt. Der Bruder Teresa Carrars beschreibt, daß auch das Fernbleiben vom Kampf eine aktive Teilnahme mit sich bringt, das »Nicht-kämpfen« also keine Friedfertigkeit, sondern Unterstützung der Friedensfeinde bedeutet. Analog dazu erschien die Politik der europäischen Demokratien im Prolog und Epilog zur letztlichen Parteinahme für den Faschismus verlängert, da die Kausalität der Ereignisse geleugnet und der Krieg zur inneren Angelegenheit Spaniens erklärt wurde.
Brecht merkt an, daß er das Stück unter Verwendung der aristotelischen »Einfühlungsdramaturgie« verfaßt hat. So sind Spielzeit und gespielte Zeit identisch. Beide betragen etwa 45 Minuten, ebenso lange, wie benötigt wird, das zu Beginn in den Ofen geschobene Brot fertig gebacken wieder herauszuholen. Die Notwendigkeit der Katastrophe ist ebenso festzustellen wie der ihr vorausgehende Prozeß allmählicher Verunsicherung und Einsicht. In der Betonung des inneren Geschehens werden die Gefühle der Figur sehr intensiv bearbeitet. Die gefühlsbetonte Entscheidung erwächst aus der Kon-

frontation mit immer neuen Tatsachen. Der Vergleich der verschiedenen Fassungen des Stückes legt die Vermutung nahe, daß diese Abweichung durchaus beabsichtigt war. Zwar sollte wohl kaum die durch individuelle Figurenzeichnung angelegte Einfühlungsmöglichkeit zum vordergründig verstandenen mobilisierenden Effekt führen. Vielmehr sah Brecht wohl die Ausweitungsfähigkeit des individuellen poetischen Bildes. In dem Vergleich zweier schauspielerischer Darstellungen, der von Helene Weigel und derjenigen der Dänin Andreasen, betont Brecht die grundsätzliche Widersprüchlichkeit der Teresa Carrar. Diese unterliegt keinen Illusionen. Sie ist weder eine Anhängerin Francos noch eine Opportunistin. Der konsequente Pazifismus und ihre rückhaltlose humanitäre Hilfe für verwundete und verwaiste Dorfangehörige bedeuten auch einen Kampf. Sie will das Überleben ihrer Söhne und hofft, es so – vielleicht – zu erreichen. So ist sie Kämpferin, die zuerst für die Neutralität, dann für die Republik streitet; die mütterliche Zärtlichkeit und Fürsorge fordern den Umschlag von der Lebensspenderin in die Lebensbewahrerin. Davon zeugt auch, daß sie ihre Söhne zwar fern des Kampfes hält, aber eingesteht, daß diese ihr nicht gefallen würden, wenn sie gar nicht erst Partei ergreifen wollten. Ebenso wollen die Gerüchte im Dorf nicht verstummen, nach denen sie ihren Mann aufgefordert oder doch bestärkt hat, zur Unterstützung des Arbeiteraufstandes nach Oviedo zu fahren. In dem Bild des Einzelfalles wird ein Überzeugungsprozeß vorgestellt und nicht das logifizierende Vorbild einer historischen Wahrheit ausgestellt.

Beispielhaft wird das in der Betrachtung der Sprache. Teresa Carrar spricht in gleichsam vorgefundenen Wendungen und Selbstvergewisserungen. Da sie keine Lügnerin ist, entsteht in der zunehmenden Veränderung der äußeren Bedingungslage bei gleichbleibendem Sprechen ein Selbstwiderspruch. Je mehr sie sich zu rechtfertigen versucht, desto stärker erhält sie Unrecht. »Das Schlimmste ist, daß sie einen mit ihrer Hartnäckigkeit dahin bringen, daß man lauter Dinge sagt, die man gar nicht meint.« Sie kennt die Gegenargumente, will aber noch an den vorgefundenen und satzgewordenen Überzeugungen festhalten, nach denen »die Generäle Menschen sind, sehr schlechte, aber kein Erdbeben, mit dem man nicht reden kann«. Als ihr Sohn ohne vorhergehenden Wortwechsel ermordet wird, weil er das Stigma des potentiellen Feindes, die schäbige Mütze des Arbeiters, trägt, ist der sprachliche Verständigungszusammenhang zerstört. Die Totalisierung des Feindbildes im inter-

nationalen Bürgerkrieg sieht nur die Einteilung in Parteigänger und -gegner vor. Der verschärfte Kampf der staatlichen Herrschaft um ihre absolute Konsolidierung kennt keine Lücken, in die sich Nicht-Kämpfende als Nicht-Beteiligte flüchten könnten. Brecht gelingt es so, von dem wirklichen Geschehnis zu einem übergeordneten Begriffssystem vorzudringen, ohne, zumindest in der uraufgeführten Fassung, die ökonomische Struktur verkürzend zur einzig schuldigen zu erklären. In diesem Prozeß versagt nicht nur die Sprache. Vor der Gleichsetzung der Niederlage mit der physischen Vernichtung steht auch die Beliebigkeit der körperlichen Gestik. Der Priester vollführt eine abwehrende Bewegung seiner Hände, bei der die Hände in Kopfhöhe gehoben sind. Der Bruder Teresa Carrars berichtet daraufhin, daß in dieser Haltung der Unterwerfung fünftausend Menschen aus ihren Häusern getreten wären, um in eben dieser Haltung auch hingerichtet zu werden. Durch die Geste des Paters wird die Geste des Füsilierten erkennbar. Teresa Carrar erkennt das Illusionäre ihres Standortes, zieht die Konsequenz der Tat, realisiert und eröffnet für sich die zweite Front des totalisierten Krieges: »Das ist Aussatz, und das muß ausgebrannt werden wie Aussatz.«
In besonderem Zusammenhang mit dieser sprachlichen Analyse des Stückes steht die nahezu zeitgleiche Stellungnahme Brechts, die er auf dem II. Internationalen Schriftstellerkongreß von 1937, nachdem dieser sich als Zeichen der Solidarität von Paris nach Madrid vertagt hatte, durch Ruth Berlau verlesen ließ. Angesichts der realen Defensive unterstrich Brecht die militante Qualität der geschriebenen Sprache: »Die Kultur . . . allzu lange nur mit geistigen Waffen verteidigt . . . muß mit materiellen Waffen verteidigt werden./ Aber schon die Bezeichnung der Barbarei als Barbarei bedeutet: sich schlagen./ Sie (d. s. die Wörter) schreiten vom Protest zum Appell, von der Klage zum Kampfruf. Sie weisen nicht nur mit Fingern auf die verbrecherische Tat, sondern sie nennen die Verbrecher mit Namen und fordern auf zu ihrer Bestrafung.« (GW VIII, 249 f.)
Teresa Carrar stützt sich in ihrer Entscheidung auf das Versagen aller Worte und Verständigungsformen. Brecht billigt hingegen in eigener Sache gleichsam notwendig den Wörtern Waffencharakter zu. Der spanische Bürgerkrieg war ein Aktionsfeld der europäischen Intelligenz, ein Mythen- und Rechtfertigungsreservoir, aber auch der Ort ihrer Nagelprobe. Der moralistische Duktus, mit dem Brecht die stille und schweigende Duldung der Unterdrückung im

Alltag als Unterstützung anprangerte, spricht hier gegen sich selbst. Wenn das Konstrukt aufrecht erhalten wird, nach dem die Rede Macht hat, ist der Widerspruch nicht zu verwischen. Der Sohn Teresa Carrars wird ja gerade *ohne* Anruf erschossen; der Radio-General Llano verwendet hingegen sehr wohl Sprache, allerdings eine Sprache, deren strukturelle Armut der Härte alle abweichenden Wörter, Regungen und Menschen ausschließt. Die Goebbels-Parole »Wer nicht für uns ist, ist gegen uns« präzisiert diese Sprachzurichtung, nach der die Neutralität ja auch inakzeptabel war und ist. Wenn also der Wirklichkeitsausschnitt in einem Begriffssystem aufgehoben wird, so muß das übergeordnete System auch erarbeiten, daß die eigene sprachliche Machtanmaßung wohl die Augen davor schließt, wie real die Sprache Macht geworden und zur diktatorischen Direktive als Medium verkommen war. Gegen den schnell verstummenden Appell der Abweichung stand die Ordnung.
Für die Beantwortung der Frage, vor die Teresa Carrar sich gestellt sieht, können auch noch andere, parallele Ereignisse des ersten Halbjahres 1937 herangezogen werden. In Katalonien wurde die anarchistische und trotzkistische Gewerkschaftsbewegung entmachtet. Der erstarkende kommunistische Einfluß vertagte die Revolution, die durch Landverteilungsmaßnahmen eingeleitet worden war, ein weiteres, entscheidendes Mal. Am 30. 1. 1937 war der Rhetoriker der Oktober- und der Weltrevolution Karl Radek mit der Verurteilung zu zehn Jahren Zwangsarbeit in Moskau zum Verstummen gebracht worden. Die von ihm benutzte Sprache war aber aus dem Dienst der Ideologie in denjenigen der zunehmend autonomen Machtapparate übergetreten. Alle Wörter der Bewegung, die aus sich selbst heraus der strukturellen Disziplinierung zuwiderliefen, waren unter dem allumfassenden Primat der Konsolidierung in einem Lande dienstbar gemacht worden. Auch dieser Prozeß kann in dem Vertrauensverlust der Teresa Carrar reflektiert werden.

LEBEN DES GALILEI

Schauspiel. Entstehungszeit der 1. Fassung: 1938. Mitarbeiterin war Margarete Steffin. Ursprünglicher Titel: *Und sie bewegt sich doch.* Musik von Hanns Eisler. Im einzelnen sind folgende Fassungen zu unterscheiden: *Die Erde bewegt sich/ Leben des Galilei.* Geschrieben in Svendborg 1938.

Uraufführung am 9. 3. 1943 am Schauspielhaus Zürich. Regie: Leonhard Steckel.
Galileo. Entstand 1945/46 in Zusammenarbeit mit Charles Laughton in amerikanischer Sprache. Die in Santa Monica geschriebene Fassung hatte am 30. 7. 1947 im Coronet Theatre (Los Angeles) Premiere. Regie führten Brecht und Joseph Losey.
Leben des Galilei. Entstanden 1953–56 in Berlin. Es ist eine Rückübersetzung der 2. Fassung für das Berliner Ensemble mit weiterer Verschärfung der angelegten Tendenz. Aufgeführt wird diese Bühnenfassung 1957 unter Verarbeitung weiterer Änderungen vom Berliner Ensemble. Regie: Erich Engel.

In den seit 1937 ausgeführten Vorarbeiten, die fragmentarisch geblieben sind, deutet sich mit der Galilei-Figur die Darstellung eines Partisanen an, dessen Klugheit und taktische Finesse ihn der Gewalt ausweichen lassen. Die Zusammenarbeit mit der Bevölkerung zeigt darüber hinaus den Ausweg aus der Unterdrückung. Der Rückgriff auf einen historischen Stoff, anhand dessen aktuelle Bezüge verdeutlicht werden können, war eine weit verbreitete Arbeitsmethode der exilierten Schriftsteller. Es ist eine Haltung der Hoffnung, die den Beweis antreten will, daß Fortschritt und Aufklärung letztendlich siegen werden. Brecht dramatisiert somit den historischen Nachweis, nach dem Wissenschaft und Menschheit Machtwissenschaft und Unterdrückung beseitigen können. Hierfür steht als Fanal der erfolgreiche Schmuggel der Manuskripte am Ende des Schauspiels.
Die Aktualität eines solchen Verfahrens war spätestens mit Abschluß des Münchener Abkommens am 29. 9. 1938, durch den die Stillhaltepolitik von Frankreich und England auch vertragsmäßig festgelegt war, in den Hintergrund gedrängt. Die illegale Arbeit mochte vorbildhaft sein, angesichts der geschichtlichen Entwicklung war sie illusorisch und unhaltbar, wenn auch Brecht immer prinzipiell an der Hoffnung auf dieses Widerstandspotential festhielt. Zwar war in Brechts erster Fassung ein Wissenschaftler der Held, und nicht ein König oder ein Rebell, jedoch kann von einer zentralen Bedeutung der Wissenschaft oder gar der Kernspaltung – Otto Hahn hatte 1938 seine Forschungsergebnisse ins Ausland geschafft, wo Brecht von ihnen auch Kenntnis erhielt – noch nicht die Rede sein.
Der ersten Fassung gingen ausgedehnte Vorstudien voraus. Diese bestanden etwa aus der Lektüre von Standardwerken wie Emil Wohlwills *Galilei und sein Kampf für die copernikanische Lehre* (2

Bände. Hamburg und Leipzig 1909 und 1926), Henri Mineurs *Eléments de statique mathematique applicables à l'étude de l'astronomie stellaire* (Paris 1934), dem Brecht besonders die Demonstrationsbeispiele entnahm, und James Jeans' *Die Wunderwelt der Sterne* (Stuttgart 1934). Wesentlich war noch die Lektüre von Francis Bacons *Neuem Organon*, dessen Wissenschaftsmaxime, bei der Forschung der Natur zu gehorchen, um die Grenzen des Erreichbaren abzustecken, gegen die aristotelische des Überlistens der naturgegebenen Prinzipien gesetzt war. Der Verweis auf die Bibliothek Montaignes rundet dies ab; nicht die expansive Brechung der Natur, sondern ihre Beobachtung steht im Vordergrund. Auch das Bild Montaignes, sein Rückzug in den Turm, bedeuten in dieser Hinsicht keine Niederlage.

So werden der aristotelischen Methode, d. h. hier einer die Regeln der Natur brechenden Herrschaft, »vernünftige« Verwertungsarten des Wissens gegenübergestellt. Galilei beobachtet und lernt aus den Arbeiten auf der Schiffswerft. Ein ehemaliger Linsenschleifer wird sein Mitarbeiter. Der Bereich, in dem die Nutzbarmachung seines Wissens erfolgen soll, ist derjenige der hart Arbeitenden und Unterdrückten; Galileis Verhalten unterliegt demnach einem bewußten, daran ausgerichteten Plan. Wie auch in den späteren Fassungen ist die Kirche deshalb eine rein weltliche, imperiale Kraft. Theologische Auseinandersetzungen haben allenfalls den Stellenwert eines Stichwortgebers im Machtkonflikt. Die Freiheit ist ausschließlich diejenige des Geldes. Galileis Dilemma besteht darin, daß er innerhalb der merkantilen Freizügigkeit Venedigs nur reproduzieren muß und nicht produzieren kann. Dies, forschen nämlich, darf er in Florenz, hier aber nicht seine Ergebnisse publik machen. Wie in der 1930 veröffentlichten Keuner-Geschichte »Maßnahmen gegen die Gewalt« dient Galilei, wie zuvor Keuner, auch bei aller Betonung des von der Taktik diktierten Stillhaltens, real der Gewalt. Brecht formuliert also keine Heroisierung des Wissenschaftlers, sondern betont die überindividuelle Weitergabe des erarbeiteten Wissens. Der Wissenschaftler löscht sich selbst zugunsten seiner zukünftigen Bedeutung, die in seinen Schriften begründet und vergraben liegt. Die Person tritt in den Hintergrund zugunsten eines Dramas der Wissenschaft.

Brecht unternimmt bei der Gestaltung des Stoffes keine wesentlichen historischen Eingriffe. Er erfindet die aus der arbeitenden Klasse stammenden Schüler und Gehilfen des Galilei, überbetont die Abneigung des Gelehrten gegen seine Gelehrtensprache, und läßt seinen »Hausarrest« in einem zu scharfen Licht erscheinen. Gewichtiger ist dann schon das Auslassen der historischen Begegnung zwischen Papst Urban VIII. und Galilei, die für den Wissenschaftler mit dem mageren Ergebnis endete, daß er trotz des Verdiktes die Überlegungen des Kopernikus in »hypothetischer« Form anstellen und niederlegen durfte. Hierauf folgte die Niederschrift des Werkes *Dialog über die beiden Weltsysteme.* Durch das Vernachlässigen dieses Aufeinandertreffens vermeidet es Brecht, den Papst zur dramatischen Gegenfigur erstarken zu lassen, und kennzeichnet ihn so als Teil der Inquisition, der er nur einige persönliche Vorbehalte entgegenzubringen hat. Die Vernunft steht auch im Dienst der Machterhaltung. Für die Figur des Galilei ist so der historische Konflikt zwischen Glauben und Wissen aufgehoben zugunsten der Person eines Wissenschaftlers, die nicht gläubig, sondern aufklärerisch sich verhält. Galilei sieht visionär das Licht der kommenden Zeit. Wie auch in den späteren Fassungen wird die Rezeption des Wissens schon auf die Figur übertragen.

Die Entwicklung des Krieges und die Entfaltung der technischen und wissenschaftlichen Produktivität gerade für die Massenvernichtung ließen Brecht weiterdenken. Im Frühjahr 1944 vermerkt er den »doppelten Fall« des Galilei, der, über den Widerruf hinaus, darin liegt, daß der Wissenschaftler weitergeschrieben hat, als die Ordnung wieder gefestigt war, und damit sein Wissen auf jeden Fall der Benutzbarkeit und auch dem Mißbrauch zur Verfügung gestellt hat. So wie Galilei den Besuch des Andrea nicht erwarten konnte, so hat er auch keine Vorkehrungen zur Verhinderung des Wissensmißbrauches getroffen.

Folgt man diesen Überlegungen, so ist die Macht von der Masse wieder zum Einzelnen, als ausführendes Organ, zurückgekehrt. Die Bedeutung des Wissenschaftlers für die Gesellschaft tritt in den Vordergrund. An die Prämisse, daß Vernunft und Fortschritt auch à la longue die Befreiung bringen, wird die Frage nach der Ordnung gerichtet, in deren Dienst das Wissen entsteht. Spätestens mit Abwurf der Atombombe auf Nagasaki und Hiroshima dreht die Behauptung Bacons sich um; Wissen ist immer noch Macht, aber was macht die Macht mit dem Wissen? Brechts Überlegungen nach der ersten Fassung drehen sich um die Ordnungskategorien, die die wissenschaftlichen Dienstverhältnisse bestimmen. Aus diesem Kräftefeld, Wissen im Dienst der Macht und Wissen zugunsten der Unordnung, die die Macht beseitigen wird, entsteht die Überprüfung des Schauspiels.

So sieht Galilei zu Beginn des Schauspiels eine Zukunft voraus, die entgegen der gesellschaftlichen Ordnung alles in Bewegung setzen wird. Er erklärt seinem Schüler Andrea, wie die Menschen den freien Raum erobern werden, die »Söhne der Fischweiber . . . in die Schulen laufen« und eben nicht gehen werden. Auch die Repräsentanten der weltlichen und kirchlichen Ordnung sollen dabei ins Rollen kommen. Im Dienste dieser zukünftigen Bewegung verkauft Galilei ein Plagiat an die Ratsversammlung Venedigs und erreicht durch pragmatische Unterwürfigkeit die Forschungsmöglichkeit unter der kirchlichen Aufsicht in Florenz. Dort führt er ein Gespräch mit den Vertretern der Universitätsfakultäten, das mit seiner Entgegnung endet, daß er als Wissenschaftler nicht die Folgen seiner Forschung vorhersehen muß. Während der päpstliche Hofastronom seine Beobachtungen bestätigt, rüstet die Inquisition zu Gegenmaßnahmen. Die kopernikanische Lehre wird verketzert, als Feind der kirchlichen Ordnung für absurd erklärt, und die Gläubigkeit Virginias, der Tochter Galileis, ausgenutzt, um ihre Spitzeldienste in Anspruch zu nehmen. Galileis Forschungen werden eine immer stärkere Kraft gegen die weltliche Unterdrückung, die das Gewand göttlicher Ordnung trägt. Die Landbevölkerung beginnt, über viele alltägliche Arbeitserleichterungen hinaus, die die Forschung ihr bringt, an den Kern der Lehre, der Mensch als Mittelpunkt der Ordnungssysteme zu glauben. Wie bedrohlich diese Entwicklung für die Herrschaft über das Land ist, zeigt sich in den Äußerungen Ludovicos, eines ehemaligen Schülers, der ein wenig wertlose Wissensfragmente erfahren wollte und der nun die Heirat mit Virginia unter dem Hinweis auf die umstürzlerischen Studien Galileis fortwährend aufschiebt. Die Wirkungen, die eine Forschung im Dienst der Unordnung erzielen kann, zeigt die Fastnachtsszene im Stück, in der die überkommene Herrschaft als Marionette um die feiernden Diener und Arbeiter sich dreht. In der Zwischenzeit ist die Unruhe gewachsen. Die Inquisition fordert von Galilei den Widerruf unter Androhung der Folter.
Brecht zufolge wäre ein Widerruf aber nur berechtigt gewesen, wenn der Wissenschaftler eine gerechte Ordnung hätte erwarten können. Galilei widerruft aus Angst und Egoismus. Als Widerstandskämpfer ohne Aussicht, so sagt diese zugespitzte Lesart, wäre ihm nur die totale Verweigerung übrig geblieben. Der Grundzug seiner Forschung, der sinnliche Bezug zur Natur, hat seine Kehrseite, die Bequemlichkeit und die Schwäche, gezeigt. In den späteren Jahren forscht Galilei unter Aufsicht weiter und liefert

seine Erkenntnisse der Herrschaft, wenn diese sie auch vorerst nur vor der Öffentlichkeit und der Bevölkerung verschließt; die Lehre der Unordnung ist so in ein Dienstverhältnis der Ordnung eingetreten. Am Ende des Schauspiels steht das unvorhersehbare Treffen mit seinem ehemaligen Schüler Andrea, der die Abschrift der *Discorsi* aus Italien herausbringen wird, ohne Galileis grundsätzliches Versagen damit zu ändern. Vielmehr vertritt Andrea die Auffassung von der losgelösten, freien Bedeutung des reinen Wissens. Galilei sieht die Dienstbarkeit seiner/ der Wissenschaft. »Einige Jahre lang war ich ebenso stark wie die Obrigkeit. Und ich überlieferte mein Wissen den Machthabern, es zu gebrauchen, es nicht zu gebrauchen, es zu mißbrauchen, ganz wie es ihren Zwecken diente.«
Diese historisch unhaltbare und parabolisch kurzsichtige Bearbeitung stand ganz unter dem Zeichen der Atombombenexplosion, die bewies, wie real die reine Wissenschaft der sehr parteilichen Politik, Wirtschaft und Ideologie zur Verfügung steht, ja daß gerade das Konstrukt der »wertfreien Forschung« das Produkt der wertorientierten Ausnutzung ist. Die Arbeit mit Charles Laughton, die im Dezember 1944 in Hollywood begonnen hatte und deren Schwerpunkt auf die Vitalität der Galilei-Figur gelegt war, bekam durch die Bombenabwürfe ihr neues Gewicht. Die zweite Fassung betont die individuelle Optik Galileis, da er durch die Streichung der letzten Szene, das Aus-dem-Lande-Bringen der *Discorsi*, das Schlußwort erhält, dem Optimismus somit nicht völlig die Grundlage entzogen wird. Desweiteren wird den gesellschaftlichen Folgen, die aus seiner Lehre erwachsen, mehr Raum gegeben. So bietet der Eisengießer Matti, in der deutschen Fassung Vanni, dem bedrohten Galilei seine Hilfe zur Flucht an. Er versichert dem Wissenschaftler, daß er nicht allein ist, sondern daß hinter ihm die fortschrittlichen Kräfte des Bürgertums und des Handels stehen. Die Volksverbundenheit des Forschers ist ebenso hervorgearbeitet wie der gesellschaftliche Hintergrund, der Ludovico dazu treibt, von der Heirat abzusehen. Die groß angelegte Abrechnung des Galilei mit seinen eigenen Verhaltensweisen präzisiert die Tendenz des ganzen Stükkes, nach der das Individuum als Handelndes und Denkendes der Verantwortung unterliegt. Es ist nicht ein beliebig reproduzierbares Element im Geschichtsverlauf, sondern besitzt Einfluß im positiven wie negativen Sinne. Der Wissenschaftler Galilei kann nicht aus der Verantwortung entlassen werden; seine Standhaftigkeit hätte ein Zeichen setzen können für die Zeit, in der die Wissenschaft die »Marktplätze erreicht«. Diese Grundannahme wird in der dritten

Fassung, der die oben gegebene Fabelskizze folgt, weiter radikalisiert. So ist besonders die 14. Szene, eben die Selbstanklage, textlich präzisiert. Ältere Szenen, wie diejenige, die die Pest in Florenz schildert, werden wieder aufgenommen, so daß der ursprüngliche Umfang, bei sprachlicher Straffung, wiederhergestellt ist. Von der 15. Szene, in der die *Discorsi* ins Ausland gelangen, wurde in der Aufführung des Berliner Ensembles nur die Vorstrophe verwendet. Der Rücktritt der Person hinter ihr Werk löst in der ersten Fassung die Problematik im Sinne der Persönlichkeitsvernichtung. Der Versuch, dem einzelnen Menschen wieder Gewicht zu verleihen und dabei zum gültigen Entwurf der Parabel vorzuschreiten, stößt auf Hindernisse. Die Zwänge, denen Galilei erliegt, sind eben nicht allgemein, sondern historisch bedingt in ihrer Härte wie auch ihrer scheinbaren Folgenlosigkeit. Der rein parabolische Charakter der gesellschaftlichen Unordnung beläßt den Konflikt im letztlich konturlosen Raum. Es stehen keine antagonistischen Kräfte in realer Konkurrenz um die Ergebnisse der Forschung. Die Standhaftigkeit des Galilei hätte der Hagiographie der Naturwissenschaften nur einen weiteren Aktivposten beschert. Der Konflikt des Galilei ist nicht ausweglos, sondern belanglos. Weder zu dieser noch zu späterer Zeit hatte die Wissenschaft die reale Möglichkeit, ihre Ergebnisse der Verwertung oder Beurteilung durch die Macht zu entziehen, da durch ihre Entstehungsbedingungen jede Form der Unabhängigkeit schon *vorher* verloren ist. Darüber hinaus zeigt sich Galilei den Einsichten, die aus der möglichen, aber nicht vollzogenen Tat entstehen, mit einem hohen Maß an Selbstkritik gewachsen. Auch das ist ein Tatbestand, der nur dieser angebotenen Form von »Renaissance-Mensch« entspricht, dem Verändern und Forschen Genuß bereiten. Schon die Aufführung des Berliner Ensembles ließ immer wieder das idealistische Gut, das in der Figur steckt, hervortreten, und zeigt damit auf die ungelöste zentrale Schwierigkeit des Stückes.

Wird die Geschichte der Physik und anderer Disziplinen nach 1945 zu Rate gezogen, so ist über den moralischen Appell hinaus wenig Handhabbares dem Schauspiel zu entnehmen. Mit der ersten gelungenen Kernspaltung in der Sowjetunion begann, da die militärtechnologische Vorherrschaft der USA gefährdet war, ein beispielloser Fortschritt der Atomphysik im Dienste der »freien Welt«. Auch die Erforschung des inneren Raumes der wissenschaftlichen Entwicklung war nicht mehr verschont. So werden 1951 Ethel und Julius Rosenberg der Atomspionage angeklagt und wenig später hingerichtet. Der geforderten moralischen und geistigen Unterwerfung der Wissenschaft unter die Belange der Politik konnte, nach dem »Fall Robert J. Oppenheimer«, auch Albert Einstein nur das hilflose Postulat der Verweigerung entgegensetzen. Der ethische Impuls verfehlt in ähnlicher Weise wie Brechts Erinnerung an Bacons Mahnung eine Wissenschaftswirklichkeit, die nicht mehr den Kategorien gut oder böse, fortschrittlich oder rückschrittlich verpflichtet ist, in der vielmehr Fachleute innerhalb unkontrollierbarer Apparate den Systemzwängen ihrer Disziplin folgen und einen unübersehbaren Ausstoß an wertfreien Technologieprodukten hervorbringen.

Auch andere Versuche, in denen Brecht das Dilemma zwischen Macht und Wissenschaft gestaltet, erschöpfen sich notwendig in der Angabe der beiden, von der Geschichte nicht bewahrheiteten Auswege: Vor-Reflexion des Wissenschaftlers, bzw. Indienstnahme der Forschungsergebnisse durch das Volk. In dem Stückplan *Prometheus*, der 1940/41 begonnen wurde und den Brecht 1945 und 1952 wieder aufnahm, nimmt der mythische Überbringer des Feuers die Rolle eines modernen Atomwissenschaftlers an, der den unwissenden und bösartigen Göttern das Feuer zur Verfügung stellt. Er wird an den Felsen geschmiedet, als er die Errungenschaft auch dem Proletariat, den Menschen, übergeben will. Das Feuer ist kein Mittel des Heils, sondern eines der Unterdrückung. Präziser benennt dann das Projekt *Leben des Einstein* aus dem Jahre 1955 (dem Todesjahr Einsteins, 18. 4. 55) die kaum auflösbare Verschränkung von wissenschaftlichem Fortschritt und politischer Verwertung. Demnach bestand das historische Dilemma Einsteins darin, daß er aus politischen und letztlich humanen Erwägungen die mögliche Fabrikation der Atombombe als Druckmittel gegen das nazistische Deutschland seit 1938 befürworten mußte, wohl wissend, daß er »Potsdam« auch in Washington vorfindet. In diesem Licht erscheint die stets gleiche Perspektive: Die freundliche Macht siegt über die feindliche und wandelt sich dann, den Gesetzen der Macht gehorchend, die nicht abstirbt, sondern ihre Machtbefugnis ausbaut, in eine feindliche. Das Projekt war wiederum auf die Verantwortlichkeit des Einzelnen ausgerichtet, der die Auswirkungen seiner Ergebnisse vorher reflektieren müsse. Die angebotene Perspektive gehorcht mehr einer Wunschproduktion, denn einer der Geschichte verpflichteten Denkstruktur. Der Kommunismus soll den Ausweg zwischen der untergehenden Individualität und ihrem Mißbrauch durch die Macht vorweisen. Fingerzeige, wie dies ge-

schehen solle, vermitteln die geplanten Chöre dieses Werkes nicht. Angesichts einer Entwicklung, die sich jenseits seiner historischen Bewegungsgesetze abspielte, konnte Brecht wohl keine andere als diese appellative Antwort bereitstellen.
Das Schauspiel *Leben des Galilei* bietet über die Wissenschaftsproblematik hinaus aber eine wesentliche Lese- und Interpretationsfolie für die Rolle des Intellektuellen in einer zugespitzten Machtkonstellation. Der Sündenfall des Galilei liegt nach Brechts Verständnis in dessen Verrat an den grundsätzlich positiven, da produktiven Eigenschaften. Sein eingreifendes wissenschaftliches wie sinnliches Denken, die Wissenschaft der Erfahrung und nicht der Schrift, sein Praxisbezug, der das Volk zu Helfern und Beteiligten bei der Revolution des Wissens macht, ja selbst die schließliche Einsicht in das eigene Verhalten können nicht sein Versagen, eben den Verrat, aufwiegen. In dieser Brechtschen Optik wird Galilei wie Faust zum Renegaten, weil er zu Beginn einer neuen Zeit die Ideen verrät, die die neue Zeit erst erkämpfen sollen. Nicht nur das Verhalten des Künstlers, auch dasjenige des Wissenschaftlers hat nach diesem Verständnis Modellcharakter. In Gegensatz zu allen Konstitutionsbedingungen der Intelligenz(-kaste), inklusive die seiner eigenen Herkunft, fordert Brecht eine Intellektuellenpflicht, nach der der Warencharakter des Intellekts erkannt und jede Führungsrolle im Klassenkampf abgelehnt werden soll. Zugleich aber muß die Intelligenz sich als einheitliche Gruppe begreifen, die ihre eigenständige Rolle in der Veränderung zu ergreifen hat. Diese Summierung vieler Arbeitsjournaleinträge und anderer Äußerungen Brechts kann jedoch auch nur wunschweise das proletarische Übersubjekt imaginieren und die reale Führungsrolle und Privilegierung der Intelligenzschicht wegzaubern. Das vielzitierte »Verwisch die Spuren« bleibt ein poetisches Produkt. Denn es arbeitet trotz allem der überlegene Kopf Galileis, der Andrea mit Hohn begegnet, beweisend, daß auch das klügste Werk nicht den notwendigen Verrat an der Menschheit, die wiederum im Kopf nur so homogen ist, aufwiegt.
Manchen Eintragungen zufolge sah Brecht durchaus Bezugspunkte zwischen seinem Denken und demjenigen des sog. »Wiener Kreises«, dessen Wissenschaftslehre auf die Entwicklung einer ausdrucksreichen, aber formalisierbaren Sprache abzielte. Wenn von diesem Erkenntnisort neben den Kategorien »wahr« und »falsch« auch die Kategorie »sinnlos« übernommen wird, läßt sich formulieren, daß Brecht einen sinnlosen Anspruch, im Sinne von nicht

beweisbar und nicht herleitbar, an ein wahres Objekt, den Naturwissenschaftler, stellt.
Legt man als Wissensstruktur, die Brecht dem Naturwissenschaftler zuordnet, das induktiv-experimentelle Vorgehen zugrunde, das zu methodisch und zeitlich begrenzten Antworten führt, so verblüfft doch der apodiktische Anspruch, der in der Forderung begründet liegt, zur Wissenschaft gehöre die Toleranz gegenüber dem Unbekannten und die Intoleranz gegenüber der Wahrheit. Dies wird identifiziert mit der demokratischen und sozialistischen Entwicklung schlechthin. Das Gegenbild dazu ist dann der »metaphysisch-philosophische« Denker, dessen mangelnde Naivität und Spontaneität, die Brecht ja für seine naturwissenschaftliche Herangehensweise in Anspruch nimmt, auch seine Nähe zur individuellen Ideologie und Macht bedeutet. Nicht nur die Geschichte hat den naturwissenschaftlich-technologischen Charakter der Brechtschen Methode bloßgestellt. In dem Maße, wie der Mensch nicht nur für eine vorübergehende Zeit hinter die Sache gestellt, sondern auf Dauer der Methode unterworfen wird, ist die Funktionalität der Technologie nicht aufgehoben, sondern ausgedehnt. Die Nachteile und inhumanen Auswüchse, die im »Spielerischen« einer Teilbereichstheorie noch korrigierbar sind, schlagen bei ihrer Übertragung auf die Gesellschaft mit der Inhumanität eines Totalitätsanspruches zurück. Die Realität des Sehens ist dann das wahrhaft kalte Auge der Wissenschaft auf den Verräter. Ein kleiner Fehler ist dann der Tod.
In dieser Hinsicht folgt Brecht dem Irrtum des 20. Jahrhunderts, nach dem die technische Welt auch die Ratio verkörpert. Realiter hat die partikuläre Rationalität eine zunehmende Irrationalität des Ganzen hervorgebracht, so daß sich als Ergebnis der wissenschaftlichen Methode ein unbeherrschbarer Raum aus unbeabsichtigten oder zumindest nicht geplanten Nebenwirkungen präsentiert. Der Horizont der Wahrheit ist weit vor denjenigen der unbegrenzten Möglichkeiten gerückt. In diesem Sinne zog Brecht nicht die Konsequenz aus der Kernspaltung, die als Utopie die Sicherung der biologischen Existenz erscheinen läßt. Sein Appell, der Galileis, einen hippokratischen Eid der Naturwissenschaften einzurichten, macht halt vor der Befragung der eigenen Methode. In diesem Sinne ist Galilei nicht der Gott, der die Menschen verraten hat, sondern eher die Vorwegnahme eines Fachmannes, wie er heute die Katastrophen austreibt, indem er sie erklärt. Die entgötterte Zeit hat so den Götzenpriester dem eigentlichen Götzen vorangeschickt.

Selbst wenn die naheliegende Identifikation der Galilei-Figur mit dem Versagen der Arbeiter Europas angesichts des Faschismus in der Brechtschen Sehweise zugrundegelegt ist, so bleiben doch mutmachende Partikel zurück. Zwar hat Galilei den Kampf aufgegeben oder gar nicht erst sinnreich aufgenommen, durch ihn hindurch ist aber auch die positive Wendung sagbar. Die mangelnde Selbstverantwortlichkeit des Einzelnen und das Fehlen eines Planes zeigen auch die Wirklichkeit, in der halt keiner um diesen Preis, der Unterwerfung unter das wissenschaftliche Gesetz, Herr und Meister sein will; oder wie Galilei sagt, »Gott ist in uns oder nirgends«. Der klarste Ausdruck einer herrschaftslosen Zeit der Unordnung ist das reale Machtvakuum der Pest in Florenz. Nun funktioniert die Humanität und Gerechtigkeit der Eingeschlossenen. Die Hoffnungen erfüllen sich so außerhalb der Ordnung, in einer verkehrten Welt. Zumeist sind bei Brecht die Akteure dieser Szenen außergewöhnliche Menschen. Vielleicht sollte man dem Galilei Brechts ein wenig von seiner schweren Bürde abnehmen.

DANSEN

Einakter. Entstehungszeit: 1939. GW III. Uraufführung: 1967 in Köln.

WAS KOSTET DAS EISEN?

Einakter. Entstehungszeit: 1939. GW III. Die Uraufführung fand im August 1939 in Stockholm statt. Regie: Ruth Berlau und Brecht.

Mit dem ersten Einakter wandte sich Brecht an dänische, mit dem zweiten an schwedische Zuschauer. *Was kostet das Eisen?* hieß ursprünglich *Kleine Geschäfte mit Eisen*, ein von Brechts Mitarbeiterin Margarete Steffin abgeschriebenes Exemplar trägt den Vermerk »Lidingö, 2. 6. 1939«. Wahrscheinlich entstand auch *Dansen* Ende Mai/Anfang Juni in Lidingö, es besteht aber die Möglichkeit, daß dieser Einakter einige Wochen früher noch im dänischen Exil geschrieben worden ist. Brecht kam Ende April nach Schweden. In Stockholm hielt er am 4. Mai vor Studenten einen Vortrag »Über experimentelles Theater«. Die Bildhauerin Nina Santesson nahm den Dichter und seine Familie in ihrem Haus auf dem Inselchen Lidingö auf. Hier beschäftigte er sich zunächst mit dem im März

begonnenen Sezuanstück, im Herbst schrieb er dann *Mutter Courage und ihre Kinder* und das Hörspiel *Das Verhör des Lukullus.* Die beiden Einakter wurden von Brecht in wenigen Tagen für Arbeiterschauspieler verfaßt, die ihre Landsleute von der Notwendigkeit einer geschlossenen antifaschistischen Front der europäischen Völker gegen Nazideutschland überzeugen wollten.
Brecht, dem während des Exils ein ständiges Theater, wo er seine Stücke ausprobieren konnte, fehlte, nahm jede Gelegenheit einer Aufführung wahr. In Dänemark und Schweden interessierten sich viele Arbeiter- und Studententheater für seine Stücke. Besonders *Die Gewehre der Frau Carrar* und Szenen aus *Furcht und Elend des Dritten Reiches* wurden mehrmals inszeniert und aufgeführt. In dramaturgisch-technischer Hinsicht erachtete er diese Stücke als viel zu »opportunistisch«. Die politischen Umstände und die bescheidenen Theaterverhältnisse gestatteten ihm nämlich nicht, an seinen früheren »technischen Standard« in Stücken wie *Die heilige Johanna der Schlachthöfe* und *Die Mutter* anzuknüpfen. Erst bei der Arbeit am Sezuanstück entschloß sich Brecht, wieder seine Versuche in epischem Theater fortzusetzen. Theoretisch fixierte er diese Bemühungen in den *Messingkauf*-Dialogen, an denen er ebenfalls 1939 zu arbeiten begann.
Dansen und *Was kostet das Eisen?* haben mit den Projekten und Stückvorhaben Brechts im Jahr 1939 wenig zu tun. Es sind Agitationsstücke im »Knockaboutstil«, die politische Aufklärung vermitteln sollen. Im Gegensatz zu *Furcht und Elend des Dritten Reiches,* einer realistischen Szenenfolge, in der Zeit und Ort jeder Szene genau bestimmt sind, handelt es sich bei den Einaktern um kleine, grob skizzierte und leicht zu entschlüsselnde Parabelstücke, die möglichst unrealistisch, als handfestes Kasperle-Theater mit Gruseleffekten, in Szene zu setzen sind: »Der Eisenhändler muß eine Perücke mit Haaren haben, die sich sträuben können; die Schuhe müssen sehr groß sein, auch die Zigarren.« Brecht zielte auf plakathafte und überdeutliche Wirkungen.
Im Mittelpunkt des ersten Stücks steht der Schweinehändler Dansen, der auch den Schlüssel zu den Eisenlagern seines Freundes Svendson verwaltet. Dansen beobachtet den Überfall eines »Fremden« auf benachbarte Geschäfte. Aus dem Tabakladen Österreicher macht der Räuber die Firma »Ostmärker & Co«, aus dem Schuhgeschäft der Frau Tschek entsteht die »Bemm & Mährer GmbH«. Auch am Geschäft des Dansen zeigt sich der Fremde sehr interessiert, mehr noch an den Eisenlagern, zu denen der Schweinehändler

Zugang hat. Für Dansen wird aus dem Fremden sehr schnell wider besseres Wissen ein ganz gewöhnlicher Kunde. Brecht kommentiert: »Er fragt nicht mehr länger: was haben Sie mit meinem Nachbarn gemacht? sondern nur noch: was wollen Sie mit meinem Schwein machen? So sieht man die Schwierigkeit, zugleich Schweine zu verkaufen und Moral zu haben.« Weil der neue Kunde ihm viele Schweine abkauft, schließt Dansen mit ihm einen Vertrag. Seinen Freund Svendson versucht er zu beschwichtigen: »Dein Lagerhaus ist jetzt bombensicher.« Eine gemeinsame Abwehrfront hält Dansen für unnötig. Schließlich erscheint der Fremde und fordert den Schlüssel zum Eisenlager. Dansen hält ihm die Vertragsrolle wie ein Gewehr geschultert entgegen, aber der bis an die Zähne bewaffnete Fremde zerfetzt den Vertrag, nimmt sich den Schlüssel und verlangt ab sofort kostenlose Schweinelieferungen.

Was kostet das Eisen? spielt im Eisenladen des Herrn Svendson. In den Jahren 1938 und 1939 erscheint bei ihm regelmäßig ein unheimlicher Kunde, dem er gegen gute Bezahlung Eisen verkauft, obwohl dieser Mann nacheinander Svendsons Geschäftsfreunde, den Tabakhändler Österreicher und die Schuhgeschäftsbesitzerin Frau Tschek, überfallen hat. Svendson hält sich lieber aus all den »ekelhaften Streitigkeiten« heraus und beruft sich auf seine Neutralität. Er fühlt sich als Geschäftsmann und nicht als Politiker. Aus Geschäftsgründen lehnt es Svendson deshalb ab, einem Verein gegen den Verbrecher beizutreten, den Frau Gall und Herr Britt gründen wollen. Aber dann bricht der Krieg aus, und der unheimliche Kunde erscheint mit Maschinenpistolen und nimmt sich alles Eisen umsonst. Kurz zuvor wollte Svendson noch schnell seine Preise erhöhen.

In Form von einfachen Gleichnissen wollte Brecht den Zuschauern seines Gastlandes seine Meinung über die politische Lage erläutern, um ihnen vor Augen zu führen, daß sich die Neutralitäts- und Nichteinmischungspolitik ihrer Regierungen verhängnisvoll auswirken wird. Das dänische Stück kam, als es geschrieben war, für eine Aufführung schon nicht mehr in Frage, und als Brecht mit Ruth Berlau *Was kostet das Eisen?* in Stockholm inszenierte, lieferte Schweden große Mengen Eisen an Nazideutschland. Der Zweite Weltkrieg stand unmittelbar bevor.

MUTTER COURAGE UND IHRE KINDER

Eine Chronik aus dem Dreißigjährigen Krieg. Entstehungszeit: 1939. GW II. Die Musik von Paul Dessau entstand 1946. Uraufführung: 19. 4. 1941 am Schauspielhaus Zürich. Brecht überarbeitete das Stück für seine Inszenierung am Deutschen Theater in Berlin (Ende 1948/Anfang 1949). Erste Veröffentlichung in Heft 9 der VERSUCHE, 1949.

Das Stück verfolgt den Weg der Marketenderin Anna Fierling, genannt Mutter Courage, in den Jahren 1624–1636 durch Schweden, Polen und Deutschland. Sie ist mit drei Kindern und ihrem Planwagen unterwegs und sucht die Kriegsschauplätze auf in der Hoffnung, hier kleine Geschäfte tätigen und ihren Schnitt machen zu können. Mutter Courage lebt vom Krieg, agiert als »Hyäne des Schlachtfelds« im Schatten der »Großkopfigen«, die unter dem Vorwand, aus Gottesfurcht und für den rechten Glauben zu streiten, Krieg für einträglichen Gewinn führen. Wäre da nicht die Aussicht auf etwas Beute, gesteht sie sich ein, »würden die kleinen Leut wie ich auch nicht mitmachen«. Mag sie auch gelegentlich von pazifistischen Anwandlungen heimgesucht werden, so läßt sich die Courage doch nicht durch das, was sie erlebt, von ihrer Überzeugung abbringen, daß der Krieg seine Leute besser ernährt: »Ein bissel Weitblick und keine Unvorsichtigkeit, und ich mach gute Geschäfte.« Ihre Rechnung mit dem Krieg hat nur Fehler. Die Illusion, sie könnte am Krieg verdienen, bleibt ihr dennoch erhalten, auch nachdem der Beweggrund für ihr Handeln, nämlich die Kinder unbeschadet durch den Krieg zu bringen, weggefallen ist. Am Ende ist sie keine Mutter mehr, nur noch Händlerin, deren Schritt weiterhin vom Krieg gelenkt wird, so sehr ist sie selbst mit ihm schon eins geworden.

Mutter Courage zieht mit ihrem Wagen und ihren drei Kindern dem Krieg entgegen: »Ich kann nicht warten, bis der Krieg gefälligst nach Bamberg kommt.« Auf protestantischer Seite befindet sie sich im Gefolge eines finnischen Regiments der schwedischen Armee. Für den Feldzug nach Polen werden noch Soldaten gebraucht. Als sich Werber des Feldhauptmanns an ihre beiden Söhne heranmachen, zeigt die Marketenderin sich entschlossen, sie davor zu bewahren, für den Krieg ihr Leben zu lassen. Sie will zwar vom Krieg leben, will also durchaus, daß Soldaten in den Krieg ziehen, aber ihre Söhne sollen es nicht sein. Die Werber weisen sie denn auch prompt auf ihre inkonsequente Haltung hin: »So, den Butzen soll dein Krieg fressen, und die Birne soll er ausspucken. Deine Brut soll dir fett werden vom Krieg, und ihm gezinst wird nicht.« Die gewitzte Händlerin wird von den Werbern aber schließlich doch überlistet; während der eine sie in ein Geschäft verwickelt, führt der zweite Eilif, den älteren Sohn, mit sich fort. Einige Monate später trifft die Courage ihren Eilif als erfolgreichen Soldaten in Polen wieder. Der »Verlust« des Sohns scheint sich sogar auszuzahlen, denn sie kann zum Höchstpreis einen Kapaun verkaufen, den der wackere Held sich zur Feier des Tages wünschen darf. Wiederum drei Jahre später gerät die Marketenderin mit Teilen des finnischen Regiments in Gefangenschaft. Sie wechselt flugs die Fahne. Ihr jüngerer Sohn Schweizerkas ist inzwischen Zahlmeister geworden, seine Redlichkeit hat ihm diesen Posten eingetragen, der ihm unerwarteterweise doch zum Verhängnis wird. Weil er die Regimentskasse nicht rechtzeitig weggeworfen, sondern in persönliche Verwahrung genommen hat, wird er verdächtigt, sie beiseite geschafft zu haben. Die Mutter will den Sohn vorm Füsiliertwerden retten, handelt aber viel zu lange um die Bestechungssumme, sie hätte ihren Planwagen ohne Zögern an die Lagerhure Yvette Pottier verkaufen und damit ihre Existenzgrundlage aufgeben müssen. Als die Landsknechte ihren toten Sohn vorbeitragen, muß die Courage ihn verleugnen, um nicht in den Verdacht der Mitwisserschaft zu geraten.

Fortan zieht sie im Gefolge der Katholischen mit, der protestantische Feldprediger, der mit ihr in Gefangenschaft geraten ist und sein geistliches Gewand abgelegt hat, verdingt sich bei ihr als Knecht. Er ist froh, daß die Courage ihren Wagen nicht verkauft hat, und er erträgt gelassen die Sticheleien des Kochs, dessen Ansehen bei der Marketenderin ihm nicht zu schmälern gelingt. Wir begegnen ihr dann wieder vor einem Offizierszelt, wo sie sich beschweren will, weil ihr Wagen durchsucht worden ist. Während sie wartet, macht ein junger Soldat seiner Empörung, über eine Ungerechtigkeit randalierend, Luft. Mutter Courage lehrt ihn mit dem »Lied von der Großen Kapitulation« die Unterwerfung. Und nachdem der Mann abgezogen ist, beschließt sie ebenfalls, sich nicht zu beschweren.

Das Begräbnis des Feldhauptmanns Tilly ist ein Anlaß, Inventur zu machen und Überlegungen über die Dauer des Krieges anzustellen. Der Feldprediger sieht so schnell keinen Frieden, so daß die Courage ihre Tochter in die Stadt schickt, neue Vorräte einzukaufen, solange sie billig zu haben sind. Auf dem Rückweg wird Kattrin überfallen und vergewaltigt. Aber die Waren läßt sie sich nicht abnehmen. Der Feldprediger nimmt die Täter, die Mutter Courage »schlimmer als die Tier« findet, in Schutz: »Daheim haben sie nicht geschändet. Schuld sind die, wo Krieg anstiften, sie kehren das Unterste zuoberst in die Menschen.« Die Courage verflucht den Krieg, um wenig später ungebrochen zu verkünden: »Ich laß mir den Krieg von euch nicht madig machen.«

Als nach dem Tod des Schwedenkönigs Gustaf Adolf für kurze Zeit Frieden herrscht, droht der Marketenderin der Ruin. Der Koch kehrt zurück, und da er gewitzt und kein schlechter Mann ist, fordert die Courage ihn auf, bei ihr zu bleiben und ihr eine Hilfe zu sein. Es stört sie nicht besonders, daß er als »Pfeifenpieter« einst die Weiber verrückt gemacht hat. Der Feldprediger verliert den Hahnenkampf, der zwischen ihm und dem Koch um die Gunst der Anna Fierling ausgetragen wird. Er begleitet dann Eilif, der wegen Plünderei und Mord erschossen wird, zum Richtplatz, die Nachricht von seinem unrühmlichen Ende wird seiner Mutter, die in Geschäften unterwegs ist, vorenthalten.

In den ehemals blühenden Landstrichen wütet der Hunger. Der Krieg geht unerbittlich weiter, die Geschäfte aber gehen jetzt schlechter. Die Courage ist des Herumziehens müde und würde gern das Angebot des Kochs annehmen, sich in Utrecht zur Ruhe zu setzen, wo er ein Wirtshaus geerbt hat. Aber der Koch besteht darauf, daß Kattrin nicht mitkommt, die stumme, verunstaltete Tochter seiner Lebensgefährtin würde nur die Gäste vertreiben. Für die Mutter gibt es nur die selbstlose Entscheidung für Kattrin und den Krieg.

Im vorletzten Bild gelingt es der stummen Kattrin, mit Trommelschlägen die schlafende Stadt Halle zu wecken, die von den kaiserlichen Truppen wehrlos überfallen werden sollte. Die wütenden Soldaten schießen die Trommlerin vom Dach. Die zurückkehrende Courage findet eine Tote vor. Bauersleute werden das mutige Mädchen begraben, deren Mutter aber hofft, daß ihr noch ein Sohn geblieben ist. Immer noch glaubt sie an den Krieg: »Ich muß wieder in Handel kommen.« Wenn sie auch zwischendurch zur Auffassung gelangt ist, daß der Krieg nur den Oberen nützt, so kommt sie doch nie von ihm los, sie bleibt ihm mit Haut und Haar verschrieben. Aus dem Unglück, das ihr widerfährt, lernt sie so wenig, »wie das Versuchskarnickel über Biologie lernt«.

Von den Kritikern Brechts, die seine politischen Ansichten teilten, aber seine Theaterauffassung eher zu kopflastig fanden, wurde ein-

gewendet, daß die Titelfigur seines Stücks durch die bitteren Erfahrungen des Kriegs nicht zur läuternden Einsicht gelangt. Dem epischen Grundprinzip der Brechtschen Dramatik wurde entgegengehalten, daß in der Gestalt der Courage die empörte menschliche Vernunft schwiege und dadurch die Ohnmacht des Menschen vor dem geschichtlichen Schicksal bestätigt würde. Der Dramatiker Friedrich Wolf erklärte, daß Brecht in *Mutter Courage und ihre Kinder* das Erkenntnisvermögen des Zuschauers überschätze, es sei Aufgabe des Dichters, den »heiligen Zorn« und den revolutionären Drang des Volkes emotional zu ermuntern. Deshalb war es immer sein Ziel, die Wandlung des Menschen auf der Bühne und im Bewußtsein des Zuschauers herbeizuführen. Im Gegensatz zu seinen Kritikern war Brecht nicht davon überzeugt, daß die Menschen »an und für sich« aus einer sie betreffenden Katastrophe etwas lernen würden. Im Nichtbegreifen der Courage sah Brecht aber die bitterste Lehre seines Stücks: »Das Unglück allein ist ein schlechter Lehrer. Seine Schüler lernen Hunger und Durst, aber nicht eben häufig Wahrheitshunger und Wissensdurst. Die Leiden machen den Kranken nicht zum Heilkundigen ... Die Zuschauer des Jahres 1949 und der folgenden Jahre sahen nicht die Verbrechen der Courage, ihr Mitmachen, ihr am Kriegsgeschäft-mitverdienen-Wollen; sie sahen nur ihren Mißerfolg, ihre Leiden. Und so sahen sie den Hitlerkrieg an, an dem sie mitgemacht hatten: Es war ein schlechter Krieg gewesen, und jetzt litten sie. Kurz, es war so, wie der Stückeschreiber ihnen prophezeit hatte. Der Krieg würde ihnen nicht nur Leiden bringen, sondern auch die Unfähigkeit, daraus zu lernen.« (GW VII, 1148)
Nicht die Courage wollte Brecht sehend machen, sondern das Publikum. Die Erfahrung, daß diese »Niobe« im Krieg ihre Kinder verliert, empfand er nicht als tragisch, denn die Courage ist objektiv ihren Kindern keine gute Mutter. Bezeichnend ist, daß diese Frau ihr Händlertum, das ihre Kinder eines nach dem andern zerstört, für Muttertum hält. Für den Krieg ist so gut wie niemand. Aber wer ist noch gegen den Krieg, wenn mit ihm und unerwartet nur noch durch ihn Geschäfte zu machen sind? Welche Mutter arbeitet nicht in einer Munitionsfabrik, um Geld für die Ernährung ihres Sohnes zu verdienen, der dann, wenn auch widerstrebend und maulend seinen Militärdienst absolvieren wird, um nicht unangenehm aufzufallen oder materiell geschädigt zu werden?
Mutter Courage ist eine Mitmacherin, als solche bestenfalls ein weiblicher Schweyk, der Krämergeist ist ihr zur zweiten Natur ge-

worden, aber gleichzeitig ist sie eine ungeheuer gewitzte, lebenserfahrene Frau, herzlich unsentimental, nie wirklichkeitsfremd. Es ist kaum möglich, die Haltung dieser Figur eindeutig zu verdammen, ihr Widerspruch ist auch kaum aufhebbar: Sie ist Geschäftsfrau, weil sie Mutter ist, und sie kann nicht Mutter sein, weil sie Geschäftsfrau ist.

Die Entstehung von *Mutter Courage und ihre Kinder* ist im Zusammenhang der verschiedenen Stücke zu sehen, die Brecht am Vorabend des Zweiten Weltkriegs schrieb und mit denen er vor allen Dingen neutrale Länder wie Schweden vor der Illusion bewahren wollte, man könne »mit dem Teufel frühstücken« und Gewinn aus dem Geschäft mit dem Krieg ziehen, den ein anderes Land (in diesem Fall Nazideutschland) führt.

Die Rolle der Courage hatte der Autor der bekannten schwedischen Schauspielerin Naima Wifstrand zugedacht, die für ihn im Sommer 1939, als er ihr von seinem Stückplan erzählte, Johan Ludvig Runebergs Ballade »Lotta Svärd« übersetzte. Die Marketenderin Lotta Svärd, die mit den Soldaten des finnisch-russischen Krieges von 1808/09 umherzog und sich großer Wertschätzung erfreute, spielt für die skandinavische Literatur eine ähnliche Rolle wie die *Ertzbetrügerin und Landstörtzerin Courasche* von Grimmelshausen für die deutsche. Von Runebergs populärer Balladenfigur heißt es, daß sie den Krieg liebte, »was auch er beschert«. Brecht sah in der Lotta Svärd und in der Hauptgestalt des 1670 erstmals publizierten barocken Romans, der im Dreißigjährigen Krieg spielt, volkstümliche Figuren, die, vom Krieg fasziniert, allen Gefahren kühn, fast rauflustig ins Auge sehen. Bei Grimmelshausen bezeichnet der Name der Marketenderin nicht nur deren außergewöhnlichen Mut, er ist zugleich eine erotische Anspielung auf ihr unter Männerkleidern verborgenes Geschlecht. Als sie wegen einer Rauferei, bei der sie ihren Gegner übel zugerichtet hat, vom Rittmeister zur Rede gestellt wird, erklärt sie ihre Wut damit, »daß er mir nach der Courage gegriffen hat/ wohin sonst noch keines Manns-Menschen Hände kommen seyn«. Der Courage des Romans geht es darum, gegenüber den Männern nicht ins Hintertreffen zu geraten. Wenn sie sich zu einem Mann ins Bett legt, ist sie darauf bedacht, ihre »Wahr recht theur an Mann zu bringen«. Denn sobald sie nicht mehr attraktiv genug ist, setzt ihr Abstieg ein. Grimmelshausens Courasche ist keine Mutter, sie kann keine Kinder gebären, sie ist hauptsächlich eine agile »Soldaten-Hur« mit all den Eigenschaften, die Brecht mehr auf die Figur der Yvette Pottier übertragen hat, die er

dann, im Unterschied zur alten Landstörzerin und als einzige Figur seines Stücks im Krieg wirklich ihr Glück machen läßt.
Die Courage mit ihrem Opportunismus, ihrer anpassungsfähigen Beweglichkeit überlebt alle Katastrophen, mit ihrem gesunden Materialismus, ihrer Bauernschläue, ihrer unsentimentalen Herzlichkeit und ihrer losen Zunge ist sie nicht unterzukriegen, während ihre guten Kinder tödlich scheitern. Wie der tapfere Cäsar, der rechtschaffene Sokrates und der heilige Martin im »Salomo«-Song, den der Koch singt, fallen die drei Kinder der Courage ihren Tugenden zum Opfer: Eilif seiner Tapferkeit, Schweizerkas seiner Redlichkeit und Kattrin ihrem Mitleid, ihrer Selbstlosigkeit, ihrer mitfühlenden Menschlichkeit. Die Unempfindlichen, die unermüdlichen Mitmacher haben bessere Überlebenschancen.

DAS VERHÖR DES LUKULLUS

Hörspiel. Entstehungszeit: November 1939. GW II. Mitarbeiter: Margarete Steffin.

1. Fassung: *Das Verhör des Lukullus.* Hörspiel. Wurde am 12. 5. 1940 von Radio Beromünster gesendet. Gedruckt in *Internationale Literatur.* Heft 3. Moskau 1940. Nach der amerikanischen Fassung *The Trial of Lucullus* von H. R. Hays (1943) schrieb Roger Sessions 1947 eine Oper. Auch Paul Dessau nahm das Hörspiel von 1939 als Grundlage für seine Oper *Das Verhör des Lukullus.*

2. Fassung: Überarbeitung des Hörspiels, angeregt durch die Gespräche mit Dessau. Brecht tilgte Verse, die zum Sympathisieren mit Lukullus verleiten könnten und schrieb ein neues Finale mit dem Urteilsspruch: »Ah ja, ins Nichts mit ihm und ins Nichts mit allen wie er!« Diese Fassung erschien unter dem Titel *Das Verhör des Lukullus* im 11. Heft der VERSUCHE, Frankfurt 1951

3. Fassung: *Das Verhör des Lukullus.* Oper in 12 Bildern von Paul Dessau. Text von Bertolt Brecht (Aufbau Verlag, Berlin 1951). Berücksichtigt die dramaturgischen Änderungen, Striche und Umstellungen, die während der Proben in der Staatsoper Berlin vorgenommen wurden. Probeaufführung dieser Fassung am 17. 3. 1951

4. Fassung: *Die Verurteilung des Lukullus.* Oper von Paul Dessau und Bertolt Brecht (Aufbau Verlag, Berlin 1951). Diese Fassung konkretisiert die pazifistische Tendenz, sie macht einen Unterschied zwischen Angriffs- und Verteidigungskrieg. Uraufführung am 12. 10. 1951 in der Berliner Staatsoper.

5. Fassung: Brecht schlug in einer »Anfrage an Scherchen zwecks Änderungen« (BBA 622/44) mehrere Striche für die Oper vor. Sie sind in den Klavierauszügen berücksichtigt und im Textbuch des Reclam-Verlags, Leipzig 1961.

Der römische Feldherr und Gastrosoph Lucius Licinius Lukullus wird zu Grabe getragen. In dem Bestattungszug befinden sich sein Philosoph, sein Rechtsanwalt und sein Lieblingspferd. Ein großes Relief, das die Stationen seines Feldherrnruhmes verherrlicht und schon zu Lebzeiten für das Grabmal bestimmt war, wird von Sklaven getragen. Die Leute kommentieren die Bedeutung des Lukullus. Einige Kaufleute meinen, daß sein Nutzwert groß gewesen sei, auch wenn seine glorreiche Zeit schon zurückliege. Der Begräbniszug nimmt seinen Weg durch die Straßen und Plätze der arbeitenden römischen Bevölkerung. Hier wird ihm keine sonderliche Beachtung geschenkt. Am Grab fordert eine Stimme den Feldherrn auf, in das Schattenreich einzutreten, wo er bald darauf einem Totengericht gegenübersteht, das sich aus einem Bauern, einem Sklaven, einem Bäcker und einer Kurtisane zusammensetzt. Das Gericht des Volkes fragt nach seinen Fürsprechern. Da andere große Feldherren nicht in »den Gefilden der Wohlerinnerten« gefunden werden, muß Lukullus den steinernen Fries seiner Taten aufrufen. Die Kunstfiguren treten in den Zeugenstand; sie werden getragen von den Sklaven, deren Existenz schon im Leben nur einen Schritt weit vom Schattenreich entfernt ist.
Ein besiegter König, vermutlich Mithridates, beschreibt den Siegeszug des römischen Feldherrn. Seine grausame Herrschaft wird im Nachhinein durch die Tatsache legitimiert, daß unter ihr Tempel, Häuser und Wasserwerke errichtet worden sind. Es sagen weiterhin aus die vergewaltigte Königin und die zahllosen Sklaven, die die Beute, den »goldenen Gott«, nach Rom zu tragen hatten. Es treten die römischen Legionäre hinzu, die hungrig in den Krieg zogen und, wenn überhaupt, auch hungrig zurückkehrten. Der soldatische Gruß mit erhobenem Arm bezeugt nicht die Ehrerbietung, sondern zeigt vielmehr dem ehemals Mächtigen die leere Hand. Während eine Schöffin beklagt, daß die toten Soldaten ihren Müttern im Schattenreich nicht begegnen wollen, weil die sie in den Krieg hätten ziehen lassen, beginnt in der Oberwelt die Mobilmachung für den Gallienfeldzug. Schon nahezu verurteilt, wird Lukullus aufgefordert, wenigstens eine positive Eigenschaft oder Schwäche zu nennen. Sein Koch rühmt daraufhin die inzwischen sprichwörtlichen Kenntnisse des Feldherrn in Sachen Eßkultur. Die

weitere, letzte positive Eigenschaft ist die Einführung des Kirschbaumes in die Agrarwirtschaft des Okzidents. Beides wiegt zu leicht angesichts der Masse der Getöteten und Ausgebeuteten. Lukullus wird einstimmig verdammt und die Frage nach dem Nutzen der großen Führer negativ beantwortet. Das Gericht der Plebejer etabliert derart die Totenwelt als Utopie der Klassenlosigkeit. Der antizipatorische Gehalt liegt besonders in der Belebung der Standbilder. In der katastrophalen Situation 1939/40, die durch die deutschen Blitzsiege gekennzeichnet ist, tritt mit den Schatten des Frieses die schöpferische Menschheit und ihre ununterbrochene Geschichte in den Zeugenstand. Da die Kriegstrophäen, die Steine, zum Sprechen gebracht werden können, klingt die Mahnung, nicht zu vergessen, um so lauter. Während das Unsichtbare zum Bild wird, das Abgebildete wiederum über seinen beabsichtigten Ausdruck hinaus seine Wahrheit sagt, wird auch die Utopie sichtbar, die Propaganda gegen sich selbst zu richten und sie derart auszulöschen.

Die Rezeption der Antike und ihrer Orte durch Brecht weist eine für den deutschen Sprachraum bemerkenswerte Umorientierung auf. Wurde und wird häufig Griechentum mit kultureller Blüte gleichgesetzt, so scheint hier mehr der Ort der antiken »city« aufgesucht. Im Mittelpunkt steht also die vorgeschrittene, imperiale Entwicklung Roms, die von der Seite der Plebejer her neu betrachtet wird. Der zeitliche Schwerpunkt der Brechtschen Beschäftigung mit diesem Thema liegt zwischen 1933 und 1939. In dem Roman *Die Geschäfte des Herrn Julius Cäsar* bestimmt Brecht als beherrschende Faktoren voraugusteischer Politik die Klassenversöhnung einerseits und die ökonomische Notwendigkeit der Expansionskriege andererseits.

Die Analogien sind überdeutlich. Brecht sieht in den römischen Eroberungskriegen denselben Mechanismus am Werke wie in den aggressiven Stabilisierungsbestrebungen des deutschen Faschismus. Damit ist nun nicht eine historische Gleichsetzung gemeint, sondern die Ausweitung der These, daß Eroberungskriege sich letztlich immer gegen das eigene Volk richten. Anhand der Lukullus-Figur soll nun der Zusammenhang zwischen politischer Macht und finanziellem Hintergrund wieder beleuchtet werden.

Der historische Lukullus (ca. 117–57) kämpfte in den Mithridatischen Kriegen und hatte im dritten Krieg den konsularischen Oberbefehl über die Truppen, die die vollständige Niederlage des Königs Mithridates erzwangen. Seine Finanzpolitik in der Provinz Asia

unternahm den Versuch, die römische Geldaristokratie weitgehend auszuschalten, auf deren Einflußnahme hin er dann auch von Pompeius abgelöst wurde.
Der große Militärheroe wird von Brecht als Marionette des Kaufmannstandes geschildert; es ist dies allerdings eine Interpretation, die weder dem Feldherrn noch den Soldaten und Arbeitenden bewußt wird. Das Hörspiel ist denn auch weniger eine Analyse der politischen Verhältnisse als vielmehr ein eindeutig pazifistischer Aufruf, eine Reaktion Brechts auf den Beginn des Zweiten Weltkrieges.
Über die zeitgeschichtlichen Bezüge bestand 1939 keine Unklarheit. So weigerte sich der schwedische Rundfunk, unter Hinweis auf die nationale Neutralität, einer Sendeerlaubnis zuzustimmen. Auch die Aufführung 1951 in der DDR warf Probleme auf. Die erste Hörspielfassung hatte einen offenen Schluß. Dem Hörer war die letzte Entscheidung überlassen. Die in der Ostberliner Staatsoper voraufgeführte Fassung schloß zunächst mit der Verdammung des Lukullus durch die Sklaven und das Totengericht. In den anschließenden Diskussionen wurde, besonders von seiten des Volksbildungsministeriums, die mangelnde Differenzierung zwischen Angriffs- und Verteidigungskrieg der Kritik unterworfen. Auch die Demontage eines jeglichen Heldentums wurde den Verfassern von seiten der Funktionäre der Macht vorgehalten. Die mangelnde Anteilnahme der römischen Bevölkerung an der Grabniederlegung eines nationalen Großen entfiel in dem von Brecht revidierten Text ebenso wie der Hinweis auf neue Kriegsvorbereitungen. Die Einfügungen in das Opernlibretto präzisieren die angestrebte Akzentverschiebung. In dem Verhör des besiegten Königs wird weiter verdeutlicht, welche Leistungen es ermöglichten, vor der Prüfung der Nachwelt zu bestehen. Die zweite Einfügung besteht daraus, daß gegen Ende der letzten Szene die gefallenen Legionäre den Angriffskrieg verurteilen und in die Verdammung des Lukullus einstimmen.

DER GUTE MENSCH VON SEZUAN

Parabelstück. GW II. Mitarbeiter: Ruth Berlau und Margarete Steffin. Musik von Paul Dessau (1947/48). Brecht begann mit der Niederschrift im März 1939, ausgehend von Entwürfen zu einem Stück *Die Ware Liebe*, an dem er um 1930 in Berlin gearbeitet hatte. Die erste größere Umarbeitung wurde im Herbst 1939 vorgenommen. Im Sommer 1940 entstand eine weitere, die sogenannte »finnische« Fassung. In der Fassung, die Brecht im Januar 1941 fertigstellte, sind die Namen geändert und eine Reihe von Gedichten eingefügt worden. Uraufführung am 4. 2. 1943 am Schauspielhaus Zürich. Erste Veröffentlichung des Stücks im 12. Heft der VERSUCHE, 1953.

In einer Parabel wird der Versuch unternommen, das Selbstverständnis des Menschen in einen anderen, der Sichtbarkeit eher zugänglichen Raum zu rücken, um dann diese Spiegelung durch Analogieschluß wieder auf die am Ausgangspunkt stehende Frage zurückzubeziehen. Die Brechtsche Parabel prüft den Zustand der erfahrbaren Welt; sie setzt Kategorien, um sie wieder zu verwerfen bei der Beantwortung der Frage, ob ein Mensch, der bedingungslos der Güte seines Herzens folgt, lebensfähig in einer Wirklichkeit ist, die seinen Entwurf der Menschenwürde eben nicht zur Grundlage gemacht hat. Dieser Konzeption ist eine Doppelrolle zugrundegelegt, deren entgegengesetzte Komponenten ökonomisch-politische Widersprüche markieren. In der Grundkonzeption liegt auch die Schwierigkeit begründet, nach der das angelegte Gesetz die Figuren und den Entwurf beschneidet oder sprengt. Brecht selbst notierte diese Gefahr eines »dramatischen Taylorismus« einerseits und die des Exotismus aufgrund übermächtiger Chinoiserie andererseits. So wurde die Beschreibung eines »Tabakmonopolisten« ebenso verworfen wie jene des der Fabrikgründung vorausgehenden Opiumverkaufs. In den gleichen Zusammenhang fällt die Frage der Wahl des Orts der Handlung, den Brecht immer wieder änderte. Gemeinsam mit Berlau und Steffin entschied er sich schließlich für eine »europäische Handlungsstruktur«, an die dann die Gedanken der altchinesischen Philosophie herangetragen wurden. Diese geistesgeschichtliche Tradition rückt den Problemkreis des ethisch guten Verhaltens in objektiv schlechter Umgebung mehr in den Vordergrund, als dies in den christlichen Religionen geschieht, deren absoluter Ethik das erzwungene, notwendige, dabei schlechte Verhalten eher ungeläufig ist. Der altchinesische Philosoph Meng-Tzu (371–289) weist etwa auf den Widerspruch hin, der entsteht, wenn der Mensch, der als von Natur aus gut angenommen ist, mit Verhältnissen konfrontiert wird, die es ihm nicht erlauben, auch gut zu bleiben. Die genaue Füllung dieser Kategorien ist hierbei nicht so wesentlich, zentral ist der gesellschaftlich erzwungene Verzicht auf die Einlösung des eigenen Wertesystems.
Eine weitere Begründung für die Heranziehung der chinesischen

Philosophie als Gedankengebäude ist in Brechts besonderer Rezeption zu sehen, die Teile der altchinesischen Weisheit mit der chinesischen Schauspielmethode identifizierte, die mit der Teilung in Darsteller, Dargestelltes und Art der Darstellung den bühnentheoretischen Überlegungen des Autors weit entgegenkam, so daß ihm die Verschmelzung artistischer und pädagogischer Elemente angeboten erschien.

Wie Jehova einst Sodom, so besuchen drei chinesische Götter, die durch 2000 Jahre der menschlichen Klage beunruhigt sind, die Erde. Es ist ihr Ziel, die Gültigkeit ihrer Glaubenssätze in der menschlichen Wirklichkeit zu überprüfen. Diese Werte können durchaus mit der Maxime, edel sei der Mensch, hilfreich und gut, zusammengefaßt werden. Nach einigen nicht sehr ermutigenden Erfahrungen auf ihrer Reise gelangen sie nach Sezuan. In dieser Stadt ist nur die arme Hure Shen Te bereit, den Göttern ein Obdach zu gewähren. Hierfür muß sie Opfer auf sich nehmen; sie verliert Geld, da sie einen Freier zurückweisen muß. In nahezu allen religiösen Parabeln suchen die Götter die Ärmsten auf. In diesem Fall geschieht das aber nicht, um die Beleidigten und Rechtlosen aufzurichten und zu entschädigen. Es sind nur die Hure Shen Te und der Wasserverkäufer Wang, die den Göttern überhaupt Gehör schenken. Die Götter zeigen Shen Te ihre Dankbarkeit durch ein Geldgeschenk. Sie erfüllt sich damit den Traum eines eigenen Tabakladens, der sogleich von Schmarotzern, Bittstellern und Ausbeutern umlagert wird. Das Elend schart sich sofort um diejenige, die ihm vermeintlich entronnen scheint. Shen Te ist als guter Mensch unfähig, die Bitten abzulehnen. Ein ehemaliger Quartiergeber und Vermieter, der jetzt verarmt und bettelnd sie belagert, souffliert ihr eine Lösung aus der Not. Die rettende Schöpfung ist der Vetter Shui Ta, in dessen Rolle, geschäftstüchtig, viril und durchsetzungsfähig zu sein, Shen Te am nächsten Morgen schlüpft, um ihren Ruin abzuwenden. Nicht sie hat sich verstellungsgewohnt in die rettende Lüge geflüchtet. Der Einfall kommt von außen, wodurch die Einheitlichkeit des vorgestellten guten Charakterbildes bewahrt bleibt.

In der Folge begegnet Shen Te im Park, dem alten Ort ihrer Prostitution, einem arbeitslosen Flieger. Sie bewahrt ihn vor dem Freitod aus existentieller Verzweiflung und materieller Not. Sie bleibt in ihrer erwachten Liebe stark, auch als der Flieger, Yang Sun, ihrem alter ego sein vorwiegend finanzielles Interesse an ihr offenbart. Shen Te liebt Sun durchaus aufopferungsvoll und vertrauend,

wohingegen dieser, Shui Ta gegenüber, so »unter Männern« und eben hurenhaft, anfragt, was aus einer Heirat an materiellen Vorteilen herauszuziehen ist. Doch kennzeichnet er damit das zugrundegelegte Realitätsprinzip, nach dem die Liebenden in dieser Welt von der Liebe nicht leben können; sie zeigt bestenfalls den Weg in den Ruin. Als sich herausstellt, daß das von Sun dringend zu Bestechungszwecken benötigte Geld, das Shen Te ihm lieh, von ihren Gläubigern, zwei guten alten Menschen, zurückerwartet wird, und daraufhin ihre Heirat ausfällt, nimmt Shen Te, die inzwischen schwanger ist, auf Dauer die Maske des lebensfähigen Shui Ta an. Ihr Denken und Empfinden haben sich nicht geändert, aber ihr zukünftiger Sohn und damit auch das Zeichen ihrer Liebe sollen nicht hungern.
Unter dieser Maske des Shui Ta eröffnet Shen Te eine Tabakfabrik, deren Arbeiter in Räumen hausen, die für die Lagerung der Ware Tabak zu schlecht, da zu feucht sind. Ihr Geliebter wird Vorarbeiter in diesem Betrieb. Yang Sun bringt Shui Ta, zusammen mit Freunden der Shen Te, über deren langes Fernbleiben Gerüchte in Umlauf gekommen sind, dann auch unter der Anklage des Mordes an seiner Cousine vor Gericht. Es ist ein Gericht, dem die Götter vorsitzen. Nachdem die Zuschauer hinausgeschickt worden sind, ergeht ein weiser göttlicher Ratschluß an Shen Te, die sich zu erkennen gegeben hat. Sie soll sich nur nicht zu oft ihres Vetters bedienen. Ein »halbguter«, aber völlig verzweifelter Mensch bleibt zurück, während die Götter, wie bei einem Operettenfinale, auf einer Wolke entschweben. Für sie hat Shen Tes Handlungsweise ihre Ordnung gerechtfertigt; ihr Experiment sollte eine beruhigende Überprüfung sein. Die Götter gehen zurück in das Nichts, aus dem sie gekommen sind. Dieser Schluß appelliert an die Zuschauenden, den Beschluß der Götter zu ersetzen. An die Stelle der Überprüfung, deren Ergebnis feststeht, soll die Verbesserung treten. Das Ende muß neu geschrieben werden.
Diesem didaktischen Impuls sind auch die dramatischen Grundelemente, die Montage und die Simultaneität, zuzuordnen. Nach der Erzähllogik lenken die Begegnungen den Blick voraus und blenden zugleich zurück. Es war beabsichtigt, daß die daraus entstehenden Situationen nicht dem Prinzip der Austauschbarkeit, sondern dem der Wandelbarkeit unterworfen sein sollten. Eine Vielfalt von Denkpositionen wird angeboten. Nicht nur Shen Te denkt fortwährend über sich nach. Gerade die gesetzmäßige Spaltung und das Komplement Shui Ta vermitteln neue Sehweisen. Die Entwicklung

der Shen Te ist wiederum Gegenstand der göttlichen Hoffnungen und Erwartungen und auch der Überlegungen Wangs, der in den Zwischenspielen, in denen Geschehenes mit Erwartetem zusammentrifft, die Kommentarebene zum Ausdruck bringt. Die Geschichte der Shen Te, die durch den Befehl, gut zu sein und doch zu leben, zerrissen wird, lebt von der Vielfältigkeit dieser Perspektiven und leidet an der Gesetzmäßigkeit ihrer Ausrichtung, der die dramatischen Personen geopfert werden. So sind die beiden alten Menschen, die als einzige der Shen Te beistehen, in ihrer Funktion danach erschöpft und werden dem gesetzmäßigen Gang der Fabel gemäß zum Verstummen gebracht.
In vergleichbarer Form ist die Thematik des gesellschaftlich notwendigen Rollenwechsels dem dramatischen Mechanismus unterworfen. Diese Vorstellung hat Brecht erstmalig 1927 in dem Entwurf *Fanny Kress oder Der Huren einziger Freund* behandelt. Darin unternimmt die Prostituierte Fanny den Versuch, als Mann verkleidet, ihren Kolleginnen zu helfen. Sie scheitert dabei, da sich die Frauen gegenseitig bekämpfen und verraten, um den Besitz des Objektes Mann, gerade hinsichtlich seines Warencharakters, in privatisierter Form zu erhalten. In der ökonomischen Ausrichtung präziser ist das Projekt *Die Ware Liebe* aus dem Jahre 1930, in dem die Trennung von Ware und Verkäufer vorangetrieben ist. Die Prostitution wird fortgesetzt und zugleich, in der Rolle eines Mannes, ein Zigarrenladen zur Existenzsicherung betrieben. Am Ende steht dann die geläufige Kongruenz des kapitalistisch strukturierten Handels mit dem des Körpermarktes. Ihre Regelsysteme sind analog. Brecht sieht für das Projekt zwei mögliche Schlüsse vor. Dem einen zufolge, den Brecht positiv wertete, setzt sich die Prostituierte im Handel durch; sie hat ihr Studium der notwendigen Kälte absolviert. Der abschreckend verstandene Schluß läßt sie schwanger, gebunden und ausgenutzt zurück. Anzumerken ist hierbei nur noch, daß Brecht entgegen allen zeitgenössischen Erkenntnissen über die Wirklichkeit der Prostitution in seinem Glauben an die wahrhaftige und aufrichtige Liebe der Huren unbeirrt bleibt. Zeigt das alltägliche Erscheinungsbild auch eher Ergebnisse wie Gewalt, Gefühlsdepravation und daraus entstehend eine an kleinbürgerlichen Werten ausgerichtete Wunschproduktion, so bleibt Brecht doch mehr den Phantasieräumen seines frühen Vorbildes Frank Wedekind treu, nach denen das arglose Herz im käuflichen Körper von den ökonomischen Gesetzmäßigkeiten, denen beide unterworfen sind, unberührt bleibt.

Auf der Basis dieser Grundlage wird verständlich, daß in der Brechtschen Konzeption Shen Tes Forderung nach Nächsten-Liebe ihre Person zur Ware Körper degradieren muß. Den vorgegebenen Gesetzen zufolge ist dies der einzig nutzbringende Zustand. Eben dieser Selbstentfremdung fordernde Widerspruch zwischen den eigenen Gefühlen und den äußeren Normen bewirkt die beispielhafte Spaltung in eine private und öffentliche Hälfte. Die leibgewordene Entfremdung entfernt auch von den Menschen, so daß die Liebe sich nurmehr auf das Selbst im Kind richtet, das aber, so stark sind auch hier die Normen, Flieger werden soll. Die Zukunft ihres Sohnes und ihre eigene stellt Shen Te in einer Pantomime vor, die den Regeln des japanischen Bunraku angelehnt ist. Diese weist Parallelen zu der Darstellungsweise des Schauspielers Mei-Lan-fang auf, den Brecht 1935 in Moskau sah, und die als Methode des doppelten Zeigens in der chinesischen Schauspielkunst für ihn einen programmatischen Stellenwert hatte. Der Bunraku folgt in der Darstellung der Linie dreier Zeichenketten, die durch eine Marionette, einen Spieler und einen Sprecher repräsentiert sind. Sie zeigen die ausführende Gebärde, die ausgeführte Gebärde und die stimmliche Gebärde. Shen Te bietet ihrem Sohn die Welt, wie sie sie sieht. Sie zeigt auf die Natur, die Menschen und die staatliche Ordnung. Sie lehrt ihr ungeborenes Kind, wie Kirschen gestohlen werden. Shen Te hebt ihn, da er es will, an den Baum – widerstrebend, denn sie wollte vorsichtiger sein – der Sohn ißt die Früchte, dann gibt er ihr welche. Nun werden sie von einem Polizisten gesehen und laufen davon. Shen Te bändigt ihre Aufregung, erklärt ihrem Kind die Methoden der Geschicklichkeit, die erforderlich sind, um unauffällig und auch unbeobachtet zu bleiben.
Die Pantomime der Shen Te nimmt Zukünftiges vorweg und transzendiert dabei die Gegenwart in einer sinnlichen Abstraktion vom Körper. Der mißhandelte Körper als Fetisch wird in einen liebenswerten Körper umgewandelt. Der Weg und die Gesten, die dorthin führen, werden gezeigt, so daß die Antinomie von belebt – unbelebt aufgehoben scheint. Neben dem umfassend wirksamen Gesetz ist ein Blick auf die ortslose Zukunft gewährleistet. Die skizzierten technischen Elemente korrelierten mit den Überlegungen Brechts, die ja auch eine Darstellungsmethode berücksichtigten, in der das Zeigen einer Geste von dem Zeigen einer bestimmten Geste einer bestimmten Figur getrennt war, wobei das Zeigen auch zur Vorführung seiner selbst werden sollte. Die wesentliche Anregung für die pantomimische Darstellung verdankt Brecht einer Szene aus Sergeij

Tretjakows *Ich will ein Kind haben,* in der die Kulturfunktionärin Milda die Gesten vorstellt, mit denen sie ihr geplantes Kind empfangen und nähren will. Der gleiche Inhalt liegt dem Gedicht »Wiegenlied an den ungeborenen Sohn« zugrunde, das Wera Inber schrieb und das Tretjakow in sein Stück einrückte. Brecht übersetzte das Stück 1932, eine Aufführung ließ sich aber damals auf deutschen Bühnen nicht mehr realisieren.

Dem Bereich der asiatischen Schauspielkunst sind auch die Selbstvorstellungen der Personen und die eingespielten Kommentare und Lieder entlehnt. Shen Te ist derart in dieser Szene Spielerin und Mitspielerin, stumme Beobachterin und Sprecherin, deren Text die verschiedenen Gebärden ausführt und kommentiert. Außerhalb dieser Szene ist für den »Engel der Großstädte« kein Platz mehr. Auch wenn die Figur mit der Optik eines die Zeiten und Orte durchlaufenden »Angelus Novus« ausgestattet wird, bleibt doch die Erkenntnis, daß der Engel weder erklärend noch verklärend wirken kann. Die vergeblichen Bewegungen der Shen Te werden zum Stillstand gezwungen angesichts so großer menschlicher und materieller Übermacht. Damit verlieren die erzählten Positionen ihre Vielschichtigkeit. In dem Maße wie die Produktion das Primat aller Prozesse wird, erscheint auch die Liebe im Licht der Produktion. Die Produkte Shen Tes sind ausschließlich kurzlebig und vergänglich; Shui Ta hingegen prägt sich dauerhaft in die Wirklichkeit ein.

Der Gegensatz wird ersichtlich. Gegen Körper und Gefühl stehen siegreich Geist und Tüchtigkeit. Unter diesem Gesichtspunkt benennt der Egoismus des Yang Sun den objektiven Widerspruch zwischen beruflicher und privater Selbstverwirklichung. Das »Fliegen als zweite Natur« verweist noch auf die Wünsche der vortechnischen Zeit, deren prometheisches Menschenbild das menschliche Fortschrittsstreben noch ungebrochen vertreten konnte. Der Facharbeiter Sun wird der Antreiber in der Fabrik; er bleibt nicht seiner Obsession, sondern seinem Vorteil verpflichtet. Der Aufstieg zum Prokuristen qualifiziert ihn auch zum Angehörigen des Bürgertums. Von dieser Position herab ist die Technik nicht mehr zweckfreies Faszinosum, sondern ein nutzvolles Medium, schließlich Verwaltungsmaterial. Sein alter Traum vom Fliegen ist in die leisere, wertfreie Bahn des Ehrgeizes umgelenkt. Die technische Entwicklung hat den Romantiker in die Administration geholt. Diese Entwicklung weist Analogien zu der Geschichte des technischen Fortschritts auf, dessen Errungenschaften ohne Widerstand der

Vernichtungsmaschinerie und ihren Bediensteten zur Verfügung gestellt werden konnte.
Brecht betont für die Figur Shen Te/ Shui Ta, daß es für sie leicht ist, Gutes zu tun, sehr schwer hingegen, böse zu sein. Die Substanz dieses beabsichtigten Vermittlungsgehaltes bleibt dunkel. In einem parabolischen Wirklichkeitsentwurf, in dem die Armen zu Arbeitsmaterial degradiert werden, die Handeltreibenden nicht minder gesetzmäßig zu Kapitalisten aufsteigen, ist der Mensch reiner Mehrwert, bzw. die Ware mehr wert als der sie produzierende Einzelne. So betrachtet, erscheint die Umdrehung plausibler, nach der Shui Ta aus moralischen, nämlich geschäftsethischen Erwägungen heraus, sich die Maske der Shen Te vor das Gesicht stülpt.
Ist die Gesetzmäßigkeit, unter die im Parabelstück die Personen gestellt sind, einmal als solche bloßgelegt, dann kann unter Beachtung dieses Kunstgriffes das Wechselspiel von Darstellung und Deutung für die Bühnengestalt fruchtbar gemacht werden. Die Doppelrolle reflektiert als emblematisches Gleichnis sich selbst, muß so die jeweiligen Schranken durchbrechen, indem sie sich als Bild vorstellt, das auch als doppeltes ernstgenommen werden kann und nicht aufgehoben werden muß. Die Figur Shen Te/ Shui Ta verkörpert dann eine Vielfalt, innerhalb deren sich eine im Wortsinne tragische, da nicht auflösbare Konfliktsituation ausgebreitet hat. Dieser Konflikt wird gegenstandslos, wenn die ökonomische Bedeutungslosigkeit einer jeden tiefen Liebe betont ist.
Die Ausweglosigkeit ihrer Situation soll überholt sein in der Gesellschaft des Nach-Sezuan, wie ein später beigefügter Vorspann andeutet. Die antizipierte Zuschauhaltung besteht demnach in der amüsierten Distanziertheit angesichts des Festhaltens Shen Tes an ihrer unmöglichen Liebe, nach deren Grundlage, nämlich dem uneinlösbaren Ideal, alle zu lieben, sie ja eben Shui Ta werden muß. Die inhumane, absolute Liebe erscheint so als eine Analogiebildung zum Wertesystem der unbedingten Wettbewerbsgesellschaft. Dann besteht allerdings weiterhin die ungelöste Frage, was eine Veränderung einleiten und durchführen soll, wenn nicht das bedingungslose Engagement einer Leidenschaft. Die Treue Brechts gegenüber der historischen Gesetzmäßigkeit, die er zugrundelegt, erlaubt es zwar, die Existenz der beiden guten alten Menschen und die der Shen Te zu exekutieren, ermöglicht aber nicht den Blick auf die Zeit danach.
In einem der Zwischenspiele schlägt der Wasserverkäufer Wang den Göttern eine Verminderung der Lasten vor, die auf Shen Te

ruhen. An die Stelle der starren bürgerlichen Ideale sollen die Positionen der solidarischen Toleranz treten: statt Liebe nun Wohlwollen; anstelle der Gerechtigkeit eine leichter zu bewerkstelligende Billigkeit, und die Ehre soll durch Schicklichkeit ersetzt werden. Die Götter lehnen diese Minderung ab, mit dem gerechtfertigten Einwand, daß diese Eigenschaften noch mühseliger zu erreichen sind. Es sind Ergebnisse von Haltungen und Arbeitsprozessen, die keine Antwort auf die arglose Verzweiflung der Shen Te geben. Es bleibt die Frage, warum sie, wenn sie derart lieben kann, keinen Erfolg haben darf. Folgt man dem Vorschlag Wangs, dann ist die Polarität der beiden Personenhälften entschärft. Da Shen Te aber Shui Ta ist und umgekehrt, tritt zwar dann das Abbild der gespaltenen Person hinter die Einheitlichkeit zurück, nur ist die Figur nicht mehr in den Worten erkennbar: »Keinen verderben lassen, auch nicht sich selber/ Jeden mit Glück erfüllen, auch sich, das/ Ist gut.«
Beide Charakterisierungen sind nun verwischt. Eine dem Verstand verpflichtete Güte bricht aus, die sich dem – aus welchen Gründen auch immer – widerstrebenden Subjekt in der Gestalt der zur Korrektur auffordernden Macht nähern muß. Die Gesetzmäßigkeit und Folgerichtigkeit, mit der Shen Te am Ende ausgesetzt wird, verdeckt den wesentlichen Punkt. Shen Te hat nicht ihr Einverständnis gegeben; sie bleibt zur Verzweiflung, die über den lösbaren Zweifel hinausgreift, fähig. Je enger die Spielweisen für Shen Te und Shui Ta beieinanderliegen, desto sichtbarer wird unterhalb dieser zwei Vor- und Verstellungen eine dritte Instanz, die es sich leisten kann, den Wert des Ideellen überhaupt zu befragen, die Differenzen anzunehmen und allen Harmonisierungstendenzen zu widerstehen.

LEBEN DES KONFUTSE

Fragment. Entstehungszeit 1940/41. Mitarbeit von Margarete Steffin. Die Anregung für das Fragment ging auf Carl Crows Buch *Master Kung* zurück. Im September 1944 dachte Brecht erneut daran, ein *Konfutse*-Stück zu schreiben, einmal in Hinblick auf eine Rolle für Charles Laughton, zum anderen als Satyrspiel zu einem Stück über Rosa Luxemburg.

Die einzige ausgeführte Szene, »Der Ingwertopf«, behandelt die Jugend des Kung. Gegen Gewalt und Aberglauben erzogen und besonders auf die Würdigung und Nutzung des Verstandes hinge-

wiesen, ist Kung den eher rüden Zeitvertreiben seiner Altersgenossen entfernt. Er spielt am liebsten Schule, d. h. spielt sich als Lehrer. Die erste Szene zeigt die Lektion: »schickliches Benehmen« beim Ausessen eines Ingwertopfes. Die Kameraden nehmen an dem pädagogisch erfolglosen Kursus teil, da es wenigstens etwas Süßes zu essen gibt. Vornehme Zurückhaltung und Bescheidenheit werden nur von dem Kleinsten nachgeahmt, der denn auch, nach erlernter Lektion, leer ausgeht: die Größeren haben ohne Manieren wirkungsvoll den Ingwer verzehrt und laufen nun befreit und gestärkt zum Ballspiel. Als Lehre bleibt die Erfahrung, daß nur ein voller Topf den Anstand sinnvoll macht, und die Ahnung für den Kleinsten, daß auch nur ein voller Topf den Anstand erzeugt. Die Umkehrung dieser Lehre, nämlich: das gute Benehmen verschleiert den leeren Topf, will der Lehrer nicht lernen.
Der Stückplan sah weitere acht Szenen vor. In der zweiten, Könige des Altertums, fungiert Kung als Pachteintreiber, der erfährt, daß es zur Zeit der Könige keine Könige gab. Die Geschichte der Herrschaft ist über die der egalitären Urzustände gestülpt. Sein humanistisches Engagement führt Kung dazu, die Pacht bei gleichen Abgaben zu senken, die er durch Beseitigung der Korruption in gleicher Höhe gewährleistet. Als Gegenleistung sollen die Pächter den »guten Ton« beherzigen. Die Herrschaft, deren Oberfläche humaner werden sollte, erhöht allerdings bald die Pacht wieder auf ihren alten Stand, so daß unter nivellierter Optik die Ausbeutung verschärft und legitimiert worden ist. Diesen Tenor einer Komödie gegen den Reformismus, von dessen historischer Überholtheit Brecht überzeugt war, verfolgen auch die weiteren Szenen des Entwurfs. Die dritte Szene sollte die Erfahrung vermitteln, daß bei der Wahl zwischen einem guten und einem schlechten Richter der schlechte oft für die Rechtlosen der bessere ist. Zu den folgenden fünf Szenen fehlen Erläuterungen (Die Schule, Der Lehrer als Schüler, Kung und der Rebell, Die Reform der Weisen, Friedensverhandlungen). Die letzte Szene »Die Demission des Weisen« sollte zeigen, wie die Lehren des Konfutse sich gegen ihn selbst kehren und er vereinsamt stirbt, während der Konfuzianismus im Dienste der Regierenden bleibt.
Die ersten Entwürfe datieren aus den Jahren 1940/41. Drei Jahre später verfolgte Brecht den Plan, das Konfutse-Drama als Satyrspiel (geplant war auch, es durch Kinder darstellen zu lassen, da diese jegliche Psychologisierung ausschlössen und in wohlwollender, heiterer Distanz den Autoritäten gegenübertreten könnten: als ge-

spielte, erledigte Vergangenheit) mit einem Stück über *Leben und Tod der Rosa Luxemburg* zu verbinden. Gedacht war an eine Aufführung nach antikem Muster, auch hinsichtlich Spieldauer und -zeit. Zu Kungs »Selbst-Bildung« sollte Rosa Luxemburgs »Selbst-Aufgabe« treten.

Die Diskrepanz zwischen Moral und Wirklichkeit kennzeichnete schon die erste Beschäftigung Brechts mit den Lehren des Konfutse um 1930. Im Zentrum stand der Widerspruch zwischen einer »guten« Lehre, die objektiv – und dies auch mit den besten Absichten – einer schlechten Herrschaft dienen könne oder sie zumindest abstütze. Verständlicher wird dieser Gedanke, wenn er zusammen mit dem 1935 entstandenen Text *Fünf Schwierigkeiten beim Schreiben der Wahrheit* gelesen wird.

Die erste Schwierigkeit betrifft den Mut, den der Schreibende aufzubringen habe angesichts der Schwierigkeiten und Opfer, aber besonders auch hinsichtlich der Selbstkritik, in die ihn immer wieder die Klugheit (2.) führe, die Wahrheit zu erkennen. Auch die Wahrheit ist Änderungen unterworfen; sie kann unter besonderen Umständen den Mächtigen nützen, eine Ästhetisierung der Herrschaft leisten. Deshalb muß ihre Bedeutung als Waffe aufrecht erhalten bleiben (3.) Dafür hat sie praktikabel zu sein und nicht nur gut. Handhabbar soll die Wahrheit auch sein, damit sie verteilt werden kann (4.) und den Weg zeigt, ohne an Substanz zu verlieren. Die fünfte Schwierigkeit ist die Wahl der List, die es der Wahrheit ermöglicht, gehört zu werden.

Als ein Beispiel einer solchen List wird eben Konfutse angeführt. Er hatte bei der Bearbeitung eines annalistischen Werkes (Ch'un-Ch'iu) das Vokabular ausgetauscht. An die Stelle neutral erscheinender Worte setzte er »realistische«, die den Tatbestand nicht verändern, sondern entschleiern. So kennzeichnet etwa in diesem Geschichtswerk die nicht-individuelle Nennung die Rechtmäßigkeit des Verhaltens, die persönliche Hervorhebung markiert das Vergehen. Durch diese augenscheinlich geringen Verlagerungen werden die Worte präzisiert, bzw. von dem Ballast ihrer zugewiesenen Bedeutungen befreit; die Sprachkritik gehört zur Wahrheit.

Und dennoch versteht Brecht die Lehren und Formen des Konfutse als gefährliche Stabilisatoren. Da der chinesische Philosoph den Verfall der Sitten der Verwirrung der Begriffe zuschreibe, versuche er die Begriffe, die Worte, das Verhalten der Menschen zueinander zu verbessern. In eben dieser formalen Verfeinerung liegt nach Brecht der Effekt, der die Herrschaft erleichtert. Der kleine Junge hat mit Fleiß und Selbstüberwindung die »Manieren« gelernt und bleibt hungrig – hat aber gelernt, hungrig zu sein unter Wahrung des schicklichen Benehmens. Die Fron der Pächter ist gegen Ende der zweiten Szene verschärft, nicht zuletzt dadurch, daß der »gute Ton« die Artikulationsmöglichkeiten des Aufstandes zunichte macht. Die Worte und Umgangsformen vermitteln die Illusion der ethischen Erfüllung und verfeinern die Ausbeutung, da die Ideen, die ihnen zugrunde liegen, jede Grundlage verloren haben. Sie gleichen damit den Königen einer Zeit, zu der es aber nurmehr die Usurpatoren der Herrschaft gibt.

Den grundsätzlichen Fehler, den das Satyrspiel zum Ausdruck bringen sollte, identifizierte Brecht in der fehlerhaften Übernahme der Vorbilder. Ihre Rolle und Bedeutung zu akzeptieren, ohne zu beachten, welche Wirklichkeiten zur Vermittlung kommen (und welche nicht), sei eine Schreib- und Verhaltensweise, die den Ideen jeden Inhalt nehme. Mit Konfutse benennt Brecht den Typus des Intellektuellen, der, konfrontiert mit der Gewalt und ausgerüstet mit seiner Sittlichkeit aus Selbst-Bildung, nur die Abwesenheit der Traditionen beklagt. Diesem Gedankengang zufolge vernachlässigt etwa jene Bildungsschicht, die sich auf das Bedeutungsreservoir der Weimarer Klassik beruft, die reale Position und Funktion des Geheimrates Goethe am Fürstenhofe. Ein konträrer Ästhetikbegriff wird nicht von einem geschätzten, aber realiter wirkungslosen Werk innerhalb der kulturellen Wertschöpfung abgeleitet, sondern richtet sich nach den Erfordernissen der jeweiligen Wirklichkeit.

Wenn dieser Ansatz auf den unkommentierten Plan *Leben und Tod der Rosa Luxemburg* verlängert wird, ist die ausgeführte Gefahr des idealistischen Rückzuges offensichtlich. In Abgrenzung zu Konfutse präzisiert Brecht, auch in den jeweiligen Kommentaren des Weisen Me-Ti, den Entwurf eines kämpferischen Intellektuellen, der Subjekt der Politik sein will und, bei allen Umwegen und Listen, die Frage nach der Produktion der geistigen und materiellen Güter stellt. Die unablässige Veränderung verurteilt denjenigen, der Statik, Verteilung der Güter und kulturellen Anschluß vertritt, zu einem Objektzustand, der laut Brecht einen geschichtlichen Feind auszeichnet.

HERR PUNTILA UND SEIN KNECHT MATTI

Volksstück. Entstehungszeit: September 1940. GW II. Geschrieben nach den Erzählungen und einem Stückentwurf von Hella Wuolijoki. Musik von Paul Dessau (1949). Uraufführung am 5. Juni 1948 am Schauspielhaus Zürich. Regie: Brecht und Kurt Hirschfeld. Diese Fassung (in 9 Bildern) erschien als Bühnenmanuskript »nach Erzählungen der Hella Wuolijoki« 1948 im Verlag Kurt Desch, München. Erste Buchveröffentlichung (in 12 Bildern) im 10. Heft der VERSUCHE, 1950.

Im Parkhotel von Tavasthus hat der trinkfreudige Gutsbesitzer Puntila alle seine Freunde im Suff übertroffen. Auch der Richter kippt betrunken unter den Tisch. Puntilas Chauffeur Matti, der seit zwei Tagen auf seinen Herrn wartend im Auto sitzt, hält wenig von dessen Mitteilsamkeit und plumpen Vertraulichkeiten. Der Gutsherr erinnert sich plötzlich daran, daß seine Tochter Eva heiraten soll. Diese wartet unterdessen mit dem ihr zugedachten Verlobten, dem einfältigen Attaché Eino Silakka, auf die Rückkehr des Vaters. Als er endlich eintrifft, beschlagnahmt sie sofort den vorsorglich mitgebrachten Alkoholvorrat. So rast der Vater erbost gleich wieder mit seinem Wagen davon, um neuen Schnaps zu besorgen, denn die Vorstellung von einem Haus, »wo die Gedärme der Gäste zum Trocknen an die Leine gehängt werden sollen«, jagt ihm panische Angst ein. Auf der Suche nach dem Tierarzt, der ihm für seine dreißig, angeblich an Scharlach leidenden Kühe ein Rezept zum Erwerb gesetzlichen Alkohols ausstellt, den er dann in der Apotheke erhält, verlobt sich Puntila mit vier Frühaufsteherinnen von Kurgela. Auf dem Gesindemarkt will er anschließend Knechte anwerben, er nimmt in weinseliger Gönnerlaune einen »Kümmerlichen«, während er dem von Matti ausgesuchten kräftigen Arbeiter keinen Vertrag gibt. Zurückgekehrt auf sein Gut, nimmt er dann den Waldarbeiter Surkkala, den er wegen seiner kommunistischen Gesinnung entlassen hat, wieder in Gnaden auf. In der Sauna wird Puntila nüchtern und gebärdet sich nun als Despot. Eva soll unwiderruflich mit dem Attaché verheiratet werden. Sie wendet sich an Matti um Hilfe, der ihr vorschlägt, eine Liebesszene zu spielen, die den Diplomaten zum Verzicht zwingt. Der aber ist dermaßen verschuldet, daß er »diplomatisch« über die Entgleisung seiner Verlobten hinwegsieht. Eva nimmt sich nun vor, Matti zu heiraten, der aber ihren Verführungskünsten lieber nicht nachgibt. Von Eva zum nächtlichen Krebsfang beordert, macht er aus Opposition dem Gesinde schöne Augen. Er rät Eva zum Attaché. Die vier Bräute des

Herrn Puntila erscheinen auf dem Hof, sie wissen längst, daß sie zum Narren gehalten worden sind, hoffen aber wenigstens auf eine üppige Mahlzeit als Entschädigung. Matti gelingt es nicht, den Frauen zu ihrem Recht zu verhelfen, Puntila bezichtigt sie der Erpressung und jagt sie unbewirtet vom Hof. In ihr Dorf zurückkehrend, erzählen sich die bitter enttäuschten Frauen Geschichten über die Willkür der Besitzenden und die Hilflosigkeit der Armen. Bei erneutem Saufen gewinnt Puntila die Maßstäbe angemessener Menschlichkeit zurück. Er nennt den Attaché einen Hohlkopf und gibt ihm den Laufpaß. Statt dessen verlobt er seine Tochter mit Matti, der sich dieser Laune aber entzieht, indem er die verwöhnte Gutsbesitzertochter einer Prüfung als proletarische Hausfrau unterzieht, bei der sie keine Chancen hat. Entsetzt verstößt Puntila im Suff das untalentierte Mädchen. Am nächsten Morgen erneuert der nüchterne Puntila die Verlobung mit dem Attaché, er läßt sich vom Pfarrer und seinem Anwalt an die vaterländischen Pflichten erinnern und kündigt definitiv dem »roten« Surkkala. Künftig will er dem Alkohol entsagen. Deshalb läßt er alle Schnapsflaschen herbeischaffen, um sie zu vernichten. Diesen Entschluß aber muß er mit einem Gläschen begießen, so daß die Flaschen dann doch auf die übliche Weise geleert werden und Puntila sich im glücklichen Rausch von Matti mit dem kostbaren Mobiliar auf dem Billardtisch einen Berg errichten läßt, den er, die finnischen Wälder preisend, besteigt. Der Knecht hat keine Lust, den nächsten Anfall von Nüchternheit abzuwarten und kehrt lieber seinem Herrn den Rükken, entschlossen, sein eigner Herr zu werden.

Im Sommer 1940, während die Schlacht um England stattfand und die Nazis ihren Feldzug gegen die Sowjetunion vorbereiteten, berauschte sich Brecht an den finnischen Sommernächten in Kausala und schrieb dort die Komödie über den Gutsbesitzer Puntila, der nur menschlich ist, wenn er viel getrunken hat, »da er dann seine Interessen vergißt«. Die Titelfigur und das Handlungsgerüst entstammten einem bereits vorliegenden Schwank seiner Gastgeberin Hella Wuolijoki. Brecht sah seine Aufgabe darin, die psychologisierenden Gespräche des Konversationsstücks »niederzureißen«, um statt dessen »Platz für Erzählungen aus dem finnischen Volksleben oder für Meinungen zu gewinnen, den Gegensatz ›Herr‹ und ›Knecht‹ szenisch zu gestalten und dem Thema seine Poesie und Komik zurückzugeben«. (AJ I, 164) Im Unterschied zu den unmittelbar nach dem *Puntila* entstandenen *Flüchtlingsgesprächen*, in denen der Autor seine privaten Ansichten und Erfahrungen auf den bürgerlichen Wissenschaftler und den Arbeiter verteilte, investierte er hier alles Persönliche in die Figur des Gutsbesitzers. In dem Bild »Nocturno«, eine von ihm völlig neu entworfene Szene, ließ Brecht den Puntila schwärmen: »Ich könnt nicht in der Stadt leben. Warum, ich will zu ebener Erd herausgehen und mein Wasser im Freien lassen, unterm Sternenhimmel, was hab ich sonst davon? Ich hör, auf'm Land ist's primitiv, aber ich nenn's primitiv in ein Porzellan hinein.« Die Literatur als Praxis erwies sich als wegverlegt »von den Zentren der alles entscheidenden Geschehnisse«. Der Stückeschreiber mußte sich eingestehen: »Der Puntila geht mich fast nichts an, der Krieg alles; über den Puntila kann ich fast alles schreiben, über den Krieg nichts.« Für wie wichtig Brecht diese Komödie hielt und wie sehr ihn beim Schreiben der ständig notierte Widerspruch von Kunst und Wirklichkeit bewegte, zeigt der Umstand, daß er sie in Zürich nach seiner Rückkehr aus Amerika sofort inszenierte und sie auch als Eröffnungspremiere des Berliner Ensembles wählte.

Der äußere Anlaß für die Entstehung des *Puntila* war ein Volksstückwettbewerb, an dem sich Hella Wuolijoki gemeinsam mit Brecht beteiligen wollte. Als ihr letzterer von seinem Sezuanstück erzählte, das er eben beendet hatte, und sie von der Doppelexistenz eines Mädchens als guter und böser Mensch hörte, erinnerte sie sich an ihre Komödie über den Gutsbesitzer, der im Suff verspricht, was er nüchtern nicht halten kann. Diese Geschichte von einem Säufer mit zwei Seelen beruhte auf einem authentischen Vorfall, der tollen Schnapsfahrt ihres Onkels Roope, die Mitte der Zwanziger Jahre in Kausala einiges Aufsehen erregt hatte. Bevor sie darüber ein Stück schrieb, skizzierte sie den Vorfall als Kurzgeschichte, der sie den Titel »A Finnish Bacchus« gab, weil ein von ihrem Onkel entzückter englischer Bankherr, der bei der Geburtstagsfeier ihrer Mutter zugegen war, den betrunkenen Großbauer so genannt hatte. Onkel Roope erhielt in dieser Geschichte den Namen Johannes Puntila. Erst in ihrem Stück erweiterte Hella Wuolijoki die Figur zu einem einerseits besoffen-lustigen und andererseits nüchtern-säuerlichen Gutsbesitzer, dessen Vorbild in der Wirklichkeit übrigens später zum Antialkoholiker bekehrt wurde. Außer als Stück in drei Akten, das *Die Sägespänprinzessin* hieß, hatte die Autorin den Stoff auch noch als Filmskript und als Hörspiel bearbeitet.

Die Schwankkonstruktion der *Sägespänprinzessin*, die Brecht in einer schnell für ihn von Hella Wuolijoki und Margarete Steffin angefertigten fragmentarischen deutschen Version kennenlernte, störte ihn nicht, nur die konventionelle dramaturgische Technik, in der der Stoff präsentiert wurde. Obwohl er viele Fabelelemente, fast alle Figuren und teilweise auch wörtliche Wendungen übernahm, stellte das neue Stück, das er in knapp drei Wochen verfertigte, einen radikal die Vorlage verändernden Gegenentwurf dar. Für die Niederschrift benutzte er vor allen Dingen auch mündliche Erzählungen seiner Gastgeberin, von denen er fasziniert war. Wenn sie erzählte, war sie für ihn eine »hinreißende Epikerin«, in ihren Stükken dagegen vermißte er Beobachtungen aus der Wirklichkeit, er konnte wenig Spuren ihrer so reichen Lebenserfahrung darin entdecken.

Im Mittelpunkt der *Sägespänprinzessin* von Hella Wuolijoki steht Eva, die Tochter des Gutsbesitzers Puntila, deren Verlobung mit einem Mann der besseren Gesellschaft ins Auge gefaßt ist. Ein gesellschaftsfähiger Schwiegersohn ist dem Vater ein Sägewerk als Mitgift wert. Auf Gut Kurgela, das finanziell von ihm abhängig ist, säuft Puntila mit Honoratioren der Umgebung und will der Gastgeberin Tante Hanna ein Ständchen bringen. Um Schlimmeres zu verhindern, verstecken die Frauen die Flaschen. Aus Protest gegen den gewaltsamen Entzug des Alkohols beschließt jedoch der gedemütigte Gutsbesitzer, sich gesetzlichen Schnaps für sein angeblich krankes Vieh zu besorgen. Die Zeit seiner Abwesenheit benutzt der Chauffeur Kalle, der soeben engagiert worden ist, um Eva den Hof zu machen. Als Puntila nach seiner Rückkehr alle Menschen zu seinen Brüdern erklärt, von seiner Verlobung mit fünf Weibern erzählt und Geldscheine verteilt, ergreift Kalle die Gelegenheit, sich mit seinem Dienstherrn wegen Eva ins Benehmen zu setzen. Weil er seinem Herrn dann hilft, die auf ihrem Recht bestehenden Bräute loszuwerden, stimmt Puntila zu. Kalle schwärmt nun seiner Geliebten, um ihr zu beweisen, daß es ihm nicht um die Mitgift geht, von einem romantischen Armeleuteleben vor und will sie entführen. Als ihn der inzwischen wieder nüchterne Gutsbesitzer entlassen will, gibt sich Kalle als Dr. Vuorinen zu erkennen, so daß einer ordentlichen Hochzeit nichts mehr im Wege steht. Puntila fügt sich seinerseits unter das strenge Regiment der Tante Hanna.

Die Sägespänprinzessin ist, wie diese kurze Inhaltsangabe zeigt, eine Komödie wie tausend andere auch, ohne echte Widersprüche, alle Konflikte lösen sich in Wohlgefallen auf. Geradezu auffällig ist die Ähnlichkeit mit Carl Zuckmayers Lustspiel *Der fröhliche Weinberg*, in dem der reiche Weingutinhaber Gunderloch sein Klärchen mit dem Couleurstudenten Knuzius verloben will und am Schluß noch froh sein kann, daß sie den redlichen Schiffer Jochen erhält. Und auch für Gunderloch findet sich ein prachtvolles Frauenzimmer. Zugleich stellt Wuolijokis Stück, worauf Hans Peter Neureuter hingewiesen hat, eine zur Komödie verwandelte Variante des Geschlechterkampfs in Strindbergs Schauspiel *Fräulein Julie* dar. Das Komödienschema seiner Vorlage läßt Brecht unangetastet, er ändert nur die Erzählperspektive. Die Klassenunterschiede werden bei ihm nicht für die Dauer der Komödie aufgehoben. Kalle ist nun tatsächlich ein Chauffeur, er ist ein Mann ganz nach dem Geschmack von Eva und auch von Puntila, nur ist er eben nicht gesellschaftsfähig. Herr und Knecht finden sich sympathisch, aber sie können zueinander nicht kommen: »Weil halt in diesem Leben/ Das Korn nicht den Flegel drischt/ Und weil das Öl sich eben/ Nicht mit dem Wasser mischt.« Puntila ist kein »Zerrissener« mehr, den die Reue und schlechte Laune überkommen, wenn er nüchtern wird, sondern ein Mensch mit zwei Seelen, die die Trennung in Mensch und Vertreter seiner Klasse verdeutlichen, zu der die gesellschaftlichen Verhältnisse zwingen. In der Behandlung des Herr-und-Knecht-Motivs hat Brecht denselben bitteren Lustspielblick wie Chaplin, in dessen Film *City Lights* der Tramp Charlie einem Millionär das Leben rettet, der ihm daraufhin seinen Rolls Royce überläßt und zu seinen Saufereien mitnimmt. Aber nur wenn der Millionär betrunken ist, wird Charlie von ihm als Freund begehrt, beschenkt und ans Herz gedrückt, nüchtern erkennt ihn der Mann nicht wieder, und die Liaison mit dem Nabob bringt dem Tramp Verfolgung und Gefängnis.

Der mit dem Titel *Die zwei Seelen des Herrn Puntila oder Der Regen fällt immer nach unten* versehene erste Fabelentwurf von Brecht lautet: »Der Herr von Puntila hat zwei Seelen. Wenn er besoffen ist, ist er ein Mensch, aber wenn er nüchtern ist, ist er ein Gutsbesitzer. Wenn er nüchtern ist, prügelt er seinen Chauffeur, aber besoffen engagiert er einen Chauffeur, der sich nichts gefallen läßt. Wenn er besoffen ist, heiratet er jede Frau, die früh aufsteht und ein gutes Leben haben soll, aber nüchtern will er nichts zahlen und fragt empört, ob er jeder Kuhmagd, mit der er schlief, eine Pension geben soll. Wenn er besoffen ist, verspricht er seinem Chauffeur seine Tochter, aber nüchtern verlobt er sie mit dem Attaché. Wieder besoffen, verstößt er sie, weil sie ihm gehorcht hat. Besoffen verurteilt er seine Haushälterin, weil sie das Gesinde mißhandelt, aber nüchtern heiratet er sie. Er hat einen Knecht, der das alles weiß und der ihm demonstriert, daß alles, was er besoffen will,

in Wirklichkeit nicht geht.« (BBA 178/16) An diesen Entwurf hat sich Brecht bei der Niederschrift des Stücks weitgehend gehalten. Nur die Haushälterin, die Puntila am Ende heiratet, hervorgegangen aus der Figur der Tante Hanna, läßt er dann wieder fallen. Er beschränkt sich auf eine resolute Wirtschafterin und eine Tante Klinkmann, die aber nicht auftritt.
Der Knecht Kalle dient als Sprachrohr der plebejischen Vernunft, er verhindert, daß über die Klassengegensätze einfach hinweggegangen wird. Er fügt der Denkweise des Gutsbesitzers die Dimension sozialer Kategorien hinzu. Der Puntila als Mensch wird dabei nicht angetastet, sein Rausch soll im Gegenteil etwas von einer »göttlichen, dionysischen Trunkenheit« haben. Als die eigentlichen Schlüsselfiguren für die Darstellung eines sozialen Gegenstandpunkts betrachtet jedoch Brecht nicht Kalle, sondern die Frauen von Kurgela. Sie läßt er nun die Geschichten erzählen, die Hella Wuolijoki für nicht literaturfähig gehalten hat. In ihrem Stück ist nur Platz für »von oben« erzählte Witze und Anekdoten gewesen, wie sie der Attaché, Probst, Richter und Advokat auf Lager haben. Diese sind bei ihr aber nicht des Sprachgestus, sondern der Pointe wegen hineingekommen.
Aus dem Schwank über eine heiratsfähige Tochter, deren Vater im Suff einige tolle Streiche vollbringt, die ihn hinterher reuen, entstehen Szenen über die »tavastländische Trunkenheit«. Brechts erste Niederschrift ist noch um einiges geschichtenreicher als die nachfolgenden Fassungen. Kalle, der dann später den Namen Matti bekommt, ist hier etwas gesprächiger, er steigt noch mehr auf Eva und Herrn Puntila ein, er ist eher deren soziales Gewissen, nicht so sehr der gesellschaftskritische Kontrahent. Ein Gesindemarkt, der in der Nähe von Marlebaek stattfindet, regt Brecht noch zu der gleichnamigen Szene an, die er dem Manuskript hinzufügt.
Die größere Künstlichkeit ihres von Brecht neu geschriebenen Stücks, die episierenden Elemente und der weitgehende Verzicht auf Pointen befremdeten die finnische Autorin nicht wenig. Dennoch konnte sie der Stückeschreiber von seinen Änderungen einigermaßen überzeugen und sie überreden, mit der Übertragung ins Finnische zu beginnen. Im großen und ganzen akzeptierte Hella Wuolijoki die Brechtsche Version, sie hielt sich zwar nicht immer wörtlich an den Text, übernahm aber den szenischen Aufbau nahezu unverändert. Sie fügte lediglich noch Herrn Kurgela (beziehungsweise Klinkmann) ein, weil sie offenbar vom Einfall Brechts, Puntila zeitweise an eine Heirat mit der Witwe von Kurgela denken

zu lassen, um einen Wald zu sparen, wenig begeistert war. In ihrer Version verzichtete sie außerdem auf die Szene »Nocturno« und auf die große Erzählung der Schmuggleremma von Athi.
Die finnische, 1946 von Hella Wuolijoki publizierte Fassung hat den Titel *Gutsherr Iso-Heikkilä und sein Knecht Kalle*, der Name Puntila ist aus persönlichen Gründen gestrichen, da der Hof von Onkel Roopes Stiefvater Puntila hieß und der portraitierte Gutsbesitzer noch lebte. 1954 wurde diese Fassung als ein Stück von Hella Wuolijoki und Bertolt Brecht in Finnland erstmals aufgeführt. Bis zur Zürcher Uraufführung 1948 blieb *Herr Puntila und sein Knecht Matti* im wesentlichen unverändert, von Kürzungen und kleinen Änderungen abgesehen. Für Therese Giehse, die die Schmuggleremma spielte, schrieb Brecht in Zürich das »Pflaumenlied«. Auf Grund der zu großen Sympathien, die man dem Puntila entgegenbrachte und um die gesellschaftskritischen Aspekte zu verstärken, fügte Brecht für die Aufführung im Berliner Ensemble dann die Figur des roten Surkkala ein, um dem Matti, der nur der Knecht seines Herrn ist, eine wirklich proletarische Figur an die Seite zu stellen. Die Ergänzung ergab sich hauptsächlich durch den Gesichtspunkt, daß das politische Modell mit dem Gutsbesitzer für die veränderte gesellschaftliche Realität in der DDR historisch geworden war. Man wollte 1949 ein Stück zeigen aus der Geschichte der Klassenkämpfe. Zusätzlich entstand das Puntilalied, das die Darstellerin der Köchin während der Szenenumbauten sang. Es sollte die Vorgänge auf Gut Puntila »von der Küche aus« kommentieren.
Neben der *Dreigroschenoper* ist *Herr Puntila und sein Knecht Matti* viele Jahre lange das meistgespielte Stück von Brecht gewesen. Es gilt als sein komischstes und scheint »unverwüstlich«, als Volksstück hat es sich trotz seiner klassenkämpferischen Prämissen durchgesetzt. Die Gesellschaftskritik bezeichnet man als veraltet, dafür lobt man das »Allgemein-Menschliche« in Form von Sex und Suff. Endlich einmal kein episches Theater, keine Theorie, sondern eine prächtige Typenkomödie. Der Schwank, gegen den das Stück einst entworfen worden ist, scheint durch die Hintertür wieder gegenwärtig zu sein. Ist *Puntila* wirklich veraltet? Der Regisseur Fritz Kortner hat diese Frage in seinem Buch *Letzten Endes* mit einem vehementen »nein« beantwortet: »Um seine Gültigkeit anschaulich zu machen, verlege man den Schauplatz etwa nach Texas und kleide den Puntila texanisch ein und mache die Hautfarbe des Matti schwarz. Dann würde das Stück als zu krasse Literatur engagé von

jenen verurteilt werden, die sich jetzt über seine mangelnde Aktualität beschweren ... Nun ja, in manchen Aufführungen werden neuerdings die jeweiligen Puntilas auf den »Fröhlichen Weinberg« versetzt, die sozialen Unholde werden als lebenslustige Saufbolde bejubelt und die strafwürdigen Sybariten nicht als das angeprangert, was sie sind: schmatzende Schmarotzer, Raubritter am allgemeinen Gut, Zechbrüder, für die die Gesamtheit die Zeche bezahlen muß, Nachkommen jener Junker, die Vaterland sagen und Großgrundbesitz meinen, die sich mit der Großindustrie verbündeten und zum Schutz dieser unheiligen Allianz die allgemeine Wehrpflicht einführten zur Erhaltung und Erweiterung des Großgrundbesitzes.«
Kortners Argumente für einen Brecht-Text als Nichtlibretto und gegen die schwankhafte Verharmlosung stimmen; er hat auch recht, wenn er sich gegen die politisch allzu durchsichtigen Klagen über den veralteten Brecht wehrt. Eine Aktualisierung allerdings, wie er sie vorschlägt und wie sie für Länder mit einer noch stark feudal geprägten Klassengesellschaft sicher richtig ist, ignoriert völlig die menschlichen Züge, die die Puntila-Figur zweifellos hat. Ein Stück gegen den Junker Puntila gibt politisch bei uns nicht mehr allzuviel her. Die Gleichsetzung von Gutsbesitzer und Kapitalist geht nur auf, wenn wir das Stück 1940 in Finnland ansiedeln. Von heute aus gesehen scheint uns der Typ Gutsbesitzer, wie Brecht ihn schildert, als politisch zwar gefährlich, aber doch nicht repräsentativ und historisch auf dem absterbenden Ast sitzend. Viel interessanter sind doch die autobiographischen, die Baalischen Elemente der Figur, alles das, was am Menschen Puntila »aufhebenswert« ist. Die Tendenz der Zuschauer, sich mit der volleren, vitaleren Gestalt des Puntila zu identifizieren und den Matti als »blaß« abzutun, sollte ausgenützt werden. Wie weit können wir dem Puntila folgen, und wie weit können wir dem Matti nicht (mehr) folgen? Die Grundkonstruktion der Komödie stimmt. Sie zeigt, »was die Knechtschaft im Verhältnisse der Herrschaft ist« (Hegel). Mattis Knechtschaft ist seine Lehrzeit. Mit dem richtigen Gespür dessen, der zur Herrschaft drängt, ahnt er, daß die Unberechenbarkeit seines Herrn, dessen Anfälle von Menschlichkeit, ihm schaden können. Matti fürchtet sich vor den Momenten, wo ihn sein Herr als Mensch anspricht und ihn damit auf eine irrationale Weise an sich binden könnte. Indem Herr Puntila vergißt, daß er seinen Diener braucht, wird dieser an der Entfaltung seines »knechtischen Bewußtseins« gehindert. Das aber ist, wie Hegel in der *Phänomenologie des Gei-*

stes zu entwickeln versucht, die Voraussetzung zur wahren Selbständigkeit. In Diderots Dialogroman *Jacques und sein Herr* bleibt der Diener, da er Fatalist ist, seinem Herrn treu, ihm genügt das Wissen um die Freiheit, ohne ihn auskommen zu können. Brechts Matti ist Optimist. Er will nicht nur Herrschaft, sondern auch Macht. Er will sein eigener Herr werden. Es steht zu befürchten, daß er sich nur eine neue Stelle sucht bei einem Herrn, dem er besser gewachsen ist. Er wird warten, bis die Surkkalas Revolution gemacht haben, oder, wie es unserer gesellschaftlichen Realität mehr entspricht, seinen Gewinn aus der wirtschaftlichen Vernunft schlagen, die das Gut Puntilas wegrationalisieren wird.
Puntila hat ein Gut, ein Sägewerk, eine Mühle und neunzig Kühe. Er ist Großgrundbesitzer, ein einflußreicher Mann in Kausala, und er ist um besseren Einfluß bemüht bei der Regierung in Helsinki. Deshalb seine Idee, die Eva mit dem Attaché zu verloben. Die geplante Verbindung ist ihm sogar einen Wald wert. Er könnte diesen Wald auch sparen, wenn er die Tante des Attachés, die seit langem ein Auge auf ihn geworfen hat, heiraten würde. Die alte Frau ist aber ein unangenehmer Drachen und ungeheuer häßlich. Der Mensch in Puntila lehnt sich gegen alle diese Manipulationen und Zweckheiraten auf. Er verlobt sich viel lieber ohne Hintergedanken und so oft es ihm Spaß macht. Besoffen findet er zu seinen menschlichen Qualitäten, dann spricht er fast wie ein Kommunist. Nüchtern ist er ein Ekel, ein Mensch auf »Abwegen«. Selbstverständlich ist es leicht zu genießen, wenn man hat. Herr Puntila kann gut die Kühe preisen und sich am Scheppern der Milchkannen berauschen; der Melker sieht die Sache anders, und der Holzfäller wird über den Wald, der ihm nicht gehört, nur fluchen können, während Herrn Puntila bei seinem Anblick das Herz aufgeht. Dennoch ist dieser Puntila kein schmarotzender Saufkopp, kein sozialer Unhold, sondern eine große, nationale Figur, ein »tavastländischer Bacchus«. Er hat etwas Biblisches, Gotthaftes. Auf keinen Fall ist er ein »Raffke«, weder eine Sternheim-Gestalt, noch eine George-Grosz-Type. Puntila ist, das soll nicht unterschlagen werden, ein reaktionärer Dickschädel, Mitglied der finnischen Heimwehr, und in Bayern wäre er heute wohl unvermeidlich ein Maulheld am Vilshofener Stammtisch. Allerdings funktioniert eine solche Aktualisierung nicht in umgekehrter Richtung. Ein Franz Josef Strauß ist eben kein Puntila. Dieser Politiker kann sich zwar noch einen gewissen Raufboldanarchismus leisten (und seine ordinäre Brillanz und gesunde Schadenfreude hat ja was Bewundernswertes gegenüber der schlei-

migen Verlogenheit und dem Proporzdenken der politischen Biedermänner), aber dennoch ist er mehr »nüchtern« als »besoffen«. Das Gefährliche an Puntila darf nicht verdeckt werden, doch das, was ihn sympathisch und für uns wichtig macht, ist seine Fähigkeit, Phantasie spielen zu lassen, sein Charme, seine Genußfähigkeit.

Puntila gehört zu den Unvernünftigen, wie Herr Quitt in Peter Handkes Stück *Die Unvernünftigen sterben aus.* Auch er wird aussterben, denn er unternimmt nichts zur Sicherung seines Besitzes, zur Rettung seines Guts in die neue Zeit. Wenn er sich in Sachen Rentabilität und Profit auskennen würde, wäre das klügste, was er tun könnte, den Matti an sich und das Gut zu binden, indem er ihn an Eva kettet. Nur Matti ist in der Lage, das Gut wirtschaftlich rentabel zu führen, er ist der Einzige, der etwas von Maschinen versteht. Wenn er Matti an seinem Besitz beteiligen würde, wäre er die ökonomischen Überlebensprobleme los. Doch eine Zusammenarbeit des vitalen Kolosses mit dem pragmatischen Funktionär und Technokraten ist undenkbar. Puntila merkt allmählich, daß Matti nicht der Mensch ist, den er zunächst in ihm gefunden zu haben glaubt. Der rote Surkkala würde viel besser zu ihm passen, das ist einer, »der für seine Überzeugung alles auf sich nimmt«.

Matti ist ein Aufsässiger, aber kein Revolutionär. Er ist eine Schweyk-Figur, der Prototyp des kleinen Mannes, der sich mit einiger Gewitztheit durchs Leben schlägt, auch immer rechtzeitig weiß, wann er sich umstellen muß. Störend an Matti ist vor allen Dingen seine Genußunfähigkeit und seine ziemlich spießige Moral. Ausgesprochen kleinbürgerlich ist seine Haltung Eva gegenüber, die am unangenehmsten in seinen Vorstellungen von einer guten Arbeiterehefrau zum Ausdruck kommt.

In seinem Arbeitsjournal hat Brecht zu *Puntila* notiert: »Es ist ein kleines fettes Kalb von einem Stück. Mehr Landschaft drin als in irgendeinem meiner Stücke, ausgenommen vielleicht ›Baal‹.« (AJI, 172) Mehr noch als an *Baal* erinnert der *Puntila* an *Im Dickicht der Städte,* die Komödie wirkt wie eine heitere Paraphrase des frühen Schauspiels. Das Verhältnis Puntila-Matti erweist sich als eine Reminiszenz an den Kampf von Shlink und Garga. Das Abrücken des Matti von Puntila ist zu werten als Aufgeben des Kampfes aus der Erkenntnis, daß seine eigene Stunde gekommen ist – Übernahme der Macht, nicht an der Seite Puntilas. Über Puntila geht die neue Zeit einfach hinweg. Matti wird aufräumen und Ordnung in das Gut bringen, wo immer mehr die Schlamperei um sich greift.

Anläßlich der Ausarbeitung der Szenen mit den Frauen von Kurgela, den eigentlichen Helden seiner Komödie und den Trägern der Hoffnung des Volkes, bemerkt Brecht: »Für die unteren Klassen gibt es nur süßliche Muster und solche, die vor 1848 liegen. Die Sympathie führt zur Verbravung, zur volkstümlichen (oder folkloristischen) Leutseligkeit der Romantik.« (BBA 566/09) So entwirft er eine sinnlich-derbe, wunderbar komische Gruppe von vier Frauen, mit denen sich Puntila »besoffen« sofort verlobt. Diese Verlobung könnte auch für eine Vorwegnahme späteren Einverständnisses stehen, dem Dauer beschieden ist und bei dem alle Figuren, die der finnischen Landschaft entstammen und ihr verhaftet sind, sich zusammentun. Puntila gehört dann zu diesen Frauen, während Matti als Feind dieses Glücksbilds erscheint. Matti ist nur der Vertreter des Staates, für den es die Anarchie des Glücks nicht geben kann. Diese Zweckoptimisten haben in unseren Breiten auf der ganzen Linie gesiegt.

DER AUFHALTSAME AUFSTIEG DES ARTURO UI

Parabelstück. Entstehungszeit: April 1941. GW II. Mitarbeit: Margarete Steffin. Uraufführung: 10. 11. 1958 in Stuttgart.

Brechts Absicht war es, mit diesem Parabelstück den Respekt, der häufig den machtvollen Herrschern entgegengebracht wird, zu demontieren, indem er den Grund der Herrschaftsfülle als eine Summe der einzelnen Morde hervorkehrte. Um den so gekennzeichneten »großen Mördern« auch die Aura zu nehmen, die ihnen durch die Vielzahl der Verbrechen zugebilligt wird, unterstrich Brecht den Charakter des Einzigartigen in jeder Tötung. Damit sollte verhindert werden, daß in der Wahrnehmung aus der großen Zahl der Opfer auf eine große Tat geschlossen wird.
Diese in den Anmerkungen zum Parabelstück formulierte Intention wird bereits in den ersten Plänen deutlich. Als Brecht im Herbst 1935 nach New York reiste, um dort die Proben für sein Stück *Die Mutter* zu besuchen, erfuhr er von den Territorialstreitigkeiten einiger Verbrecherorganisationen, die in der Prohibitionszeit blutige Auswüchse annahmen. Jüngstes Opfer der damaligen Ereignisse war der auch von der Presse zum dunklen Heroen emporstilisierte Dutch Schultz (bürgerlich: Arthur Fliegenheimer). Brecht sammelte Material über diesen und andere Gangsterkriege. Sie hatten ihr gemeinsames Charakteristikum in der scheinbar lega-

len Verknüpfung von harmlosen Geschäften mit rigiden Monopolkämpfen, die von einer korrupten Polizei und erpreßten Politikern gedeckt wurden. Zum spezifisch hochkapitalistischen Klima der Illegalität wurden diese Zustände in Zusammenhang mit dem nordamerikanischen Ideal des selbstbewußten und zynischen Selfmademan, dessen unbedingtes Selbstvertrauen im Geschäftsleben alle Skrupel hinter sich läßt, im Privatleben hingegen an den strikten Regeln der kleinstädtischen Wohlanständigkeit festhält. Mit der einsetzenden Depression der Weltwirtschaftskrise entstand ein schwer überbrückbarer Widerspruch zwischen dem glückseligen Optimismus und der alltäglich erlittenen Wirklichkeit.
Die Kinoproduktion reagierte darauf mit einer Fülle von Gangsterfilmen, in denen die Nachtseite des amerikanischen Helden, seine Härte und Durchsetzungsfähigkeit gefeiert wurde. Die in dem Ui-Stück vorherrschende ökonomische Taktik ist die sogenannte »racket«-Bildung. Hierbei werden Händler gezwungen, nur die Ware eines Lieferanten anzunehmen, der personenidentisch mit demjenigen ist, der die »Schutzgebühr« eintreibt. Diese Form der doppelten Monopolbildung wurde etwa in dem 1932 gedrehten Howard-Hawks-Film *Scarface* (Narbengesicht, Verweis auf Al Capone, dessen Biographie der Film auch verpflichtet ist) für das »Biergeschäft« mit Erfolg vorgeführt.
Über die filmischen Bildangebote hinaus ist das Stück der politischen Wirklichkeit Nordamerikas verpflichtet. Durch das Buch *The Story of Class Violence in America* von Louis Adamic (New York 1931) erhielt Brecht Einblick in die Geschichte des organisierten Verbrechens, das als Machtfaktor in den zwanziger Jahren nicht zu vernachlässigen war und deshalb zum Mittel des politischen Interessenkonfliktes aufstieg. Neben der Verwendung der Gangster für politische Ziele ist auch der umgekehrte Prozeß anzunehmen. Die Syndikate benötigten auch die politische Absicherung ihrer Transaktionen, so daß Verbrechen und Politik beispielhafte Verbindungen aufwiesen. Selbst die Gewerkschaften hatten die Hilfe des Gangstertums gesucht und ihm im Gegenzug Macht einräumen müssen. Die Geschichte der amerikanischen Großunternehmen beweist nach Adamic die These, daß zwischen Kapitalismus, Verbrechen und Politik keine Gegensätze bestehen, sondern sie vielmehr nahtlos ineinander übergehen. Die Gefahr eines Umschlags der latenten in eine offene faschistische Herrschaft ist demzufolge bei zugespitzten Machtverschiebungen oder Machtbedrohungen stets gegeben.

Das Parabelstück erzählt zuvorderst die Geschichte des Gangsters Arturo Ui und seiner Bande, die sich den Führern des »Karfioltrusts« (d. i. das Blumenkohlmonopol) andienen und von diesen wegen schlechter Geschäftslage auch in Anspruch genommen werden. Obgleich die Geschäftsleute die Hilfe der Gangster als unter ihrem Niveau liegend empfinden, akzeptieren sie schließlich ihre Methoden der Absatzsteigerung; den Grünzeugläden wird Schutz gegen »Überfälle« geboten, wenn sie sich verpflichten, die Waren abzunehmen und zu vertreiben. Zuvor haben die Industriellen versucht, ihre Interessen auf politischem Wege durchzusetzen. Um den einflußreichen, aber als ehrlich bekannten Politiker Dogsborough zur Unterstützung einer Stadtanleihe für den Trust zu bewegen, machen sie ihm eine Schenkung, nach der er selbst, um seine Interessen auch zu wahren, die Anleihe unterstützt und damit politisch erpreßbar wird. Eben diese Situation benutzt Arturo Ui, um seinen Einfluß auf den Trust zu verstärken. Arturo Ui schafft sich Verhältnisse, durch die er die Machthaber in Wirtschaft und Politik gegen den eventuellen Druck der Grünzeughändler, des Kleinbürgertums, ausspielen kann. Mit der Drohung, die korrupten Verhältnisse öffentlich werden zu lassen, zwingt der Gangster Politik und Industrie, seinen Diensten den Anschein der Legalität zu geben. Als die Folgen der Korruption kaum mehr zu verbergen sind, müssen Dogsborough und der Trust sogar Uis Dienste zu Hilfe nehmen, um sich gegen die Korruptionsvorwürfe zur Wehr zu setzen. Die im Auftrag des Monopols handelnde Bande wird im Verlauf ihrer Aktionen so mächtig, daß sie realiter die Führung der Geschäfte übernimmt und sie ihren Interessen anpaßt. Im Rahmen dieser Entwicklung versucht Ui, dessen Bande zuvor dazu dienen sollte, die notwendigen, aber unansehnlichen Aktionen durchzuführen und den Industriellen ihr reines Äußeres zu bewahren, den Eindruck des Schmutzes und der mangelnden Beherrschung großbürgerlicher Umgangsformen zu verwischen. Hierbei ist er darauf bedacht, das nicht Änderbare wie seine Herkunft mit dem Glanz des hart arbeitenden Aufsteigers zu veredeln. Mit dieser Stilisierung folgt die Figurenzeichnung der weit verbreiteten Legende des durch Fähigkeit und persönlichen Einsatz Emporgekommenen, mit der die Vita vieler Industrieheroen beginnt. Dennoch liegt es im Bestreben Uis, die Erscheinungswelt des Großbürgers zu verkörpern, die er benötigt, um bei seinen öffentlichen Auftritten vorzutäuschen, daß er im Namen des Gesamtinteresses der Bevölkerung spricht. Als die selbstgeschaffene Anarchie durch Liquidierungen von Gegnern und den

Zeugen der Liquidierungen nicht ausreicht, um eine weitere Machtballung zu rechtfertigen, inszenieren Ui und seine Bande den »Speicherbrand«, der der Bevölkerung ihre Bedrohung leuchtend vor Augen führen soll. Da der äußere Schein gewahrt bleiben muß, wird ein Schauprozeß durchgeführt, an dessen Ende die Verurteilung des angeklagten Arbeitslosen steht.

Ungleich gewichtiger ist aber die Fälschung des Testaments des sterbenden Dogsborough. Arturo Ui tritt dessen Erbe an, bezeichnet sich als den ideellen Sohn des Politikers, der vor seiner Korrumpierung, die unbewiesen ist, in den Augen der Bevölkerung die Werte des Gemeinwesens symbolisiert hat. Die Übergabe der Herrschaft geschieht derart nach den Regeln der Tradition, auf augenscheinlich demokratischem Wege. Nachdem die umgekehrten Abhängigkeiten hiermit auch Institution geworden sind, können die Geschäftsleute der Politik des Arturo Ui keinen Widerstand mehr entgegensetzen. Die Expansion der Macht erfolgt. Zuerst muß die Stadt Cicero nachgeben; am Ende ist auch New York einverleibt. Zwar profitieren die Interessenvertreter, die der Bande zur Macht verholfen haben, von der Expandierung des Geschäftsbereiches; Einfluß hingegen haben sie keinen mehr. Sie müssen im Gegenteil selbst Übergriffe der enttäuschten Gefolgschaft Arturo Uis hinnehmen, die sich betrogen fühlt, da das ganze Ergebnis ihrer Handlungen in der Alleinherrschaft ihres Bandenführers liegt, während sich an ihrer Unterprivilegiertheit nichts geändert hat. Für die Konsolidierung der Macht ist es demnach noch notwendig, die Gegner innerhalb der eigenen Bewegung auszuschalten, was mit einer Hinrichtung der oppositionellen Gruppe geschieht.

Der Verlauf der Geschichte weist zwar viele Parallelen zum Aufstieg der NSDAP und Hitlers auf, sie ist aber, auch unter Berücksichtigung des parabolischen Charakters, nicht als reine Abbildung zu verstehen. Umgesetzt wird vielmehr in der Fabel die Nähe des kapitalistischen Konkurrenzkampfes zu den Gangstermethoden, mit denen hier Märkte erschlossen und verteidigt sowie gefestigt werden. Nur diese Form der ökonomischen und politischen Machtverteilung schaffte den Raum, in dem die faschistische Herrschaft durchaus gesetzeskonform Einfluß und letztlich die Regierung gewinnen konnte. Der Parabelcharakter betont die Kongruenz der wirtschaftlichen und politischen Methode.

Trotz der Benennung »Parabelstück« sah Brecht wohl auch einen Schwerpunkt auf die satirische Brechung gelegt, der die Heroen aus Wirtschaft und Politik unterworfen werden. Eine von ihm vorgeschlagene Einstufung »Historienfarce« kommt dieser »Gangsterhistorie« näher als die Überbewertung ihres parabolischen Charakters. Auch die ungewöhnlicherweise hinter die Szenen eingeordneten Projektionen der Zeittafel unterstreichen den beabsichtigten Eindruck eines Panoptikums, das insbesondere ohne die Gegenposition des Proletariats auskommt. Verstärkt wird diese bewußte Auslassung durch die sterbende Frau in der Szene 9a, die ein Bild des erlittenen Terrors auf die Bühne bringt und dabei in der Haltung des reinen Appellierens verharrt. Der Geschichtsausschnitt reduziert sich auf Vertreter der wirtschaftlichen Macht und die Verselbständigung jener Mittel, die zu ihrer Übersteigerung zur Verfügung stehen.

Wird das Farcenhafte zugrunde gelegt, dann fällt auf, daß sein Merkmal auf die Geschwindigkeit der Abläufe bezogen ist. Die Personen von Dogsborough bis Dullfeet bleiben dagegen unscharf. Bei der Figur des Ui ist es eher möglich, den Typus des Selfmademan zu kennzeichnen. Arturo Ui vertritt eine Vielzahl von Eigenschaften, deren Ausrichtung grundsätzlich widersprüchlich ist. Wirkt er auf der einen Seite klein, eher zusammengesunken, so agiert er andererseits mit impulsiver Entschlußkraft und fällt dann seine unerklärten, aber dem Machtinstinkt gemäßen Entscheidungen. Phasen vorübergehender Passivität gleicht Ui durch konsequente Kalkulation aller Handlungen aus. Sein Verhalten gegenüber Menschen und der engeren Führungsgruppe der Bande ist sprunghaft, was seine Führungsposition in keiner Weise bedroht. Die Gewalt seiner Organisation ist von ihm entfernt. Analog zu der wahnhaften Ablehnung der eigenen Destruktivität durch den väterlichen Diktator verläßt Ui den Hinrichtungsort vor der Exekution Romas. Vergleichbar mit dem Verhalten berühmter Feldherren, die belegen wollen, daß sie selbst an Tötungen unbeteiligt sind, versucht Ui seine Machtbestrebungen von dem Eindruck des Reaktionär-Gewalttätigen zu reinigen. Er trägt in sich weiterhin den Widerspruch des kleinbürgerlichen Aufsteigers, der auch im Zentrum der Macht noch mit den Verunsicherungen der einstigen Ohnmacht konfrontiert ist. Wird dieser Annahme gefolgt, dann zeigt das Stück eine klein-laute Figur, die die Techniken der Diktatur lernt und erst in der Schlußansprache an bekannte historische Vorbilder erinnert. Mit einem derartigen Schwerpunkt ist sowohl der Ort des Schlüsselstückes als auch der des Gangsterstückes verlassen. Gegen die Betonung der letzten Benennung spricht die Überdeutlichkeit, mit der Brecht alle Geschehnisse und Handlungen anbietet. Damit ist

aber der Grundzug der literarischen Darstellung eines Verbrechens verletzt, die aus Andeutungen und Verschleierungen bestehen muß. Die langsame Entschleierung einer interessevoll mystifizierend verdeckten ökonomischen Realität leistet das Stück nicht.
Statt dessen fordert Brecht gerade die Verwendung der Theatertradition, die »im großen Stil« die Geschichte auf die Bühne bringt. In der Art der Jahrmarktshistorie oder des Panoramas sollen die als klassisch verstandenen Posen in ihrem heroisch-monumentalen Ausdruck verwendet werden. Brecht beabsichtigte keine Parodie des »großen Stils«. Er schlägt einen dem Inhalt gemäßen Ausdruck vor und errichtet damit nur einen scheinbaren Widerspruch.
Die Übermächtigkeit der travestierenden Wirkung soll hierbei vermieden werden zugunsten einer Folge von Gruppenbildern, deren »hoher Stil« ihnen angemessen ist. So wie der Held der Industriegesellschaft, wie er in Lebensbeschreibungen und Filmen vorgestellt wird, in keinem wirklichen Gegensatz zum Gangster steht, so stellt der Ausdruck bürgerlicher Hochkultur keinen Widerspruch zur Ästhetik der Diktatur dar. Der Bürger als Faschist folgt demnach denselben klassischen Mustern der Rhetorik. Die von Brecht verwendete Sprache und die vielen Zitate bekannter Theaterszenen sollen den verdeckenden Charakter dieser Sprache bloß- und unter Beweis stellen. »Roma: . . . Und bestell/ In seiner Blumenhandlung dicke Kränze/ Für Dogsborough. Und für den lustigen Giri./ Ich zahl in bar.// Er zeigt auf seinen Browning.« Es wird durch die Blume gesprochen; der dies hört, dem wird seine eigene Beerdigung schon angekündigt. Über die Travestiewirkung hinaus ist eine Beibehaltung von Inhalt und Form zugrundegelegt, die beide allerdings in einen anderen Kontext verschiebt. Eben der hohe idealisierte Stil steht nur in scheinbarem Widerspruch zu den Taten der Gangster.
An anderer Stelle präzisiert Brecht seine Vorstellung des Idealismus, besonders bezogen auf den »Völkischen Idealismus«, als »Wille und Fähigkeit, gewisse materielle Interessen anderen, meist als geistig bezeichneten, jedenfalls ›höheren‹ unterzuordnen.« Idealismus als Opferwille ist so verstanden durchaus in der Lage, sich in eine Herrschaftsapparatur einbinden zu lassen. Zur Ausübung der Macht gehört es, dieses Mittel der Sprache in bewußter Setzung zu gebrauchen. Ui läßt sich die Gesten und die Sprache beibringen, um dem noch rudimentär vorhandenen öffentlichen Kontrollapparat mit den eigenen Mitteln begegnen zu können. Er ist bestrebt, für die Bevölkerung auch die Klischeevorstellungen vom Herrscher

einzulösen, zumal diese Entwürfe ja auch seinen eigenen gemäß sind. Darüber hinaus ist er auf dem Weg zur Macht darauf angewiesen, die demagogische Taktik zu beherrschen, die Fragen aus der Bevölkerung aufnimmt, um sie vermeintlich zu beantworten, die Einnahme von Positionen vortäuscht, um die Emotionen der Menschen zu bündeln und zu lenken. »Ich spreche, wie ich fühle.« Diese vorgeschobene Sprachhaltung stilisiert eben das zum erhabenen und gemeinsamen Vorbild, worüber alle Zuhörer verfügen. Diese vorgetäuschte Koinzidenz bahnt den Weg für die beabsichtigte Identifikation.

Heute ist es einsichtig, wie die Ausschöpfung der vernachlässigten Emotionsräume es dem Nazismus erlaubte, seine Politik durch die Ästhetisierung der Massenwünsche darzustellen. Dem Mangelgefühl folgend ist die Ordnung ritualisiert. Mit der Affekteindämmung und -lenkung geht eine Körper- und Sprachkontrolle einher, die Symbolbildungen hervorbringt, deren theatralische Form die emotionale Besetzung ermöglicht. Brecht deutet diesen Zusammenhang mit seiner vehementen Sprachkritik nur an. Eine folgerichtige Behandlung dieser Thematik fordert die Bearbeitung der paradigmatischen psychischen Grundlagen eines Herrschaftszusammenhangs. Ein weiteres Beharren auf dem ausschließlichen Erklärungsmodell, nach dem Faschismus der reine Ausdruck einer zugespitzten Verwertungskrise im Kapitalismus ist, ist dann nicht möglich. Indem im Parabelstück die »Sprache der Blumen« nicht von der »Sprache des Geschäfts« unterschieden ist, in diesem Zusammenhang mithin die »Klassikersprache« mit der »Ausbeutersprache« zusammenfällt, wird nun nicht das Theater oder die Literatur des Bürgertums mit Faschismus identifiziert. Vielmehr ist herausgearbeitet, daß die für Brecht überkommene Ästhetik keine Abwehrmechanismen gegen ihren Gebrauch aufweisen konnte. Wenn Brecht in der Einleitung zum *Antigone-Modell* von den Aufführungen der »Göringtheater« spricht, deren glänzende Technik und deren vorgetäuschte Autonomie doch nur die Herrschaft beleuchteten, so soll in Fortsetzung der Sprachkritik, wie sie in den Worten Uis geübt wird, das Bestreben nach einer Bühnenkunst zum Ausdruck kommen, die die Wirklichkeit verarbeitet und nach den kausalen Zusammenhängen sucht. Damit soll nach Brechts Entwurf verhindert werden, daß mit der Autonomiebehauptung auch eine Ersatzwirklichkeit auf die Bühne gestellt ist, die dann wiederum ihre eigenen Abbildungen und Verwendungen nicht zur Kenntnis nehmen kann oder will.

DIE GESICHTE DER SIMONE MACHARD

Entstehungszeit: Ende 1941–43 unter Mitarbeit von Lion Feuchtwanger. Musik von Hanns Eisler. Titelvarianten sind: *Jeanne d'Arc 1940/ Die Stimmen/ Die heilige Johanna von Vitry/ Die Visionen der Simone Machard.* Die Uraufführung fand am 8. 3. 1957 in Frankfurt/M. statt.

Die Handlung des Stücks beginnt am 14. 6. 1940 in einer französischen Stadt, die Saint-Martin genannt wird und an einer wichtigen Nord-Süd-Verbindung in Mittelfrankreich gelegen ist. Simone Machard ist das Kind eines subalternen Angestellten der Ortsverwaltung. Sie arbeitet in einem Gasthof, an den eine Tankstelle und ein Transportunternehmen angeschlossen sind. Der Abwehrkampf um die Loiregrenze nähert sich dem Ende. Die Flüchtlinge bevölkern die Stadt und die Straßen. Die Verteidigungsanstrengungen werden, so ist aus einem ersten Gespräch der weiteren Angestellten zu erfahren, durch Materialverschwendung, besonders von Benzin, und Zweckentfremdung wichtiger technischer Mittel zur Rettung des persönlichen Besitzstandes nahezu paralysiert. Der Patron bewirtet höhere Offizierschargen mit kulinarischen Köstlichkeiten, transportiert den Alkohol der Militärelite, verweigert aber auf der anderen Seite dem Bürgermeister die Bereitstellung seiner Lastkraftwagen, als dieser sie für den Flüchtlingstransport dringend benötigt. Die kraftlose Drohung mit einer eventuellen Beschlagnahme illustriert erstmalig die Ohnmacht der gewählten Apparate, deren Einfluß nur noch für Appelle ausreicht.
Simone ist selbst während der Arbeit in ein Buch vertieft, das der Patron ihr zur Stärkung *seiner* Vorstellung von französischer Tradition gegeben hat. Das Buch feiert die Geschichte der Jeanne d'Arc. In der folgenden Nacht hat das von der Lektüre beeindruckte Kind einen ersten Traum. Ein Engel, der Simones kämpfendem Bruder André gleicht, ruft das Mädchen als »Johanna, Tochter Frankreichs« zur Rettung ihres Landes auf. Sie soll auf der »klingenden Erde Frankreichs trommeln« und derart das Volk versammeln. In einer Überblendung aus Geschichte und Gegenwart geht Johanna (Simone) nach Orléans zu Karl VII. (dem Bürgermeister), dessen Ratlosigkeit und Lethargie sie überwindet. Ihre Trommel sammelt denn auch das französische Volk (d. s. alle Franzosen, die in der Handlung bisher aufgetreten sind oder noch auftreten werden). Es fehlen einzig die Repräsentanten der Bourgeoisie. Das waren, bzw. sind: der Connétable (der Patron) und die Königin Isabeau (die Mutter des Patrons, Mme. Soupeau).

Der Engel rät Simone, daß sie die Kampftaktik der Partisanen verwenden soll. Das Land, auf das der Aggressor trifft, muß er leer und unbrauchbar vorfinden. Die »nackte Wüste« nimmt den Kriegern die Nahrung, den Tanks die Energie, den mächtigen Henkern den bequemen Unterschlupf.
In der folgenden Szene nennt Simone dem Bürgermeister das Versteck der Lastkraftwagen und des von dem Patron unangemeldeten Benzins. Der Aufruhr der Flüchtigen wird mittlerweile für die Besitzenden bedrohlich. Madame Soupeau verteilt daraufhin Lebensmittel an die Hungrigen und rettet so – als indirekte und unfreiwillige Gegenleistung – wesentlichen Besitz an Sachwerten. Ihre Handlungsweise ist somit weniger eine Speisung als vielmehr eine Abspeisung im Wortsinne. Simone wird entlassen. Der Bürgermeister tröstet sie mit dem Hinweis auf das – fadenscheinige – Lob der Madame Soupeau.
Auch der zweite Traum, in der folgenden Nacht, verarbeitet die realen Geschehnisse. Johanna wird geehrt, mit ihrem eigenen Schwert zur Dame von Frankreich geschlagen und – darauffolgend – entwaffnet. Sie ist ohne Schwert und Heer machtlos. Simone wiederum wurde der Schlüssel zur Vorratskammer genommen, was gleichbedeutend ist mit der Unmöglichkeit, den Flüchtlingen weiterhin zu helfen. Durch den Entzug der Arbeit ist die Kämpferin aus dem Kampfgebiet entfernt worden. Der Engel ermahnt sie auszuharren und verdeutlicht die Kampftechnik ohne Waffen.

> »Wenn der Eroberer kommt in eure Stadt
> Soll es sein, als ob er nichts erobert hat.
> Er soll schreien: Hilfe. Er soll heißen: Ungeheuer.
> Er soll essen: Erde. Er soll wohnen: im Feuer.
> Er soll erflehen kein Erbarmen keines Gerichts.
> Eure Stadt soll sein gewesen, unerinnerbar, nichts.
> Wo er hinschaut, sei nichts, wo er hintritt, sei Leere
> So als ob da nie eine Gaststätte gewesen wäre.
> Gehe hin und zerstöre!«

Die historische Wirklichkeit sah dagegen völlig anders aus. Der Vertrag mit Polen hatte Frankreich im September 1939 zur Kriegserklärung gegen das nationalsozialistische Deutschland gezwungen. Die Armee war in Alarmbereitschaft versetzt worden. Es erfolgte hingegen kein Angriff, der einen Zweitfrontenkrieg für Deutschland eröffnet hätte. Der Massierung der deutschen Wehrmacht zur Offensive am 10. 5. 1940 konnte somit allenfalls das Vertrauen auf

die logistisch veraltete Maginot-Linie entgegengesetzt werden. Der Waffenstillstand wurde am 22. 6. in Compiègne vereinbart. In dieser für die Exilanten äußerst bedrohlichen Situation hatte Brecht seine Vorstellungen von einem Ort des Standhaltens gegenüber der Gewalt einer Prüfung unterzogen. Der Gewalt soll nicht mehr vorübergehend gedient werden. So war es noch in einer Keuner-Geschichte »Maßnahmen gegen die Gewalt« vorgeschlagen worden. Die stille, individualistische und flexible Verweigerung der Prosaversion, in der ein letztgültiger Sieg über die Oppression durch beharrliches Warten erlangt wird, verfehlt nun die Wirklichkeit. Die Totalisierung des Feindbildes durch den deutschen Faschismus fordert den sofortigen und bedingungslosen Widerstand.
Verweigerung und Sabotage sind auch deshalb unverzichtbar, weil der Feind nun nicht nur von außen herantritt, sondern im Inneren schon arbeitet, bzw. eindeutige Bundesgenossen vorfindet. So wird Johannas Schwert nach ihrer Adelung durch den König/ Bürgermeister an die real, da wirtschaftlich Herrschaft Ausübenden weitergegeben. In der Unwirklichkeit der Träume wird gerade das Gesetzmäßige und das Historisch-Typische zur Deckung gebracht. Der Raum der Träume ist größer; der geschichtliche Stellenwert der einzelnen Menschen als Stellvertreter oder Doppelgänger wird verdeutlicht. Die Doppelrollen der Schauspieler begünstigen diese filmischen Vor- und Rückblicke. Nicht das vermeintliche Einverständnis in die Gewalt rückt in den Mittelpunkt, sondern vielmehr tritt die Unterdrückung an ihren historisch verschiedenen, aber funktional immer gleichen Orten ins Licht.
In Brechts Stück sind die Honoratioren von Saint-Martin nun bemüht, allen Reibereien mit den siegreichen Truppen aus dem Weg zu gehen. Die gemeinsame Struktur der Unterwerfung unter Militarismus und die Vorstellungswelt aus »Zucht und Ordnung« vereinfacht den Willkommensgruß, der den »Gästen« entboten wird, die gegen jede »Plünderung«, mithin also für die Aufrechterhaltung der vorgefundenen Besitztümer, naturgemäß wirksamer vorgehen können als die gewählten Volksvertreter. Die gehorteten Benzinreservoirs werden dem ehemaligen Feind diskret zur Verfügung gestellt.
Brecht stützte sich bei diesen Schilderungen auf zeitgenössische Berichte und das Material, das Feuchtwanger für seinen Band *Unholdes Frankreich. Meine Erlebnisse unter der Regierung Pétain* (London 1942) zusammengetragen hatte. Auch andere Schilderungen stützen die Kollaborations- und Fraternisierungsdarstellungen. In

Ernst Jüngers Aufzeichnungen heißt es: »Auf der Bürgermeisterei fand ich gute Beamte, präzis behilflich bei der Quartieranweisung und der ganzen Arbeit des Vorkommandos überhaupt. Auch der Maire, der mich ... auf meinen Gängen begleitete, war ... von großer Rührigkeit.« (*Gärten und Straßen.* Tübingen 1950, 238 f.)
Nach der Ansicht Brechts kommt in dieser Situation der imperialistische Rassenkrieg dem schwelenden Klassenkrieg zu Hilfe.
Simone folgt den Ratschlägen des Engels. Sie vernichtet die Benzinlager noch vor der Übergabe. In ihrem letzten Traum verurteilt ein französisches Gericht, das aus geistlicher und weltlicher Macht zusammengesetzt ist, die Aufrührerin. In Verlängerung des geschichtlichen Vorbilds soll gezeigt werden, wie selbst die Aufrechterhaltung der juristischen Ordnung den Okkupanten abgenommen wird. Die Handlung endet mit der Einlieferung Simones in ein Erziehungsheim. Während ihres Abtransportes wird die requirierte Turnhalle – vorher Refugium der französischen Füchtlinge, jetzt von der deutschen Armee benutzt – gesprengt. Für Simone wird ein Zeichen gesetzt. Der Widerstand dauert an.
Die Traumsequenzen haben emblematischen Charakter. In Darstellung und Deutung, Abbildung und Interpretation verwischen sie die historischen Trennungen zugunsten der einen Linie, welche die Entmachtung des Volkes zeigt. Die weiteren Sabotageakte verweisen eher aufgesetzt auf die zukünftige Vergeltung.
Die Arbeit mit Lion Feuchtwanger war von Meinungsverschiedenheiten begleitet, die insbesondere auf unterschiedlichen Faschismusanalyseansätzen beruhten. Brechts doch schablonenhafte Betonung seiner These, nach der nicht nur die Beherrschten, sondern auch die Herrschenden den gleichen Interessen unterliegen, stand einer differenzierteren Betrachtung im Wege, wie Feuchtwanger sie in seinem Roman *Simone* darzustellen versuchte.
Wie auch in anderen Thematisierungen der faschistischen Aktionen bleibt Brecht der Dimitroff-Sprachregelung treu, die eine faschistische Herrschaft als terroristische Diktatur des Finanzkapitals definierte. Auch spätere Korrekturen dieser dürftigen Analyseverengung erbrachten keine grundsätzlichen Neubewertungen. Es werden Vergeltungs- und Größenwahnvorstellungen gerade innerhalb der unteren Schichten ebenso verneint, wie auch die ganzen psychopathologischen Reservoirs vernachlässigt werden. Eine genauere Analyse der unterschiedlichen Beweggründe (für den Patron, Mme. Soupeau, Fétain und andere Kollaborateure) kann da klärend wirken.

Bemerkenswert bleibt aber der Ort des Widerstandspotentials. Nicht die organisierte Gegenmacht, sondern die Phantasie und ihre Auflehnungskraft stehen im Vordergrund. Aus der Lektüre eines Buches, das gerade die Stabilität der Zustände gewährleisten sollte, kann die Kraft zur oppositionellen Imagination erstehen. *Die Gesichte der Simone Machard* drehen die Geschichte um bzw. ziehen aus dieser neue Schlüsse. Zwar ist es gewiß überpointiert zu sagen, die Phantasie trage hier die Rebellion. Aber gezeigt wird immerhin, daß die schlechten Verhältnisse auch einen Menschen fordern, der über sie hinausgeht, dessen Gefühle, wenn es gelingt, sie an andere Menschen weiterzugeben, dann jenes Netz der Mit-Menschlichkeit knüpfen, ohne das der Widerstand seine Hoffnung und seinen humanen Sinn verliert. Damit tritt eine Qualität in den Vordergrund, die von der revolutionären Massenbewegung, ohnehin im Vollbesitz der historischen Wahrheit, eben nicht geleistet wird.
Es muß hinzugefügt werden, daß *Die Gesichte der Simone Machard* zusammen mit *Die Tage der Commune* von den Vorstellungen einer streng epischen Dramaturgie eher entfernt sind. Simone bleibt ohne Bewußtsein. Brecht bestand dann auch später darauf, daß die Figur von einem Mädchen noch vor der Pubertät gespielt werden müsse. Sie liest das Pathos und nimmt die Haltung in sich auf, ohne das Blut zu sehen, das die heroische Gestik fordert. Nicht Affektation, sondern Integrität kommt in den Träumen zum Ausdruck. Wesentlich bleibt dabei, daß in diesem Stück, auch durch alle eher poetischen Traummotive hindurch, der Partisanenkampf als ein Kampf um nationale Selbständigkeit mit dem für soziale Befreiung zusammentritt.

SCHWEYK IM ZWEITEN WELTKRIEG

Entstehungszeit: 1943. GW II. Geschrieben in Anlehnung an Hašeks Roman *Die Abenteuer des braven Soldaten Schweyk.* Zunächst als ein Stück für den Broadway geplant, zu dem Weill die Musik schreiben wollte. Später komponierte Hanns Eisler die Musik. Die Titelrolle schrieb Brecht für Peter Lorre. Uraufführung am 15. Januar 1957 in Warschau.

Die Bearbeitung Brechts ordnet das anekdotenhafte Geschehen der Geschichte, indem er Vorspiel, Zwischenspiele und ein Nachspiel einfügt. Als Ort für diese strukturierenden Elemente wird die Kennzeichnung »höhere Regionen« angegeben, mit Ausnahme des

Nachspiels, das in den »niederen Regionen« der sonstigen Handlung angesiedelt ist.

Das Vorspiel zeigt die Führer des Nationalsozialismus über einen Globus gebeugt, um nach Deutschland nun auch die restliche Welt zu unterwerfen. Hitler fragt nach der Treue und Opferbereitschaft der unterdrückten Bevölkerung, die ihm versichert wird, da die Menschen ihren Führer entweder wie einen Gott verehren oder wie eine Geliebte lieben würden.

In der ersten Szene im Prager Gasthaus »Zum Kelch« erzählt ein betrunkener SS-Mann der Wirtin Kopecka von einem fehlgeschlagenen Attentat auf Hitler. Der am Nebentisch mit seinem Freund Baloun sitzende Hundehändler Josef Schweyk kommentiert auf listig zustimmende Weise die Information, was aber seinen Freund, der unter einer »krankhaften Übersteigerung des kleinbürgerlichen Sättigungsideals« leidet, nicht aufheitert. Um seinen Appetit zu stillen, will er sogar der deutschen Wehrmacht beitreten, die seinen Konsumbedürfnissen eher gerecht wird. Balouns Bereitschaft, die eigene Person und Herkunft zu verkaufen, löst die Schweyk-Handlung aus. Wenn Schweyk die Freßgier seines Freundes gegenüber einem Gestapospitzel verteidigt, unterlaufen ihm die typischen, ambivalenten Äußerungen, die ihn ins Gefängnis und damit in Kontakt zu dem Scharführer Bullinger bringen. Als gegen Ende des Verhörs, das von Folterberichten unterbrochen wird, Bullinger erfährt, daß Schweyk Hundehändler ist, macht er die schon ausgesprochene Entlassung wegen Schwachsinnigkeit rückgängig und fordert von Schweyk den Raub eines bestimmten Hundes. Glücklich, diesem Ort vollkommener Willkür entkommen zu sein, kehrt Schweyk in die Gaststätte zurück, wo unterdessen Baloun auf eine Fleischmahlzeit sehnsuchtsvoll wartet, die zu besorgen die patriotische Wirtin von einem Verehrer gefordert hat. Als dieser eingesteht, daß er seine Angst vor dem Schleichhandel nicht überwunden hat, verstößt ihn die Kopecka. Für ein einziges Mal empfindet auch Baloun Groll gegen die Besatzungsmacht. In dem folgenden Zwischenspiel beantwortet Göring die Frage Hitlers, ob der andauernde Krieg auch ausreichend Nachschub erhalte, mit dem Hinweis auf die Fronarbeit im Kriegsarbeitsdienst.

Schweyk und Baloun gelingt es, den geforderten Hund zu stehlen, indem sie unter Vorspiegelung erotischer Absichten die Mädchen, die auf ihn achten sollten, ablenken. Sie können sich ihres Erfolges aber nicht lange freuen, weil sie kurz darauf zum Arbeitsdienst zwangsrekrutiert werden. Auch hier gelingt es Schweyk, durch bei-

läufige Aktivitäten einige die Ordnung untergrabende Auswirkungen zu erzielen. Der inzwischen gemeldete Diebstahl des Hundes führt auch zu einer Untersuchung der Gaststätte »Zum Kelch«, in der eine Tanzveranstaltung gerade den Empfang des »Feindsenders« übertönen soll. Schweyk hat aber, um allen Schwierigkeiten aus dem Weg zu gehen und zugleich Baloun von der deutschen Armee fernzuhalten, den Hund geschlachtet. Als das Fleisch gefunden wird, verhaftet Bullinger Schweyk wegen Schleichhandels.
Nachdem ein Zwischenspiel den Bedarf des deutschen Faschismus nach Menschenreserven gezeigt hat, wird auch Schweyk mit vielen anderen zum Einsatz an die Ostfront deportiert. In einer Art Schneelabyrinth um Stalingrad verliert er sein Bataillon, gibt deutschen Deserteuren Ratschläge, schützt ohne direkte Absicht eine russische Familie vor einem Feldgeistlichen, träumt immer wieder von der verlorenen Gastlichkeit seiner Prager Heimat und kommt bei all dem seinem Ziel keinen Schritt näher.
Hier, verschollen in den östlichen Schneesteppen, ist der Ort, wo Schweyk im Epilog Hitler persönlich begegnet. Auch dieser irrt auf der Suche nach dem letztlichen Sieg orientierungslos umher, abgeschnitten von allen Fluchtmöglichkeiten. Das Treffen wird von einem schweykschen Fazit beendet: »Und ich sags dir ganz offen, daß ich nur noch nicht weiß/ Ob ich auf dich jetz schieß oder fort auf dich scheiß.«
Die Entstehungsgeschichte der Brechtschen *Schweyk*-Bearbeitung reicht bis 1927 zurück, als Erwin Piscator für sein Theater am Nollendorfplatz eine Dramatisierung des Hašek-Romans in Angriff nahm. Die Rechte lagen bei Max Brod, der die Verbreitung des Romans entscheidend gefördert hatte, und Hans Reimann, die dann auch eine Fassung vorlegten, die Piscator als »Militärschwank« ablehnte. Er verfaßte zusammen mit Brecht, Leo Lania und Gasbarra eine neue Textbearbeitung, die sich auf eine getreue Wiedergabe der Romanhandlung beschränkte und das Episodische der Vorlage aufnahm. Die Premiere wurde besonders aufgrund der erstmalig benutzten Dramaturgie der »Bühnenrollbänder« und der eingeschobenen Trickfilm- und Projektionssequenzen von George Grosz theatergeschichtlich bedeutsam. Piscator und Brecht behielten beide den Plan einer Verfilmung des *Schweyk*-Stoffes im Auge. Piscator beschrieb seine Lieblingsidee in mehreren Filmexposés, in denen schon eine Aktualisierung vorgesehen war, die jedoch alle durch eine Verquickung rechtlicher und politischer Fragen im Paris der Volksfront nicht zur Verwirklichung gelangten.

Im gemeinsamen amerikanischen Exil wurde das Projekt auf Anregung von Kurt Weill wiederaufgenommen, dem der *Schweyk*-Stoff als Musical-Libretto geeignet erschien. Nach privaten und geschäftlichen Querelen, die besonders im Streit um einen Übersetzer zum Ausdruck kamen, trennten sich (die ohnehin auseinanderstrebenden Projektvorarbeiten von) Brecht und Piscator, der seinen Eindruck, auf eine persönlich illoyale Art kaltgestellt worden zu sein, nicht verhehlte. Im Spätsommer 1943 lieferte Brecht eine Bearbeitung, die sowohl Weill als auch der Produzent Ernst J. Aufricht als mißlungen einschätzten. Sie nahmen daraufhin von dem Projekt Abstand. Ein Schritt, gegen den auch Brecht nichts unternahm, da er sich nach wie vor nicht den Erfordernissen des amerikanischen »producing« unterwerfen wollte. Er gewann Hanns Eisler für die Musik, ging mit Ruth Berlau noch einmal die Schwierigkeiten der Dialektübersetzung an und startete abschließend den letztlich folgenlosen Versuch, Charles Laughton für das Werk zu begeistern.
In dem Roman Jaroslav Hašeks ist der offiziell für schwachsinnig erklärte Prager Hundehändler Josef Schweyk eine Figur aus dem Subproletariat, dessen völlig unheroischer Kampf gegen die Willkür der bürokratischen und militärischen k.u.k. Instanzen die Wertsysteme, die ihnen zugrundeliegen, ad absurdum führt. Er leistet seinen Dienst buchstäblich nach Vorschrift und durchkreuzt so als entlarvender Irrwisch alle Herrschaftsdefinitionen des monarchischen Apparates, der sich ohnehin schon im Stadium der Agonie befindet. Das prompte Befolgen aller Anordnungen bewirkt ein »umwerfendes Einverständnis«, eine anarchische Zentrifugalkraft sprengt die Befehlswelt durch konsequentes Erfüllen aller Regeln. Der »Opportunismus« der Figur bewahrt zumindest ihre Individualität.
Dieser Vorlage gibt Brecht durch zwischengeschaltete Auftritte der Mächtigen den Grundzug eines Experiments, in dessen Zentrum die Frage nach der wechselseitigen Abhängigkeit der »höheren« von den »niederen Regionen« steht. Aus diesem Grunde wird die Hašeksche Gestalt des Woditscha zu der des Baloun verändert. Die unmäßige Freßgier tritt an die Seite des Macht-Hungers. Schweyk möchte seinen Freund davon abhalten, »wegen eines Butterbrotes«, was für Baloun ausreichte, die Partei des Unterdrückers zu ergreifen. Dieser zentrale Handlungspunkt drängt dann auch andere Themen wie das Herr-Knecht-Verhältnis (Lukasch-Schweyk) bei Hašek zurück. An die Stelle der problemreichen Geliebten des Leutnant Lukasch tritt die Liebeshandlung zwischen Wirtin Kopecka

und ihrem jugendlichen Verehrer, die ein weiteres Mal die Gaststätte »Zum Kelch« in den Mittelpunkt rückt, um den herum alle Handlungskreise sich bewegen. Hier herrscht jenes sinnliche Wohlsein, das zwischen dumpfer Genügsamkeit einerseits und vorweggenommener Freundlichkeit und Güte andererseits schwankt. Balouns Geschichte und Selbstreflexionen zeigen nun, wie leicht die Gemütlichkeit des Kleinbürgers in objektive Teilhabe an der Unterdrückung umschlagen kann. Das Bestreben, eine warme Wohligkeit im Körper durch einen übermäßig gefüllten Bauch (es geht nicht ums Hungern, sondern um sehnsüchtige Besetzung der Nahrungsqualität) zu gewährleisten, mündet in versteckte Kollaboration oder zumindest aktive Duldung der Besatzung. Die dicke »Hanswurst«-Gestalt des Baloun verweist so auf den Idealtypus des Kleinbürgers, der nichts wissen, aber gut leben und Geld verdienen wollte. Bezeichnend ist in diesem Zusammenhang, daß in einem Gestapo-Verhör eben die Klassifizierung, nämlich daß auch der Führer ein Hanswurst ist, eingestanden werden soll. Die karikierte Darstellung der Herrscher in den »Spielen« als »überlebensgroße« Marionetten (nur Goebbels ist »überlebensklein«) unterstreicht nochmals die Parallelen zwischen mächtigen und machtlosen Kleinbürgern. Die Gaststätte »Zum Kelch« ist, auch wenn die Wirtin auf Abgrenzung achtet, eben doch einer jener bescheidenen Orte, an denen geschichtsträchtig die Augen verschlossen werden.
Die Figur des Schweyk nimmt dagegen zunehmend von der Vorlage und der früheren Dramatisierung abweichende Züge an. Schweyk leistet behutsamen Widerstand. Seine Gedankenspielereien grenzen durchaus an Sabotage, wenn er z. B. den Soldaten, der die Maschinentransporte für ihren korrekten Zielbahnhof zusammenzustellen hat, mittels eines Gedächtnisspieles völlig verwirrt und das erfolgreiche Ende eines Widerstandes andeutet. »Aber vielleicht möchten sie bis dahin (bis zur Ankunft der verwechselten Waggons) in Stalingrad nix nötiger brauchen als Erntemaschinen und in Bayern wiederum schon Maschinengewehre.« In gleicher, eindeutiger Weise parodiert Schweyk bei der Zwangsmusterung das Horst-Wessel-Lied. Die Figur durchläuft einen Lernprozeß. Über den galligen Humor des Liedtextes (Der Metzger ruft. Die Augen fest geschlossen . . .) hinaus wird in späteren Szenen aktive Parteinahme erkennbar für Deserteure und bedrohte Russen. Im Schlußsatz des Gespräches mit Hitler bedarf es nur noch einer Vokalverschiebung (von »schieß« zu »scheiß«), um den Krieg nach außen durch den Krieg nach innen zu beenden.

Diese Lesart, das fortlaufende Einkreisen des Unterdrückers, betrifft allerdings nur Schweyk. Das Zentrum des kleinbürgerlichen Kreises ist die Gaststätte, in der die Visionen Schweyks – von der Schneewüste aus – zwei völlig abweichende Schlüsse aufscheinen lassen. In der ersten Vision gewähren »rosige Wolken« einen Blick auf Baloun, der, während der Krieg andauert, einen Nachruf auf seinen Freund hält, sich der Kasteiung des einmaligen Verzichtes auf Fleisch unterzieht (und das auch noch im »Litaneiton« vorbringt), aber durch die bevorstehende Heirat mit dem Dienstmädchen Anna sich schon trösten kann. Der Kreis der ewig gleichen, tumben Idylle wird sichtbar. In der zweiten Vision finden dann auch die Wirtin und ihr Verehrer zueinander, so daß Brecht in diesem allumfassenden Happy End mit dem Zitat der zwanghaften »Rettung auf jeden Fall Haltung« des kleinbürgerlichen Erfolgsstückes sein Panorama komplettieren kann.
Die behutsame Taktik der Subversion, die in den Brechtschen *Schweyk* hineingelesen werden kann, hat gewiß utopischen Charakter. Genußlust und Phantasie als Sand im Getriebe garantieren dauerhaft eine bessere Zukunft nur dann, wenn sie in ihrer Funktion auch bewußt geworden sind. In der Bearbeitung treten keine zukünftigen Kämpfer, sondern Überlebende auf. Unterschwellig ist Brecht somit gerade in diesem von der Kritik und der Forschung nahezu geschlossen angefeindeten Stück eine durchaus präzise Vorwegnahme vieler Nachkriegstendenzen in beiden Teilen Deutschlands gelungen. Die utopische Schlußeinstellung des bewegungsunfähigen Hitler zeugt ein weiteres Mal von dem Wunschbild vieler Exilanten, das der Wirklichkeit nicht standhielt, in der der vielzitierte »kleine Mann« noch bis Berlin-Mitte kämpfte.

DER KAUKASISCHE KREIDEKREIS

GW II. Mitarbeiter: Ruth Berlau. Musik von Paul Dessau (1953/54). Brecht erhielt im März 1944 einen Vertrag für eine *Kreidekreis*-Bearbeitung, die am Broadway aufgeführt werden sollte. Die erste Fassung des Stücks schloß er im Juni 1944 ab. 1945 entstand eine zweite Fassung. Uraufführung (in der Übersetzung von Eric Bentley) im Mai 1948 in Northfield/Minnesota. Erstveröffentlichung im 1. Sonderheft Bertolt Brecht der Zeitschrift *Sinn und Form*, Berlin 1949. 1954 erschien das Stück im 13. Heft der VERSUCHE.

Zum ersten Mal verwendete Brecht, wenn auch in verzerrter, grotesker Umkehrung, das Kreidekreis-Motiv 1925 in dem Foyer-

Zwischenspiel *Das Elefantenkalb*. In jenem Jahr wurde in Berlin Klabunds Bearbeitung des chinesischen Stücks *Der Kreidekreis* von Li-Hsing-tao mit Elisabeth Bergner in der Hauptrolle uraufgeführt. Der Kern jenes Motivs, die richterliche Ermittlung der wahren Mutter, findet sich bereits im Buch der Könige des Alten Testaments. König Salomo fällt dort seinen Spruch, nachdem er eine Schwertprobe veranstaltet hat. In der chinesischen Version der Geschichte vom Streit zweier Mütter um ein Kind ist die Schwertprobe durch das Experiment mit einem Kreidekreis ersetzt. Im Kreis befindet sich das Kind, und die beiden Frauen, die es begehren, stehen außerhalb, es an der Hand fassend. Die richtige Mutter, meint der Richter, müßte die Kraft haben, das Kind aus dem Kreis zu sich zu ziehen.

Die äußeren Gegebenheiten des Motivs, die Ermittlung der Mutter durch den Kreidekreis, wollte Brecht unverändert lassen, aber Gerechtigkeit und Mütterlichkeit waren für ihn keine gesicherten Werte an sich. Für den Stückeschreiber war die leibliche Mutter nicht automatisch auch die für das Kind beste Mutter. Die Bedürfnisse des Kindes sollten in seiner Version die Maßstäbe für das Urteil des Richters bestimmen. Deshalb lag es nahe, den alten Stoff in eine andere Umgebung zu verlegen und für die Geschichte ein völlig anderes, sozial begründetes Umfeld zu schaffen.

Im Herbst 1938, als Hitler die Tschechoslowakei annektierte, suchte Brecht in der dänischen Geschichte nach einem brauchbaren Ereignis für die Rahmenhandlung eines Stückes *Der Odenseer Kreidekreis*, in dem er eine Zeit von Unterdrückung, Fremdherrschaft und Tyrannei schildern wollte. »Natürlich sollte die Handlung«, erinnert sich Frederik Martner, der Brecht in Svendborg oft besuchte, »in eine Zeit verlegt werden, wo das Volk sich gegen die Tyrannen aufgelehnt hatte, und als er von der Ermordung Knud des Heiligen in Odense hörte und darauf von der Liquidierung des Grafen Gert durch Niels Ebbesen, bat er augenblicklich um alles, was zu diesen beiden Ereignissen an historischer Literatur zu beschaffen wäre.« In den spärlich erhaltenen dänischen Notizen ist immerhin schon das Schema der späteren Fabel angedeutet: ein Aufstand löst die Flucht eines Gouverneurs und ein allgemeines Chaos aus; weil er dem verfolgten Herrscher Unterschlupf gewährt, wird ein Reisbauer Richter, dessen Eulenspiegeleien dann viel Verwirrung und ein wenig Gerechtigkeit bringen.

Ein Jahr später, im schwedischen Exil, verfaßte Brecht die Erzählung *Der Augsburger Kreidekreis*, in der das Deutschland zur Zeit des Dreißigjährigen Krieges den zeitlichen Hintergrund abgibt. Die Wahl dieser historischen Kulisse, für die er sich auch bei *Mutter Courage und ihre Kinder* entschied, schien ihm für schwedisches Publikum am ehesten gegenwärtig und politisch umsetzbar zu sein.

Im *Augsburger Kreidekreis* erzählt der Autor die Geschichte der Magd Anna, die das Kind ihrer Arbeitgeber rettet, als das Haus von kaiserlichen Soldaten überfallen, der protestantische Händler Zingli erschlagen wird und dessen Gattin überstürzt zu ihrem katholischen Onkel flieht. Anna sucht Frau Zingli, die sich aber verleugnen läßt und offensichtlich von ihrem Kind nichts wissen will, weil es jetzt den falschen Glauben hat und sie in Gefahr bringen könnte. Die Magd hat Mitleid mit dem Kind und bringt es mutig in Sicherheit. Damit sie nicht alle ins Gerede kommen, vermittelt ihr der Bruder, auf dessen Bauernhof sie Quartier und Arbeit findet, die Hochzeit mit einem todkranken Häusler. Auf diese Weise bekommt ihr Kind einen ordentlichen Namen, der in Aussicht gestellte Totenschein des Herrn Otterer trifft aber nicht ein, vielmehr erscheint der plötzlich wieder genesene Häusler bei Anna und erinnert sie an das Sakrament der Ehe. Anna wird krank und liegt mehrere Wochen teilnahmslos auf ihrem Lager, bis sie eines Tages von ihrem Mann abgeholt wird, was sie wortlos geschehen läßt. Schließlich verleiht ihr der Wille, für das Kind zu sorgen und es gut zu erziehen, Kraft und neue Zuversicht. Sie macht noch einen Fluchtversuch, kapituliert aber vor den Mühen, die Winter und Krieg mit sich bringen. Mehrere Jahre vergehen. Der Friede, der nach längerer Zeit zwischen Katholiken und Protestanten geschlossen wird, ermutigt Frau Zingli, ihr Kind wieder zurückzuholen. Anna bleibt nur der Weg zum Gericht, wo sie ihr gestohlenes Kind zurückfordert. Nur dem Glücksumstand, daß ihre Sache an den Richter Ignaz Dollinger überwiesen wird, hat sie ein gerechtes Urteil zu verdanken. Dieser fleischige alte Mann, »in ganz Schwaben berühmt wegen seiner Grobheit und Gelehrsamkeit«, auch »lateinischer Mistbauer« genannt und beim niedrigen Volk sehr beliebt, zeigt sich entschlossen, für das Kind die rechte Mutter zu finden: »Der Gerichtshof ist zu der Überzeugung gelangt, daß beide Mütter wie gedruckt lügen. Nun ist aber, wie gesagt, auch noch das Kind zu bedienen, das eine Mutter haben muß.« Bei der Probe mit dem Kreidekreis erweist sich Anna als die wahre Mutter, da sie es nicht fertigbringt, dem Kind wehzutun.

Der Richter Dollinger hat zwar schon eine Reihe der Eigenschaften, die ihn ähnlich wie Azdak im *Kaukasischen Kreidekreis* zum gerechten Richter in einer schlimmen Zeit machen, aber er bleibt ein Vertreter der Justiz, der seine Stellung nicht gefährdet, der wegen seiner derben Lektionen geliebt und gefürchtet wird. Dollinger hält die Spielregeln der Gesellschaft ein, nur kann er sich dank seiner Popularität und seiner Gelehrtheit einiges herausnehmen. Er spielt Anna mit einem Augenzwinkern das Kind zu, aber ansonsten geschieht bei diesem Prozeß nichts Außergewöhnliches. Dem Urteil zugute kommt auch der Umstand, daß die Verwandten der Frau Zingli eher zugunsten von Anna aussagen, weil sie auf diese Weise eine beträchtliche Erbsache erhalten. In der entscheidenden Eigentumsfrage bleibt in der Erzählung *Der Augsburger Kreidekreis* alles in der Ordnung. Der Spruch des Azdak im *Kaukasischen Kreidekreis* ist eine Enteignung in jeder Hinsicht. Die Klasse, der die Gouverneurin entstammt, hat keinerlei Rechte mehr geltend zu machen. Die Magd erhält das Kind, und die Güter der unmenschlichen Mutter fallen an die Stadt, »damit ein Garten für die Kinder draus gemacht wird, sie brauchen ihn, und ich bestimm, daß er nach mir ›Der Garten des Azdak‹ heißt«.

Das Schauspiel *Der kaukasische Kreidekreis* war eine Auftragsarbeit. Es entstand 1944 in Hollywood mit dem Hintergedanken, damit endlich den Broadway erobern zu können. Klabund hatte mit seiner *Kreidekreis*-Version, in der durchaus die verrotteten Verhältnisse der Justiz zur Darstellung kamen, seinen größten Erfolg beim bürgerlichen Publikum errungen. Da in Amerika ein Stück ohne »boy-meets-girl«-Geschichte undenkbar war, erfand Brecht für die Magd seiner Novelle noch einen passenden Bräutigam hinzu. Im Journal notierte er: »Ich dramatisiere mit Unlust in diesem leeren, wunschlosen Raum.« Der Soldat Simon war das Zugeständnis, das »Marzipan«, und die keuschen Eigenschaften, die seine Heldin nunmehr hervorkehren mußte, schmeckten Brecht wohl ebenfalls nicht. Mit einem »Widerspruch« rettete er sich aus dem Dilemma: für das Kind braucht die Magd einen Mann, aber mit der sie und das Kind rettenden Heirat riskiert sie nun den Verlust des geliebten Bräutigams. Da dieser Widerspruch aber das Happy End empfindlich störte, mußte der Richter am Schluß auch noch eine Scheidung aussprechen.

Derartige Zugeständnisse galt es zu veredeln, entscheidend sollte die Bauart sein. Amerikanische Theaterleute, denen er von seinem Stück erzählte, gaben zu verstehen: »Er wird nie einen Erfolg haben. Er kann keine Emotionen erzeugen.« Bald war der Broadway vergessen, Brecht arbeitete wieder für die »Tungusensteppe«. Die Magd Anna, nunmehr Katja und dann Grusche genannt, bot sich als eine Gestalt an, die Menschlichkeit und mütterliche Gefühle bewahrt in einer Zeit, die von Krieg und mörderischer Gewalt geprägt ist. Und Ignaz Dollinger, dessen Vorbild der progressive, von Rom mit dem Bannstrahl belegte Kirchenhistoriker Ignaz von Döllinger gewesen sein dürfte, wurde zum Armeleuterichter Azdak, Justizvertreter aus Zufall, ein anarchischer Genießer, der zur Galerie Brechtscher Vitalitätskolosse wie Baal und Puntila zu zählen ist.

Um den *Kreidekreis*-Stoff wirksam dramatisieren zu können, brauchte Brecht einen aktuelleren historischen Ausgangspunkt, der der alten Geschichte Praktikabilität verleihen sollte. So wählte er schließlich den Schauplatz Kaukasus, der zugleich zeitbezogen und genügend fremdartig war und der die Kombination von Aktualität und Märchen ermöglichte. In Grusinien oder richtiger in der georgischen Sowjetrepublik und den weiteren Kaukasus-Gebieten hatten in den Jahren 1942/43 heftige Kämpfe stattgefunden, die die Wende im Krieg der Sowjetunion gegen die deutschen Invasionstruppen brachten. Der georgische Schauplatz bot die Möglichkeit, auf weitere Aspekte und Ereignisse der sowjetischen Geschichte einzugehen. Die ursprünglich verwendeten russischen Namen, die im Laufe der Niederschrift großenteils durch Namen sowohl der älteren als auch der jüngsten Geschichte Georgiens ersetzt wurden, belegen diese Absicht.

Man kann die Revolution, die Azdak erlebt und von der er enttäuscht wird, als die Zeit vom Sturz der alten Machthaber Georgiens 1917 bis zum Ende der Räterepublik unter Führung der Menschewiki 1921 betrachten. Der bewaffnete Aufstand der Bolschewiki in Georgien und deren Unterstützung durch sowjetische Truppen brachte das Ende einer unabhängigen Demokratie, deren Existenz vorwiegend nur auf die Bürgerkriegssituation gegründet war. Trotzki bezeichnete damals die kritischen Stellungnahmen zur Liquidierung der Räterepublik als Lüge, »mit deren Hilfe der unvermeidliche Sowjetumsturz in Georgien als eine plötzliche, durch nichts hervorgerufene militärische Vernichtung, als ein Überfall des Sowjetwolfes auf das unschuldige Rotkäppchen des Menschewismus dargestellt wurde«. Lenin dagegen schätzte die Situation im Kaukasus differenzierter ein und arbeitete in den folgenden Monaten auf eine mehr behutsame Bolschewisierung Georgiens hin.

In den Reihen der europäischen Linken gehörte die georgische

Frage lange zu den wichtigsten Themen, und Brecht reizte es offensichtlich, im *Kaukasischen Kreidekreis* verschlüsselte Anspielungen auf die Praktiken und Probleme revolutionärer Umgestaltung unterzubringen. Die im Vorspiel gezeigte politische Konstellation übernahm Brecht von Lenin, der den Kommunisten der kaukasischen Republiken 1922 empfohlen hatte, nicht das Vorgehen der Sowjets in Rußland zu kopieren, sondern langsamer, vorsichtiger und systematischer zum Sozialismus überzugehen. Und zugleich hatte er den Genossen den Rat gegeben, »die Produktivkräfte dieses reichen Gebiets, die weiße Kohle, die Bewässerung zu entwickeln« und dadurch die Lage der Bauern zu verbessern: »Bewässerung ist dringender als alles andere und wird mehr als alles andere das Gebiet umgestalten, es aufleben lassen, die Vergangenheit begraben und den Übergang zum Sozialismus festigen.«
Trotz der zahlreich vorhandenen Anspielungen ist der Versuch von Betty Nance Weber, den *Kreidekreis* ganz pingelig als ein verkapptes Schlüsselstück über die russische Revolution zu betrachten und hier nur politische Bezüge zu vielen umstrittenen Personen und Geschehnissen zu vermuten, ein sinnloses Puzzlespiel, das für die Dramaturgie keinerlei Konsequenzen hat. Es ist nichts gewonnen, wenn wir in Azdak zum Beispiel Kerenski ermitteln oder die 22tägige Wanderung der Grusche am Fluß als Hinweis auf Trotzkis beschwerliche Reise von Alma Ata nach Konstantinopel ins Exil interpretieren. Nun ist es ja möglich, daß Brecht hier dem kleinen Kreis der Trotzki-Biographen eine Freude bereiten wollte, aber daß er die ganze Flucht der Magd »als konzentrierte Darstellung von Trotzkis Leben von seiner Entfernung aus Moskau im Januar 1927 über das Exil in Alma Ata bis zur Ausweisung ins kapitalistische Ausland« erwogen haben soll, ist nur noch an den Haaren herbeigezogene Assoziationsmanie. Die meisten der von Betty Nance Weber angebotenen Aufschlüsselungen haben rein assoziativen Charakter und lassen sich nicht in einer Weise interpretieren, die der erzählten Geschichte insgesamt eine in Spielhaltungen oder produktive politische Widersprüche umsetzbare Richtung geben würde.
Wir können lediglich festhalten, daß es naheliegend ist, beim Sturz des Gouverneurs im Stück an das Ende der Zarenherrschaft in Rußland zu denken und die geschilderten chaotischen Zeiten in Beziehung zu den Bürgerkriegswirren zu setzen. Ansonsten ist das Thema Revolution im *Kaukasischen Kreidekreis* doch sehr allgemein behandelt. Die Konstruktion des Schauspiels ist formal kühn,

mehrere Perspektiven addierend angelegt: die Geschichte der Magd und die Geschichte des Richters, der ihr am Ende das Kind zuspricht, werden nacheinander erzählt, so daß der politische Hintergrund der Handlung aus zwei verschiedenen Gesichtswinkeln beleuchtet wird. Erst am Schluß stoßen die beiden Figuren aufeinander, die durch den Sturz des Gouverneurs in ein Geschehen verwikkelt worden sind, das ihnen neue Erkenntnisse und andere Verhaltensweisen abverlangt. Grusche entwickelt sich von einer demütigen Magd zu einer selbstbewußten Frau, die nunmehr entschlossen ihre Rechte geltend macht. Azdak dagegen resigniert. Er ist ein Rebell und aufsässiger Geist, der eine Revolution erlebt, von der er immer geträumt hat und die ihn nun schnell auf den Boden der Realitäten zurückführt. Er handelt als Enttäuschter, er ist amoralisch und parasitär in einer Gesellschaft, die nicht weniger amoralisch und parasitär ist. Mit dem Sturz der alten Herren verband er die Hoffnung auf eine neue Zeit, aber er erlebt nur eine Zeit neuer Herren.

Erst der abschließende Teil des Stücks bringt die Geschichte des Urteils, auf die der Titel verweist. Hier wird deutlich, daß Brecht keinen Gegenentwurf zur chinesischen Vorlage oder zu Klabund geschrieben, sondern die Legende als Anschauungsmaterial für ein Stück über Recht und Gerechtigkeit benutzt hat. Ein Gegenstück zu Klabunds *Kreidekreis* ist eher *Tai Yang erwacht* von Friedrich Wolf aus dem Jahr 1931.

Um die alte, in den Kaukasus verlegte Kreidekreisgeschichte hat der Stückeschreiber auch noch einen Rahmen gelegt, der zugleich Historisierung und Aktualisierung der Parabel leisten soll. Da man ihm im Zusammenhang mit der Inszenierung des Stücks 1954 im Berliner Ensemble vorwarf, er hätte das Vorspiel als Zugeständnis an die DDR geschrieben, bezog es Brecht in das Stück mit ein und ließ es als erste Szene mit dem Titel »Der Streit um das Tal« drukken. Peter Suhrkamp versicherte er: »Es war das erste, was ich von dem Stück schrieb, in den Staaten. Die Fragestellung des parabelhaften Stücks muß ja aus den Notwendigkeiten der Wirklichkeit hergeleitet werden, und ich denke, es geschah in heiterer und leichter Weise.«

Die Darbietung der Geschichte vom Kreidekreis, arrangiert aus Anlaß des »Streits um das Tal«, ist kein bloßes Spiel im Spiel. Das Vorspiel bringt die praktische Anwendung einer Parabel in Bewegung, die ihre poetische Verklärung finden soll im Vortrag des *Kreidekreises* durch einen Sänger und Musiker. In das von den Nazis

zerstörte kaukasische Dorf Nukha, wo zwei sojwetische Kolchosen über das künftige Schicksal eines Tals verhandeln, kommt kein Spieltrupp, sondern der angesehene Vortragskünstler Arkadi Tscheidse. Er ist eine Art kaukasischer Homer, der 21 000 Verse in seinem Repertoire hat. Was Brecht ursprünglich vorschwebte, war tatsächlich eine homerische Vortragsform, beziehungsweise eine der chinesischen Theaterkunst angenäherte Spielweise. Eisler berichtet: »Der Brecht wünschte sich eine Musik, wo man lange Epen erzählen kann. Homer wurde ja gesungen. Er sagte immer: ›kann man nicht eine Musik schreiben oder einen Tonfall notieren, wo man zwei Stunden ein Epos bringen kann?‹ ... Die Gedanken von Brecht sind richtig. Nun ist ja das Epos keine moderne Form mehr. Der Industriekapitalismus hat leider – auch schon vorher der Feudalismus – die Fähigkeit, große Epen als Volkskunst zu pflegen, vernichtet. Brecht lief einem Phantom nach. Nämlich, als ob das große Epos mit Tausenden von Versen eine volkstümliche Sage wäre, wie heute in Algerien die Märchenerzähler, die auf den Marktplätzen sitzen, oder in China die großen Opern, die ungeheure Erzählungen haben und alle gesungen werden. Diese Musik brauchte Brecht für seine Dramen. Ich konnte sie ihm in keiner Weise liefern, und der Dessau hat sie gemacht, so gut er es konnte. Also hier ist ein Erdenrest zu tragen peinlich.«
Eisler ist unbedingt recht zu geben: *Der kaukasische Kreidekreis* ist eines der schönsten, reichhaltigsten und von der Form her anspruchvollsten Stücke Brechts. Es ist ein wichtiges Stück, weil es eine Utopie widerspruchsvoll in Gang setzt mit einem Rechtsbegriff, der an den Bedürfnissen der Menschen orientiert ist. Peinlich ist nur, daß der Autor so viele Zugeständnisse gemacht hat, Zugeständnisse an die Aufführbarkeit (an die Eisler aus guten Gründen nicht glaubte, was ihn veranlaßte, den Kompositionsauftrag auf die lange Bank zu schieben) und an die politischen Hoffnungen und Ideale von 1944/45, als begründete Aussicht bestand, daß die Niederlage des Faschismus den Neuanfang unter sozialistischen Vorzeichen ermöglichen würde.
Vom Rahmen hängt die formale Struktur und die politische Glaubwürdigkeit des Schauspiels ab. Hier hat Brecht immer wieder geändert und zu präzisieren versucht, ohne grundsätzlich den mittlerweile unerträglichen Fortschrittsoptimismus in Frage zu stellen. In der sechsteiligen Version, die er dann für verbindlich erklärt hat, sind zwar die verschiedensten Einwände berücksichtigt, die Freunde oder Kritiker geltend gemacht haben, aber Brecht hat sich

dennoch für keine bestimmte Grundlinie entschieden, er hat nur einzelne Elemente verschiedener Fassungen vermischt und dadurch die große formale Idee des Stücks auch noch aufgeweicht.
Der Weg zu einer zeitgerechten Inszenierung heute kann nur über das Vorspiel führen: Nach dem Sieg über die Nazis, die fast nur Trümmer hinterlassen haben, versammeln sich in Nukha die Delegierten des Ziegenzuchtkolchos »Galinsk« und des Obstbaukolchos »Rosa Luxemburg«, um über die Zukunft eines Tals zu entscheiden, das vor der Evakuierung den Ziegenzüchtern gehört hat, jetzt beim Wiederaufbau jedoch von den Obstbauern beansprucht wird. Sie wollen das Tal, in dem nur spärlich Gras wächst, bewässern, es intensiver nutzen. Die Gesichtspunkte des alten Bauern, dem das neue Weideland nicht gut genug scheint, weil das Gras dort weniger gut riecht und folglich auch der Käse weniger gut schmeckt, gelten nichts, er wird verlacht; entscheidender ist die Aussicht auf größere Produktivität. Die »Vernunft« entscheidet zugunsten der Obstbauern und des Staudammprojekts, das die Genossin Kato Wachtang ausgearbeitet hat. Ihr gilt der auch von Brecht geteilte Leninsche Glaube an die grenzenlose Ausbeutbarkeit der Natur alles. Der alte Bauer gibt schließlich resigniert nach, er weiß, daß seine Ansichten überholt sind: »Diese Talräuber wissen leider zu genau, daß wir Maschinen und Projekten nicht widerstehen können hierzulande.« Zu Ehren des mit guten Gründen überzeugten Kolchos »Galinsk« und des Sachverständigen der Plankommission für Wiederaufbau wird nun das Theaterstück *Der Kreidekreis* unter Mitwirkung des Sängers Arkadi Tscheidse aufgeführt, das mit der eben diskutierten Frage zu tun hat. Die Spieler sind die Mitglieder des Obstbaukolchos. Zweck der Darbietung ist es, den um ihr Tal trauernden Bauern mit Hilfe einer alten Weisheit neue gesellschaftliche Einsichten zu vermitteln. Heimat, so lautet die neue Weisheit, ist kein unumstößliches Recht, ebenso wie das herkömmliche Mutterrecht keine unabdingbare Gültigkeit mehr besitzt. Was zählt, ist, wer am besten für das Kind sorgt oder wer den heimatlichen Boden am erfolgreichsten bebaut, ihm den größten Ertrag abgewinnt: »Ihr aber, ihr Zuhörer der Geschichte vom Kreidekreis/ Nehmt zur Kenntnis die Meinung der Alten:/ Daß da gehören soll, was da ist, denen, die für es gut sind, also/ Die Kinder den Mütterlichen damit sie gedeihen/ Die Wagen den guten Fahrern, damit gut gefahren wird/ Und das Tal den Bewässerern, damit es Frucht bringt.« Brechts revolutionärer Appell, sein »ändere die Welt, sie braucht es«, ist hier in diesem Glücksbild, bei dem getanzt

werden kann, zur leeren Spruchweisheit verkommen, zur bloßen Bestätigung einer im Stück abgeschlossenen Diskussion. Die zitierten Maximen einer unbegrenzten Demokratisierung bedrohen inzwischen das Glück der Menschen. Eine ganze Welt von guten Fahrern im eigenen Volkswagen ist eine Vision, die nur profitgierigen Automobilfabrikanten keine Ängste bereitet. Auch wenn die Bewässerer die Eigentümer des Bodens sind, darf die höhere Nutzungsrate nicht mehr ausschlaggebend für die Umgestaltung einer Landschaft sein.

Zweifellos gehört das Vorspiel zum Stück. Läßt man es weg, fehlen alle entscheidenden Voraussetzungen für das Erzählen der alten Fabel. Die Magd Grusche darf nicht zu einem Sonderfall werden, nicht zu einem sympathischen Menschen, der für viele Opfer und Entbehrungen am Ende mit dem Kind belohnt wird, das so viele Umstände bereitet hat und fast ihr Liebesglück verhindert hätte. Die Lösung, daß nunmehr nicht die leibliche Mutter das Kind zugesprochen erhält, hat nur einen Sinn, wenn auch der gesellschaftliche Aspekt einer solchen Umdeutung deutlich wird. Alle Eigenschaften, die eine Mutter ausmachen, werden getestet. Die Frage, wer die leibliche Mutter ist, spielt überhaupt keine Rolle. Neu ist, daß Grusche keinen Sohn besitzt, sondern ihm die Mutter ist, die er braucht. Und die Geschichte des Azdak, die ohne den Rahmen rein anekdotischen Charakter hätte, soll unterstreichen, daß hier von einem an sich schlechten Richter auf eine ganz ungewöhnliche, durch zufällige Umstände hervorgerufene Weise ein guter Richterspruch gefällt wird.

Azdak und Grusche »gewinnen« am Ende. Einmal vermag Azdak im Sinne seiner Träume vom gerechten Leben ein Urteil zu sprechen, und einmal darf Grusche Gerechtigkeit erleben – aber beide müssen verschwinden, die gesellschaftliche Realität entspricht noch nicht der Vernunft, nach der sie handeln. Die Zuschauer der Gegenwart sollen ermuntert werden, auf Grundlage der neuen gesellschaftlichen Bedingungen, in denen sie leben, eine neue Art von Gesetzlichkeit und eine neue Rechtsauffassung zu praktizieren. Die Gesetze müssen überprüft werden, ob sie den Menschen gemäß sind. Per Gesetz hätten die Ziegenzüchter, die nur evakuiert worden sind, nämlich Anspruch auf das umstrittene Tal. Im Interesse der Gesellschaftsordnung und zum Nutzen aller jedoch sollen sie ihre Heimatrechte aufgeben. Azdak will »niemand den Gefallen tun, menschliche Größe zu zeigen«, er fühlt sich nicht zum Helden berufen. Er macht sich aus dem Staub, nachdem er die Rechtsansprüche der Gouverneurin für unrechtmäßig erklärt hat. Und der Person seiner Sympathie rät er, möglichst schnell mit dem Kind und ihrem Liebsten die Stadt zu verlassen. Das Happy End wird in der dargestellten alten Erzählung, in der das Unrecht für die Menschen Realität ist, märchenhaft herbeigeführt – als Vorwegnahme möglichen Glücks in einer neuen Zeit, die nun Heldentum braucht und belohnt.

Brecht schrieb den *Kaukasischen Kreidekreis* als Parabelstück, zu dem ursprünglich auch noch ein Nachspiel gehörte, das allerdings in dem Moment überflüssig war, als der Auftritt des Sängers zur Schauspielaufführung des siegreichen Kolchos umarrangiert wurde. Die Aufführung soll als krönender Abschluß der Diskussion ihre Wirkung tun, die Entscheidung zugunsten der besseren Nutzung des Tals wird gefeiert und festlich verklärt und liefert die Überführung des alten Märchens in die Realität. Das von Azdak angeordnete kleine Tanzvergnügen geht über in das Fest, das der Obstbaukolchos vom Sänger gestalten ließ. Es handelt sich hier wie im Fall des *Guten Menschen von Sezuan* wiederum nur um einen vermeintlich offenen Schluß.

In einer früheren Fassung dient der Vortrag des Sängers dagegen noch zur Klärung der strittigen Frage. Beide Kolchosdörfer sind hier Zuhörer der alten Fabel, die dann erst bewirkt, daß die Ziegenzüchter von ihrem Anspruch zurücktreten. Sie wehren sich entschieden dagegen, mit der besitzgierigen Gouverneurin Abaschwili verglichen zu werden. Der alte Bauer unterstreicht den unzumutbaren Vergleich durch seine andere Art der Auffassung von Besitz, die ihn schließlich das Tal aufgeben läßt. Mit guten Gründen fürchtet er, es nach der Bewässerung nicht mehr wiederzuerkennen. »Du wirst einen Garten sehen«, versichert ihm beruhigend die Agronomin, und die zweideutige Antwort des Alten lautet: »Gnade euch Gott, wenn es nicht ein Garten ist.«

Im Tagebuch hat Brecht die Kritik seines Sohns Stefan vermerkt, dem der Konflikt der Dörfer nicht real und hart genug behandelt erschien. Er fand, der Ziegenkolchos hätte mit dem Verzicht auf das Tal einen echten Nachteil erleiden müssen. Auch diese Kritik ist noch dem Denken der Zeit von 1945 verhaftet, als der Preis, der für Fortschritt zu zahlen ist, noch als vernünftig und einsichtig galt. Spielt man heute den *Kaukasischen Kreidekreis*, müßte das Vorspiel so geändert werden, daß die zeitliche Bedingtheit der positiven Entscheidung für die optimale Ausnutzung der Natur herausgearbeitet würde und der rätedemokratische Charakter des Streits um das Tal im Mittelpunkt stünde. Es wäre dann auch kein Sakrileg mehr, den landschaftsbewußteren Ziegenkolchos »Rosa Luxemburg« zu nennen, wie es Brecht ursprünglich vorgehabt hatte. Je mehr es gelingt, das *Kreidekreis*-Spiel nicht als Stück im Stück, sondern als Vergegenwärtigung und Zuspitzung eines Konflikts zu behandeln, um so eher kann der Eindruck der edlen Märchenparabel, die auf dem Schauspiel lastet, verwischt werden. »Der Streit um das Tal« als optimistische Tragödie, nicht als sozialistisch beschönigte Fortschrittsparabel, die sich skrupellos über technokratische Landschaftsbarbarei hinwegsetzt.

DIE ANTIGONE DES SOPHOKLES

Nach der Hölderlinschen Übertragung für die Bühne bearbeitet. Entstehungszeit: Ende 1947. GW III. Mitarbeiter: Caspar Neher. Uraufführung 15. 2. 1948 in Chur. Erstveröffentlichung: *Antigonemodell* 1948 im Gebr. Weiss Verlag, Berlin 1949.

Brecht wählte dieses Werk, das eines von mehreren war, die der Intendant des Stadttheaters von Chur, Hans Curjel, ihm angeboten hatte, aus unterschiedlichen Erwägungen. Neben dem Gesichtspunkt, eine weibliche Hauptrolle für Helene Weigel zu haben – eine Bedingung die allerdings auch Racines *Phädra* und Shakespeares *Macbeth*, die ebenfalls zur Disposition standen, erfüllt hätten – standen wohl der formale Reiz, das Angebot einer epischen Realisation, und die stoffliche Aktualisierbarkeit im Vordergrund.
Das Vorstellen und weitgehende Zitieren der Vorlage Hölderlins findet im hinzugefügten Vorspiel seine textliche Umsetzung. Im Endkampf um Berlin stoßen zwei Schwestern auf Zeichen ihres demnach desertierten, aber lebenden Bruders. Während sie den mitgebrachten Proviant verzehren, wird ihr Bruder draußen ermordet. Die Schwestern beschreiben ihre Reaktionen: »Bleib innen, du; wer sehn will, wird gesehn./ So warteten wir eine Weil und sahn/ Nicht nach den Dingen, die da drauß geschahn.« In seltener Eindeutigkeit zeigen die Schauspieler hier auf die Personen, deren Darsteller sie sind. Die epische Realisation der Handlung, die somit einen idealtypischen Ablauf auf eine europäische Bühne stellen sollte, korrespondierte sehr genau mit dem Bühnenentwurf Caspar Nehers, der bei hellem Licht dem Publikum während der ganzen Aufführung hindurch vollständig einsichtig war und die antike Or-

chestra mittels der ständigen Anwesenheit der Spieler im Sinne der Brechtschen Theaterkonzeption verwendete.
Die inhaltlichen Abweichungen und Neubestimmungen der Brechtschen Bearbeitung sind nicht immer schlüssig und eindeutig; sie betonen letztlich die Offenheit und Fremde des Gezeigten. Über die grundlegende Konzeptionsstruktur, die Entfernung des Geschehens aus der mythologischen Gesetzmäßigkeit, hinaus, können einige Schwerpunkte der Aktualisierung ausgewiesen werden.
Die Haltung der Tochter des Ödipus, Antigone, die es von ihr erfordert, den göttlichen Gesetzen und somit auch dem Labdakiden-Fluch gemäß zu handeln, sollte zugunsten einer beispielhaften Widerstandshaltung innerhalb eines totalitären Regimes gestaltet werden. Brecht meinte, daß die historische Ferne des Geschehens es erleichtert, den so gesehenen Schwerpunkt, die Rolle der Gewalt beim Zerfall der Herrschaft, in das Zentrum zu rücken. In der Figur der Antigone gewinnt dann die Absage an die Tyrannis Gestalt. In ihrer Hinwendung zu den humanen Werten der Demokratie und gegen das Gesetz der Willkür bleibt Antigone aber allein. Das Volk, das auf der Bühne nicht auftritt, ist ohne realen Kontakt zu ihr und steht nur für die wortlose Masse, die von der Hybris des Herrschers, der seine Ohnmacht verschleiernd, Theben bis zum Ende verteidigen läßt, mit in den Untergang gezogen wird. Die Verweise auf Stalingrad und Hitlers letztlichen Standort, nach dem das deutsche Volk eben in seinem geopolitischen Auftrag versagt habe, sind ersichtlich. Es tritt hinzu, daß auch die Haltung Kreons gegenüber der Aufrührerin an die eines Diktators grenzt, der »Säuberungen« befiehlt. Der Staatsfeind soll von der Oberfläche der Erde getilgt sein. Schließlich ist auch die häufig wiederkehrende Betonung des Krieges als imperialistische Expansion durch Hinweis auf die Erzgruben von Argos durchaus kongruent mit den Brechtschen Faschismusanalysen. Die Tyrannis überschätzt ihre Kraft und wird so schließlich auch von dem Chor der Alten, den gewinnorientierten Auftraggebern, als verloren erkannt.
Obwohl Elemente der skizzierten ersten Analyserichtung erkennbar sind, realisierte Brecht bald die Unhaltbarkeit dieses Ansatzes. Zwar legt die Hölderlinsche Lesart durchaus die Affirmation der einsamen Aufrührerin nahe – und das nicht erst in der Hölderlin-Rezeption der letzten Jahre – eine Projektion des Klassenkampfes und seiner Parteiungen in diese Szenerie ist jedoch zum Scheitern verurteilt. In den Korrekturen des begleitenden Antigonemodells wird das Ergebnis dieser Überlegungen berücksichtigt. Die Gegen-

kräfte, die durch die Tyrannis hervorgerufen werden, sind eben nicht in der Bevölkerung gesammelt, die auch die Isolation der Antigone bis zuletzt nicht aufhebt. In der mythologisch aufgeschlüsselten Konzeption des Sophokles erfüllen die Brüder Eteokles und Polyneikes ihren Teil des Fluches. Das neue Unheil wird in dem Moment ersichtlich, als Kreon (Bruder der Jokaste, die Mutter und Frau des Ödipus war) seine Rechte als Territorial- und Kriegsherr überschreitet, indem er das irdische Recht, das Gesetz des Staates gegen das archaische, mit den Göttern verbundene Recht der Familie aufrichtet. Die Absolutheit beider Gesetze verhindert jede Aussöhnung. Das gleichzeitige Überholtsein der Gesetze kann dann das humane Primat des Einzelnen gegen den etatistischen Terrorismus nahelegen. Die Tragödienanlage des Sophokles sah für beide Prinzipien kein Entrinnen. Antigone vollzieht die ungeschriebenen göttlichen Gesetze und stellt sich damit gegen die Staatsraison. Der Übermut des Kreon frevelt das göttliche Gesetz. Antigone muß sterben und ethisch über die Staatsmacht siegen, so wie der Tyrann seinen Wahn der unbeschränkten Herrschaft mit dem Auslöschen der Familie bezahlt.
Brecht zog aus der Einsicht, daß sich diese für eine historische Theater- und Religionsgemeinschaft stimmige Inhaltsvorgabe gegen eine konkrete neue Standortbestimmung sperrte, die Konsequenz, die Offenheiten und Dunkelheiten des Textes, soweit sie in seiner Bearbeitung erhalten sind, wieder in den Vordergrund zu rücken. Das Ergebnis ist eine textliche Unentschiedenheit. Elemente der oben skizzierten, eher vordergründig materialistischen Analyseversuche bleiben erhalten. Die an republikanische Vorstellungen grenzende Hölderlinübertragung, nach der, wie schon angedeutet, aus der Entzweiung der gleichgewichtigen Kräfte, eben als Verwirklichung des Göttlichen, die Vereinigung, die Demokratie als neue Vernunftform hervorgeht, ist auch wiederzufinden. Die Eliminierung sämtlicher, die mythische Familiengeschichte berührender Zusammenhänge durch Brecht läßt als Gerüst einen Diskurs über die Macht zurück. Kreon führt einen Angriffskrieg, in dem er, gänzlich untragisch, durch persönliche Überheblichkeit auch militärisch in die Defensive gerät. Er ist ein ausschließlich unmenschlicher Herrscher, dessen letzter Impuls der allgemeinen Zerstörung gilt. Die eigene Machtvollkommenheit steht als Wert weit über den materiellen und politischen Interessen. So sieht er auch nicht von Hinrichtungen ab, als im Heer Protest gegen das Begräbnisverdikt laut wird. Die Alten scheinen schließlich nur das Heer der Unter-

tanen zu vervollständigen; sie sind nicht Korrektiv oder Ratgeber, sondern auch nur Knechte. Aus Brechts ursprünglicher Absicht, den deutschen Angriffskrieg als Rezeptionsraster zu benutzen, ist die historisch etwas distanziertere Darstellung eines Krieges entstanden, der die Aufgabe hat, von den völlig desolaten Zuständen im Innern des Staates abzulenken.

In dieser Darstellung ist der blinde Seher Teiresias nurmehr der Analytiker Tiresias, der den Wahnsinn seines Herrschers erkennt und die Folgen einschätzt. Die Gewaltherrschaft hat die Kräfte des Landes aufgezehrt und so den Sieg, ob gerecht oder nicht, verspielt. Die politische Generalisierung, daß jede Herrschaft, die die offenen oder versteckten Formen des Klassenkampfes nicht beseitigt, zum Scheitern verurteilt ist, korreliert mit vielen Äußerungen Brechts aus dieser Zeit, die, allen geschichtlichen Erfahrungen zum Trotz, diese optimistische Sehweise aufrecht erhielten. Tiresias ist überdies zu dem Chor der Alten hinzuzurechnen, die mit dem von ihnen aktiv oder auch passiv gestützten Diktator untergehen werden, obwohl der im Augenblick der voraussehbaren Niederlage versucht, sowohl Antigone als auch seinen verstoßenen Sohn Haimon, der sie liebt, dem von ihm selbst verordneten Tod zu entreißen, und damit ihrem Ratschlag – zu spät – folgt.

Ausdruck der zur Entschiedenheit gekommenen Interpretation Brechts ist dann der neue Prolog, den er 1951 zu der Aufführung in der Stadt Greiz schrieb. Die zuletzt erwähnte Handlung Kreons dient nach dem »Prolog zu Antigone« einer »Fürstin«, die als »unbeugsam Gerechte/ Nichtachtend des eignen geknechteten Volkes Opfer« den Angriffskrieg beendet hat. Die spätere Deutung Brechts betont den historischen Abstand und fordert auf, nach vergleichbaren Taten und Situationen zu suchen. Antigone ist ausdrücklich nicht mehr die Empörerin, die als Vorbild für die Bevölkerung und die Demokratie dienen kann. Sie wird vorgestellt als eine von Selbstsucht geblendete Einzelgängerin, die das Volk für ihre individuellen Regungen zurückstellt.

Brechts Bearbeitung *Die Antigone des Sophokles* scheitert daran, daß die Vorlage zwar im Hölderlinschen Sinne wohl den Konflikt zwischen Feudalismus und Bürgertum, also zwischen Einzelherrschaft und humanistisch orientierter Aufklärung, transportieren kann, nicht aber die hochdifferenzierte Auseinandersetzung zwischen spätkapitalistischer Bourgeoisie und Proletariat.

Sehr beeindruckt zeigt sich Brecht von der sprachlichen Qualität der Vorlage. Die zu Hölderlins Zeit viel belächelte Bearbeitung wird aufgenommen und fortgeführt, um auf diese Weise über die sprachliche Linearität hinaus in den fruchtbaren Bereich der Bildangebote vorzudringen. Das geläufigste Beispiel bietet der Vers 20, in dem Ismene unter dem Gesichtspunkt annähernder philologischer Korrektheit sagt: »Was ist? Du scheinst von etwas tief erregt!« Hölderlin macht daraus: »Was ist's, du scheinst ein rothes Wort zu färben?« was wiederum in der Brechtschen Bearbeitung zu dem Zweizeiler führt: »Staubaufsammelnde, du färbst mir/ Scheint's, ein rotes Wort.« Der Widerstand, den Hölderlin gegen das Kommunikationsprimat einlegt, wird in seiner Radikalität verwandt, um die Trennung von Wort und Tat zu löschen, und so den gemeinsamen Bildgehalt, das Blut der zukünftigen Verwirklichung, in den Vordergrund treten zu lassen. Als weitere Besonderheit nennt Brecht den schwäbischen Volksgestus, der helfe, das Labdakiden-Drama, gemäß seiner Hauptabsicht, von aller Vorherrschaft der bestimmenden, schicksalsgebundenen Geprägtheit, der Moira, zu befreien. Im Rahmen dieser sprachlichen Versuche Brechts muß auch die *Antigone-Legende* gesehen werden, die, in Hexametern abgefaßt, das erste Stadium der Interpretation zu Papier bringt und darüber hinaus auch einen Hinweis auf das fortdauernde Projekt einer Versifizierung des »Kommunistischen Manifests« bedeutet.

Damit verbunden ist auch die Bedeutung des Chores, dessen neue Charakterisierung es ermöglicht, der auch untergehenden Interessengruppe die ambivalente Kommentierung zuzuordnen. Die Vermengung aus parteiischem Blick *und* überblickender Weisheit beinhaltet allgemeine Warnungen an die Macht, um sie an das Maß und das Geschick zu erinnern, das zur Aufrechterhaltung der Herrschaft unabdingbar ist. Desweiteren spricht der Chor die Beschreibung der Antigone aus, in der er sie an die eigene Hybris und den zu hoch angesetzten Ton der Anklage angesichts des Gesichtspunktes erinnert, daß sie die Teilhabe an der Herrschaft und ihren Privilegien lange Zeit genossen hatte, bevor die Gewalt auch ihre Integrität berührte und die Revolte erzwang.

In den Sätzen des Chores kommt überdies die Tradition zu Wort, welche die Äußerungen der zwei zentralen Figuren des Dramas ansonsten nicht berührt. Brecht benennt diesen Hintergrund mit dem Namen »Bacchus«, wählt also die eher profanierende lateinische Namensgebung als Chiffre für die dionysische Tradition. Dabei wird das Friedliebende des Dionysos hervorgehoben. Das Loblied kennzeichnet seine menschenversöhnende Macht. Der Aufruf, sich zu vergnügen, bringt die Normen durcheinander und überschreitet auch das archaische Gesetz der Familie. Allerdings kann die Hoffnung auf das Fest auch stabilisierend für die Herrschaft sein. Die Aussicht auf das »ergriffene Rasen« während der Feier führt die Menschen dazu, der Unterdrückung duldend zu begegnen.

Über die inhaltliche Akzentverschiebung hinaus sah Brecht in dem vorgefundenen Material die Möglichkeit, wesentliche Neubestimmungen für das deutsche Theater nach 1945 vorzunehmen. Wie im Vorwort zur Buchausgabe des *Antigonemodells* ausgeführt wird, wollten Brecht und Neher eine Technik bewußter Bühnenpräsentation darstellen, die gesellschaftliche Gesetze freilegt und ihre Kausalitäten aufzuzeigen imstande ist. Anhand vieler Spiel- und Bildvorschläge für die Darstellung gesellschaftlicher Produktionsgesetze und -haltungen wird ein Gegenentwurf zu jener gesellschaftlichen Entrücktheit herausgearbeitet, die eine Autonomie des Theaters im deutschen Faschismus behauptet, was in Brechts Augen gleichbedeutend damit sei, von »der ›glänzenden‹ Technik der Göringtheater« zu sprechen.

Gerade die Betonung der Theatertechnik sollte auch davor bewahren, der Figur der Antigone den Glanz der aristokratischen, aber der Demokratie dienenden Rebellin zu verleihen. Bezugspunkte, die dem deutschen Theaterpublikum eine Parallele zu dem Attentatsversuch am 20. 7. 1944 nahegelegt hätten, wollte Brecht, der den Widerstandskreis mit kritischer Distanz auch als Junkervereinigung sah, verhindern.

DIE TAGE DER COMMUNE

Geschrieben 1948/49. GW III. Mitarbeiter: Ruth Berlau. Musik von Hanns Eisler. Uraufführung: November 1956 in Karl-Marx-Stadt. Erstdruck im 15. Heft der VERSUCHE, Berlin 1957.

Als Vorlage diente Nordahl Griegs Theaterstück *Die Niederlage*, das von Margarete Steffin, nach einem Zusammentreffen von Grieg und Brecht 1937 auf Fünen, aus dem Norwegischen ins Deutsche übersetzt worden war. Grieg konzentrierte sich in seinem Stück auf die Zeit unmittelbar nach Ausruf der Kommune im März 1871. Brecht erweiterte die gespielte Zeit um zwei Monate; er begann also mit dem Ende des deutsch-französischen Krieges.

Da Brecht die aktuellen Bezüge oder doch zumindest Parallelen

zwischen dem belagerten Paris und dem Nachkriegsdeutschland explizit herausstellt, empfiehlt es sich, einige historische Informationen der Stückanalyse voranzustellen:
Schon vor dem von Bismarck provozierten Krieg hatte Napoleon III. jeglichen Rückhalt in der Bevölkerung außerhalb der Bauernschaft verloren. Mit der Niederlage bei Sedan zerbrach die Herrschaft des »Second Empire«. Das Ergebnis der folgenden politischen Auseinandersetzungen war eine provisorische republikanische Regierung, in welcher dem Revolutionär Blanqui, als Gegner von Marx und Befürworter der direkten Aktion in Brechts Stück, bezeichnenderweise ohne aktiven Anteil, ein Kommandeurposten der Nationalgarde zugedacht war. Blanqui forderte die Volksbewaffnung, was von der liberalen Regierung aus Sorge vor einer Arbeitererhebung abgelehnt wurde. Als der Vormarsch der Preußen weiterhin nicht gebremst werden konnte, unternahm Blanqui den scheiternden Versuch, eine Revolution auszulösen. Am 29. 1. wurde der Waffenstillstand mit Preußen vereinbart, Elsaß-Lothringen abgetreten und einer hohen Reparationszahlung zugestimmt, die die im Februar gewählte Regierung Thiers dadurch einzutreiben begann, daß sie die Stundung der Schulden- und Mietzinszahlungen aufhob und die Soldausgabe an die Nationalgarde aussetzte. Als dieser auch die selbstfinanzierte Artillerie genommen werden sollte, kam es zur Revolte, die in die Wahl der Pariser Kommune mündete. Die regierenden Sozialrevolutionäre, ohne den verhafteten Blanqui, verkündeten u. a. die Abschaffung von Polizei und Armee, die Enteignung des Klerus und die Eröffnung öffentlicher Schulen. Ein Marsch auf Versailles, wohin sich die Nationalversammlung nach der Wahl Thiers' zurückgezogen hatte, wurde ebensowenig eingeleitet wie die Requirierung der Nationalbank. Die Regierung Thiers ließ ihrerseits Paris belagern, das am 25. 5. eingenommen wurde. Dem einwöchigen, konterrevolutionären Terror fielen mehr Menschen zum Opfer, als der »Terror« Robespierres in drei Jahren gefordert hatte.
Zu Beginn der Handlung des Stückes treffen in einem Café ein reicher Bürger, die Näherin Cabet, ihr Sohn Jean und Mitglieder der Nationalgarde, »Papa«, Coco und François, aufeinander. Die Interessengegensätze zwischen der verdienenden und der kämpfenden und leidenden Bevölkerungsschicht sind unüberbrückbar. Zu einem Hungerlohn wird die Nationalgarde von ihren Generälen verheizt, während die besitzende Klasse unter dem Deckmantel des Patriotismus die Gewinne einstreicht. Es geht am Ende dieses für

verloren erklärten Krieges vor allem um die Entwaffnung und Disziplinierung der eigenen Bevölkerung. So akzeptiert Thiers in diplomatischen Kontakten die ruinös hohe Reparationsforderung Bismarcks als den Preis für die Ordnung und die Wahrung der Besitzverhältnisse. Der übernationale Finanzierungsplan soll allerdings erst nach der »Pazifizierung« von Paris in Kraft treten. Die Solidarität der Besitzenden beider Länder verlangt und gewährleistet die Unterwerfung des Aufstandes.

Zwei Monate später verhindert die Bevölkerung von Paris, d. s. hier besonders die Frauen, nämlich Mme. Cabet, Babette, die Freundin ihres Sohnes Jean, sowie die Lehrerin Geneviève, die Auslieferung der Waffen an die Preußen und die de facto mit ihnen verbündeten französischen Kräfte um die Nationalversammlung von Versailles. Die Entwaffnung soll gewährleisten, daß »jene, die den verbrecherischen Krieg gemacht haben, nun ihn von jenen bezahlen lassen können, die in ihm geblutet haben.« Von Anfang an sind die Widersprüche innerhalb der Deligiertenversammlung der Kommune unüberbrückbar; eine radikale, anarchische Fraktion, personifiziert in Rigault, fordert dezisionistisch die sofortige Kampfaufnahme; die legalistische Position, Delescluze und Beslay, setzt sich durch. Die Organisation eines demokratischen Apparates steht im Vordergrund der Bemühungen. Der Marsch nach Versailles findet nicht statt. Der Gouverneur der Nationalbank übertölpelt Beslay mit dem Hinweis auf unabdingbare Formalitäten, die eine korrekte und ehrenhafte Übergabe der Gelder in kurzer Zeit nicht erlauben. Das Motto, das die Kommune in ihre Resolution schrieb, wird eben nicht beherzigt: »In Erwägung: Ihr hört auf Kanonen –/ Andre Sprache könnt ihr nicht verstehn –/ Müssen wir dann eben, ja, das wird sich lohnen/ Die Kanonen auf euch drehn!« Während das Volk von seiner Stadt Besitz ergreift und die Befreiung feiert, der Maler Courbet den Sturz der Vendôme-Säule – Fanal der Kastration des Herrschaftsmonumentes – fordert, gelingt es nicht, die militärische und materielle Absicherung voranzutreiben. Die Erfüllung aller Wünsche ist greifbar nahe, wenn Babette und Geneviève keine Terrainkämpfe um Jean aufführen, François das studieren kann, was er will, Jean und »Papa« das jämmerliche Unterwerfungsritual Thiers' gegenüber Bismarck karikierend vorspielen. Der kriegsgefangene preußische Soldat bleibt freiwillig in der Stadt der Brüderlichkeit.

Es wird die Pressefreiheit proklamiert, obwohl nahezu die gesamte Presse gegen die Kommune schreibt, die Administration wird der

freien Wahl unterworfen, ohne einen exakten Lageplan der Verwaltungsgebäude in Händen zu halten. Aus Angst, einen Bürgerkrieg zu verschulden, bleibt die Miliz schlecht besoldet, werden die Betriebe nicht der Arbeiterassoziation angeschlossen. Dem Angriff auf Paris begegnet man mit Mut und Dilettantismus. Brecht durchbricht diese dem Lauf der Geschichte gemäße Nummernfolge durch zwei kleinere Einschübe. Der erste beschreibt in der Figur eines Bettlers, der dennoch das Recht auf Eigentum verteidigt, den Bewußtseinsrückstand von Teilen der Bevölkerung. Daran schließt eine weitere Szene an, in der Außenminister Favre in der Frankfurter Oper Bismarck Bericht erstattet, wonach in dem Kampf um Paris die regierungstreue Landbevölkerung gegen die industriell geprägte Stadt aufgeboten worden ist.
Auch noch unmittelbar vor der Niederlage ist die Delegiertenversammlung nicht bereit, dem Terror mit Gegenterror zu antworten. Einzig die Frauen fordern den konsequenten Kampf, der an die Stelle der Appelle treten soll. So schützt Geneviève nicht ihren Verlobten, als der verkleidet in die Stadt kommt und als Spitzel entlarvt wird.
Während nicht zuletzt der Vorläufer des Maschinengewehrs, die Mitrailleuse, den Kampf entscheidet, werden das Ende der Kommune und ihre Toten zum ästhetischen Vergnügen des Bürgertums, das von Versailles aus den Krieg gleich einer schauspielerischen Darbietung begutachtet.
Auch wenn einige Personen in den Vordergrund des Geschehens gerückt sind, so ist doch der Schwerpunkt der Handlung auf anonyme Teile des Volkes gelegt. Die Massen äußern sich in Zurufen auf den Versammlungen, Namenlose treiben die Diskussionen und Aktionen voran. Die Straße und das Stadthaus, die Repräsentanz der Kommune, sind nur personal verbunden. Handlungs- und Entscheidungsträger sind der Arbeiter und Delegierte Langevin und die Lehrerin Geneviève; beide sind keine Hauptfiguren. Im Zentrum steht vielmehr die Erfahrung der städtischen Massen. Die Kommune ist so die Reaktion auf den vermeintlich nationalen Krieg und die alltäglich erlittene Arbeit. Es werden keine großen Programme mit intellektueller Wortgewalt paradigmatisch vorgebracht. An deren Stelle steht der Frontenwechsel, den ein Kellner und der deutsche Gefangene gänzlich unspektakulär vollziehen. Das neue Zusammenleben ist somit der Ausdruck und das Resultat gemeinsamer Erfahrung.
Hierin ist eine entscheidende Abweichung von der Vorlage zu se-

hen, die zwar auch den Zusammenschluß der deutschen und französischen Bourgeoisie thematisiert, aber den persönlichen Ausdruck hervorragender Individuen als Movens und Kennzeichnung der Revolte in den Vordergrund rückt. Die Kommunarden bei Grieg agieren vereinzelt, bisweilen als dekadente Individualisten. Beslay schätzt gute Umgangsformen und schließt von ihnen auf bürgerliche Wohlanständigkeit. Rigault versucht den Terror in der Masse zu organisieren, stellt in ungehemmtem Pathos auch das eigene Leben zur Disposition, allerdings erst, nachdem er seine Aufgabe, für die er bürgerliche Vorrechte benötigt, erledigt hat. Courbet streitet für eine neue Kunstauffassung gegen den verlogenen Klassizismus. Brecht ordnet die Ästhetisierung, auch die des Schreckens, dem beobachtenden Bürgertum zu, durch dessen Fernglas der Kampf zur eindrucksvollen geometrischen Massenbewegung wird, eine Sehweise, die der Kanalisierung der Massen im faschistischen Aufmarschritual vorausgeht. Brecht gestaltet weniger ein Spiel im Spiel als vielmehr eine Zuschauhaltung, da er nur die betrachtenden und gegebenenfalls applaudierenden Sieger auf die Bühne stellt. (Vorbild für die Szene war die Schlußsequenz des Filmes *Das neue Babylon* von Grigori Kosinzew und Leonid Trauberg. So bleibt ein direkter Bezug zu der Szene, in der Jules Favre und Bismarck vor dem optischen und akustischen Hintergrund der Oper verhandeln. Den Reichskanzler interessiert nicht die Kunst, sondern die Person der Künstlerin. Zu dem imaginierten »strammen« Körper der Sängerin assoziiert dieser Betrachter die Zeile: »Ach Theodor, du alter Bock, greif mir nicht vor den Leuten untern Rock.« Es reicht nicht mehr aus, die Darstellung als Kunstprodukt zu würdigen. Die inszenierte Wirklichkeit kann diesen Mangel an Empfindungsfähigkeit beheben. Das pervertierte Schauspiel des Schreckens tritt derart in den Rang der Erhabenheit ein, bzw. die Wirklichkeit wird wieder zur Kunst illusioniert. Die Neustrukturierung von Paris durch Baron Haussmann tritt jetzt in ihrer disziplinierenden Transparenz zutage. Die wirklichen Toten der »Pazifizierung« sind sichtbar. Dieser Genuß der Gewalt korrespondiert mit der realen Genußunfähigkeit, die der milchtrinkende Thiers, seinen zerstörten Magen behandelnd, ins Bild rückt.

Auf der Seite der Kommunarden ist dagegen die Befreiung mit der Freiheit der Körper identifiziert. Die hergebrachten Regeln des Zusammenlebens werden außer Kraft gesetzt. Zwar streiten Babette und Geneviève in einer Szene um ihren Besitz; die Schwangerschaft Babettes setzt dann wieder das solidarische Einverständnis der anderen Frau als selbstverständlich voraus. Auch die Szene, in der die Kanonen in die Hände der Frauen überführt werden, identifiziert die revolutionäre Gewalt mit dem selbstbestimmten Körper. »Kommt, zeigt uns die Kolben, nicht die Mündungen, die Löcher haben wir ... eine Decke, sie schnattern ja vor Kälte, da ist keine Liebe möglich.« Brecht folgt dem Motto: keine Revolution ohne Kopulation.

Die Antizipation der freien Liebe soll den menschlicheren Menschen hervorbringen. Damit einher geht die Änderung des Obszönitätsbegriffes. Die »Unanständigkeit« der Sexualität wird auf den Behauptungskampf des Bürgertums übertragen. Nicht mehr der Körper ist obszön, sondern das legalisierte Morden. Unerklärt bleibt in diesem Zusammenhang die Begründung des Frauenverhaltens und der männlichen Reaktion. Das Personal skizziert so vorrangig die Struktur des Revolutionärs und der Revolutionärin – andere Persönlichkeitsschichten kommen nicht vor.

In wesentlich stärkerem Maße als die persönlichen Relationen sind die sozialen und politischen Standorte differenziert. Zur Bourgeoisie gesellt sich zwangsläufig auch die Aristokratie; die »souveränen« Verhaltensformen der unproduktiven Klasse scheinen sogar immer noch Vorbildcharakter zu haben. Nachgerade idealtypische Vertreter des Proletariats sind unter den damaligen Produktionsbedingungen für den Raum Paris schwerlich auszumachen. An ihre Stelle treten die Arbeiter in den zahllosen kleinen Produktionsstätten, die im Stück dann qua Bewußtsein, wie Langevin, die proletarische Position fixieren. Zum Proletariat kommen sowohl das Kleinbürgertum als auch die landwirtschaftlich Tätigen. Die Solidarität der ersteren ist eindeutig, auch wenn Mme. Cabet unter Hinweis auf die Regierung anfangs noch die rückständige Miete einfordert. Dennoch ist ihre Parteinahme ebensowenig strittig wie die des abgesunkenen akademischen Kleinbürgertums, aus dem etwa die Lehrerin Geneviève und François Faure stammen. Ganz anders verhält es sich mit den Bauern. Der zur Bettelexistenz herabgesunkene Bauer verteidigt auch nun noch das Recht auf uneingeschränkten Privatbesitz bis zur karikierten Selbstaufgabe: Er verteidigt auch den Besitz des Diebes, der ihn bestahl. Der Zeitungsverkäufer macht ihn kurzerhand zum Arbeiter, übergibt ihm Material und spricht ihm die auszurufende Parole vor. Wieder zeigt Brecht, daß die Revolution, wenn sie erfolgreich sein will, auch gegen die Teile des eigenen Volkes mobilisiert werden muß, welche die Wertvorstellungen der überkommenen Herrschaftsform vertreten.

Aus diesem Personal der Kämpfenden ragen wiederum diejenigen als die eindeutig positiven Figuren hervor, die eine Widersprüchlichkeit der Vorstellungen und die Bewegungen zwischen den einzelnen Positionen verkörpern. Dies sind der Seminarist François und die Lehrerin Geneviève, die beide in zugespitzten Situationen ihre Bindungen hinter sich lassen. Das geschieht in eben der Weise, wie es der Arbeiter und Delegierte Langevin paradigmatisch sagt: »Lerne, Lehrerin.«

Diese politische Position der Bedachtsamkeit und des auf eine lange Zeit des Kampfes eingerichteten Bewußtseins resumiert Langevin in einem Trinkspruch angesichts der voreiligen Siegeseuphorie: ». . . Auf die Freiheit!/ Langevin: Ich trinke auf die teilweise./ Babette: In der Liebe!/ Geneviève: Warum die teilweise, Monsieur Langevin?/ Langevin: Sie führt zur vollständigen./ Geneviève: Und die vollständige, die sofortige, das ist eine Illusion?/ Langevin: In der Politik.« Der angedeutete Idealzustand ist mithin charakterisiert in der Aufhebung aller trennenden und widersprüchetragenden Vorstellungen in Bewegungen. Die neuen Bindungen sind nicht mehr persönlicher Natur, sondern dem allumfassenden Gesetz der Produktivität unterworfen. In gemeinsamer Arbeit ist der Genuß der Geschlechter möglich, in dem auch den Kindern ihre eigenständige Rolle zugebilligt ist. »Papa« ist eben kein Vater, sondern er nimmt vielmehr diesen Stellenwert probeweise, fast spielerisch im neuen Zusammenhang ein und bleibt dabei jederzeit abrufbar. In der Produktion des Neuen ist die persönliche Freiheit nicht mehr vorausgesetzt, sondern das Resultat einer gemeinsamen Handlung, in der die Einzelnen auswechselbare Aufgaben übernehmen.

Das erste Ziel dieses gemeinsamen Agierens muß, so führt das Stück vor, die Aneignung des technischen Fortschrittes sein. Nur die Übernahme der Produktion kann verhindern, daß eine todbringende Waffe wie die Mitrailleuse in den Händen der alten Gewalt bleibt, da sie für das Volk zu kostspielig ist. Der eingangs erwähnte Blanqui hatte in historisch wohl zutreffender Weise *vor* der Pariser Kommune den Aufstand als revolutionsauslösendes Moment bestimmt, auf den die Volksbewaffnung *und* die Bildung eines militärischen Zentrums um eine mit diktatorischen Vollmachten ausgestattete Regierung folgen solle. Die Instituierung der Kommune erfolgte aufgrund einer Massenerhebung, die allerdings aus sehr auseinanderstrebenden Motiven gespeist war. Das Faszinosum der Pariser Kommune liegt in der Verschiedenartigkeit ihrer Aktivisten und Aktionsgruppen. Brecht stand dem von den offiziösen marxistischen Denkbestimmungen verfemten Blanquismus gewiß fern, folgt aber streckenweise dieser Position, wenn er Rigaults Emphase gegen Delescluzes Zaudern stellt. Ohne zeitgenössische Differenzierungen zu beachten, stülpt Brecht seinen Begriff der »Massen« als die geschichtlich bestimmende Kraft über die französischen Ereignisse.

Ein Grund für die fetischähnliche Benutzung dieses Begriffes, ohne zu prüfen, ob die »Massen« in dieser historischen Vorgabe nun zu ihrem Macht-Bewußtsein gekommen sind oder entmachtet wurden (was letztlich der Fall ist), liegt in der aktuellen Situation, für die Brecht das Stück konzipiert hatte. Für ihn war die Nachkriegssituation unheilvoll geteilt in westliche Restauration und östliche Inkonsequenz. Unter der Ägide der westlichen Armeen hatte in den Jahren nach 1946 der Machtfaktor Industrie schnell ein demokratisches Recht bei der Konsolidierung der Verhältnisse eingeräumt bekommen. Produktionsanlagen und Kapitalressourcen wurden in wesentlichem Umfang bewahrt. Für Brecht lag hierin auch der Grund für die Austrocknung der abweichenden linken Zentren. In der sowjetischen Besatzungszone wiederum verhinderten die Demontage von Produktionsanlagen und der Abtransport von Produkten die Produktionsübernahme durch die Arbeiterschaft, so daß die Vorteile eines »befohlenen Sozialismus« nicht in breiter Form erkennbar waren. In dieser Situation sollte die dargestellte Niederlage einer inkonsequenten Revolution die Notwendigkeit einer gewaltsamen Unterdrückung eben jener Kräfte verdeutlichen, die den deutschen Faschismus und die zweite Niederlage aktiv getragen haben. In diesem Sinne sind es gerade die bürgerlich-demokratischen Freiheiten, die den Untergang der Kommune verursachten, nämlich die Freiheiten, Geschäfte zu machen. Die geschichtliche Erfahrung des Stalinismus findet dabei keine Berücksichtigung. Augenscheinlich sollte die terroristische Doppelgesichtigkeit einer Machtballung auf Zeit in den vorgeführten neuen Lebensformen aufgehoben werden. Eine Zeitlang müßten alle individuellen Freiheiten zugunsten des aufzubauenden Sozialismus zurückstehen. »Langevin: ... Wir hätten nur einen einzigen Punkt statuieren sollen: *unser* Recht zu leben! ... Der Freiheit wegen, von der man nichts versteht. Wir waren noch nicht bereit, wie jedes Glied einer auf Leben und Tod kämpfenden Truppe, auf die persönliche Freiheit zu verzichten, bis die Freiheit aller erkämpft war.« Diese Pariser Erfahrung sollte in die Wirklichkeit des deutschen Sozialismus eingebracht werden.

Brecht plante die Aufführung des Stückes zur Eröffnung des Berliner Ensembles. Das Vorhaben konnte nicht verwirklicht werden, weil es eine Machtübernahme durch die Niederen zeigte, bei der die Partei keine führende Rolle spielte und bei der das Zerschlagen einer Ordnung verlangt wurde, die nun aber nötig schien.

DER HOFMEISTER

Bearbeitung der Lenzschen Komödie für das Berliner Ensemble. Entstehungszeit: 1949. GW III. Mitarbeiter: Ruth Berlau, Benno Besson, Egon Monk, Caspar Neher. Uraufführung: 15. 4. 1950. Erstdruck im 11. Heft der VERSUCHE, Berlin 1950.

Der Handlung der Komödie von Lenz, der sich selber mehrere Male als Hofmeister verdingen oder mit Stundengeben sein Brot verdienen mußte, lag ein Vorfall zugrunde, der sich auf einem livländischen Rittergut ereignet hatte. Ein »Lust- und Trauerspiel« war die ursprünglich gewählte Gattungsbezeichnung für das Stück, das 1774 anonym erschien und damals zunächst dem Verfasser des *Götz von Berlichingen* zugeschrieben wurde. Schubart zum Beispiel pries den *Hofmeister* als eine neue, »ganz eigentümliche Schöpfung unseres Shakespeares, des unsterblichen Dr. Goethe«. Dennoch setzte sich der literarische Erfolg des Stücks nicht auf der Bühne fort, es erlebte nur einige Aufführungen in Mannheim und Hamburg. Die eigentliche Entdeckung des Dichters Lenz fand erst in unserem Jahrhundert statt. Nicht zuletzt trug Brechts Bearbeitung, der die Komik verstärkte und die gezielte Gesellschaftskritik der Vorlage zugunsten einer boshaften Satire auf die Knechtseligkeit deutscher Geistesarbeiter gegenüber Macht und Staat zuspitzte, Entscheidendes zu dieser Entdeckung bei.
Der Pastorensohn Läuffer ist Hofmeister, das heißt Hauslehrer und Privaterzieher der Kinder Leopold und Gustchen, bei Major von Berg. Er soll alle Wissenschaften, Artigkeiten und Weltmanieren unterrichten, weil es Stand und Mode den ehrgeizigen Eltern so befehlen. Während der Major ein reaktionärer Dickschädel und arger Bildungsphilister ist, vertritt sein Bruder, der Geheime Rat von Berg, ausgesprochen liberale Ideen, dem Pastor Läuffer hält er denn auch die schlechte Anwendung des erworbenen Wissens vor, die dessen Sohn in seinem Sklavengehorsam gegenüber den Eltern unbegabter Kinder an den Tag legt: »Ein Mensch, der sich der Freiheit begibt, vergiftet die edelsten Geister seines Bluts, erstickt seine sü-

ßesten Freuden des Lebens in der Blüte und ermordet sich selbst.« Gustchen gelobt zwar ihrem Vetter und Geliebten Fritz von Berg ewige Treue, bevor er für drei Jahre zum Studieren nach Halle geht, wird aber dann von Läuffer schwanger, flieht aus dem Elternhaus und bringt ihr Kind bei der alten, blinden Marthe zur Welt. Läuffer verbirgt sich unter falschem Namen beim Schulmeister Wenzeslaus, wo ihn Gustchens Vater aufspürt und in den Arm schießt. Um gegen die Verführungskünste künftiger Schülerinnen gewappnet zu sein, kastriert sich Läuffer und wird für diese Tat von Wenzeslaus als wahrer Erzieher der Jugend gepriesen. Gustchen will ins Wasser, wird aber noch rechtzeitig von ihrem Vater gerettet. Fritz von Berg, der sich in Halle nicht gelangweilt und kaum einen Gedanken an sein Gustchen verschwendet hat, für einen verschuldeten Kameraden aber tapfer im Gefängnis gewesen ist, kehrt am Ende nachhause zurück, fühlt sich seiner Versäumnisse dem Mädchen gegenüber schuldig, heiratet sie deswegen und adoptiert ihr Kind. Den Fehler, das Kind durch einen Hofmeister erziehen zu lassen, wird er nicht begehen. Läuffer heiratet Lise, das Dienstmädchen des Schulmeisters, die auf Kinder keinen Wert legt.
Wenn auch der junge Brecht eher ablehnend auf die Stücke der deutschen Klassik reagierte, gebrauchte er sie dennoch als verwertbares »Material«. Nach der Rückkehr aus dem Exil, als er ein eigenes Theater aufzubauen und an der kulturpolitischen Entwicklung in der DDR interessierten Anteil zu nehmen begann, änderte sich seine Einstellung zu den Klassikern noch einmal grundlegend; sie wurden nicht nur auf ihren aktuellen Gebrauchswert hin »umfunktioniert«; es war nun auch wichtig, sie dem Fundus des nationalen literarischen »Erbes« zuzuführen, sie sich in ihrer poetischen und artistischen Besonderheit anzueignen. Zur Stückwahl des *Hofmeisters,* den er Anfang 1950 im Berliner Ensemble inszenierte, erklärte Brecht: »Nicht nur, um das deutsche Theater zu bestücken, dessen klassisches Repertoire in diesen Zeiten der Umwälzung erschreckend zusammenschrumpft, sondern auch, um den Weg zu Shakespeare zu bahnen, schien es rätlich, zu den Anfängen der Klassik zurückzugehen, dahin, wo sie noch realistisch und zugleich poetisch ist. Bei Stücken wie dem Lenzschen *Hofmeister* nämlich können wir ausfinden, wie wir den Shakespeare aufführen können, haben wir doch hier seinen ersten Niederschlag in Deutschland vor uns.«
Brecht bearbeitete nach der Komödie von Lenz den *Coriolan,* zu dessen Inszenierung es allerdings nicht kam, weitere Shakespeare-

Adaptionen standen zunächst nicht mehr zur Diskussion. Bereits die Arbeit am *Hofmeister* zeigte, daß die Verkürzungen und das Zurechtrücken der Motivstränge einer Vorlage im Hinblick auf die Bedürfnisse und die gesellschaftspolitischen Umstände der Zeit nach dem Zweiten Weltkrieg mit Verlusten verbunden war. Zwar wurde das alte Stück für den Augenblick wirkungsvoller, auf lange Sicht aber auch banaler, an Widersprüchen ärmer, es wurde auf einen besserwisserischen Materialismus reduziert.

Brecht legte es darauf an, ein lustiges Lehrstück zu entwerfen, das den Geist der Epoche, der Goethezeit , spiegelt. Als Zeitpunkt für die Handlung bestimmte er genauer als Lenz das Ende des siebenjährigen Krieges und rückte dadurch das Stück in die Nähe der auch in der Vorlage bereits erwähnten *Minna von Barnhelm*. Während er einerseits den historischen Boden der »deutschen Misere«, die er deutlich dokumentieren wollte, konkretisierte, scheute er andererseits um der Wirkung willen vor der Erfindung geistesgeschichtlicher Zusammenhänge nicht zurück, obwohl sie sich mit der tatsächlichen Chronologie sofort widerlegen lassen.

Entscheidend anders angelegt ist bei Brecht die Figur des Geheimen Rats von Berg. Für Lenz ist er der Freigeist, gewiß ein reicher Mann, der sich fortschrittliche Ansichten leisten kann und dessen Spott über den Untertanengeist Läuffers einen unangenehm zynischen Beigeschmack hat, aber der doch die Ideale einer besseren Zukunft vertritt und der Verkünder fortschrittlicher Ideen ist. Mit tiefer Verachtung distanziert er sich von der Unterwürfigkeit der im Staat mächtig werdenden Bürger, denen er keine gesellschaftsändernde Kraft zugesteht, weil er geprügelte Naturen und geknechtete Seelen keiner entscheidenden revolutionären Tat für fähig hält. Lenz läßt übrigens in all seinen Stücken die revolutionären Standpunkte und die Kritik an der Aristokratie immer von Vertretern dieser Klasse selbst vortragen. (Im *Neuen Menoza* ist die dem Geheimen Rat von Berg entsprechende Figur Prinz Tandi, in den *Soldaten* ist es die Gräfin de la Roche.) Brecht billigt den liberalen Repräsentanten der Aristokratie keinen klassenüberwindenden Standpunkt zu. Der Geheime Rat ist für ihn ein besonders boshafter feudaler Reaktionär, durch den er sehr pointiert die Kantischen Ideen von Pflicht und Neigung »im friederizianischen Kasernenton« vortragen läßt (Peter Christian Giese). Zu Lebzeiten von Lenz war es ein Sakrileg, die Tochter eines Adligen durch einen bürgerlichen Hofmeister verführen zu lassen. Der Marxist Brecht mag sich nicht mit der reformistischen Enge seiner Vorlage zufrieden geben.

Die »Nachteile der Privaterziehung« (nämlich der Erziehung junger Adliger durch bürgerliche Hauslehrer) interessieren ihn verständlicherweise nicht mehr, ihm kann es nicht wie Lenz um eine Reform des Erziehungswesens gehen, vielmehr will er die durch den gebückten, autoritätsgläubigen Lehrer verursachte Verrottung des Erziehungswesens aufzeigen. Den Hofmeister versteht Brecht als Prototyp des deutschen Schulmeisters, der nichts weiter als »dienenden Geist« vorzuweisen hat:

»Der Adel hat mich gut trainiert
Zurechtgestutzt und exerziert
Daß ich nur lehre, was genehm
Da wird sich ändern nichts in dem.
Wills euch verraten, was ich lehre:
Das ABC der Teutschen Misere.«

Die Selbstentmannung des Läuffer interpretiert Brecht als markantes Exempel für die Bereitwilligkeit zur gesellschaftlichen Anpassung des um sein Rückgrat gebrachten deutschen Kopfarbeiters, der zugunsten geistiger Höhenflüge der Berührung mit der Wirklichkeit möglichst aus dem Weg geht, dem die Reinheit der Idee mehr gilt als der in Praxis umgesetzte Nutzwert einer Idee. Brecht leugnet die Bedeutung der aufklärerischen Philosophie (besonders Kants), er sieht nur praxisferne und jede Form von Praxis verhindernde bürgerliche Ideologie. Kant wird doppelt dem Gelächter preisgegeben, einmal durch die Art und Weise, wie er »von oben«, von seiten des Geheimen Rats, interpretiert wird und zum andern, wie er »von unten«, von den Schülern Kants wie Pätus, verstanden wird: nämlich als »aufwieglerisch doch nur in der Idee«. Mit einer Figur wie Pätus geht Brecht weit über die Kritik an Kant hinaus, die etwa Heinrich Heine vorgebracht hat, dem als Weltbürger das verhockte Stubengelehrtendasein des Königsberger Philosophen mißfiel, der dessen »mechanisch geordnetes, fast abstraktes Hagestolzenleben« mit Spott übergoß, der ihn aber zugleich als unerbittlich Denkenden, dem Robespierre vergleichbaren großen »Zerstörer im Reiche der Gedanken« erkannte (*Sämtliche Schriften.* Band 3. S. 594 f.). Brecht sieht Kant nur noch als Propagator »innerer Freiheit« und als Hauslehrer in Strickweste und Schlappen. Er orientiert sich an Hegels Spott über Kants Freiheitsbegriff und stützt sich auf den Hohn, mit dem Marx und Engels in der *Deutschen Ideologie* das die materiellen Interessen der Bourgeoisie nur beschönigende Philosophieren Kants schildern: »Der Zustand Deutschlands am Ende des vorigen Jahrhunderts spiegelt sich vollständig ab in

Kants ›Critik der practischen Vernunft‹. Während die französische Bourgeoisie sich durch die kolossalste Revolution, die die Geschichte kennt, zur Herrschaft aufschwang und den europäischen Kontinent eroberte, während die bereits politisch emanzipierte englische Bourgeoisie die Industrie revolutionierte und sich Indien politisch und die ganze andere Welt kommerziell unterwarf, brachten es die ohnmächtigen deutschen Bürger nur zum ›guten Willen‹, selbst wenn er ohne alles Resultat bleibt, und setzte die *Verwirklichung* dieses guten Willens, die Harmonie zwischen ihm und den Bedürfnissen und Trieben der Individuen, ins *Jenseits.* Dieser gute Wille Kants entspricht vollständig der Ohnmacht, Gedrücktheit und Misere der deutschen Bürger, deren kleinliche Interessen nie fähig waren, sich zu gemeinschaftlichen, nationalen Interessen einer Klasse zu entwickeln, und die deshalb fortwährend von den Bourgeois aller andern Nationen exploitiert wurden.«

Mit Kant konnte Brecht nichts anfangen, Hanns Eislers Widerspruch bei der *Hofmeister*-Bearbeitung nützte da wenig; auf die progressive Rolle, die die neue Rechtslehre in der *Metaphysik der Sitten* für die geistesgeschichtliche Entwicklung und die Auflösung des dogmatisch-kirchlichen Ehebegriffs gespielt hat, wollte er sich nicht einlassen. Wichtig war der Gewinn an komischen Wirkungen. Anstatt wie Figaro die sexuelle Attraktivität beim adligen Fräulein auszunutzen und auch auf dem Gebiet des Liebeslebens Terrain zu gewinnen, kuscht der Hofmeister, beseitigt sein Geschlecht, um als Erzieher künftig nicht abgewiesen zu werden. Auch Klopstocks Oden, die großenteils weder bieder noch sentimentalisch sind, verwendete Brecht bloß denunziatorisch, als asexuelle Schmacht- und Sehnsuchtslieder verklemmter Hauslehrergeschöpfe. Bereits in den Anmerkungen zur *Dreigroschenoper* hatte der Stückeschreiber behauptet: »Aber das Geschlechtliche in unserer Zeit gehört unzweifelhaft in den Bezirk des Komischen, denn das Geschlechtsleben steht in einem Widerspruch zu dem gesellschaftlichen Leben, und dieser Widerspruch ist komisch, weil er historisch, das heißt durch eine andere Gesellschaftsordnung lösbar ist.«

1940 hatte Brecht über das bürgerliche Trauerspiel *Der Hofmeister* ein Sonett geschrieben und ihm das Lustspiel *Der tolle Tag* von Beaumarchais entgegengehalten. Sein Gedicht legte den Trauerspielcharakter des Stücks als politische Wertung aus: was in Frankreich nur eine Komödie gewesen wäre, entartet in Deutschland zum Trauerspiel. Für Lenz und seine Zeit war der Hofmeister Läuffer eine tragische Gestalt (»Des Dichters Stimme bricht, wenn er's erzählt«, heißt die unkende Schlußzeile des Sonetts), und das Stück wurde als ein allenfalls verzweifelt komisches Trauerspiel aufgefaßt. Für Brecht ist es 1950 nur noch eine lehrreiche Komödie: »Da ist das Moment des ›Versagens‹ der deutschen Klassik, dieses mehr oder weniger freiwilligen Derstellt-Euch der großen bürgerlichen Karyatiden, die angesichts des revolutionären Sodoms zu Salzsäulen erstarren. Die bedeutenden realistischen Anfänge müssen wieder etabliert werden. Die Unterdrückung Lenzens durch die Literaturgeschichte muß man aufzeigen.« (Brecht an Hans Mayer, BR 638.)

Brecht entdeckt das Stück, indem er es kritisiert. Die oberflächlich betrachtet nur manchmal stark geraffte, um Szenen und Figuren verkürzte Vorlage erweist sich im einzelnen dann doch als stark verändert, die soziale Bedingtheit aller Personen ist viel schärfer gezeichnet, sie verhalten sich alle viel eindeutiger. Lenz übt an allen Figuren Kritik, ob sie Adlige oder Bürger sind. Maßstab ist dabei eine allgemeine menschliche Vernunft bar aller Ideologie. Gerade solche Vernunft aber lehnt Brecht radikal ab, für ihn gibt es nicht die Utopie einer Gemeinsamkeit, die die Klassenschranken überwindet. Er zeigt am Schluß nacheinander mit boshafter Schadenfreude drei faule Eheidyllen und potentielle Ehehöllen: Pätus, der Kantschüler, hat öffentlich seinem Leibphilosophen abgeschworen, um ihm privat dennoch folgen zu können, ohne seine Lehrerstelle zu gefährden. Er sitzt mit Pfeife und Pantoffeln glücklich am warmen Ofen mit seiner braven Karoline. Auch Fritz von Berg hat die wilden Tage seines Studentenlebens überwunden, er hat eine Italienreise unternommen und kehrt nunmehr reumütig nach Insterburg zurück, im Glauben, ein von ihm enttäuschtes Mädchen ins Wasser getrieben zu haben. Sein Gustchen aber lebt, hat einem Kind das Leben geschenkt, das er großzügig als das seine anerkennt. Eine glückliche Familie stößt auf das junge Paar an. Und in der Dorfschule enttäuscht Läuffer den eingefleischten Junggesellen Wenzeslaus mit seinem Entschluß, die »göttliche Lise« zu ehelichen, die auf Kinder gern verzichtet. Sie verlangt nur Liebe von Läuffer, der seine Selbstentmannung intellektuell aufzuwerten versteht: »Und ist's denn notwendig zum Glück der Ehe, daß man tierische Triebe stillt?« Fleisch und Geist versöhnen sich in kläglichem, ideellen Hungerleidertum. Läuffer kann sicher sein, daß ihm die Herren von Insterburg eine Stelle verschaffen werden, da er sich als Mensch, mit dem man rechnen muß, aufgegeben hat. In seiner Kritik der Uraufführungsinszenierung schrieb Paul Rilla: »Die reale Entmannung als die ideale Vollendung der bürgerlichen Verkrüppelung; erst der so jämmerlich reduzierte Schulmeister ist der perfekte Schulmeister, erst der halbierte Teutone wird ein Geschlecht von ganzen Teutonen nach seinem Ebenbild heranbilden.«

DER SALZBURGER TOTENTANZ

Fragment. Entstehungszeit 1950. Entwurf eines Festspiels für Salzburg. Die Fragmente eines bereits früher geplanten Stücks *Der Pestkaufmann* und von *Basler Fastnacht* oder *Der Tod von Basel* wurden als zweite Handlung verwendet.

Das Fragment versucht das vielbesungene Motto: »am Ende sind wir alle gleich« mit diesseitigeren Tatsachen zu konfrontieren. Der »Tod« als Polier treibt die Zimmerleute an, beim Brückenbau für den Kaiser schneller und effizienter zu arbeiten. Ein zum Fleiß anfeuerndes Lied »Zum Glücklichsein brauchts nicht Gut noch Kron/ Arbeit hat in sich selbst ihren Lohn« soll die Arbeitsfreude steigern. Der »Tod« bemängelt gegenüber dem Baumeister, daß die Materialverschwendung zu groß ist, worauf dieser die Strenge der Überprüfung betont, obwohl nicht viele Menschen zum Kaiser kommen werden und die Brücke benutzen müssen. Der »Tod« bricht die Gleichheit auf, indem er die Vorstädte als seine Domäne beschreibt, da ihre schlechte Bauweise seine Ausbeute erhöht.
Bessere Wohnungen, wärmere Kleidung, gesündere Nahrung und eine gute medizinische Versorgung schädigen die Todesrate und zeigen auf diejenigen unter all den Gleichen, die dem Tod bevorzugt geweiht sind. Das erklärt der »Tod« dem Kaiser und verwahrt sich gegen den Vorwurf der Korruption. Der Kaiser bescheidet seinen »Gevatter« mit der »wissenswerten« Erkenntnis, daß mit einer Handvoll Erde mehr Mäuler billiger gestopft werden können. Die satirische Umkehrung der alten volkstümlichen Form verweist auf den »unnatürlichen« Tod, der frühzeitig, durch gesellschaftliche Unterschiede bewirkt wird. Auf die mittelalterliche Produktions- und Lebensweise wird das heutige Verschwendungsgesetz projiziert. Arbeit und Produkt sind in gleichem Maße Wegwerfwert. Die Brücke darf nicht zu lange halten, und die Menschen dürfen sie nicht zu lange gebrauchen, weil diese sonst, wie auch die Wohlhabenden, sich hinter Schutzmechanismen verbarrikadieren und die Umwälzungsgeschwindigkeit vermindern.

In der zweiten Szene des Fragments wird diese Ungleichheit vor der »Natur« auf die klassenbedingte Verfügungsgewalt über die Lust und die Begierde ausgedehnt. Während die Herrin in der Fastnacht ihren Mägden ein Treffen mit den Liebhabern verwehrt, trifft sie selbst Vorbereitungen, um den Verehrer ihrer Tochter für die Nacht zu gewinnen. »Was der einen ihr Freud, ist der andern ihr Nachtmahr«.
Brecht war 1948 in der Schweiz über Caspar Neher in Kontakt mit dem Komponisten Gottfried v. Einem getreten, der künstlerischer Leiter der Salzburger Festspiele war. Es entstand der Plan, den Hofmannsthalschen *Jedermann* zu erneuern. Im Zusammenhang dieser Rekonstruktion sollte die lange Geschichte thematisch analoger dramatischer Darstellungen mitverwendet werden. Die Linie reicht von dem altenglischen Moritatenspiel *Everyman* über die Fastnachtsspiele etwa von Hans Sachs (1550), *Comedi von dem reichen sterbenden Menschen,* bis eben zu dem Werk Hofmannsthals und seinem Salzburger Spielort.
Der Plan wurde bis 1951 immer wieder aufgegriffen, bis zur Rollenvorstellung (Kortner als Kaiser, Lorre als Tod) konkretisiert, gleichwohl nicht fortgeführt. Der Gegenentwurf sollte gerade unter dem Eindruck des Massenmordens im Zweiten Weltkrieg der immer noch modernen Fiktion die Grundlagen entziehen, die im Tod die Aufhebung der Zeit und vor dieser die Aufhebung der Abhängigkeiten sieht. Bei Hofmannsthal ist »Jedermann« ein Kapitalist, an den der Appell ergeht, vor dem Tod zu teilen.
1957 brachte Max Frisch in seinem *Biedermann und die Brandstifter* eine weitere Anspielung auf den, allerdings nur reichen, »Jedermann«. In diesem »Lehrstück ohne Lehre« ist »Jedermann« der Biedermann, der die Armen betrügt und das Gemeinwesen schließlich den Brandstiftern übergibt.

CORIOLAN

Bearbeitung nach Shakespeare für das Berliner Ensemble. Die Inszenierung kam aber zu Lebzeiten Brechts nicht zustande. Entstehungszeit: 1951–52. GW III. Uraufführung: September 1962 in Frankfurt/M.

Nach eigenen Angaben schätzte Brecht den Materialwert der Shakespeareschen Dramatik, deren Stoffülle und Vielfältigkeit es ihm möglich erscheinen ließen, die Figuren in ihrer Widersprüchlichkeit, somit also Lebensnähe zu zeichnen. Diese Wertung stand allerdings erst am Ende einer langen Beschäftigung. Die anfängliche Shakespeare-Rezeption war mehr von der Einsicht geprägt, daß Shakespeare, wie andere »Klassiker« auch, von den großen, alleinstehenden Charakteren mehr zu sich spreche, so daß seine dramatischen Vorgaben für eine epische Darstellung unbrauchbar seien.

Die erste faßbare Beschäftigung Brechts mit dieser Bearbeitungsfrage datiert aus dem Jahre 1924. Im Anschluß an die Premiere des Stückes *Im Dickicht der Städte* hatten Erich Engel, Caspar Neher und Fritz Kortner den Plan zu einer Inszenierung von »Coriolan« gefaßt. Brecht stieß als Berater hinzu. In der Premiere am 27. 2. 1925 wurde deutlich, daß ein Akzent auf die Entfernung der Figuren von dem Bühnengeschehen gelegt war. Indem Kortner gleichsam von seiner Rolle erzählte, sollte die Ersetzbarkeit des Protagonisten ersichtlich werden. In konsequenter Weise unterstrich man auch schon in der Probenarbeit die »Zusammenhanglosigkeit« der einzelnen Szenen; ein Spezifikum, das Brecht später als epische Qualität anerkannte. Ein Plan der folgenden Jahre, den Brecht zusammen mit Fritz Sternberg und Erwin Piscator verfolgte, sah vor, die historische Gestalt des Cäsar als soziologisches Experiment in Szene zu setzen. Hierbei sollte die Betonung auf die Sichtweise gelegt werden, nach der die Diktatur als Herrschaftsform Kontinuität bewahren kann, auch wenn die sie ausfüllenden Personen wechseln, bzw. umgekehrt: es sind Diktatoren stets zuvorderst Handlanger ihrer politischen Struktur, unter die alle individuellen Charakterisierungen unterzuordnen sind. Nach dem Ende des Zweiten Weltkriegs nahm Brecht das Vorhaben einer Bearbeitung des Shakespearschen *Coriolan* wieder auf. Er gestaltete nun die Aufhebung des Heroen und seines Spezialistentums. Aus der Tragödie des Stolzes entstand so auch eine Studie über jene gesellschaftliche Veränderung, in der die Plebejer, begünstigt durch militärische und politische Vorgänge, zu der Eroberung des Mitbestimmungsrechtes durch das Volkstribunat gelangen.

Die Handlung beginnt mit einem Angriff des benachbarten Stammes der Volsker auf Rom, durch den die drohende bürgerkriegsähnliche Auseinandersetzung über erhöhte Getreidepreise abgewendet wird. Den folgenden Krieg entscheiden in besonderem Maße die Tapferkeit und militärische Weitsicht des Cajus Marcius zugunsten Roms. Er führt nun den Ehrennamen Coriolan, benannt nach der Stätte seiner Kühnheit und seines Sieges. Vor der Aura seines Erfolges treten alle Einwände gegen Coriolans Anwartschaft auf das Konsulat in den Hintergrund. Der grundsätzliche Konflikt, der nur durch den feindlichen Angriff vertagt war, ist die rechtmäßige Absicherung der Instanz der Volkstribunen, eine Einrichtung, die Coriolan nur als institutionalisiertes Pöbel- und Parasitentum einzuschätzen vermag. Der Streit bricht wieder hervor, als Coriolan, gemäß den politischen Spielregeln, um die Stimmen der Bevölkerung formaliter werben muß. Schon dieser rituelle Akt widerspricht dem Elitedenken der Kriegerkaste, aus deren Tradition Coriolan seine Richtlinien zieht.

Als Provokation empfindet er demnach auch die Forderung der Volkstribunen, die Stadtregierung solle durch unentgeltliche Kornverteilung die Bevölkerung am Sieg teilhaben lassen. Auch die Repräsentanten der alten gemäßigten Tradition, Coriolans Mutter Volumnia und sein Patrizierfreund Menenius, können ihn nicht durch taktische Erwägungen beeinflussen. Widerspricht schon die Form der Erhebung in das Konsulat, wie oben skizziert eine Art Vor-Akklamation, dem Feldherrenstolz, was zu Unbehagen und Abwehr auf seiten der Plebejer führt, so bedroht Coriolans noch darüber hinausgehende Forderung nach der Diktatur, zu der er nach seiner Einschätzung die Legitimation besitzt, auch das Patriziat. Der Veteran der aristokratischen Elite wird aus Rom verbannt.

Coriolans archaisch-männlicher Ethos verweist auf das Wertsystem eines japanischen Samurais. Deshalb geht er auch eher Verbindungen zu seinem gleichgesinnten Feind ein, dem Volsker Aufidius, als zum nicht-kriegerischen Teil seines Volkes. Mit Aufidius teilt er den Oberbefehl über das volskische Heer, das er, dem historischen Beispiel des Alkibiades nicht unähnlich, vor die Heimatstadt führt. Teile des Patriziates fliehen, andere kämpfen nun an der Seite der mobilisierten Bevölkerung. Eine Delegation, in der sich auch Menenius befindet, scheitert bei dem Versuch, den Aggressor zur Mäßigung oder zur Umkehr zu bewegen. Erst der Besuch seiner Mutter, die ihn schon vor der Wahl zum Konsul zu »Mut anstelle von Hochmut« aufgefordert hatte, läßt ihn das nur noch Fiktionale seiner Integrität erkennen. Seine Lage ist aussichtslos. Ein Sieg würde Coriolan zum Herrscher – allerdings mit Hilfe der Volsker – erheben, mithin seine Souveränität entscheidend in Frage stellen. Eine Niederlage gegen die verachtete Plebs Roms würde neben dem ethischen auch letztlich den physischen Tod mit sich bringen. Nach dem von ihm befohlenen Rückzug wird Coriolan von den Volskern in Stellvertretung des römischen Volkes getötet.

Das Wertesystem der Kriegerkaste ist überwunden, wie es das mütterlich-pragmatische Prinzip Volumnias, die als Bundesgenossin der Unterdrückung den vaterlosen Coriolan zur Ethik der Gewalt heranzog, zuerst erkennt: »Unersetzlich bist du nicht mehr/ Nur noch die tödliche Gefahr für alle.« Das herausragende historische Prinzip des geschichteproduzierenden Individuums scheint aufgehoben. An die Stelle des Einzelkämpfers tritt die Volksbewaffnung. Die Ethik der Gewalt und des Einzelgängers weicht einer Politik, die der Kommunikation und dem friedlichen Warenaustausch verpflichtet ist.

Bei Shakespeare figuriert die Bevölkerung als eine amorphe Masse vom unteren Tiberufer. Dem setzt Brecht eine Differenzierung in vielfältige Berufsgruppen entgegen. Damit einher geht eine positive Neubewertung der politischen Rolle, die die Volkstribunen einnehmen. Sie sind nicht mehr die Aufwiegler des Volkes, sondern seine Interessenvertreter. Ihr politisches Handlungsfeld ist eine in Bezirken organisierte Bevölkerung. Die Tribunen führen den gemeinsamen Willen aus und markieren hiermit den wesentlichen Kontrast zu der Gestalt der Kriegerkaste, die sich in der Unumschränktheit ihres Handelns verwirklicht.

Die Sprache des Coriolan ist bezeichnenderweise verständigungsleer und machtlos. Seine halbherzigen Versuche, den Konflikten auf diplomatischem Wege die Schärfe zu nehmen, schlagen notwendig in ihr Gegenteil um und sind damit so entlarvend wie der stumme Sadismus seines Sohnes. Als Coriolan einem Helfer in der Gefahr danken will, bemerkt er, daß er dessen Namen vergessen hat. Benennen und Ansprechen liegen außerhalb der Coriolanschen Sprache. Folgerichtig leidet sein Versuch, kapitalistische Politik durchzusetzen, unter vergleichbarer Schwierigkeit. Als die Garde im Hintergrund der Szene erscheint, überzeugt sie die Gewalt, nicht das Wort. Der tragische Held der Vorlage wird nicht in direktem Sinne demontiert, sondern durch die Einbettung in seine historische Dimension bis zur Gegenstandslosigkeit vorgeführt. Der Konflikt schrumpft zur Unzeitigkeit. Zwar enthält auch Shakespeares Darstellung nicht nur die reine Heldenvita, doch steht die überlebensgroße Figur in unlösbarem Konflikt mit ihrer Zeit, deren Gesetze dem Vorbild römischer Größe und Tradition nur eine Niederlage gegen die »passive« Masse bereiten können.

Dieser Entwurf der Figur »Coriolan« ist nicht von dem aktualisierenden Aufbau, bzw. der Demontage anderer »klassischer« Schöpfungen zu trennen. Auch in der *Urfaust*-Inszenierung Brechts und in der Bearbeitung des Molièreschen *Don Juan* gewinnen die Großen, die Kämpfer, Wissenden und Erotomanen eine eigentümliche Hohlheit in dem Maße, wie sie auch Verächter des Volkes sind. Die Verbindungen zur Rolle der bürgerlichen Intellektuellen beim Aufbau der DDR bleiben kaum zu übersehen. Auch beim Aufbau des Sozialismus im eigenen Land ohne Revolution stand unüberhörbar die Frage im Raum, ob Führer denn nötig seien. Auch die führende Rolle der Partei und der Heroenkult der Arbeit, der die Werktätigen anspornen sollte, war in innerbetrieblichen Diskussionen der Kritik unterworfen worden. Die Privilegien, die den Akademikern und Intellektuellen eingeräumt waren, um sich ihrer Parteilichkeit und Repräsentanzfunktion zu versichern, stießen nicht überall auf wohlwollendes Einverständnis. Gegen die Führungsrolle der Intelligenz macht Brecht seine Auffassung geltend, nach welcher der Wert der Denkenden sich nach ihrer Nützlichkeit bemißt. Unter Nützlichkeit wird hier der Gebrauch verstanden, den die Zeit von der Intelligenz macht.

Für Brecht war die Urfassung des Shakespearestücks im Westen Deutschlands spielbar, da der Versuch Coriolans, alte und neue Prinzipien zu behaupten, durchaus auf die Situation in der Bundesrepublik übertragbar wäre. In der DDR hingegen solle es das Ziel der intellektuellen Arbeit sein, die versäumte Zerstörung überholter Privilegien und Werte nachzuholen. Seiner Ansicht nach muß der Denkende die eigene Person ersetzbar machen und so an die Stelle seines Spezialistentums das »produktive Vermögen des Volkes« setzen.

Die Regisseure Manfred Wekwerth und Joachim Tenschert stellten 1961 bis 1964 eine nochmals überarbeitete Fassung her. In dieser Bearbeitung erscheint die Größe Coriolans als ein Produkt des Volkes. Dem tragischen Zwiespalt des Feldherren wird wieder Geltung gegeben; der Konflikt ist allerdings einsam, gleichsam losgelöst. In ihren Anmerkungen führen die Autoren aus, daß Brecht, wenn er das idealisierte Volk gegen den ehemals idealisierten Adel stellt, nur die Struktur der nämlichen Idealisierung verlagert habe. Ob Brecht nun gerade das Volk im Drama »Coriolan« überzeichnet hat, ist bestreitbar. Die Bevölkerung Roms tritt als eine Vielzahl einzelner Individuen auf, deren Einheit nur in der Bedrohung wesentlich erscheint. Der Zweifrontenkrieg gegen die äußeren und inneren Feinde endet keineswegs siegreich. Das Relikt Coriolan verschwindet zwischen den fortbestehenden Gegensätzen. Die Frage nach dem Ausgang der notwendig folgenden Kämpfe ist damit nicht beantwortet. Die Vorwegnahme oder Unterstellung einer unentwegten Verteidigungsbereitschaft vernachlässigt das einzig erfolgreiche Verhalten im Drama. So ist Volumnias Pragmatik erkenntnisreicher und handlungsfähiger als die verinnerlichte Prinzipienstarre ihres Sohnes. Der von ihr vorgeschlagene Weg, zuerst das Staatsamt und darauffolgend gleichsam verfassungsgemäß die Machtfülle der Diktatur zu ergreifen, stand dem Coriolan nicht offen. Das taktische Vermögen und die potentielle Flexibilität dieser Haltung qualifizieren ihren Erfolg. Volumnia erklärt zu Anfang, sie »sähe lieber elf (Söhne) im Felde sterben, als einen sich am Frieden mästen«; so ermahnt sie ihren Sohn bald darauf: »Im Krieg muß Ehre sich mit List vertragen.« Im letzten, entscheidenden Zwiegespräch, das zum Abbruch der Belagerung Roms führt, steigert sich ihre literarisierende Rede zum Pathos: »Wenn du Rauch sehn wirst/ Dann aus den Schmieden steigend, die jetzt Schwerter/ wider dich schmieden, der dem eignen Volk den/ Fuß auf den Nacken setzen will . . .« Die Rede, die an eine Zitatsammlung erinnert und sich auch selbst zitierbar ausnimmt, endet allerdings in einer kühlen Betrachtung, die analytisch festhält, daß nun bestenfalls der Pöbel den »Glanz und Adel« Roms retten wird. Volumnia identifiziert Coriolans letztliche Situation fälschlicherweise als die ihre, erläutert aber derart die Ausweglosigkeit, in der sich ihr Sohn verfangen hat – und zieht sich zurück. Da sie die Rolle eines Auftraggebers bewahrt, der Normen nach Maßgabe ihrer jeweiligen Verwertbarkeit aufstellt und verwirft, bleibt aus der Distanz heraus ihre historische Chance gewahrt.

HERRNBURGER BERICHT

Szenische Kantate. Musik von Paul Dessau. Uraufführung 1951 im Deutschen Theater Berlin im Rahmen der Weltjugendfestspiele. Veröffentlicht als Sonderdruck des Zentralrats der FDJ, Berlin 1951.

Das Chorwerk behandelte die »Registrierung« einiger tausend Jugendlicher durch westdeutsche Polizei an der Grenze bei Herrnburg in der Nähe von Lübeck nach ihrer Rückkehr vom Deutschlandtreffen der FDJ in Berlin. Brecht stützte sich im wesentlichen auf die Erzählung dreier Mädchen, die im »Herrnburger Kessel« dabei waren. Westliche Berichterstatter, die nur das Bild vom oppositionellen Dichter gelten lassen wollten, der zugunsten eines eigenen Theaters mit dem Teufel paktierte und in der DDR ausharrte, reagierten auf den *Herrnburger Bericht* mit Hohngelächter und betrachteten ihn als peinliche Entgleisung. Im Unterschied zu schlechten Agitationsliedern und den brav gereimten Gesinnungsliedchen proletarischer Gartenlaubendichter fand immerhin Brecht bei solchen Produkten einen Gestus, der das politische Argument unterstützt und das fragwürdige Genre zugleich leicht ironisiert. Die Kantate steckt so betrachtet voller Witz, satirischer Schärfe und hat die Leichtigkeit von Kinderreimen. Es handelt sich nicht um ein Chorwerk für deutsche Männergesangvereine, es ist weder bierselig noch kriegsbegeistert, sondern stellt eine Mischung aus politischem Referat und Ballade mit Liedeinlagen dar. Die Jugendlichen, von denen hier berichtet wird, ignorieren einfach die Grenzen, entwerfen das Bild von einem friedlichen, anderen Deutschland ohne Unterdrückung und Polizei. »Schlagbaum und Schanzen/ Hat denn das Zweck?/ Seht doch, wir tanzen/ drüber hinweg.« – »Der Mond, er trat aus den Wolken/ Und sah ein lachendes Heer/ Und wie er die Polizisten sah/ Da lachte auch er.«

Brecht dozierte nicht mit pathetischem Schaum vor dem Mund, quälte sich nicht mit Auftragswerken ab, sondern argumentierte spielerisch, er machte nicht mehr daraus, als eben Auftrag und Genre hergaben: »Schumacher, Schumacher, dein Schuh ist zu klein/ In den kommt ja Deutschland gar nicht hinein./ Adenauer, Adenauer, zeig deine Hand!/ Um dreißig Silberlinge verkaufst du unser Land.« Den Auftraggebern in Ostberlin gefiel das nicht besonders. Auf Beschluß der Parteileitung wurde die Aufführung der von Egon Monk einstudierten und von Caspar Neher ausgestatteten Kantate abgesetzt. Paul Dessau arrangierte dann für Brecht eine geschlossene Vorführung, zu der Wilhelm Pieck, Otto Grotewohl und weitere Regierungsmitglieder eingeladen wurden. Jetzt war man konzilianter, erklärte die Einwände der unteren Funktionäre für übertrieben, aber das Befremden war dennoch zu spüren. Grotewohl ließ das Wort »kathedermäßig« fallen. Durch Formales fand man die Lieder aus der unmittelbaren Reichweite entführt. Politische Dichtung mußte ihnen aus dem Herzen gedichtet sein, sie spürten die »Kälte«, die Gewitztheit, die linke Hand, mit der das gemacht war.

Ein Gelegenheitswerk, das den Verfassern mehr Ungelegenheiten als Anerkennung oder Ruhm eintrug. Der *Herrnburger Bericht* war politisch bald nicht mehr opportun, so mancher der hier genannten Namen durfte auch zeitweise gar nicht mehr genannt werden, der geplante Druck im Sonderheft der *Gewehre der Frau Carrar* 1953 unterblieb, erst im Supplementband 2 zu den *Gesammelten Werken* wurde das Werk 1982 erstmals wieder veröffentlicht. Gespielt wurde es im Westen nie, noch im vergangenen Jahr verweigerte die Essener Stadtverwaltung einer linken Pfadfindergruppe Räumlichkeiten für die öffentliche Aufführung. Im Mai 1983 wurde schließlich die Genehmigung zu einer Freilichtaufführung erteilt. Immerhin scheinen einige regierungstreue Deutschlandpolitiker und Verfassungsschützer gemerkt zu haben, daß das Chorwerk einem ungeteilten Deutschland der offenen Grenzen huldigt, dessen Motto in einem Staat, der sich mit einer Mauer umgeben hat, heute sehr merkwürdig klingt: »Deutsche wurden von Deutschen gefangen/ Weil sie von Deutschland nach Deutschland gegangen.«

DER PROZESS DER JEANNE D'ARC ZU ROUEN 1431

Nach dem Hörspiel von Anna Seghers. Bearbeitung. Entstehungszeit: 1952. GW III. Mitarbeiter: Benno Besson. Uraufführung: 23. 11. 1952 im Berliner Ensemble.

Die Hörspielbearbeitung umfaßt den Zeitraum von 1430–1435, von der Gefangennahme Jeanne d'Arcs bis zum Pariser Aufstand, der die Befreiung Frankreichs von der englischen Vorherrschaft einleitete. Der historische Rahmen ist durch die einführende und die abschließende Szene abgesteckt; die übrigen 14 Szenen dokumentieren den Verlauf des Prozesses gegen Johanna und zeigen die jeweiligen Auswirkungen auf die Bevölkerung.
Zu der großen Differenzierung der Bevölkerung in Berufsklassen und politische Meinungsträger tritt die Umdeutung des Charismas einer Jeanne d'Arc. Ihre göttlichen Stimmen sind diejenigen des Volkes; ihre Kraft für den Widerstand reicht konsequenterweise so lange, wie sie die Stimmen hört – im Zustand der Verlassenheit oder der Trennung von der Meinung des Volkes erlahmt ihre Auflehnung.
Der englische Druck fordert von den französischen Geistlichen, aus denen sich das Tribunal rekrutiert, das Urteil der Ketzerei, um dem Verfahren jegliche politischen Dimensionen zu nehmen. Die »edlen Herren und Doktoren« stehen somit vor dem Problem, ihre politische Funktion des Handlangers in eine nationale der religiösen Reinheit zu überführen. Sie müssen das Gesicht der Besatzungs-

macht, gegen deren Fremdherrschaft sich das Volk auflehnt, und ihr eigenes als unparteiische, nur den Glaubenslehren verpflichtete Intellektuelle wahren. Da der Schwur Jeanne d'Arcs sich nur auf »Glaubenssachen« bezieht, sie andererseits ihre Verteidigung stets unter politische Aspekte stellt, und die einzige potentiell häretische Position, die Herkunft ihrer Stimmen, von ihr versiert umgangen wird, steht die Anklage des Kirchengerichtes auf schwachen Füßen. Das Gericht muß sich, nach Ausschluß der Öffentlichkeit (und der Kritik des britischen Herzogs), auf das Unfehlbarkeitsdogma hinausretten und zum Hauptpunkt der Anklage Jeannes Hochmut gegen die universitären Lehren machen. Der ihr aufgetragene Kampf wird somit ein Produkt der Einbildung und der Eitelkeit, für die sie von Gott mit Verwirrung geschlagen sei. Als Jeanne sich nach einiger Zeit der Isolation von ihrem Volk – vermeintlich – vergessen glaubt, unterschreibt sie den geforderten Widerruf ihrer Reden und Aufrufe. Sie wird daraufhin wieder in den Schoß der Kirche aufgenommen und zu lebenslänglicher Kerkerhaft verurteilt. Als das bekannt wird, äußert sich die Enttäuschung der französischen Bevölkerung in Unruhen und Gewaltakten gegen die Engländer. Jeanne zieht den Widerruf zurück und erkennt ihr vorübergehendes Schwanken als Verrat an ihrer Sache. Sie wird daraufhin verbrannt. Die spätere Befreiung steht unter ihrer Idee: das Schlachtfeld kann überall sein, wenn die Menschen nicht allein gelassen werden.

Die Bearbeitung des Jeanne d'Arc-Stoffes durch Anna Seghers erfolgte 1937 als Auftragsarbeit für den Rundfunk Antwerpen; angeregt worden war sie durch die eindrücklichen und pathetischen Bilder des Jeanne d'Arc-Films von Carl Th. Dreyer. Das Hörspiel folgt der Person und dem Prozeß. Brechts entscheidend neue Akzentsetzung liegt einerseits in der Thematisierung der Popularität, die Johanna in seiner Bearbeitung auf den verschiedenen Ebenen genießt, und andererseits in der Übertragung der klassenspezifischen Gerichtszusammensetzung eben auf die Bevölkerung, in der die Antagonismen nicht minder prägend auftreten. Entnahm Anna Seghers dem Film *La passion de Jeanne d'Arc* wesentliche Charakteristika, so steht die Bearbeitung Brechts mehr den Volksszenen des großen Prosaentwurfes *La Vie de Jeanne d'Arc* von Anatole France nahe.

Ihr Gewicht erhält Brechts Bearbeitung durch die Gegensatzkonstruktion Kind-Intellektuelle. In den Rahmen der zeitgenössischen Diskussion um Wert und Stellenwert der »klassischen« intellektuellen Tradition eingefügt, gewinnt die Figur der Jeanne d'Arc neue

Konturen. Das »Faust-Motiv« der Renaissancekultur, bzw. der »faustische Mensch« als Personifizierung des aufklärerischen Wissensdurstes wird neu bestimmt. Dieses Motiv ist nun auch schon vor der Mitte des 20. Jahrhunderts sehr zweifelhaft gewesen. Da es aber im allgemeinen Bewußtsein besonders der Aufbaujahre keine gravierenden Risse aufweist, bleibt die Wichtigkeit dieses menschlichen Idealabbildes gerade für die Arbeit Brechts am Berliner Ensemble zentral.

> »Johanna, wir haben dir gezeigt, wie bedenklich und gefährlich es ist, neugierig die Dinge zu erforschen, die über das Begriffsvermögen eines Menschen hinausgehen, und neuen Dingen zu glauben und sogar neue und ungewöhnliche Dinge zu ersinnen, denn die Dämonen verstehen es, sich in die Neugierde einzuschleichen.«

Ihr Wissensdurst ist mit ihrem Stolz verbunden; das Hoch-hinaus-Streben wird von einem hohen Mut gestützt. Die Neugierde läuft somit nicht Gefahr, sich an die Herrschaft zu verkaufen. Sie tritt ein für ihre Grundlage und ihre Herkunft: das Volk. Verlassen von dieser Basis, verstummen Neugierde und Wissensdurst, sterben somit auch ab, aber sie treten nicht in die Dienste ihres ehemaligen Widersachers. Die Neugierde ohne hohen Mut, wie die des Galilei, ist verwertbar.

In der Bearbeitung des Stoffes durch Brecht wird dem Volk als Topos eine Veränderungsfähigkeit aus sich heraus zugesprochen; die Bevölkerung verhält sich zwar streckenweise abwartend-still, ist aber zur Tat fähig. Das Individuum verschwindet nicht, sondern lebt als Subjekt gerade durch den bewußten Untergang weiter. Der Einzelne als beispielhafter Repräsentant und Mobilisator der befreienden Ideenreservoirs im Volk, geht nicht ein in die Anonymität der historischen Ideologieproduktion. Als Qualifikation dazu ist genialisches Denken eben nicht erforderlich, sondern, wie hier die Bearbeitung andeutet, Mut und Fähigkeit zum Vertrauen auch aus der Schwäche heraus. Der Nationalstaat, den diese Jeanne d'Arc repräsentiert, ist nur als Ergebnis einer breiten Volksbewegung möglich, deren Intelligenz der Realismus der Bevölkerung ist.

Der Wert der Brechtschen Bearbeitung liegt in der für die Zeit der Entstehung eminent politischen Schlußfolgerung. Sie legt eine dramatische Konsequenz nahe, die sowohl die zunehmend verfestigte Teilung Deutschlands (und die hierin vorpreschenden Aktivitäten der Bundesrepublik wie die beginnende Wiederaufrüstungsdiskussion) konterkariert als auch die Rolle der (im Verständnis Brechts) bürgerlichen Intellektuellen beim Aufbau der DDR samt ihrer Pri-

vilegien zur Disposition stellt. Johanna überlebte nicht mehr jenseitig, bzw. im Schoß der Partei, sondern sollte diesseitig im Volk weiterwirken, dem sie einst Mut gab.
Das Stück vernachlässigt aber in kurzsichtigem Geschichtsoptimismus eine tiefgreifende Konsequenz des antifaschistischen Widerstandes. Wie wäre der Widerstand gegen den Nazismus haltbar gewesen, wenn die Vergewisserung oder gar die Verwirklichung des Bevölkerungsrückhalts Bedingung geblieben wäre? Auch die fünfziger Jahre setzten schon an die Stelle der solidarischen »Stimmen« die Einsamkeit des Partisanen oder Dissidenten, und verlängerten somit in beiden Machtblöcken die Erfahrung der technischen, nicht nur religiösen und intellektuellen Oppression.

TURANDOT ODER DER KONGRESS DER WEISSWÄSCHER

Entstehungszeit: Juli/August 1953. GW III. Im August 1954 wurde das Stück noch einmal überarbeitet. Uraufführung: 1969 am Schauspielhaus Zürich.

Analog zu Vorgängen in der Weimarer Republik, die zur Machtergreifung Hitlers geführt haben, erzählt Brecht in der *Turandot* eine in chinesischer Kulisse spielende Geschichte: Der Kaiser des Landes ist in großer Verlegenheit, denn allgemein beginnt durchzusikkern, daß er, um sich finanziell zu sanieren, einen Baumwollemangel organisiert hat. Er hat die überaus reiche Baumwollernte in seinen Speichern gehortet, das heißt vom Markt genommen, um den Preis hochzuhalten. Das Volk murrt und verlangt Rechenschaft über den Verbleib der Baumwolle. Kai-Ho, der die »Freunde des bewaffneten Aufstands« ideologisch und militärisch geschult hat und die Revolution vorbereitet, betreibt die Volksaufklärung in der Absicht, China endlich zu einem »bewohnbaren Land« zu machen. Die öffentliche Meinung in China wird noch von den Tuis, den Tellekt-Uell-Ins, gemacht. Sie betreiben das Denken als schmutziges Geschäft, sie leben vom Meinungshandel. Um etwas zu gelten im Staat, muß man Tui sein. Es gibt Tuischulen und eine Tuiuniversität, Institute, die die Kunst lehren, ein Tui zu sein und brauchbare Meinungen zu produzieren. Auch Kai-Ho entstammt der Kaste der Tuis, aber er mißbraucht seinen Intellekt nicht, und deshalb haben ihn die Tuis aus ihren Reihen verstoßen: weil er sich »mit dem Abschaum« abgibt. Mit der Herrschaft des Kaisers wäre es zu Ende, wenn sich der Bund der Kleidermacher und der Bund der Kleiderlosen einigen könnten. Aber die Tuis dieser beiden Massenvereinigungen hassen sich untereinander mehr als den Feind. Sie streiten sich um den rechten Weg, der die soziale Revolution bringt, hauptsächlich um die Rolle der Gewalt, beide berufen sich auf Marx und hauen sich mit dessen Büchern die Schädel ein. Von ihrem Streit profitiert nicht nur der schwächliche Kaiser, sondern vor allem der ehemalige Straßenräuber Gogher Gogh, der zum Straßenräuber wurde, um Tui zu werden. Er schafft es nämlich nicht, in eine der zahlreichen Tuischulen aufgenommen zu werden, und so bleibt ihm nur noch der Weg in die Politik. Als Retter in der Not wird dieser Gogh mit seiner Leibwache den Tuis vorgezogen, denn diese erweisen sich als unfähig, im entscheidenden Moment die Herrschaft des Kaisers zu sichern.

Das Tuikonzil, der Kongreß der Weißwäscher, vom Kaiser einberufen, um sich vom Verdacht, Baumwolle auf die Seite gebracht zu haben, reinzuwaschen, wird zur Harakiri-Veranstaltung der versammelten Meinungsmacher und Fachidioten. Demjenigen, der erfolgreich den Verdacht vom Herrscher ablenken kann, soll Prinzessin Turandot zur Frau gegeben werden. Keiner erfüllt überzeugend die in ihn gesetzten Erwartungen. Alle Bewerber werden enthauptet. Zuguterletzt macht sich Gogher Gogh an die kaiserliche Tochter heran, die auch zunächst von ihm begeistert ist. Die Heirat wird festgesetzt. Gogher ergreift die Macht und findet auf seine Art eine Lösung: er steckt die kaiserlichen Baumwollvorräte teilweise in Brand mit der Absicht, die Kleidermacher, die Kleiderlosen und die Tuis für die Brandstiftung verantwortlich zu machen und gleichzeitig den Rest der Baumwolle zu einem guten Preis abzusetzen. Gogh läßt die Tuis verfolgen und ihre Kunstwerke vernichten, aber er kommt nicht weit mit seiner Herrschaft: Kai-Ho dringt mit seinen Anhängern in die Hauptstadt ein, er wird den korrupten Kaiser und den Diktator abservieren und eine Volksherrschaft etablieren.

»Den Plan, ein Stück ›Turandot‹ zu schreiben«, notierte Brecht, »faßte ich schon in den dreißiger Jahren.« Damals wollte er nach Motiven des alten Märchens von Prinzessin Turandot und dem Gozzi-Stück, das Schiller nach der Prosaübersetzung von Werthes in Jamben gesetzt hatte, eine *Turandot*-Bearbeitung anfertigen, in der Carola Neher die Hauptrolle spielen sollte. Ausgelöst wurde dieser Plan von der berühmten *Turandot*-Inszenierung Jewgeni Wachtangows. Während des Exils beschäftigte sich Brecht mit den

Vorarbeiten zu einem Roman über die »Tuis« und überlegte mehrfach die Mischung des Turandot-Stoffs mit seinem Tuiprojekt. Im *Leben des Galilei* wollte er »den heraufdämmernden Morgen der Vernunft« schildern, in dem *Tuistück* sollte ihr Abend geschildert werden, der Abend »eben jener Art von Vernunft, die gegen Ende des sechzehnten Jahrhunderts das kapitalistische Zeitalter eröffnet hatte«. Der definitiven Niederschrift von *Turandot oder Der Kongreß der Weißwäscher* im August 1953 gingen zwar die Ereignisse des 17. Juni unmittelbar voraus, sie waren aber nicht der Anlaß zum Stück. Allerdings streute Brecht im Laufe der Arbeit immer wieder Anspielungen auf bestimmte Haltungen und Äußerungen einiger »Weißwäscher« in den eigenen Reihen ein. So legte er Gogher Gogh noch einmal eine Paraphrase jener Sätze in den Mund, mit denen sich, der Ulbricht-Regierung beispringend, der Parteidichter Kurt Barthel an die Bevölkerung der DDR gewandt und die Brecht bereits in dem Gedicht »Die Lösung« höhnisch zitiert hatte: »Was heißt das: das Volk muß sich doch sein Regime wählen können? Kann sich etwa das Regime sein Volk wählen? Es kann nicht. Würden Sie sich etwa gerade dieses Volk gewählt haben, wenn Sie die Wahl gehabt hätten?« Weitere Anspielungen beziehen sich auf die damals erbittert dogmatisch geführten Debatten um Volkstümlichkeit und Realismus. Mit dem Tuikongreß zielte Brecht in der *Turandot* nicht zuletzt auch auf den in Westberlin tagenden »Kongreß zur Verteidigung der Kultur«, dessen Aktivitäten und Publikationen maßgeblich vom amerikanischen Geheimdienst finanziert wurden.

Vom alten Turandot-Stoff ist in Brechts *Tuistück* nicht mehr viel enthalten. Das Märchen von Prinzessin Turandot entstammt der orientalischen Märchensammlung *Tausendundeintag* und heißt dort »Die Geschichte des Prinzen Kalaf und der Prinzessin von China«. Kalaf ist ein Prinz aus einer Königsfamilie, der großes Mißgeschick widerfahren und die ihres Reichs und ihrer Herrschaft verlustig gegangen ist. Kalaf kommt nach China, in die Hauptstadt Peking und hört hier von der schönen Tochter des Kaiser Altun Khan, Turandot, einer wilden Männerhasserin, auf deren Schönheit aber alle Prinzen umliegender Länder fliegen. Turandot trübt die Ruhe ihres Vaters, weil er außer dieser widerspenstigen Tochter keine Nachkommen hat. Sie ist so stolz und eitel, daß sie alle Freier abweist. »Ich hasse die Männer und will mich nicht vermählen«, erklärt die Prinzessin. Nur der soll ihr Gatte werden, der zuvor auf alle Fragen geantwortet hat, die ihm von Turandot vor sämtlichen

Gesetzeskundigen der Hauptstadt gestellt werden. Alle, die nicht antworten können, werden enthauptet. Die Prinzessin stellt schließlich Kalaf ihre Fragen, und der kann sie als erster auch beantworten. Turandot ist entsetzt, zu ihrer Sklavin sagt sie: »Die richtigen Antworten, die er mir gab, haben mich vollends wider ihn empört.« Der Prinz will auf sein Recht verzichten, wenn Turandot ihm ihrerseits eine Frage beantwortet. Sie soll seinen Namen erraten. Sie kann es nicht und bittet um Aufschub bis zum nächsten Tag. Turandot schickt eine Sklavin zu dem Prinzen mit dem Auftrag, seinen Namen auszukundschaften. Diese Sklavin, die selbst eine Prinzessin ist, aber als Gefangene des Königs in Peking lebt, verliebt sich in den Prinzen und will ihn überreden, mit ihr zu fliehen. Turandot weiß am nächsten Tag den Namen des Prinzen. Die Sklavin hat ihn ihr verraten, um die Heirat des Prinzen mit Turandot zu verhindern. Kalaf sinkt todunglücklich zu Boden. Die siegreiche Turandot verkündet nun aber ihren Entschluß, diesen Prinzen zum Gatten zu nehmen. Die Sklavin erdolcht sich. »Die ganze Versammlung, heißt es, erbebte ob dieser Tat.« Die Heirat steht unter keinem fröhlichen Stern, erst langsam verziehen die düsteren Wolken, und dann werden die alten Besitzverhältnisse aufs glücklichste geregelt, selbstverständlich nicht ohne blutige Kriege. Einige hunderttausend Opfer sind zu beklagen, aber, meint der Erzähler dieses Märchens vom Prinzen, der künftig nur noch Siege erringen wird, »wenn die Schlacht auch blutig gewesen war, so war sie doch wenigstens entscheidend«.

Diese Geschichte von Kalaf und der Prinzessin von China ist ein grausames, großes realistisches Märchen. Wie oft bei alten Stoffen haben die späteren Bearbeitungen den ursprünglichen Reichtum und Realismus eingebüßt. Gozzis Märchenspiel hat noch viel von der Grausamkeit des alten Stoffs, aber versöhnlichere Momente sind schon eingestreut, daneben gibt es neue Commedia dell'arte-Typen, die dem Märchen einen volkstümlichen Anstrich verleihen sollen. Entscheidend wird, was Wachtangow bei seiner Einstudierung der Gozzischen *Turandot* 1922 interessierte: »Wir wollen in unserem Märchen die Peripetien im Kampf der Menschen für den Sieg des Guten über das Böse, für unsere Zukunft zeigen.« Wachtangow entschied sich aber immerhin für Gozzi, nicht für Schiller. Der war ihm nicht volkstümlich genug, nicht »grausam« genug. Schiller schien ihm in der *Turandot* lediglich Stilist zu sein.

In Aufbau und Handlung folgt Schiller dem Stück Gozzis, nur eine burleske Szene hat er gestrichen, bereits bei Gozzi ist die Rolle der

Sklavin Adelmulk/Adelma verharmlost, das Mädchen ist zur liebenden Intrigantin gemacht, der, als sie sich das Leben nehmen will, von Prinz und Turandot großzügig vergeben wird. Darüber hinaus hat nun Schiller alle Charaktere veredelt, alle Grausamkeit wegmanipuliert. Handelt Turandot bei Gozzi noch aus bloßer Laune, ohne weitere psychologische Motivierung, so ist Turandot bei Schiller eine Edle mit Freiheitsbedürfnis.

Brecht nun hat die Figur der Turandot völlig umgekehrt. Außer den bekannten Versionen des Stoffs hat er noch das Libretto zur mittlerweile längst vergessenen Operette *Prinzessin Turandot* von Friedrich Forster (Pseudonym für Waldfried Burggraf) und Georg Pittrich (Musik) als Anregung benutzt. Bereits Forster, dessen Libretto 1925 als »Schaurette nach Gozzi« erschienen ist, hat Schillers Idealisierung rückgängig gemacht und viele Gesichtspunkte der Wachtangow-Inszenierung aufgegriffen sowie aktuelle politische Anspielungen eingeblendet. Auch die Intellektuellensatire ist bei Forster in der Richtung angelegt, die Brecht dann zu einem Schwerpunkt seiner Darstellung der Turandot-Fabel gemacht hat. Dessen Prinzessin ist nicht wie im alten Märchen eine Männerhasserin, die erst nach langem Hin und Her einen Mann nimmt, und dann nur, weil sie ihn sich unterworfen hat; sie ist vielmehr, auch hier Forster folgend, der sie als »männertodtolles« Durchschnittsweibchen charakterisiert, ein männerbesessenes Flittchen, ausgesprochen mannsgeil und außerdem pervers: sie steht auf Tuis. Ihre Gunst für einen Mann ist dahin, wenn er intellektuell versagt, was konkret heißt, wenn er im Weißwaschen versagt. Gut lügen ist gefragt, schlecht lügen kostet den Kopf. Die Geilheit dieser Turandot nimmt zu, wenn Männer »kluge« Antworten und schöne Formulierungen finden. Aus den Rätselaufgaben, die Turandot im Märchen den Bewerbern stellt, ist bei Brecht die Aufgabe des Kaisers an die Tuis geworden, ihn durch gescheite Redewendungen weißzuwaschen vom Verdacht ökonomischer Manipulationen. Als Lohn winkt für den besten Weißwäscher die kaiserliche Tochter. Der Diwan, jene Versammlung der Gesetzeskundigen der Stadt Peking, ist zum großen, alle Geistigen des Landes aufbietenden Tuikonzil geworden, das im Mittelpunkt des Brechtschen Stücks steht. Dieses Tuikonzil wollte der Verfasser auch, einer Anregung seines Freundes Hanns Eisler folgend, zum Ausgangs- und Mittelpunkt der Fabel des *Tui-Romans* nehmen, der unabhängig von einer möglichen *Turandot*-Bearbeitung geplant war.

Der *Tui-Roman* zählte zu den großen Prosavorhaben Brechts, der in satirischer Form die Rolle der Intellektuellen im kapitalistischen Staat, ihre Abhängigkeit und ihre Deformation beschreiben wollte. Die Weimarer Republik mit ihrem weitgefaßten Freiheitsbegriff betrachtete er als das »Goldene Zeitalter der Tuis«. Tuis waren für Brecht die Intellektuellen dieser Zeit der Märkte und Waren, »Vermieter« ihres Intellekts, Meinungshändler, die großenteils die Wahrheit wissen, sie aber ihres persönlichen Vorteils wegen lieber nicht aussprechen oder sie sogar verschleiern, die also ihre gesellschaftliche Funktion nur als bloße Verkäufer von tragbaren Meinungen wahrnehmen. Über die Tuis, auch Kopfarbeiter genannt, heißt es im *Me-ti:* »Die Kopfarbeiter sehen darauf, daß ihr Kopf sie ernährt. Ihr Kopf ernährt sie in unserer Zeit besser, wenn er für viele Schädliches ausheckt. Darum sagte Me-ti von ihnen: Ihr Fleiß macht mir Kummer.«

Die Haltungen bestimmter Schriftsteller zu Fragen der Politik und gegenüber Repräsentanten der Macht, ihre Eitelkeiten, ihre Taktiken, ihre kleinen raffinierten Schachzüge waren das Basis-Material, das Brecht zusammentrug. Im Exil wurde das Thema des Tuismus geradezu unerschöpflich, die emigrierten Tuis stritten sich um kleinliche Dinge, und im Dritten Reich war das Volk »unter die allerverlumptesten Tuis gefallen«: »Die Idee triumphiert, das Volk verreckt.« Da auch in der Sowjetunion, wo eine neue gesellschaftliche Ordnung herrschte und Denken nicht mehr das Privileg einer bestimmten Klasse sein sollte, das Phänomen des Tuismus blühte, wurde die Behandlung des Themas für Brecht zunehmend komplizierter, die Aspekte des Themas erwiesen sich als zu groß und zu verzweigt, um den Roman wirklich beginnen zu können.

Hollywood erwies sich als eine einzige Fundgrube für Tuimaterial. Auch hier waren es zunächst wieder die Haltungen einzelner Tuis, die Brecht mit bitterem Spott aufnotierte, Haltungen bürgerlich denkender Intellektueller von Thomas Mann, Leonhard Frank bis zu Erich Maria Remarque, die nach seiner Meinung auf der Grundlage einer idealistischen Gesinnung politisierten, aber vorsichtig und feige waren, wenn es galt, einen politischen Standpunkt wirklich durchzusetzen. Selbst die besten Freunde nahm er manchmal nicht von dem Verdacht aus, sie könnten Tuis geworden sein. Und es war ihm auch klar, daß er sich ebenfalls als Bewerber um einen Filmauftrag in Hollywood in einer Tui-Situation befand. Die Wirklichkeit in diesem Land, in dem der Warencharakter intellektueller Arbeit gar nicht bestritten wurde, übertraf jeden Versuch von Satire.

1942 notierte er resignierend: »Dieses Land zerschlägt mir meinen *Tuiroman*. Hier kann man den Verkauf der Meinungen nicht enthüllen. Er geht nackt herum. Die große Komik, daß sie zu führen meinen und geführt werden, die Donquichotterie des Bewußtseins, das vermeint, das gesellschaftliche Sein zu bestimmen – das galt wohl nur für Europa.« (AJI, 418) Als eine Möglichkeit, doch noch zu einer stimmigen Fabel für diesen Roman zu kommen, boten sich dann die vielfältigen Aktivitäten und Attituden der Mitglieder des nach Amerika emigrierten Frankfurter Instituts für Sozialforschung an, die fast alle in Hollywood lebten: Max Horkheimer, Friedrich Pollock, Th. W. Adorno, Leo Löwenthal, Herbert Marcuse und Günther Anders. Besonders der finanziell gut gestellte Horkheimer und der Wirtschaftswissenschaftler Pollock reizten den Stückeschreiber zu kritischer Spottlust: »Bei Rolf Nürnberg auf einer Gartenparty den Doppelclown Horkheimer und Pollock getroffen, die zwei Tuis vom Frankfurter Soziologischen Institut. Horkheimer ist Millionär, Pollock nur aus gutem Hause, so kann nur Horkheimer sich an seinem jeweiligen Aufenthaltsort eine Professur kaufen, ›zur Deckung der revolutionären Tätigkeit des Instituts nach außenhin‹.« (AJI, 295)
Das Institut war eine Stiftung des liberalen jüdischen Getreidegroßkaufmanns Hermann Weil, der 1890 aus Deutschland nach Argentinien ausgewandert war und dort mit Weizengeschäften ein beträchtliches Vermögen erworben hatte. Sein Sohn und Erbe Felix Weil hatte in Frankfurt studiert und eine Dissertation über praktische Probleme der Verwirklichung des Sozialismus geschrieben. Bei einer von Weil organisierten Marxistischen Arbeitswoche, die 1922 mit Karl Korsch, Georg Lukács und Friedrich Pollock in Thüringen stattfand, wurde die Idee eines vom starren Universitätssystem unabhängigen, selbstfinanzierten Instituts für Sozialforschung geboren, an dem Themen wie Geschichte der Arbeiterbewegung und Ursprünge des Antisemitismus erforscht werden sollten. Viele Projekte marxistischer Wissenschaftler wurden damals von Weil ermöglicht, und auch linke Künstler wie Grosz und Piscator konnten immer mit seiner Unterstützung rechnen.
Die wichtigste Unternehmung des Instituts wurde die *Zeitschrift für Sozialforschung*, deren letzte Jahrgänge in New York in englischer Sprache erschienen. Brecht warf dem Institut vor, daß es die wirklichen Ursachen für die faschistische Barbarei verschleiere, um sich nicht die eigene materielle Basis zu zerstören. Die Vertreter des Instituts, meinte er, hätten in Amerika Angst gehabt, einer »Red-

razzia« zum Opfer zu fallen, und so hätten sie mit ihrem Geld zwar ein Dutzend Intellektuelle über Wasser gehalten, unter diesen Walter Benjamin, Karl Korsch und Karl Langerhans, aber dafür hätten diese alle ihre Arbeiten abliefern müssen, ohne die Gewähr, daß die Zeitschrift des Instituts sie jemals druckte. Das wichtigste Anliegen dieser Tuis sei die Rettung des Institutsvermögens gewesen, darin hätten sie »ihre hauptsächliche revolutionäre Pflicht durch all die Jahre hin« gesehen.

Von einem Lunch bei Horkheimer kommend, schlug Hanns Eisler, der ebenfalls von Weils Mäzenatentum profitierte, im Mai 1942 als Handlungskern für den *Tui-Roman* die Geschichte des Soziologischen Instituts vor: »Ein reicher alter Mann (der Weizenspekulant Weil) stirbt, beunruhigt über das Elend auf der Welt. Er stiftet in seinem Testament eine große Summe für die Errichtung eines Instituts, das die Quelle des Elends erforschen soll. Das ist natürlich er selber. Die Tätigkeit des Instituts fällt in eine Zeit, wo auch der Kaiser eine Quelle der Übel genannt haben will, da die Empörung des Volkes steigt. Das Institut nimmt am Konzil teil.« (AJI, 443)

In seiner Komödie *Turandot oder Der Kongreß der Weißwäscher*, in der er auf sein Tui-Material zurückgriff, um das lang verfolgte Thema vom »Mißbrauch des Intellekts« in parabelhafter Verkürzung als Schwank abzuhandeln, brachte Brecht den Turandot-Stoff mit dem Eislerschen Vorschlag zusammen, die Situation der Tuis im Rahmen eines Konzils deutlich werden zu lassen. Er löste die historischen Elemente des Tui-Stoffs weitgehend von der Geschichte der Weimarer Republik ab, er behielt nur das Motiv der »Machtergreifung« bei, den Moment des Übergangs vom goldenen Zeitalter der Tuis zu ihrer Verfolgung beziehungsweise Gleichschaltung durch ein Terrorregime, wobei die Anklänge an die tatsächlichen Ereignisse von 1933 unverkennbar sind, jedoch im Kontext der Parabel ihre Eindeutigkeit verlieren.

Ein Schlüsselstück über das Frankfurter Institut ist das Tuistück keineswegs, wenn auch Eislers Vorschlag als Fabelkern benutzt ist. Darüber hinaus hat Brecht die Diskussionen mit Vertretern des Instituts für die Charakterisierung von Haltungen und Argumentationsweisen einzelner Figuren ausgebeutet. Wegen seiner wohlgefälligen Formulierkunst und Zungenfertigkeit hat ihn besonders Th. W. Adorno als Modell für eine Bühnenfigur gereizt: »Adornos Gesicht kann nicht lang werden, was ihm als einem Theoretiker gut zustatten kommt.« Die kleine Szene, in der der klügste, aber auch der eitelste der Tuis, der Gott des philosophischen Seminars der

Tuiuniversität, Munka Du, sich vor seinem Kongreßauftritt schminken läßt und dabei seine Sätze probt wie ein Sänger seine Arien, bietet satirische Reminiszenzen an Auftritte von Adorno oder auch Thomas Mann, der seine berühmten Stegreifreden vor dem Spiegel einzuüben pflegte und sich besonders gern vor Frauen rezitierend in Szene setzte.

Eine Schwäche des Stücks ist sicher die mangelnde Differenzierung verschiedener tuistischer Haltungen. Die Verhältnisse zwingen eben hier die Tuis, auf den Strich zu gehen oder Revolutionär zu werden. Auf diese Alternative hat der Verfasser die Situation der Intellektuellen im liberaldemokratischen Staat verkürzt. *Turandot* ist somit nur das Satyrspiel zum *Galilei*; das für unsere Zeit maßgebliche Gegenstück, das erhellt, wie kühnes, eingreifendes Denken nutzbar gemacht und in verwertbares Spezialistentum und technokratisches Denken umfunktioniert wird, hat Brecht nicht mehr geschrieben, nur in den Aufzeichnungen zu dem Stückplan *Leben des Einstein* als Problem noch skizziert.

Neben der bissigen Intellektuellensatire rollt eine oft zu mechanisch konstruierte Parabel über politische Verhältnisse ab, in denen die faschistische Saat der Gewalt aufgeht. Gogher Gogh, die Hitler-Figur des Stücks, ist eine Mischung aus Mackie Messer und Arturo Ui. Vom einfachen Straßenräuber, dem am Anfang »die ganze Damenwelt Pekings zu Füßen liegt wegen seiner Männlichkeit«, mausert sich Gogh allmählich zum rabiaten Bandenchef mit politischer Macht. Wie Hindenburg Hitler zum Kanzler ernannt hat, so ebnet in der *Turandot* der Kaiser Gogher Gogh die Wege, und dieser zündet dann die Baumwollspeicher an und leitet die Verfolgungen der Kommunisten (Bund der Kleiderlosen), Sozialdemokraten (Bund der Kleidermacher) und Intellektuellen (Tuis) ein. Aber der Faschismus wird sich nicht an der Macht halten können, Kai-Ho ist bereits in die Stadt eingedrungen, die Sache des Volkes setzt sich durch. Der »Retter« tritt übrigens selbst nicht auf, von ihm ist immer nur die Rede. Er wird gegenwärtig in der Wandlung oder dem Lernen des Bauern Sen, der nach Peking kommt, um Tuischüler zu werden, aber, nachdem er die Verworfenheit dieser Intellektuellenkaste gesehen hat, sich eines besseren besinnt und lieber das ABC des Kai-Ho lernt. Sen erlebt aus nächster Nähe mit, daß die Tuis ihr Wissensmonopol zu schädlichen Zwecken mißbrauchen und daß sie sich in ihrem Denken nach der Decke strecken müssen. Sen will Tui werden, weil er Denken für ein »Vergnügen« und somit für nützlich hält. Obwohl er aus der aufständischen Provinz

kommt, kennt er den Aufrührer Kai-Ho nur vom Hörensagen, dessen Denken lernt er erst kennen durch die Argumente der Tuis, die gegen ihn hetzen und ihn widerlegen müssen. Mit der Rednerübung »Warum hat Kai-Ho unrecht?« in der sogenannten Brotkorbszene, wo dem Schüler durch Heben oder Senken des Korbs die Kunst des Speichelleckens und des Verleumdens eingetrichtert wird, beginnt für Sen die Lektion des eingreifenden Denkens, das eine Weisheit beinhaltet, »bei der Felder verteilt werden«.
Brecht meinte, sein Stück *Turandot* stehe recht außerhalb der deutschen Literatur und wirke, wie alleinstehende Personen oft, »unsolide«: »Wäre ich im ganzen ein Komödienschreiber, was ich beinahe bin, aber eben nur beinahe, dann stünde um solch ein Werk wenigstens die Verwandtschaft, und der Clan könnte sich behaupten.« Das politische Lehrstück darf hier nicht betont werden, damit das Schauermärchen und die böse Satire wirken können, es sollte sehr schnell gespielt werden. Slapstickartige Auftritte wie die der Kaisermutter, die immer nur kommt, um ihrem Sohn Gift zu reichen, jagen sich mit grotesken und satirischen Paradenummern wie der Brotkorbszene. Man muß das Lustspiel in seiner banalen Oberflächlichkeit akzeptieren, die schematischen Widersprüche durch Steigerung der Situationen ins Unwahrscheinliche real machen. Eine Offenbachiade mit märchenhaftem Schluß, der im Gegensatz zur erinnerten und persiflierten geschichtlichen Realität ein enthistorisiertes Wunschbild vom Sieg des eingreifenden Denkens entwirft.

DON JUAN

Von Molière. Bearbeitung. Entstehungszeit: 1953. GW III. Mitarbeiter: Benno Besson, Elisabeth Hauptmann. Uraufführung: 19. 3. 1954 im Berliner Ensemble.

In diese Bearbeitung sind wesentliche Akzente der Brecht-»Schule« eingegangen. Der Anteil Benno Bessons, der den Plan zu diesem Projekt seit 1951 verfolgte, ist hoch einzustufen. Brecht scheint sich seiner Konzeption angeschlossen zu haben, zumal das Arbeitsjournal, das ansonsten alle Vorhaben und Tätigkeiten akribisch notiert, zu *Don Juan* keinerlei Informationen liefert.
Der erste Akt beginnt mit einer emblematischen Vorführung aristokratischer Gewohnheiten. Die Diener proben die Gebärden des Herrn. Sganarelle, der Diener Don Juans, demonstriert einem Kol-

legen, Guzman, dem Stallmeister der Frau Don Juans, die weise Gestik des Tabakschnupfens. Dieser Lakai, als Figur dem »arlecchino« der italienischen Commedia entlehnt, zeigt am Tabak die hohe Kunst der Gleichmütigkeit gegen alle Alltäglichkeiten und profanen Nöte; die Wirklichkeitsverhüllung in der Maske eines obsoleten Verhaltens strukturiert das ganze Stück. Don Juan: Verführer, Heiratsschwindler, Verräter, oder auch einfach nur, wie Sganarelle sagt, ein »epikureisches Schwein«, verläßt seine Gattin. In der Maske eines »Alexanders der Liebe« möchte er allen schönen Frauen, so wie er sagt, gerecht werden. Trotz der flehenden Worte seiner Frau plant er ein neues Abenteuer: die Zerstörung einer Verlobung und die Entführung der Braut. Sein Diener übernimmt bei den Vorbereitungen die Aktivität. Er trainiert die Hilfskräfte für ihre gewaltvolle Mission, die fehlschlägt. Kaum gerettet, führt Don Juan sein Werk fort, indem er versucht, ein Verhältnis zu ländlichen Favoritinnen anzuknüpfen.

Der Mythos der amourösen Kraftnatur Don Giovanni ist zum repetierenden Mechanismus verkommen. Die Bearbeitung konterkariert die Romantik dieser Figur und ihre Rezeptionsgeschichte. Verfolgt von den Brüdern seiner Frau und den nicht bezahlten Hilfstruppen der mißglückten Entführung, kann sich der Aristokrat stets nur durch Rollenwechsel und Kleidertausch mit seinem Diener retten. Seine folgende Tat, eine blasphemische Verlachung einer Grabesstatue, für deren Existenz er die Schuld trägt, und die er nun, anstelle des lebendigen Menschen, zum Essen lädt, bringt sein Ende: er fährt zur Hölle – oder in seinen Himmel.

Die Struktur der Bearbeitung liegt in der Betonung der Herr-Knecht Beziehung. Neben dem Analysegehalt wird eine gleichsam doppelte Optik vermittelt – in den häufigen »Proben« des noch zukünftigen Geschehens. Die Zukunft wird exerziert und das Reglement der Übung im Verlauf als völlig wirklichkeitsfern und so hohl wie die Befehlführenden gekennzeichnet. Wenn Don Juan seiner letzten großen Verführung entgegensieht, plant und probt er seine Schmeicheleien: anstatt der Begehrten tritt der von Don Juan ermordete Vater auf die Szene, die zum Essen geladene Statue, die das vermeintlich libertine Arrangement Don Juans abbricht.

Der Diener tritt bei Brecht in den Mittelpunkt; nur der verkleidete Sganarelle mimt noch überzeugend den Aristokraten.

Als literarische Figur trat Don Juan erstmalig in Tirso de Molinas Drama *Der Verführer von Sevilla und der steinerne Gast* (geschrieben 1616) in Erscheinung; ein Gegenbild zur mittelalterlichen Minnedichtung ist hier entworfen. Molière präzisierte die Figur aus feudalistischer Perspektive (*Don Juan ou Le festin de pierre*, uraufgeführt: 1665). Der große Liebhaber war nun der Herausforderer der religiösen und gesellschaftlichen Instanzen – ein wahrer, wenn auch zum Scheitern verurteilter Libertin, dessen Skeptizismus und Atheismus nur der Maxime der vollkommenen Selbsterfüllung gehorchten. Dieser Rezeptionsstrang blieb vorherrschend. E. T. A. Hoffmann und Sören Kierkegaard sahen den Idealsucher. Ernst Bloch verstand die Figur als Zeichen des »heiligen Frühlings« gegen die dunkle Despotie der Kirche. Albert Camus bezeichnete 1942 in *Don Juanisme* als Grundzug den Ausdruck des Dämonischen, das die Sinnlichkeit verkörpert. Auf der anderen Seite stehe dann Don Juan als Artikulation des Geistigen, das von der christlichen Tradition ausgegrenzt ist.

Die Bearbeitung Brechts läßt all diese Mythologeme hinter sich. Don Juan ist nur ein Parasit. In der Gesellschaftsordnung, in der er sich bewegt, ist keine andere Instanz als der »Himmel« denkbar, die das Individuum zur Rechenschaft zieht. Die Aufführung macht daraus Schnürboden und Unterbühne der Theatermaschinerie.

Don Juans Ideal ist Alexander von Macedonien. Sein Imperialismus ist der einer sexuellen Großmacht (d. h. der hybride Willen dazu), die nicht mehr aufgrund persönlicher Ausstrahlungskraft Erfolge erzielt, sondern als Repräsentanz eines vergangenen Glanzes: allein die Kleider qualifizieren zum Verführer. Als Großmacht ist Don Juan den Kämpfen entfernt; er mietet Truppen, bzw. rekrutiert Einzelne aus der Bevölkerung und, so zeigt es eine nicht von Molière stammende Szene, stärkt auf diese Weise das Volk, das nun gemeinsam sein Geld zu holen versucht. Als es wenig später zu einem realen Kampf kommt, in den einer der Verfolger verstrickt ist, befreit Sganarelle, in den Kleidern seines Herrn, den bedrängten Adligen. Bevor Don Juan den standesgemäßen Dank entgegennehmen kann, muß er sich demnach erneut umkleiden. Der Domestike hingegen ist Arbeiter und Ausführer – das Hegelsche Herr-Knecht Theorem samt der notwendigen Erlangung der Souveränität durch den Knecht wird angespielt. Der Don-Juan-Figur ist gerade die Individualität genommen, die ihr bei Molière die Macht und Aktivität gab, mit aristokratischer Gleichmütigkeit gegen die gesellschaftlichen, d. h. spätfeudalen und frühbürgerlichen Wertesysteme zu verstoßen. Die durchaus verklärte Normverletzung, der nur durch ein »Gottesurteil« beizukommen ist, fällt in dieser depotenzierten Spielfigur in sich zusammen.

Es agiert nicht mehr der schöne Schein, sondern eine ästhetische Hohlheit. Wie oben schon angedeutet, müssen nahezu alle handlungsfördernden Aktionen ausführlich geprobt werden. In analoger Form hat die Bearbeitung die großen Reden, die Molière seiner Figur anbot, auf Dialoge hin gewendet, die dann noch häufig in die Leere gehen. Alle Personen, die den Protagonisten zur Einkehr zu bewegen versuchen, sprechen, wie etwa sein Vater, in die Luft. Der ganze Schlußakt wird somit zu einem abgespielten Spiel, dem die Statue als dramatische Person keine Fremdheit hinzufügen kann.

Das Ende überspitzt dann den Theaterzauber: Don Juans Körper versinkt in den Boden, aus der Höhe aber fällt sein Hut. Das Finale eines fast operettenhaften Aufbaus macht es überdeutlich: die Figur ist leer, bzw. hat sich entleert zu einer real überflüssigen.

Die Möglichkeiten und die Wirklichkeiten der feudalen Herrschaft werden simplifiziert, aktuelle Formen des Aristokratismus vernachlässigt. Die großen Individualisten, deren Wirken die Geschichte schreibt, sind und waren, nach allgemeiner Einschätzung, eben nicht real überflüssig. Die Nachahmungsfähigkeit des Sganarelle hat auch eine andere Seite: die der Anpassung und der Übernahme, so wie das Bürgertum die Herrschaftsinsignien des Adels adaptierte und die Sinnlichkeit unter ein »höheres Streben« stellte.

Der Linie karikierender Brechung feudaler Symbolfiguren folgt auch Peter Hacks in seinem »bürgerlichen Lustspiel« *Der Müller von Sanssouci* (1958). Hacks zeigt in seinem Stück die Hohlheit spätfeudaler »Aufgeklärtheit«, deren humanistische Impulse nur die politische Taktik bemänteln sollen.

PAUKEN UND TROMPETEN

Bearbeitung des Stücks *The Recruiting Officer* von George Farquhar. Entstehungszeit: 1955. GW III. Mitarbeiter waren Benno Besson, Elisabeth Hauptmann. Uraufführung im Berliner Ensemble am 19. 9. 1955.

Ort der Handlung ist das Provinzstädtchen Shrewsbury in England zur Zeit der amerikanischen Unabhängigkeitskriege. Sergeant Barras Kite und Captain William Plume versuchen die Ausgestoßenen und Erfolglosen der frühbürgerlichen Gesellschaft für den Kampf gegen die amerikanische Revolution anzuwerben. Der Erfolg der

Rekrutierungsbemühungen ist bescheiden, die Liebeswerbungen der Beteiligten sind dagegen um so reger. So hat sich die Tochter des Friedensrichters Balance, Victoria, in den Captain verliebt, was Balance unter Hinweis auf die mangelnde Solvenz und Seßhaftigkeit eines noch feudalen Offiziers zu hintertreiben versucht. Der Schuhfabrikant Worthy umwirbt Melinda, die er für 500 Pfund Leibrente zu seiner Mätresse zu machen gedenkt, aber seit sie einen größeren Betrag geerbt hat, treten seine Bemühungen auf der Stelle. Die Soldaten wiederum überblicken nicht mehr ganz ihre Eheschließungen und die Zahl ihrer zumeist unehelichen Kinder. Unterhalb dieser Mischung aus postfeudaler Offiziersherrlichkeit und frühbürgerlicher und entsprechend bigotter Tugendhaftigkeit stehen die Mägde und Knechte, deren Dienste billig und problemloser in Anspruch zu nehmen sind. Der Machtwechsel ändert nicht die Herrschaftsstrukturen. Balance und Plume sind sich einig, wenn sie die »neuen Ideen« der amerikanischen Unabhängigkeitserklärung wie »Gleichheit, Freiheit und Anspruch auf ein glückliches Leben« als »Hochverrat« und »Gewinnsucht« abqualifizieren. Victoria beginnt in der Verkleidung eines jungen Fähnrichs, der sich als postillon d'amour einführt, um Captain Plume von dem Liebreiz der Victoria Balance zu überzeugen. Die Domestizierung des Offiziers zum ruhigen Ehemann ist ihr Ziel. Währenddessen muß sich Worthy mit einem Nebenbuhler, dem abgehalfterten Captain Brazen, auseinandersetzen, dessen Bemühungen weniger auf die Rekrutierung als auf die Erlangung einer üppigen Mitgift abzielen. Diese und weitere »Liebespaare« haben als Treffpunkt ein Wäldchen am Fluß ausgemacht, wo sie auf dem Wege, »Himbeeren« zu suchen, um die besseren Plätze sich streiten. Eine Inspektion aus London macht dem Treiben ein Ende.

Das Ergebnis der Inspektion ist eine breitangelegte Zwangsrekrutierung, die auf Anregung von Lady Prude durch eine moralische Säuberung bewerkstelligt wird. Dabei wird auch der junge Fähnrich verhaftet, der eine von Plumes Favoritinnen über Nacht beherbergt hatte, um den Captain von ihr fernzuhalten. Mit grotesker Argumentation werden Soldaten geschaffen; der Arbeitslose wird eingezogen, weil er arbeitslos ist, der Bergmann, weil er nicht sichtbar arbeitet etc. – Um die Sollstärke der Kompanie zu gewährleisten, preßt Balance auch den Konstabler und den Gerichtsdiener in die Armee. Victoria gelingt es, unter Vorspiegelung falscher Tatsachen Plume doch noch zu beeindrucken, der seinen Dienst quittiert und in die Heirat einwilligt. Das »Happy End« wird durch eine

Versöhnung von Worthy und Melinda vervollständigt. Die gute Gesellschaft läßt zur Fasanenjagd anspannen.
Das Lustspiel Farquhars ist im Stil einer »Comedy of Manners« verfaßt. Dieser Typus der Sittenkomödie konfrontiert den bürgerlichen Parvenu, der auf dem Parkett der Gesellschaft sich nicht zu benehmen weiß, mit dem degenerierten und verkommenen Adligen. Die zunehmende Konsolidierung der bürgerlichen Produktionsform hatte zur Folge, daß der derbe Witz dieses Komödientyps zugunsten einer affirmativen Darstellung der eigenen bürgerlichen Tugenden zurückgedrängt wurde. Farquhars Komödie muß in diese Entwicklung eingeordnet werden. Die aristokratische Ausschweifung wird domestiziert. Keinesfalls kann eine Frau von Stand in das erotisch Spielerische einer Mätressenexistenz einwilligen. Prüderie und Doppelmoral setzen sich durch. Lady Prude spricht genußvoll wiederholend von »Sodom und Gomorrha«. Durch die Zeitverschiebung, die Brecht vornahm – von den spanischen Erbfolgekriegen in die Zeit der Unabhängigkeitskriege –, gelingt es ihm, Nebenfiguren wie dem Bankier Mr. Smuggler ein neues Fundament zu geben. Der Bankier, der nur knapp der Verhaftung im »Bordell« entrinnt, markiert so die zwei Seiten der protestantischen Produktionsethik: die laut geforderte Moral und der verschwiegene Genuß. Zu dem Körper als Subjekt des Abreagierens der Triebe tritt der Körper als Objekt der finanziellen Kalkulation. Worthy wollte Melindas Dienstleistungen kaufen; Captain Plume wird mit der Erbschaft Victorias eingehandelt.
Weitere Zitate der Dramatik, die in Farquhars Vorlage schon vorhanden sind, werden in der Bearbeitung übernommen: Die Hosenrolle ist seit Shakespeares *Was Ihr wollt* in die englische Dramatik eingeführt. Brecht verwendet den Rollenwechsel und die Verkleidung, ohne ihnen Glaubwürdigkeit einzuräumen. Die wahre Identität des Fähnrichs wird von Plume weit vor der allgemeinen Dekuvrierung erkannt. Die Hosenrolle wird als Anachronismus in Szene gesetzt, dessen illusionsstützende Verschleierung der Wirklichkeit überholt ist. Der Zuschauer sollte es besser wissen. Als zusätzliches Zitat ist die dramatische Funktion des »Wäldchens« am Severn anzusehen. Der Lustort des feudalen Hirtenspiels, der Hain, in dem die Liebenden ungestört zueinander finden können, ist gleichsam überfüllt und sehr verändert. Zwar nennt Brazen die begehrte Frau noch »Nymphe« und versucht sie mit der »Panflöte« zu gewinnen, doch wird über situative Lächerlichkeit hinaus der allgemeine Liebestreffpunkt gestört. Sergeant Kite hat zu dieser

Gelegenheit die Robe des Priesters angelegt und versucht die zweifelnden Bauern zur aktiven Teilnahme an der Politik von Feuer und Schwert in Amerika aufzufordern. Die Verkleidung Kites wird entlarvt von einem Paar, Mike und Lucy, das Brecht dem Stück hinzufügte. Sie sind die Sehenden, die Realisten der Bearbeitung. Mike und Lucy wollen auch in die neue Welt, aber nicht um für die alte Ordnung dort zu sterben, sondern um in Freiheit auch auf neue Art zu leben. Als am Ende des Stückes Friedensrichter Balance auch Mike ins Heer zwingen will, führt Lucy ein kurzes, selbstbewußtes Gespräch mit ihm, in dem sie ihr Wissen über Victorias Kapriolen andeutet, woraufhin Balance ihren Geliebten sofort freistellt.
Siegen bei Farquhar trotz aller gesellschaftlichen Umwälzungen schließlich doch Tugend und Liebe, so läßt Brecht nur den vorübergehenden Erfolg der Doppelmoral zu und weist darüberhinaus den Weg aus, auf dem dieser ihr Ende bereitet werden kann. Weitere Einschübe, die in der Bearbeitung vorgenommen werden, sind die Zwischenspiele, die beide das Verstecken und die Verkleidung vorführen. Im ersten Zwischenspiel besingt Victoria ihren Entschluß, verborgen in der Offiziersuniform ihrem Geliebten nahe zu bleiben. Der Text wiederholt die bekannte Brechtsche Vorstellung einer bedingungslosen weiblichen Gefühlstreue und Opferbereitschaft. Das zweite Zwischenspiel zeigt die Hilfe, die der Schuhfabrikant dem Bankier zuteil werden läßt, indem Worthy mit seinem Mantel Smuggler vor der Razzia des unmoralischen Ortes verbirgt.
Brechts Bearbeitung macht sich tradierte Angebote der Bühnenkomik nutzbar, in der Absicht, das Lachen des Publikums über zwei untergegangene Gesellschaftsformen hervorzurufen. Die Zuschauer wissen, daß die Mißhandelten und Unterlegenen in Wahrheit gesiegt haben.
Es ist aber auch eine andere Schlußfolgerung denkbar, wenn der das Militärwesen karikierende Schwerpunkt, der besonders in der Figur des Sergeanten Kite liegt, hervorgehoben wird. Ein aktueller Anlaß für die Bearbeitung *Pauken und Trompeten* war die Remilitarisierung der Bundesrepublik, die zu diesem Zeitpunkt durch den Nato-Beitritt irreversibel geworden war. Kurz darauf folgte auch die verstecktere Militarisierung der »kasernierten Volkspolizei« in der DDR.

IV. ANMERKUNGEN ZU DEN STÜCKEN

Die Bibel

GW III, S. 3029–3038

3031 *Und um die neunte Stunde*
Der bibelfeste Großvater rezitiert hier die Kreuzigungsgeschichte in einer Montage aus Matth. 27,46–50/Joh. 19,30/Markus 15,34–37

3035 *Grausamer denn Ahab*
Ahab war König über Israel um 900 v. Chr. und war verheiratet mit Isebel. Er verscherzte sich die Zuneigung des Volkes durch den aus Habsucht begangenen Justizmord an Nabot.

3038 *Denn es will Abend werden*
Luk. 24,29

Baal

GW I, S. 1–67

2 *Meinem Freund Georg Pfanzelt*
Pfanzelt, vier Jahre älter als Brecht, zählte zum engsten Augsburger Freundeskreis. In vielen Gedichten wird er Orge genannt.

3 *Der Choral vom großen Baal*
In der ersten Fassung folgte der Choral auf die Szene »Landstraße, Sonne, Felder«, ab der zweiten wurde er dem Stück vorangestellt. Die vollständige Version des Chorals umfaßt 18 Strophen. Die letzte Stophe »Als im dunklen Erdenschoße faulte Baal . . .« findet sich erst in der gedruckten Ausgabe von 1922. Für die letzte Fassung 1955 wählte Brecht die Version in 18 Strophen, übernahm aber die Schlußstrophe der Erstausgabe und strich dafür die Strophe »Torkelt über den Planeten Baal/ bleibt ein Tier vom Himmel überdacht/ blauem Himmel. Über seinem Bett war Stahl/ wo das große Weib Welt mit ihm wacht«. Die in GW I gedruckte Fassung hat nur 13 Strophen.

5 *Klaucke Str. 64*
Befand sich in unmittelbarer Nähe der Bleichstraße, in der Brecht in Augsburg wohnte. Klauckestraße war die Adresse von Georg Pfanzelt.

6 *Lombroso*

Cesare Lombroso (1836–1909) war ein italienischer Psychiater und Gerichtsmediziner, dessen populäre kriminalanthropologische Thesen bei Ärzten und Juristen großen Widerspruch hervorriefen. Lombroso vermutete Zusammenhänge von Geisteskrankheiten, Genialität und Verbrechen.

6 *Der Dichter meidet strahlende Akkorde*

Die zitierten Verse stammen aus dem Gedicht »Vorbereitung« von Johannes R. Becher, das Brecht der Sammlung *Kameraden der Menschheit. Dichtungen zur Weltrevolution* (Hrsg. Ludwig Rubiner) entnahm.

7 *Sonne hat ihn gesotten*

Bei diesem Gedicht handelt es sich um »Der Baum« von Georg Heym, von Brecht zitiert nach dem Abdruck in der Anthologie *Menschheitsdämmerung* von Kurt Pinthus.

15 *Die Schwestern im Hades*

Der durch Bitten nicht zu erweichende Gott Hades. Klageweiber, die kein Gehör finden in der Totenwelt.

15 *Orge sagte mir*

Das Lied, das Baal hier singt, entstand 1919 und ersetzte in der zweiten Fassung des Stücks die in der ersten Fassung in der Szene »Wirtsstube« vorgetragene »Legende von der Dirne Evlyn Roe«. Als »Orges Gesang« ordnete Brecht es in die Abteilung der »Exerzitien« der *Hauspostille* ein.

16 *So einen Schädel müßte man haben!*

Siehe den Vorspruch zu den beiden frühen Fassungen: »Erinnert ihr euch der peinlichen Schädel des Sokrates und des Verlaine?«

17 *Heraus mit dem Eichelzehner!*

Skatausdruck. Die Blätter der Deutschen Spielkarten heißen As, König, Ober, Unter, Zehn, Neun, Acht und Sieben. Ihre Farben sind Eichel, Grün (Schippe), Rot (Herz) und Schelle.

17 *Matthäi am letzten*

Bibelsprache. »Matthäi am letzten sein« bedeutet seinem Ende oder seinem Verderben nahe sein, spielt an auf den Schluß des Evangeliums Matthäi »bis an der Welt Ende« und wurde wohl zuerst von Luther gebraucht. (4. Hauptstück des Katechismus)

18 *Pflaumen soll sie fressen!*

Männerzote: Frauen gehören an den Herd und nicht in die Kneipe. Männer haben hart zu sein, Frauen sind »pflaumen«-weich. Zu einem Versager sagt man »Du bist eine Pflaume«, eine Frau ist eben eine »Pflaume«. In der Umgangssprache ist mit »Pflaume« meistens die Vagina gemeint.

18 *Man muß das Tier herauslocken!*

Vergl. Wedekind: »Das Tier ist das einzig Echte im Menschen.«

19 *Morgengrauen auf dem Berg Ararat*
Nach der Sintflut landete Noahs Arche auf dem Berg Ararat. Madame de Pompadour prägte das geflügelte Wort »Après nous le déluge«/ »Nach uns die Sintflut«, was heißen soll »Nach uns geschehe, was da will«.

20 *Eine wilde Hummel!*
Ein ausgelassenes Mädchen.

24 *Ägyptische Finsternis*
Bibelsprache. 2. Mos. 10,22: »Da ward eine dicke Finsternis in ganz Ägyptenland drei Tage«.

24 *Der weiße Schnaps ist mein Stecken und Stab*
Vergl. Psalm 23,4: ». . . dein Stecken und Stab trösten mich.«

25 *Auftritt Sophie Barger*
In der ersten Fassung des Stücks ist Sophie Barger Schauspielerin und heißt Sophie Dechant. Baal hindert sie daran, im Theater Hebbels *Judith* zu spielen.
BAAL (schleppt auf beiden Armen Sophie Dechant herein. Sie ist in Weiß gekleidet): So. Jetzt kannst du fort. Bitte.
SOPHIE DECHANT: Sie haben mich auf offener Straße überfallen wie ein Orang Utan. Ich bin auf dem Weg ins Theater und muß die Judith spielen.

Hier ist deutlich erkennbar, daß Brecht mit vielen Auftritten und Effekten Kinovorbildern nachgeeifert und sich mit dem klassischen, idealisierenden Bildungstheater kritisch auseinandergesetzt hat.
Gegen Hebbels Drama polemisierte Brecht besonders scharf in einer Kritik vom Januar 1921: »Es ist eines der schwächsten und albernsten Stücke unseres klassischen deutschen Repertoires. Aber das gleiche Schwein, das die Lulu für eine Beschimpfung der Frau hält, schwärmt für die Judith.« Übrigens spielt am Beginn des Hebbelschen Dramas der Gott Baal eine gewisse Rolle. Holofernes macht sich hier Gedanken über die naturhafte Kraft des Erdgotts, eine Schilderung, die Dieter Schmidt (S. 20) mit gutem Grund für eine der Keimzellen des Brechtschen Stücks hält. Bei Hebbel heißt es: »Unser Baal ist einmal gewesen, was ich jetzt bin, und ich, ich werde einmal sein, was er jetzt ist! Er hat Dinge vollbracht, die andere selbst im Rausch nicht zu denken wagten, er hat die schwindelnden Würmer um sich her mit einem unauslöschlichen Gefühl seines ungeheuren Daseins erfüllt, und als er nun dalag, laut- und leblos, wie einer ihresgleichen, vielleicht nach einem lustigen Gelag von seiner eigenen Hand dahingestreckt, da konnten sie's gar nicht fassen, daß es mit ihm aus sei, da flüsterten sie einander zitternd zu: ›Er versucht uns nur!‹ Da zündeten sie ihm das erste Opfer an, und Kinder und Enkel zitterten und opferten fort. Soll das ewig dauern? Nein! Aber nur, wer die Furcht der Würmer vor dem Baal in einer größeren Furcht vor sich selbst erstickt hat, nur der darf seinen Altar umwerfen.«

30 *»Zur Wolke in der Nacht«*
Der Name des Cafés »Zur Wolke in der Nacht«: Vgl. Brechts Gedicht »Mein Herz ist trüb wie die Wolke der Nacht« in der ersten Fassung des *Baal* von 1918.

31 *Durch die Kammer ging der Wind*
In einer handschriftlichen Einfügung zur Szene »Nachtcafé zur Wolke der Nacht« in einer frühen »Baal«-Fassung heißt es: »Baal fängt an, zur Klampfe ein zotiges Lied zu singen, so daß das Publikum immer mehr in Unruhe, dann in Wut gerät.« Das für die betreffende Szene geschriebene Gedicht entstand am 21. 1. 1920 und hat noch zwei weitere Strophen (GadN, 64):

Doch zuvor bewies sie Takt
denn sie wollte ihn nur nackt.
Einen Leib wie Aprikosen
vögelt man nicht in den Hosen.

Wirklich bei dem wilden Spiel
war ihr keine Lust zuviel.
Danach wusch sie sich gescheit:
Alles hübsch zu seiner Zeit.

43 *Weil du dich an meinen Hals hängst wie ein Mühlstein*
Baal, der kein Meister Anton werden möchte (»Ich trage einen Mühlstein zuweilen wohl als Halskrause . . .«). Auch hier erweist sich Brecht im Gebrauch solcher Vergleiche als genauer Hebbel-Leser.

47 *Bouque la Madonne!*
Küsse die Madonna! oder spucke sie aus!

47 *Mein lieber Schwan!*
Diese ironische Anrede geht auf den Satz »Nun sei bedankt, mein lieber Schwan!« in Wagners *Lohengrin* zurück.

49 *Eine virgo dolorosa!*
Eine schmerzensreiche Jungfrau. Parodistische Anspielung auf die Mater Dolorosa, die die Schmerzen ihres Sohnes beweinende Mutter Maria.

49 *Eiapopeia, 's geht draußen der Wind*
Maja singt Variationen auf das Wiegenlied »Eiapopeia, was raschelt im Stroh«.

50 *Schwimmst du hinunter mit Ratten im Haar*
Vergl. Georg Heym, »Ophelia«: »Im Haar ein Nest von jungen Wasserratten.«

52 *Als sie ertrunken war*
Die Ballade »Vom ertrunkenen Mädchen« entstand 1920 für den geplanten Druck des *Baal* im Georg Müller Verlag. Von Brecht ebenfalls in die *Hauspostille* aufgenommen.

54 *Er macht eine Messe in es-Moll*
Wie Grabbes Freund Waldmüller in *Der Einsame* von Johst ist Baals Freund Ekart Musiker. Auch Georg Pfanzelt komponierte, und von den Brecht besonders nahe stehenden Jugendfreunden taten sich noch Georg Geyer und Ludwig Prestel musikalisch hervor.

55 ff *Der Tod im Wald*
Die »Ballade vom Tod im Wald«, 1918 entstanden, ist in sämtlichen Fassungen des *Baal* enthalten (mit Ausnahme der Bühnenbearbeitung von 1926). In der *Hauspostille* beginnt die Ballade mit folgender Zeile »Und ein Mann starb im Hathorywald«. Aus dieser leicht amerikanisierten Version stammt auch die an und für sich innerhalb des *Baal* sinnlose letzte Zeile »Und sie ritten in die Prärien«, die sich in keiner zu Lebzeiten Brechts gedruckten *Baal*-Ausgabe nachweisen läßt.

59 *Es gibt noch Bäume in Mengen*
Watzmann singt hier die 5. Strophe des Gedichts »Orges Antwort, als ihm ein geseifter Strick geschickt wurde«, das Brecht später in die *Hauspostille* aufnahm.

60 *Legt den alten Adam ab*
Bibelzitat. Epheser 4, 22/24: den alten Menschen (oder den alten Adam) ablegen und ein neuer Mensch werden.

60 *Von Sonne krank ...*
Baal trägt die »Ballade von den Abenteurern« vor, die für die erste Fassung des *Baal* 1918 geschrieben wurde. In der *Hauspostille* ist sie den »Chroniken« zugeordnet.

62 ff. *Er hat ein Messer*
Vergl. den Schluß dieser Szene und die folgenden mit *Woyzeck* von Georg Büchner.

Trommeln in der Nacht

GW I, S. 69–123

70 *München*
Gemeint ist die Uraufführung von *Trommeln in der Nacht* am 29. 9. 1922 in den Münchner Kammerspielen. Inszenierung: Otto Falckenberg. Bühnenbild: Otto Reigbert.

70 *Glotzt nicht so romantisch!*
Außer diesem Spruch empfahl Brecht in der Erstausgabe »Jeder Mann ist der beste in seiner Haut«.

70 *Zibebenmanke*
Zibeben ist ein süddeutscher Ausdruck für große Rosinen oder Trauben. Der eine Manke arbeitet als Kellner in der Piccadilly-Bar, der andere in der »Zibebe«.

71 *Afrika*
Eine gewisse Rolle für die Wahl des Kriegsschauplatzes Afrika, von wo Kragler zurückkehrt, dürfte der Aufenthalt Rimbauds in afrikanischen Ländern gespielt haben. Wahrscheinlich hatte Brecht auch Wilhelm Raabes Roman *Abu Telfan* gelesen, dessen Hauptfigur Leonhard Hagebucher ebenfalls Afrikaheimkehrer ist.

71 *Bei allen himmlischen Heerscharen*
Bibelsprache. Vergl. Lukas 2,13: »Und alsobald war da bei dem Engel die Menge der himmlischen Heerscharen, die lobten Gott . . .«

72 *Augen wie ein Krokodil*
Laut alten Sagen weint das Krokodil wie ein kleines Kind, um seine Opfer anzulocken, es vergießt »Krokodilstränen«. Frau Balicke will sagen, daß ihre Tochter verheulte Augen hat und daß es falsche Tränen sind, die sie vergießt.

72 *Der auf einen grünen Zweig kommt*
Die Redensart »auf keinen grünen Zweig kommen« (sich nicht mehr erholen, erfolglos bleiben) geht zurück auf Hiob 15,32: »Und sein Zweig wird nicht grünen«.

73 *Eine gotteslästerliche Budike*
Eine verrufene Kneipe.

74 *Rotspon*
Besonders in Niederdeutschland gebräuchlicher Ausdruck für französischen Rotwein.

76 *Der heilige Andreas*
Andreas ist der Schutzpatron für Heirat und Kindersegen. Der heilige Andreas ließ sich für seinen Glauben kreuzigen. Andreas Kragler ist für einen Moment auch entschlossen, ein Märtyrer für die Revolution zu werden, aber er entscheidet sich nicht für einen Glauben, den er gar nicht hat, sondern für die endgültige Heimkehr ins gemachte Bett, auch wenn die Hüfte seiner Geliebten während seiner Abwesenheit ein wenig gelitten hat. Treffender als Andreas war vielleicht doch der ursprüngliche Vorname Kraglers: Thomas. Dieser Jünger Christi war berühmt wegen seiner Schwergläubigkeit und Zweifelsucht. Der »ungläubige Thomas« zweckentfremdete Reichtümer, die ihm ein indischer König für die Errichtung eines Palasts anvertraut hatte, zur Aufteilung an die Armen und starb dafür den Märtyrertod. Der ursprüngliche Vorname Kraglers ist ein Beleg für die Sympathie, die der Autor zunächst der Hauptfigur seines Dramas entgegenbrachte, er nannte

sich nämlich damals selbst gerne einen »ungläubigen Thomas«. Zur Änderung des Vornamens sah sich Brecht durch das von Feuchtwanger nach der Lektüre von *Baal* und *Trommeln in der Nacht* verfaßte Stück *Thomas Brecht* (erschienen als *Thomas Wendt*) veranlaßt.

76 *Unverhofft kommt oft*

Altes Sprichwort, das auf ein Sinngedicht des Barockdichters Friedrich von Logau aus dem Jahr 1654 zurückgeht: »Es kommt oft über Nacht unverhofft, was sonst kam kaum aufs Jahr: es brachte heut ein Kind, die gestern Braut noch war.«

77 *Deutschland ist so heraufgekommen*

Das sogenannte »Deutschlandlied« ist von Brecht wörtlich genommen: »über alles« ist der Preis der Leistung für den Weg nach oben. Der Sinn solch parodistischer Zitatanwendung besteht im Effekt, den das Unausgesprochene macht: Deutschland ist heruntergekommen.

77 *Ich bete an die Macht der Liebe*

Kirchenlied von Gerhard Tersteegen. Zur Zeit des Ersten Weltkriegs bes. in Militärkreisen und bei patriotisch gesinnten Kleinbürgern beliebter »Hit«. Bestandteil des »Zapfenstreichs«.

78 *Spartakus*

Die Spartakusgruppe, linke Sozialdemokraten und führende Vertreter der Antikriegsbewegung wie Rosa Luxemburg, Karl Liebknecht, Julian Marchlewski, Franz Mehring und Clara Zetkin, formierte sich Anfang 1916. Sie war dann die treibende Kraft der Novemberrevolution 1918 und nannte sich seit dem 11. November 1918 Spartakusbund. Dessen politische Losung lautete: »Alle Macht den Räten!« Die Reichskonferenz des Spartakusbundes Ende Dezember 1918 führte zur Gründung der KPD.

79 *Des Menschen Wille ist sein Himmelreich*

Ein isländisches Sprichwort heißt: »Der Menschen Wille ist ihr Himmelreich und wird oft ihre Hölle.«

79 *My home is my castle*

Der Slogan geht auf einen Spruch des englischen Rechtsgelehrten Sir Edward Cakes (1551–1633) zurück.

80 *Orchestrion*

Münsterer erzählt in seinen Erinnerungen von einem alten Wirtshaus mit Orchestrion in Augsburg, das Brecht nicht nur bedichtete, sondern das ihn auch zur musikalischen Gestaltung seiner Stücke anregte: ». . . beim Einwurf eines Zehnpfennigstücks leuchtete zu den Klängen rührseliger Musik oben das Transparent mit einer Landschaft auf, ein Wasserfall schäumte, und über alles hinweg zogen Wolken langsam hin und her. Das machte auf Brecht großen Eindruck.« (Münsterer, S. 100)

80 *Jetzt geht's zum Bacchanal!*
Eine volkstümliche Variante analog zu dem bei Corpsstudenten beliebten Horaz-Vers »Nunc est bibendum«, verbunden mit den Sehnsüchten, die der Lehár-Schlager »Heut gehn wir ins Maxim« aus der *Lustigen Witwe* suggeriert.

81 *Ich bin zwanzig Jahre in Dachzimmern geflackt*
Ich habe zwanzig Jahre in Mansarden gehaust.

81 *Betthäsin*
Besonders unter Soldaten gebräuchlicher Ausdruck für eine angenehme Bettgenossin.

82 *Wein! Nierensteiner!*
Ein Kalauer, der es darauf anlegt, von der ziemlich sauren Rheinweinsorte »Niersteiner« abzuraten.

83 *Lerne leiden, ohne zu klagen!*
»Lerne zu leiden, ohne zu klagen. Das ist das Einzige, was ich Dich lehren kann!« Ein Ratschlag, den Kaiser Friedrich III. im Jahr seiner kurzen Regierung 1888 dem Kronprinzen Wilhelm gab und den sich das kaisertreue deutsche Volk sehr zu Herzen nahm.

84 *Pfeffer*
Die Aktbezeichnung »Pfeffer« will sagen, jetzt kommt Spannung, Würze. Da liegt der »Hase im Pfeffer«: Anna ist schwanger. Sie trinkt Pfeffer als Abortivmittel. Gemeint sind außerdem die Schießereien in den Zeitungsvierteln: Pfeffer diente auch als Schießpulver.

86 *Die rote Zibebe*
»Die rote Zibebe« war eine Schnapsdestille in der Augsburger Gegend. Unter diesem Titel arrangierte Brecht einen Tag nach der Uraufführung von *Trommeln in der Nacht* eine Mitternachtsvorstellung in den Münchner Kammerspielen mit Liedern und Gedichten von Brecht und Klabund sowie mit Szenen von Karl Valentin.

86 *Ich habe keine Zeit, müde zu sein*
Der Ausspruch »Ich habe jetzt keine Zeit, müde zu sein« waren die letzten Worte von Kaiser Wilhelm I. vor seinem Tod 1888.

86 *Hough*
Tüchtige Germanisten werden die Verwendung dieses Worts notwendigerweise als einen Beleg für Brechts Beschäftigung mit Karl May nehmen. »Ich habe gesprochen. Howgh!« heißt es immer wieder im *Winnetou.*

88 *Diese Negerkutsche!*
Für den Spießer ist der Neger minderwertig, ein Tier, aber ohne Mut und Tatkraft: ein lahmes Gefährt oder ein verkrachter Elefant.

88 *Gounods »Ave Maria«*
Das beliebte Gesangsstück für Tenor von Charles Gounod gehörte in der Aufnahme mit Benjamin Gigli zu den Plattenhits während und nach dem Ersten Weltkrieg. – Das Lied rückt Annas moralische Selbstanklage ins rechte Licht: Beim »Ave Maria« sagt sich das »ich bin schlecht« schon viel leichter, und von der Stimmung her drängen sich zugleich Schlager wie »Kann denn Liebe Sünde sein?« auf, die die Absolution erteilen.

88 *Ich bin wie ein altes Tier zu dir gekommen*
Mit Rimbaud dachte Kragler, als er nach Afrika ging: »Ich bin ein Tier, ein Neger.« Und seine Heimkehr stellte er sich beim Aufbruch in die Tropen anders vor: »Ich werde zurückkehren, mit Gliedern von Eisen, mit dunkler Haut, mit wilden Augen. Beim Anblick meiner Fratze wird man glauben, ich gehörte zur Rasse der Starken. Ich werde Gold haben: Ich werde nichts tun und brutal sein. Die Frauen pflegen solche wilde Kranke, die aus den Tropen zurückkehren.« Aber nun hat Murk das »Gold« gescheffelt, und Kragler ist ein altes Tier, das Gespenst eines Kriegers mit schrumpeliger Haut.

89 *Ich habe eine Negersprache im Hals*
Das »Drama« des Heimkehrers ist: niemand kann sich eine Vorstellung von seinen Entbehrungen und Leiden in der tropischen Ferne machen. Die Anpassung an die Verhältnisse zuhause fällt schwer. Auch Raabes Afrikaheimkehrer fühlte sich in seinem heimatlichen Nippenburg unverstanden: »O könnte doch jeder von euch eine Viertelstunde in meiner Haut zubringen, es würde ihm dann gewiß begreiflicher erscheinen, daß man nicht heute Ratsschreiber zu Nippenburg sein kann, wenn man gestern aus der Gefangenschaft im innersten Afrika zurückkam. Verehrte Angehörige, wer länger als zehn Jahre mit den Fingern in die Schüssel greifen mußte, der wird sich nur allmählich wieder an den Gebrauch von Messer und Gabel gewöhnen, und wenn man ihm dazu nicht Zeit lassen kann, so wird ihm der beste Bissen im Halse stecken bleiben, und er muß jämmerlich daran erwürgen.« (*Abu Telfan oder Die Heimkehr vom Mondgebirge* in: Raabe, *Sämtl. Werke.* Zweite Serie. Band 1. Berlin o. J. S. 43.)

90 *Ob sie ihre Lilie noch hat*
Die Lilie steht für Unschuld, ist das Symbol der Mädchenhaftigkeit. In Rimbauds Gedicht »Ophelia« treibt das tote Mädchen »sehr langsam, einer großen weißen Lilie gleich« im Wasser. Solange ihr die Schwangerschaft noch nicht anzusehen ist, hat Anna Balicke ihre Lilie noch in der Hand.

90 *»Die Peruanerin«*
Populärer Schlager von Rudolf Nelson aus dem Jahr 1918: »Nie hätt ich gedacht,/ daß hier in dieser Tropenpracht/ mir beim Schein der Nacht/ das Glück der Liebe auch noch lacht.«

90 *In Babs Zeitungsvierteln*
Der Journalist Babusch verdankt seinen Namen wahrscheinlich dem Theaterkritiker Julius Bab (1880–1955).

92 *Für Kaiser und Reich*
Genauer: für Kaiser Wilhelm II. (1888–1918) und das Deutsche Reich (1871–1918).

93 *»Stürmisch die Nacht«*
Eines der populärsten Matrosenlieder: »Seemanns Los«. In der Oper *Aufstieg und Fall der Stadt Mahagonny* singen es in der Szene »Saufen« Jenny, Heinrich und Paul.

93 *Aus dem Grunde meines Herzens*
Wenn Liebende sprachlos werden, fallen ihnen nur noch Zitate ein, zu Floskeln erstarrter Gefühlskitsch wie »aus dem Grunde meines Herzens liebe ich dich« oder »ohne dich kann ich nicht leben«. Werden diese Worte gesprochen, ist die Liebe dahin, und die Ehe kann geschlossen werden.

94 *Realpolitik*
Der Grundsatz der pragmatischen Machtpolitik von Reichskanzler Otto von Bismarck war, die »Realitäten« zu beachten. Der Kaiser hat sich zwar an diesen Grundsatz zum Ärger seines Kanzlers oft nicht gehalten, aber der deutsche Bürger hat sich auf seine Weise an die Empfehlung gehalten und sich jeweils an die bestehenden »Realitäten« angepaßt.

94 f. *Können Sie mir nicht Ihre Stiefel verkaufen?*
Vergl. den Dialog zwischen Shlink und Garga in der ersten Szene von *Im Dickicht der Städte:* »Ich möchte Ihnen diese Ansicht abkaufen. Sind zehn Dollar zu wenig dafür?« (S. 127 f.)

99 *Mir ist der Steiß mit Grundeis gegangen*
Ich habe große Angst gehabt. Der Infanterist, dem Brecht in der Erstausgabe von *Trommeln in der Nacht* die »Ballade vom toten Soldaten« widmete, heißt Christian Grumbeis.

100 *Es ist noch ganz unentschieden*
Brecht schätzte solche Kommentarebenen in Stücken. Es wird Zwischenbilanz gezogen. Die Kampfsituation des Stücks wird betont, und der Zuschauer soll das Geschehen wie ein Sportereignis begutachten. Vergl. den Vorspruch zu *Im Dickicht der Städte* (S. 126): »Beurteilen Sie unparteiisch die Kampfform der Gegner und lenken Sie Ihr Interesse auf das Finish.«

102 *Walkürenritt*
Der 3. Akt von Wagners Oper *Die Walküre* beginnt mit einem »Walkürenritt«: die schwangere Sieglinde sucht bei den Walküren Zuflucht vor dem zürnenden Wotan.

102 *Weg in die Zeitungsviertel*

In der Fassung des Stücks von 1922 hieß es noch: »Weg in die Vorstädte«. Die Zeitungen wurden dort in den Quartieren der Vorstädte hergestellt. Und nur in den Vorstädten wurde gekämpft, in den bürgerlichen Vierteln der Innenstadt war es ruhig. In der alten Fassung ähnelt Berlin in fast jeder Beziehung Augsburg. Nur die Worte »Tiergarten« und »Untergrundbahn« deuten auf Berlin, das Brecht gar nicht kannte, als er *Trommeln* schrieb. Alle Ortsangaben wie »Friedrichstraße, Hausvogteiplatz, Chausseestraße« sind spätere Hinzufügungen.

104 *Was stehen Sie da wie Lots Weib?*

»Und sein Weib sah hinter sich und ward zur Salzsäule.« Mos. 1, 19,26.

105 *Der Engel in den Hafenkneipen*

Hier wird Anna zur Vorläuferin der guten Heilsarmeemädchen Johanna Dark oder Lilian Holiday, und auch der »gute Mensch« Shen Te ist ein »Engel der Vorstädte«.

107 *Wie ein berauschter Schwan*

Manke beschwört hier die letzte Strophe schwärmerischer Liebesgedichte wie zum Beispiel »Sie sehn sich nicht wieder« von Hebbel: »Nach innigem Gatten/ Ein süßes Ermatten,/ Da trennt sie die Woge, bevor sie's gedacht./ Laßt ruhn das Gefieder!/ Ihr seht euch nicht wieder,/ Der Tag ist vorüber,/ es dämmert die Nacht.«

108 *Es kommt ein Morgenrot*

Die Aktüberschrift bezieht sich auf die letzte Strophe der »Ballade vom toten Soldaten«: »Die Sterne sind nicht immer da/ Es kommt ein Morgenrot./ Doch der Soldat, so wie er's gelernt/ Zieht in den Heldentod.« Brechts Gedicht versteht sich als Gegenentwurf zu Soldatenliedern wie »Und sterbe ich noch heute, so bin ich morgen tot; dann begraben mich die Leute ums Morgenrot. Ums Morgenrot, ums Morgenrot will ich begraben sein, dann kann mich mein Feinliebchen noch einmal sehn.« – In der alten Fassung heißt der Akt: »Der Schnapstanz«.

108 *»Die Moritat vom toten Soldaten«*

Das Lied, im November 1918 geschrieben, wurde in der Erstausgabe 1922 als »Die Ballade vom toten Soldaten« im Anhang abgedruckt.

109 *Maikäferregiment*

»Maikäfer« war die volkstümliche Bezeichnung für Gardefüsiliere. Das Maikäferregiment in Berlin waren Soldaten, die in der sogenannten »Maikäfer«-Kaserne stationiert waren und die den Sicherheitsdienst ausübten.

110 *Der Wirt ist rot*

Sätze wie »Der Wirt ist rot« oder die Erwähnung eines Neffen von Glubb, »der bei Siemens Dreher war«, fehlen in der Erstausgabe. Kragler spricht lediglich Glubb als »Bruder roter Herr« an.

112 *Im November war ich rot*
Die frühe Fassung des Stücks spielte zur Zeit der Novemberrevolution, die späte Fassung im Januar 1919. Der Vierzeiler, den der besoffene Mensch singt, wurde für die Ausgabe von 1953 geschrieben.

112 *Ein Hund ging in die Küche*
Das Rundgedicht ist ein alter Gassenhauer, den Brecht im *Messingkauf* als Übung für Schauspieler zum Erlernen der Verfremdungspraxis empfahl. In der frühen Fassung von 1922 ist die grausame Geschichte vom Hund bereits als knappe Anspielung gegenwärtig; Kragler erwähnt den Rundgesang im Gespräch mit Glubb, gesungen wird er erst in der Neufassung von 1953. Hans Mayer (*Brecht, Beckett und ein Hund.* In: Theater heute. Heft 6, 1972, S. 25–27) hält für möglich, daß Brecht durch die Lektüre von Becketts »Warten auf Godot« zur gezielteren Verwendung des Rundgedichts angeregt worden ist. Kragler besingt damit die Perspektive einer »schlechten Unendlichkeit« (Hegel).

114 *Die rote Rosa*
Volkstümlicher Name für Rosa Luxemburg, die am 15. Januar 1919 in Berlin ermordet wurde.

115 *Ich bin am Skagerrak gewesen*
Am Skagerrak fand am 31. Mai/1. Juni 1916 eine mörderische Seeschlacht zwischen England und Deutschland statt.

116 *Das Bett*
Wenn auch keine Fahrt in den berühmten »siebten Himmel«, so doch eine sichere Landung im »Bett«, dem trauten Symbol für Häuslichkeit und Ehe. Die Heimkehr ins gemachte Bett, das dann sehr schnell zusammenkrachen kann, wie es Brecht in der *Kleinbürgerhochzeit* demonstriert.

118 *Ullsteinhaus/Mosse*
Leopold Ullstein und Rudolf Mosse waren die Gründer der beiden nach ihnen genannten mächtigen Zeitungsimperien in Berlin von der Jahrhundertwende bis 1933.

119 *Wedding*
Der »rote« Wedding war damals ein vorwiegend von Proletariern bewohnter Stadtteil von Berlin.

120 *Schmeißt Steine auf mich, hier stehe ich*
Kragler identifiziert sich auf seine Weise doch noch mit einem Märtyrer, mit Christus, der die Pharisäer davon abhielt, eine Ehebrecherin zu steinigen: »Wer unter euch ohne Sünde ist, der werfe den ersten Stein auf sie« (Joh. 8,7). Und mit einem entschlossenen »hier stehe ich« trotzt er wie Luther auf dem Reichstag zu Worms den Leuten, die ihn einer Idee wegen vom rechten Weg ins Bett abhalten wollen.

120 *Ich bin kein Lamm mehr*
Nun bewahrheitet sich der Satz Balickes, daß mit dem roten Mond der »Wolf« gekommen ist. Kragler will nicht länger wie Jesus Gottes Lamm sein, »welches der Welt Sünde trägt« (Joh. 1, 29).

122 *Ich gehe jetzt heim, mein lieber Schwan!*
Erneute Reverenz Brechts an Wagners *Lohengrin*: »Leb wohl, leb wohl, mein lieber Schwan!« (Siehe *Baal*, S. 47).

123 *Entweder mit dem Schild oder ohne den Schild*
Entweder mit vorgehaltenem Schild in den Kampf ziehen oder nicht in den Krieg ziehen, keinen Schild nehmen. Frei abgewandelt nach »Entweder mit dem Schild oder auf dem Schild«, entweder Krieger sein oder sich auf dem Schild als Sieger feiern lassen.

Im Dickicht der Städte

GW I, S. 125–193

126 *Chicago*
1920 las Brecht zwei Bücher, die ihn tief beeindruckten: Upton Sinclairs *Der Sumpf (The Jungle)* und J. V. Jensens Roman *Das Rad*. In beiden Werken ist die Großstadt Chicago als Dschungel dargestellt. In Sinclairs Roman finden sich Motive wie: die wirtschaftliche Not einer zugewanderten Familie vom Land, die durch Arbeitslosigkeit und Not verursachte Passivität des Vaters und die Schindereien und Opfer, die die Mutter auf sich nehmen muß, da ist auch eine Tochter, die für die Familie auf den Strich gehen muß, und es gibt den Sohn, der aus dem Schoß der Familie in die »Freiheit« ausbricht. Besonders die erste Fassung des *Dickicht* zeigt, wie eng sich Brecht, was die Art und den Verlauf des Kampfes der beiden Protagonisten anbelangt, an *Das Rad* gehalten hat.

127 *Leihbibliothek*
Brecht war in seiner Jugend ein ständiger Kunde in Leihbibliotheken. Hier »verschlang« er die einschlägige Belletristik, die von den Massen gelesen wurde, hier trainierte er sich als Kriminalromanleser. In Augsburg kam er vorzugsweise zu Steinicke in die Heiligkreuzgasse.

128 *J. V. Jensen*
Der dänische Schriftsteller Johannes Vilhelm Jensen (1873–1950), der 1944 den Nobelpreis erhielt, war ein sehr vielseitiger, von Kipling und Nietzsche beeinflußter Erzähler, der den Mythos eines »nordischen Urvolks« und einer »gotischen Rasse« zu neuem Leben erwecken wollte. Er war vor allen Dingen ein wortschöpferischer Stilist, weniger ein Denker. Der Roman *Das Rad* entstand 1905 und erschien erstmals 1908 in deutscher Übersetzung.

Außer dem *Rad* waren die Romane *Die lange Reise, Des Königs Fall* und *Madame d'Ora* oft und gern verlangte Titel in Leihbibliotheken.

128 *Arthur Rimbaud*

Neben Jensen nennt Brecht ausdrücklich Rimbaud (1854–1891) in seinem Aufsatz »Bei Durchsicht meiner frühen Stücke« als entscheidende literarische Anregung für sein Stück. Der junge Lee im *Rad* zitiert mit Begeisterung den amerikanischen Dichter Walt Whitman, analog dazu ist im *Dikkicht* der junge Garga Rimbaud-Verehrer. Er sucht geistigen Halt und Lebensweisheit in dessen Versen und zitiert ständig sein Idol.

128 *Tahiti*

Das Tahiti-Motiv geht auf die Lektüre von Paul Gauguins Buch *Noa Noa* zurück, aus dem Brecht ursprünglich Garga ebenfalls zitieren lassen wollte.

129 *da Chicago kalt ist*

Den Begriff »Chicago« verwendete Brecht generell für die Unwirtlichkeit moderner Großstädte. Berlin, wo er im Winter 1921/22 sein Stück fertigstellte, nannte Brecht ein »kaltes Chicago«.

129 *Milwaukeebrücke*

Auf der Milwaukeebrücke in Chicago beginnt der Kampf von Lee und Evanston in Jensens Roman *Das Rad*.

133 *Wollen Sie die Prärie aufmachen?*

Die Gesetze der Prärie einführen: das ungeschriebene Gesetz oder besser Faustrecht der Prärie gibt dem stärkeren Kämpfer recht. Garga allerdings meint eine andere »Prärie« als Shlink. Auf dessen Spielregeln geht er nicht ein. – Brecht hatte bereits im Oktober 1919 eine Oper *Prärie* geschrieben, der die Novelle »Zachäus« von Knut Hamsun zugrunde lag.

134 *»Abgötterei! Liebe! Unzucht!«*

Zitat aus Arthur Rimbauds »Une Saison en Enfer«, das Brecht teils wörtlich der deutschen Übersetzung von Adolf Christian (erschienen 1919 in den Münchner *Blättern für Dichtung und Graphik*) entnommen, teils leicht neu bearbeitet hat.

135 *Endlich ist er aus der Haut gefahren*

Endlich ist er »außer sich« geraten, hat er die Fassung verloren. Die Vorstellung, daß jemand aus der Haut fahren kann, hängt zusammen mit dem Werwolfglauben: der Mensch kann seine Haut verlassen und sich eine Wolfshaut überstülpen.

138 *Auge um Auge, Zahn um Zahn*

Bibelzitat: 2. Mos. 21,23.24 und 3. Mos. 24,19.20. Und Matth. 5,38 lautet: »Ihr habt gehört, daß da gesagt ist: Auge um Auge, Zahn um Zahn.«

138 *Bin ich Ihre Kreatur*
Bin ich Ihr ergebenes Geschöpf. Den Ausdruck Kreatur gebrauchte Brecht sehr häufig und gerne, entweder im allgemeinen Sinn: »Denn alle Kreatur braucht Hilf von allen« (Ballade von der Kindsmörderin Marie Farrar) sowie im privaten Bereich: Ruth Berlau nannte er zum Beispiel seine »Kreatur«.

141 *Papiergott*
Sehr geschickt im Umgang mit Papiergeld und Dokumenten.

141 *Papua*
Negerbevölkerung Neuguineas.

142 *Heilsarmee*
Zu »Chicago« gehört bei Brecht meistens auch die Heilsarmee.

144 *... und du lange lebest auf Erden*
Vergl. Epheser 6, 3.

146 *wie Lots Weib*
Zur Salzsäule erstarrt. Siehe Anm. zu S. 104 *Trommeln in der Nacht.*

147 *»Stürmisch die Nacht«*
Siehe Anm. zu S. 93 *Trommeln in der Nacht.*

156 *»Ich nenne ihn meinen höllischen Gemahl«*
Garga zitiert Satzfragmente aus Rimbauds »Une Saison en Enfer«. Zum Verfahren des Zitierens meinte Brecht 1954: »Ich stellte Wortmischungen zusammen wie scharfe Getränke, ganze Szenen in sinnlich empfindbaren Wörtern bestimmter Stofflichkeit und Farbe. Kirschkern, Revolver, Hosentasche, Papiergott: Mischungen von der Art.« Brecht notierte sich die Rimbaud-Zitate zunächst unabhängig von seinem eigenen Text und baute sie nachträglich, manchmal auch in freier Nachdichtung, ein.

157 *Seit einiger Zeit sind Geier über uns*
Seit einiger Zeit sind wir vom Unglück verfolgt. »Daß dich der Geier hole!« ist ein alter Fluch, wobei der Geier die Funktion des Teufels eingenommen hat. Sehr populär ist der Ausdruck »Pleitegeier« für drohenden finanziellen Ruin. Vergl. die Gedichte »Das Lied vom Geierbaum« und »Deutschland, du blondes, bleiches«.

158 *Mit Roßhaar und Hornhaut*
Eine anschauliche Verstärkung des definitiven Charakters einer Formulierung wie »mit Haut und Haar«, die den Skandal der Unmenschlichkeit bewußt macht. Angeblich stark wie ein Roß und durch Hornhaut gegen alle Anfechtungen gewappnet, bereitet sich der Mensch durch Unempfindlichkeit den Untergang.

161 *»Ich habe mich in das Weichbild der Stadt geflüchtet«*
Dieses und die drei folgenden Garga-Zitate sind von Brecht in freier Anlehnung an Sätze aus Prosagedichten Rimbauds formuliert.

162 *»Ein Windhauch öffnet opernhaft«*
Vergl. Rimbaud, »Nocturne vulgaire«: »Un souffle ouvre des brèches opéradique dans les cloìsons . . .«

163 *alte Galosche*
Eine abgetakelte Frau (wörtlich: ein ausgelatschter Gummischuh).

168 *Zwischen neuen Möbeln*
Die bei Brecht immer wiederkehrenden Requisiten für Kleinbürgerhochzeiten: neue Möbel und ein Klavier.

171 *Ich, deine Frau, werde den Haushalt besorgen*
Vergl. die »Geschäftsübergabe« Mackie Messers an seine Frau Polly in der *Dreigroschenoper,* die der Hochzeit ebenfalls sofort nachfolgt.

173 *Haifisch*
Der »Typ« Mackie Messer: ein Geschäftsmann mit Dreck am Hals und mit gemeinem Charme, ein gerissener Verbrecher oder Wucherer. Mehr Frank Sinatra als Richard Nixon.

175 *Das Geheul der Lyncher*
Der Wendepunkt des Stücks. Garga hat die Lektion des Dschungels begriffen und Blut geleckt. Er weiß, wo sein Gegner verwundbar ist. Die Südsee-Romantik ist ein für allemal vergessen.

177 *Die Geschichte von G. Wishu*
Brecht 1954: »Die Einflüsse der Augsburger Vorstadt müssen wohl auch erwähnt werden. Ich besuchte häufig den alljährlichen Herbstplärrer, einen Schaubudenjahrmarkt auf dem ›kleinen Exerzierplatz‹ mit der Musik vieler Karusselle und Panoramen, die krude Bilder zeigten wie ›Die Erschießung des Anarchisten Ferrer zu Madrid‹ oder ›Nero betrachtet den Brand Roms‹ oder ›Die Bayerischen Löwen erstürmen die Düppeler Schanzen‹ oder ›Flucht Karls des Kühnen nach der Schlacht bei Murten‹.« In dieser Umgebung ist auch der »Lebenslauf des Hundes George Wishu« zu plazieren.

Zur Rolle des Orchestrions siehe Anm. zu S. 80 *Trommeln in der Nacht.*

181 *Gounods »Ave Maria«*
Siehe Anm. zu S. 88 *Trommeln in der Nacht.*

183 *»La Montagne est passée«*
Dieser Ausspruch waren die letzten Worte Friedrichs d. Gr.

188 *»Ich werde hingehen«*
Siehe Rimbaud, »Une Saison en Enfer«: »Je reviendrai avec des membres de fer . . .« etc.

190 *die Ratten haben mich angebissen*
Marie, die bereits zu Lebzeiten wie eine tote, im Wasser schwimmende Ophelia aussieht.

Hannibal

GW III, S. 2875–2882

2877 *Barkas*
Die Barkiden waren das führende Geschlecht innerhalb der karthagischen Außenpolitik nach Ende des 1. Punischen Krieges. Den Grundzug der Expansion verfolgte nach Hamilkar Barkas auch sein Sohn Hannibal und der Bruder Hasdrubal. Das Abstimmungsergebnis verzerrt etwas die historische Folge. Hannibal hatte nach dem Sieg von Cannae 216 dem Heer wegen mangelnder Unterstützung den vorläufigen Rückzug in die Winterquartiere befehlen müssen. Weitere benutzte Namen sind Anlehnungen an Fürstennamen der Numidier, deren Stämme assoziiert waren (Mago, Masinissa).

2877 *Synedrion*
Oligarchisches Gremium, eine Art Regierendenversammlung.

2878 *lichtscheues, vaterlandsloses Gesindel*
Die Bezeichnung »vaterlandslose Gesellen« war eine geläufige Diffamierung der SPD in der Vorkriegszeit. Dieser entgegenzuwirken, blieb auch eine lange traumatische Fixierung der Partei.

2878 *verblassendes Gesicht*
Ein Lyriktopos für das sog. In-der-Masse-Versinken, dem das großstädtische Individuum nicht entgehen kann.

2881 *Einige Gallier*
Nach Hannibals Sieg im Dezember 218 in der Schlacht an der Trebia hatten sich keltische Stämme dem Heerzug angeschlossen.

Leben Eduards des Zweiten von England

GW I, S. 195–296

195 *Marlowe*
Christopher Marlowe (1564–93) war der Sohn eines Schuhmachers, der Magister wurde, Trauerspiele schrieb und bald nach London ging, wo er auch als Schauspieler auftrat. Bei einer Rauferei in einer Schenke wurde er ermordet. Seine wichtigsten Stücke: *Leben und Tod des Doktor Faustus, Der Jude von Malta, Das Massaker von Paris.*

195 *Eduard II.*

Auf einem Feldzug gegen Schottland starb am 7. Juli 1307 der englische König Eduard I. Sein Nachfolger auf dem Thron wurde sein Sohn Eduard, Prince of Wales. Im Gegensatz zu seinem Vater war er ein politisch schwacher König. Um die gegen die Königsmacht rebellierenden Barone herauszufordern, berief er Gaveston, einen franz. Abenteurer, zu seinem engsten Berater, ließ ihn aber fallen, als ihn die Barone zu bekriegen begannen. Gaveston wurde verbannt, als ihm die Stunde günstig schien, vom König jedoch zurückgeholt. Die Barone, an deren Spitze Graf Thomas von Lancaster stand, nahmen den Günstling 1312 gefangen und ließen ihn hinrichten. Von den inneren politischen Wirren profitierte Schottland. Es gelang Eduard schließlich, nachdem er mehrere Niederlagen erlitten hatte, den mit den Schotten kollaborierenden Lancaster gefangen zu nehmen und zu töten, bekam aber dann in seiner eigenen französischen Gattin, Isabella, eine wütende Gegnerin, die sich an die Spitze der unzufriedenen Parteien zu setzen wußte. Ihre Geschäfte besorgte ihr Günstling Mortimer. Eduard II. wurde gefangen genommen und im Januar 1327 vom Parlament für abgesetzt erklärt. Er willigte in das Verfahren ein und wurde wenige Monate später auf Schloß Berkeley umgebracht. Bereits 1330 wußte sich Eduard III., der durch die Verschwörung seiner Mutter mit 15 Jahren auf den Thron gelangt war, der Regentschaft Isabellas und Mortimers zu entledigen. Der junge König ließ Mortimer hinrichten und seine Mutter vom Hofe verbannen.

197 *Krieg gegen Irland*

Zwar stand Irland im 14. Jahrhundert unter englischer Herrschaft und mußte unter militärischer Kontrolle gehalten werden, ein »entscheidender« Krieg fand aber zu Zeiten von Eduard I. und Eduard II. nicht statt. Wahrscheinlich hat Brecht aus Aktualitätsgründen 1923 aus dem Krieg gegen Schottland einen Krieg gegen Irland gemacht. Gaveston ist bei Brecht ein Ire.

201 *Heulen und Zähneklappern*

Bibelsprache. Findet sich oft im Evangelium des Matthäus, zum Beispiel 8, 12: »Aber die Kinder des Reichs werden ausgestoßen in die äußerste Finsternis hinaus, da wird sein Heulen und Zähneklappern.«

203 *Cul*

War hauptsächlich in der Frauenmode des 18. und 19. Jahrhunderts beliebt: ein Hinterpolster im Rock. Ein Gesäßschutz.

204 *Kebsweib*

Eine Nebenfrau, auch Kebse genannt.

205 *Calumniare audacter, semper aliquid haeret*

Bei Francis Bacon (1561–1626) angeführtes Plutarch-Zitat: »Verleumde nur keck, etwas bleibt immer hängen.«

212 *Quam male conveniunt*

Sagt bei Marlowe Mortimer d. Ä.: »Wie schlecht passen sie zusammen.« Frei nach Ovid: »Non bene conveniunt maiestas et amor« (*Metamorphosen*, II, 846).

214 *Quod erat demonstrandum*

Was zu beweisen war. Der Satz stammt von dem alexandrinischen Mathematiker Euklid.

214 *die Ilias*

Homers Heldenepos *Ilias*, das die Geschichte des trojanischen Kriegs schildert. Die Logik der Beweisführung ist wahrscheinlich den Worten der Hekuba in den *Troerinnen* des Euripides nachempfunden: »Doch hätte nicht ein Gott das Obere nach unten umgewühlt, wir würden, ruhmlos, nicht gepriesen, die wir jetzt den Musen einer Nachwelt Stoff zum Lied gegeben.«

216 *Die Mädchen von England im Witfrauenkleid*

Die Zeile dieses Lieds paraphrasiert die Anfangszeile des Kipling-Gedichts »The Widow at Windsor« in der Übersetzung von Marx Möller: »Die Witwe zu Windsor im Witfrauenkleid« (*Balladen aus dem Biwak*, S. 5).

252 *Und Verständigung uns nicht geschenkt ist*

Vergl. *Im Dickicht der Städte* (S. 187): »Aber auch mit den Tieren ist eine Verständigung nicht möglich.« – »Die Sprache reicht zur Verständigung nicht aus.«

275 *Haifische*

Siehe Anmerkung zu S. 173 *Im Dickicht der Städte.*

290 *Lobet die Finsternis*

Vergl. den »Großen Dankchoral« in der *Hauspostille.*

294 *Fortuna treibt's*

Vergl. »Die Ballade vom Wasserrad« und »Das Lied von der Moldau«. Zu diesem Thema bes. Klaus-Detlev Müller, *Die Funktion der Geschichte im Werk Bertolt Brechts.* Tübingen 1967. – Das Bild von dem durch Fortuna getriebenen Rad geht wahrscheinlich auf Goethes Gedicht »Harzreise im Winter« zurück, das von der Stimmung und der Wahl der Bilder her den Autor von *Dickicht* und *Eduard* beeinflußt haben muß: »Leicht ists, folgen dem Wagen/ Den Fortuna führt . . .«

Mann ist Mann

GW I, S. 297–377

297 *Kilkoa*

Die Wahl der britischen Kronkolonie Indien als Schauplatz geht auf Rudyard Kipling zurück, den Lieblingsschriftsteller des jungen Brecht. Auch alle weiteren exotischen Ortsnamen in *Mann ist Mann* stammen aus Kiplings Kurzgeschichten oder den *Balladen aus dem Biwak*, die mit ihrer kolonialen Romantik, ihrer lässigen und unsentimentalen Freizügigkeit sowie ihrem Männlichkeitswahn Brecht stark beeinflußt haben.

299 *Du bist wie ein Elefant*

Die Vorliebe Brechts für Elefanten (Herrn Keuners »Lieblingstier«) geht auch auf Kipling zurück. Dessen »Elefantenkunde« hat sich dem Stückeschreiber eingeprägt und wird immer wieder in den verschiedensten Abwandlungen benutzt. Die Bewegungsart Galy Gays, der wie ein Güterzug ins Laufen kommt, findet sich bei Kipling in der Geschichte »Moti Guj-Mutineer«. (Der Name Moti Guj taucht auch in den frühen Entwürfen zu *Im Dickicht der Städte* auf.) Moti Guj ist die »Perle der Elefanten«, ein ganz besonders eigenwilliges und kluges Arbeitstier, das den Alkohol liebt. In der Erzählung heißt es: »Elefanten laufen nie im Galopp; sie bewegen sich fort mit wechselnder Geschwindigkeit. Wenn ein Elefant einen Expreßzug einholen wollte, würde er auch nicht galoppieren, – aber einholen würde er ihn bestimmt.« Da der Elefant in dieser deutschen Version von Gustav Meyrink den Namen Moti Gudsch hat, ist anzunehmen, daß Brecht eine andere Übersetzung gelesen hat. Bis 1924 kannte Brecht nur deutsche Kipling-Texte, danach benutzte er vorzugsweise den englischen Originaltext und die von Elisabeth Hauptmann angefertigten Rohübersetzungen. (Das Thema Brecht und Kipling hat in allen Einzelheiten der amerikanische Literaturwissenschaftler James K. Lyon behandelt: *Bertolt Brecht und Rudyard Kipling*. Frankfurt 1976.)

300 *Gelbherrenpagode*

Das Motiv des Tempeleinbruchs von Soldaten geht ebenfalls auf Kipling zurück, der viele solcher »Extratouren« von auf Abenteuer erpichten »Tommies« geschildert hat. Diebstähle mit Hindernissen versüßten ein wenig den harten militärischen Drill, sie dienten als Ausgleich und waren eine Gelegenheit, den schmalen Sold aufzubessern. Auf Plünderung und Diebstahl standen zwar hohe Strafen, aber in der Regel behandelten sie, bei entsprechender Beteiligung, solche Vergehen mit großer Nachsicht: »Wenn ihr's nett mit ihm besprecht,/ Ist's auch dem Sergeanten recht«. Am ehesten Erfolg versprachen Einbrüche in Tempel: »Wenn zum Beispiel, euch zu Händen/ Götter einen Götzen senden,/ So bedenkt, daß manches Mal/ Seine Augen aus Opal.« Es war ratsam, bei diesen Unternehmungen nicht alleine loszugehen: »Denn auf so verworrnen Pfaden/ Kommt man einzeln leicht zu Schaden.« (Sämtliche Zitate aus der Ballade »Loot« (Die Beute) in der Übersetzung von Marx Möller; der »Kipling-Ton« Brechts ist wesentlich von diesem Übersetzer bestimmt, der für Kipling das geleistet hat, was K. L. Ammer im Fall Villon gelungen ist.)

302 *es gibt nichts Heiliges mehr, wenn es nicht ein Paß ist*

Den richtigen Paß zu besitzen, war für Brecht ab 1933 eine fürs Überleben entscheidende Frage. Vergl. *Flüchtlingsgespräche:* »Der Paß ist der edelste Teil von einem Menschen.«

304 *Ich hänge an meinem Haar*
Hier wird eine zweite Quelle Brechts für den Tempeleinbruch deutlich: Alfred Döblins Roman *Die drei Sprünge des Wang-lun.* Bei Döblin bricht der Titelheld in den Tempel ein, sein Zopf bleibt am geteerten Dach kleben. Um freizukommen, muß er sich das Haar abschneiden, und eine verräterische kahle Stelle bleibt zurück.

305 *Palankin*
Keine »Lederkiste«, sondern eine Art Ledersessel oder auch Tragbett, das früher in Ostindien sehr gebräuchlich war. Die Palankin-Episode, die Verwendung des besoffenen Soldaten als Gott, geht auf Kiplings Geschichte »Krischna Mulvaneys Inkarnation« zurück, eine der *Drei Soldaten*-Novellen. Bei Kipling ist es allerdings nicht der Priester, der den geschäftstüchtigen Einfall hat, sondern der Soldat spielt den Gott Krischna, als er im Palankin aus seinem Bierrausch erwacht und entdeckt, daß er in einem Tempel mit Gläubigen abgestellt worden ist.

310 *Mach das Maul zu, Tommy*
Tom, meistens Tommy, ist die volkstümliche Bezeichnung für den englischen Soldaten. Geht auf ein Handbuch für englische Rekruten von 1837 zurück, in dem zum besseren Verständnis alle Anweisungen an einen fiktiven Soldaten Thomas Atkins gerichtet sind. Kiplings *Barrack Room Ballads* sind dem Soldaten »Tommy« gewidmet.
Vergl. auch den »Mann-ist-Mann-Song« (Ach, Tom, bist du auch beir Armee), den Brecht bei der Bearbeitung des Stücks 1931 ausschied.

317 *Eisenhut*
Sturmhaube mit breitem Rand, ohne Visier und Nackenschutz.

320 *Da er ein Soldat ist, kann er keinen Verstand haben*
Das Zitat ist ein Beleg für die Grenze, die Brechts Kipling-Verehrung hatte. Bei allem Spaß an jener Soldatenromantik sagt er doch deutlich: Wenn der Mensch Verstand hätte, wäre er nicht Soldat.

320 *hilfloser als das Kind eines Huhnes*
In Kiplings Ballade »The Young British Soldier« heißt es: »Der junge Rekrut, der nach Indien reist,/ lebt wie ein hilfloses Baby meist.«

321 *Ich will das ganz groß aufmachen*
Welche Religion auch immer, sie wird als Geschäft gehandhabt. Vergl. *Die heilige Johanna der Schlachthöfe* (S. 778), wo die Geschäftsleute das Heilsarmeemädchen für ihre Zwecke den Menschen ans Herz legen: »Wir wollen sie groß herausbringen.«

323 *irisches Mammut*
»Du bist wie ein Elefant«, charakterisiert Frau Gay ihren Mann. Auf die aus

Irland stammenden englischen Soldaten macht Galy Gay wohl einen ähnlichen Eindruck. Mammut ist eine ausgestorbene Art der Elefanten, die an Größe den indischen Elefanten ziemlich übertrafen.

324 *glaube nicht, du seist in einem Eisenbahnwagen*
Ein schönes Beispiel, wie Brecht Kipling, wenn er ihn nicht direkt zitiert, dennoch verwendet. In der Geschichte »Krischna Mulvaneys Inkarnation« wird der betrunkene Soldat im Palankin per Eisenbahn nach Benares verfrachtet. Er erinnert sich: »Un damit roll ich mir zusammen zun Schlafen, eh es mir ganz wach kriegt. Jungs, das Geräusch kam nich vons Saufen, das war das Gerassel von ein Zug!« (Zitiert nach Kipling, *In Schwarz und Weiß*. Novellen Deutsch von Wilhelm Lehmann. Leipzig o. J. S. 161.) Herr Wang bei Brecht nimmt dem Soldaten, der schon glaubt, die Kipling-Geschichte zu erleben, alle Illusion: »Es ist einzig das Bier in deinem ehrenwerten Kopf, das schaukelt.«

329 *Zwischen den Fingern Schwimmhäute*
Und wenn er auch nur noch Haut und Knochen sein wird, er wird überleben, er wird nicht untergehen, dank der »Schwimmhäute«. Vergl. S. 94 *Trommeln in der Nacht*. Kragler ist ein Mann, dem in Afrika Schwimmhäute zwischen den Fingern wuchsen.

330 *die »Mama« Armee*
Vergl. das Gedicht »Larrys Ballade von der Mama Armee«, das ebenfalls von Kipling inspiriert ist.

331 *Eile mit Weile!*
Von Sueton überlieferte Maxime, die Kaiser Augustus zum Grundsatz seiner Politik zu machen versuchte.

331 *Lord Kitchener*
Der englische Militär und spätere Kriegsminister Lord Herbert Kitchener (1850–1916) eroberte 1898 Khartum im Krieg gegen die Mahdisten und beendete 1902 den Burenkrieg.

335 *O Mond von Alabama*
Etwas abweichende »deutsche« Version des Refrains vom »Alabama-Song«, der in der *Hauspostille* und dann in der Oper *Aufstieg und Fall der Stadt Mahagonny* Aufnahme fand.

336 *Mann ist Mann*
Das Thema des Kollektivs, das die individuellen Vergangenheiten seiner Mitglieder aufhebt und ihnen ein neues stärkeres Ich verleiht, hat vor Brecht schon Iwan Goll in seinem Gedicht *Der Panama-Kanal* (1912) behandelt. So wie Panama neu geboren wird durch den Bau des Kanals, verändern sich die Menschen durch ihre Arbeit am Kanal:

»Jeder im Hafen am Dock in den Bars
Redet und lächelt sich an

Ob im Zopf im Hut in Mütze ob blond oder schwarzen Haars
Mann ist Mann.«

Wie Brecht hat auch Iwan Goll bald darauf seine optimistische Verklärung der Arbeit im Kollektiv korrigiert, beziehungsweise durch die Schilderung erneuter Versklavung der Arbeiter ergänzt. In der Zweiten Fassung des *Panama-Kanals* heißt es: »Über den schwarzen Arbeitertrupps schlugen die Wellen der Freiheit zusammen. Einen Tag lang waren auch sie Menschheit ... Am nächsten Tag war wieder Elend und Haß. Neue Chefs schrien zu neuer Arbeit an. Neue Sklaven verdammten ihr tiefes Schicksal. Am andern Tag rang die Menschheit mit der alten Erde wieder.« (Iwan Goll, Der Eiffelturm. Ges. Dichtungen. Berlin 1924. S. 42 [I. Fassung] und Iwan Goll, Dithyramben. Leipzig 1918. S. 38 [2. Fassung].)

340 *Kopernikus*

Der Begründer der neueren Astronomie Nikolaus Kopernikus (1473–1543) entwickelte in seinem Werk »De revolutionibus orbium coelestium« das heliozentrische Weltsystem (im Gegensatz zum geozentrischen des Ptolemäus) und beweist, daß die Sonne der Mittelpunkt aller Planeten ist, um den sich die Erde, gleich den übrigen Planeten, dreht.

343 *Rupie*

Gold-, Silber- und andere Rechnungsmünze in den ostindischen Besitzungen europäischer Staaten bis zur Unabhängigkeit der betr. Länder.

349 *Das Sicherste ist der Zweifel*

Eine der wichtigsten Grundhaltungen Brechts ist hier zum ersten Mal ausgesprochen, das »Lob des Zweifels«.

354 *du Gomorrha!*

Sodom und Gomorrha waren zwei Städte am Jordan, die angeblich wegen der Verworfenheit und Gottlosigkeit ihrer Bewohner vernichtet worden sind. Auch der Name der Stadt »Babylon« wird mit Sünde gleichgesetzt. Für Fairchild reicht der Ruf der Witwe Begbick an die Lasterhaftigkeit dieser drei Städte heran.

362 *es muß ihn einer anrufen*

Siehe Apostelgesch. 2,21: »Und soll geschehen, wer den Namen des Herrn anrufen wird, soll selig werden.« Galy Gay eignet sich Worte des Apostels Petrus an, mit dem er (im Sinne eines lockeren Gedankenspiels) einige Gemeinsamkeiten hat: Er zog aus, einen Fisch zu kaufen und am Ende erledigt er 7000 Menschen in einer Bergfestung. Petrus war Fischer und wird von Jesus für ein anderes »Geschäft« engagiert: »Von nun an wirst du Menschen fangen.« Ein kleines Beispiel für die »umfunktionierte Theologie« (Hans Mayer) bei Brecht, der ein exzellenter Bibelkenner war.

Das Elefantenkalb

GW I, S. 379–391

390 *Papa Krüger*
Paul (Ohm) Krüger (1825–1904) war Präsident des südafrikanischen Freistaats und leitete den Burenkrieg gegen England. Kipling nahm als Kriegsberichterstatter auch einige Zeit am Burenkrieg teil.

Die Dreigroschenoper

GW I, S. 393–497

394 *John Gay*
Der Autor der *Beggar's Opera*, die 1728 mit großem Erfolg über die Bühne ging, wurde 1685 in der Grafschaft Devonshire geboren. Er begann als Schriftsteller mit ländlichen Erzählungen, Gedichten und Fabeln. Mit Trauerspielen fand er wenig Anklang. In der Nachahmung von Idyllen zeigte sich sein parodistisches Talent. Die *Bettleroper* machte ihn berühmt. Eine Fortsetzung des Stücks, *Polly*, durfte wegen der politischen Anspielungen nicht aufgeführt werden. Gay starb 1732 in London.

395 *Soho*
Stadtteil von London, wo sich seit Jahrhunderten vorzugsweise Vergnügungsetablissements, Bars, Spelunken, asiatische und orientalische Restaurants befinden.

397 *Jonathan Jeremiah Peachum*
Bei Gay ist Peachum ein Hehler. Brecht zeigt den »Bettlerkönig« als erbarmungslosen Geschäftsmann, dem die Bibel alles gilt. Sein Puritanismus geht mit dem Geldscheffeln aufs glücklichste zusammen. Er ist ein tätiger Christ und will alle verstockten Herzen erwecken. Brecht hat ihm die passenden Vornamen gegeben, die seine biblische Autorität betonen. Jonathan bedeutet hebr.: Gott hat gegeben. König Sauls Sohn gilt als ein Liebling der alttestamentlichen Sage, in der er als vorbildlich wegen seiner Treue und Liebe zum König und besonders gegenüber seinem Schwager David gerühmt wird. Jeremiah, der bedeutendste biblische Prophet, war überzeugt von Gottes Gerechtigkeit und der Sündhaftigkeit Israels.

398 *Geben ist seliger als Nehmen*
Siehe Apostelgesch. 20,35.

398 *Gib, so wird dir gegeben*
Siehe Matth. 5,42: Gib dem, der dich bittet.

406 *Säge-Robert*
Der »Versager« innerhalb der »Platte«.

406 *Du sollst deinen Fuß nicht an einen Stein stoßen*
Vergl. Psalm 91,12: »Daß sie dich auf den Händen tragen und du deinen Fuß nicht an eine Stein stoßest.«

415 *Die Seeräuber-Jenny*
Es ist das Lied der Jenny, aber es wird von Polly gesungen, wie ja auch bestimmte Dienstbotenlieder immer von den Fräuleins zum Besten gegeben werden. Ernst Bloch hat einen interessanten Aufsatz über dieses Lied geschrieben, in dem er auf die revolutionäre Erwartung zu sprechen kommt, die in dem Lied anklingt. Bloch nennt es eine »Dynamit-Stelle« der *Dreigroschenoper*.

419 *Der Kanonen-Song*
Die Erinnerung an den gemeinsamen Aufenthalt bei der Armee in Indien veranlaßt Macheath und Tiger-Brown dieses Lied zu singen. Es basiert auf keiner bestimmten Kipling-Ballade, besteht aber aus lauter Kipling-Anklängen. Der atmosphärische Hintergrund des Lieds stützt sich auf die *Drei-Soldaten*-Novellen Kiplings. Eine Vorform des »Kanonen-Songs« ist auch das »Lied der drei Soldaten« (GW IV, S. 127), das Brecht 1927 in der *Hauspostille* publizierte. Hier fehlt noch der Refrain. Dessen Material ist im wesentlichen von drei Liedern der *Barrack Room Ballads* beeinflußt: »Gunga-Din« (Als durch Indien ich noch rollte/ In dem Dienst der Königin) und »Fuzzy-Wuzzy« (Wir sind in allerhand Schlachten gewesen) behandeln tolle und schwierige Abenteuer von Soldaten, und die Ballade »Screw Guns«, in der siebzig Kerle mit ihren Kanonen eine Armee von zweitausend Mann ersetzen, lieferte den Titel und den aggressiven Ton: »Frisch, an die Arbeit, wir kennen kein Schonen!« – Ein letztes Mal behandelte Brecht dann das Wirken dieser »drei Soldaten«, das er nun endgültig in eine scharfe Anklage gegen den Krieg umfunktionierte, in dem Kinderbuch *Die drei Soldaten*.

420 *Kastor und Pollux*
Der Rossekämpfer Kastor und der Faustkämpfer Pollux. Die auch Dioskuren genannten Zwillingssöhne der Leda tauchen als wunderbare Helfer bei verschiedenen Schlachten öfters in antiken Erzählungen auf. Sie galten als unzertrennlich, was man auch dem Trojaner Hektor und seiner Gemahlin Andromache nachsagte.

428 *bei seinen Menschern*
Bei seinen Huren. Von Brecht öfters verwendeter Ausdruck. Zum Beispiel *Trommeln in der Nacht*, S. 111.

430 *Ein guter Mensch sein*
Im »Ersten Dreigroschen-Finale« widerspricht Brecht der Formel »Der Mensch ist gut«, er fordert statt dessen die »gute Welt«, die Änderung der Verhältnisse.

434 *verkitscht Zeug*
Verkauft Diebesgut auf eigene Faust weit unterm Preis, um schnell zu Geld zu kommen.

438 *»Hübsch, als es währte«*
Das kleine Lied, das Polly hier singt, ist der Refrain des Kipling-Gedichts »Maria, Fürsprecherin der Frauen«. Das Manuskript der Fassung *Die Luden-Oper* enthielt noch den vollständigen Text des Gedichts (jetzt gedruckt in GW IV, S. 1055), das ursprünglich von Lucy im 3. Bild des zweiten Akts gesungen werden sollte. Ein weiteres Kipling-Lied sollte im 2. Bild des zweiten Akts Mackie Messer singen: »Die Ballade von den Ladies« (GW IV, S. 1052). Außer den wenigen Zeilen »Hübsch, als es währte« fielen alle Kipling-Texte (genauer: alle Direkt-Zitate) Strichen bei den Proben im Theater am Schiffbauerdamm zum Opfer. Brecht hatte damals also auf dem Theaterzettel nicht nur vergessen, den Namen des Villon-Übersetzers K. L. Ammer zu erwähnen, er hatte es auch versäumt, den Namen Kipling zu streichen. (Angekündigt wurde ein Stück mit Musik nach dem Englischen des John Gay mit eingelegten Balladen von François Villon und Rudyard Kipling.)

443 *Die Zuhälterballade*
Nach dem Vorbild von François Villons »Ballade von Villon und der dicken Margot« (in der Übersetzung von K. L. Ammer) geschrieben.

446 *Den Trick habe ich aus der Bibel*
Siehe Lukas 22, 61–62.

447 *Die Ballade vom angenehmen Leben*
Ebenfalls nach dem Vorbild einer Villon-Ballade geschrieben, unter Verwendung einiger Zeilen der Ammerschen Übersetzung.

450 *Das Eifersuchtsduett*
Bei diesem Duett, das erst während der Proben entstand, soll Karl Kraus mitgearbeitet haben.

457 *Zweites Dreigroschen-Finale*
Es enthält jene Zeile, die von allen Brecht-Sätzen am berühmtesten wurde und die ebenfalls auf Villon zurückgeht: »Erst kommt das Fressen, dann kommt die Moral.« – In Zeilen wie »Der Mensch lebt nur von Missetat allein« zeigt sich Brechts produktiver Umgang mit der Bibel, der Satz kontrapunktiert Matth. 4,4: »Der Mensch lebt nicht vom Brot allein.« Obwohl die Inhalte umfunktioniert werden, behält Brecht die prägende Kraft der Sprache der Luther-Bibel möglichst bei. In der *Dreigroschenoper* gibt es sehr viele Beispiele für derlei Bibel-Variationen.

467 *Salomon-Song*
Möglicherweise beeinflußt von Villons »O glücklich alle, die getrosten Sinnes sind«. Siehe auch Prediger Salomo 11,9. – Der »Salomon-Song« wird

von Brecht später auch in das Stück *Mutter Courage und ihre Kinder* aufgenommen. Dort wird er vom Koch gesungen. Als dem Menschen in dieser Welt nichts nützend werden abgehandelt: Weisheit, Kühnheit, Redlichkeit, Selbstlosigkeit und Gottesfurcht. Die Version in der Fassung von 1931 hatte vier Strophen (von Salomo, Kleopatra, Caesar und Macheath handelnd). Die letzte Strophe lautete ursprünglich: »Und jetzt seht ihr den Herrn Macheath/ Der allen Geizes bar/ Er hat uns immerfort beschenkt/ Und als er leerer Hände war/ Wurd er verkauft und aufgehenkt!/ Er gab uns siebenfachen Lohn/ Und seht, jetzt ist es noch nicht Nacht/ Da sieht die Welt die Folgen schon:/ Verschwendung hat ihn jetzt so weit gebracht –/ Beneidenswert, wer frei davon!« Die vierte Strophe (vom »wissensdurstigen Brecht«) der späteren *Dreigroschenoper*-Fassung wurde im Exil geschrieben.

469 *Kampf um das Eigentum*
Der Szene voraus ging ursprünglich eine »Arie der Lucy«, in der sie finstere Mordpläne brütet: »Eifersucht!/ Wut, Liebe und Furcht zugleich/ Reißen mich in Stücke.« Die Arie war von Weill als Gegenstück zum Eifersuchtsduett im 2. Akt gedacht. Da sie für die Darstellerin der Lucy gesanglich zu schwer war, mußte die Arie für die Uraufführung gestrichen werden. Da die Aufführung dann ohnehin zu lang dauerte, wurde damals das ganze 8. Bild weggelassen.

475 *»Ruf aus der Gruft«*
Verse von Villon, in der Übersetzung von K. L. Ammer. Ebenso S. 477: *»Jetzt kommt und seht, wie es ihm dreckig geht!«*

482 *Was ist ein Dietrich gegen eine Aktie?*
Dieser Text wurde erst nachträglich in *Die Dreigroschenoper* aufgenommen. Er wurde 1929 für *Happy End* geschrieben.

482 *Ballade, in der Macheath jedermann Abbitte leistet*
Nach dem Vorbild der »Ballade, in welcher Villon alle Welt um Verzeihung bittet« geschrieben.

Aufstieg und Fall der Stadt Mahagonny

GW I, S. 499–564

502 *Und sie nennen Mahagonny*
Gunter G. Sehm erklärt in seinem Beitrag »Moses, Christus und Paul Ackermann« (*Brecht-Jahrbuch 1976*, S. 83–100) den Namen der »Netzestadt«, in der Bauernfängerei betrieben und deren Lasterhaftigkeit mit Zerstörung bestraft wird, mit möglichen Assoziationen Brechts zu dem sündhaften Land Magog und zur Sündenstadt Babylon. Durch das Zusammenziehen beider Namen sei *Mahagon* entstanden.

503 *Stellt den Bartisch auf*

Vergl. die Anweisung des Herrn im 2. Buch Mose, Kap. 25,23: »Du sollst auch einen Tisch machen von Akazienholz.«

504 *Alabama-Song*

Gehört zu den fünf Mahagonny-Gesängen der vierten Lektion in der *Hauspostille*, laut Brecht »das Richtige für die Stunden des Reichtums, das Bewußtsein des Fleisches und die Anmaßung«. Der Text in englischer Sprache unterstreicht die angestrebte Nähe zum Western-Musical und der amerikanischen Schlagerrevue.

505 *Unter unsern Städten sind Gossen*

Der Vierzeiler ist das kleine Gedicht »Über die Städte«, entstanden 1927, dessen 3. Zeile im Erstdruck anders lautete: »Wir waren drinnen und haben sie genossen.« Es gehört zu einer Reihe von Gedichten, die den Einzug der Menschen in die großen Städte behandeln und von deren schneller Vergänglichkeit berichten. Sie alle werden das Schicksal Babylons erleiden: »Von diesen Städten wird bleiben, der durch sie hindurchging, der Wind.« Die Stimmung des Gedichts (und seine Struktur) hält sich an Goethes Gedicht »Wanderers Nachtlied/ Ein Gleiches«, dem versöhnlichen Bild der ruhenden Natur ist die beunruhigende Leere und Vergänglichkeit der Städte gegenübergestellt.

506 *Doch sitzt ihr einmal bei den Mahagonny-Leuten*

Der Text, den Willy und Moses hier singen, ist der Refrain des nicht in die Oper (und nicht in die *Hauspostille*) aufgenommenen Mahagonnygesangs Nr. 4 »Ach, Johnny, hab nicht so«.

507 *Auf nach Mahagonny*

Dieser 1. Gesang aus der *Hauspostille* war der Auftakt zum Mahagonny-Songspiel von 1927. Das Auftrittslied der Männer ist das Pendant zum »Alabama-Song«, dem Auftrittslied der Mädchen. In beiden wird dem »Mond von Alabama« gebührend Reverenz erwiesen.

507 *Die Zivilis*

Brecht gibt zu verstehen: Bürgerlichkeit ist eine Geschlechtskrankheit.

507 *Die Luft ist kühl und frisch*

Die Mahagonnygesänge sind großenteils »montiert« aus von Elisabeth Hauptmann übersetzten amerikanischen Schlagerzitaten und Zitaten aus Liedern der deutschen Singbewegung. Die Zeile »die Luft geht kühl und frisch« greift parodistisch das Lied »Frisch auf, die Luft geht kühl und rein« auf, während die Zeile »Schöner, grüner Mond von Alabama« der Albernheit »Schöner grüner Jungfernkranz« huldigt.

508 *Willkommen zu Hause*

Die Begbick empfängt die Männer wie Petrus mit einer Liste an der Pforte zum Paradies.

517 *Weil ich eine Tafel sehen mußte*
In Mahagonny sind die Gesetze auf Tafeln vermerkt, und ein Moses ist dafür zuständig.

519 *Georgia*
Nach »Georgia« fahren, heißt, den Wunsch nach einer neuen Stadt aussprechen. Vergl. das Gedicht »Komm mit mir nach Georgia« (GW IV, S. 135), in dem der entscheidende Satz vorkommt: »Dort bauen wir halt eine neue Stadt.« Es ist die für unser Jahrhundert bestimmende, von Amerika ausgehende nomadenhafte Einstellung zur Stadt, deren totale Verfügbarkeit für den Konsum, nach dem Motto: die Stadt verbrauchen und dann weiterziehen.

519 *die Bar von Mandelay*
Kennern des Stücks *Happy End* von Dorothy Lane (Elisabeth Hauptmann/Brecht) ist dieses Etablissement bekannt. Es handelt sich um Mutter Goddams Puff, in dem der »Song von Mandelay« gesungen wird.

524 *die Stadt der Freude wird zerstört*
Auch die Sündenstadt Babylon wurde maßgeblich durch einen Taifun zerstört: »Also wird mit einem Sturm verworfen die große Stadt Babylon und nicht mehr gefunden werden.« (Offenbarung 18, 21)

527 *Sei ruhig, Paule*
Unter Freunden wurde der Komponist Paul Hindemith »Paule« genannt. Besonders durch den Gebrauch der Koseform des Vornamens zeigt sich die Absicht von Brecht und Weill, die Figur des Paul Ackermann Hindemith zuzuschreiben.

527 *Laßt euch nicht verführen!*
Die Ermahnung des Paul Ackermann entspricht dem Schlußkapitel »Gegen Verführung« in der *Hauspostille.* Das Gedicht entstand 1918 und hieß zuerst »Luzifers Abendlied«. Das Bekenntnis zur Anarchie resultiert aus der Gewißheit, daß nichts »nachher kommt«. Mit seinen Schlußfolgerungen geht dann Ackermann über die anarchische, religionskritische Haltung des Liedes hinaus: er proklamiert die neue Ordnung der Unordnung. Falsches Handeln trotz richtiger Erkenntnis.

528 *Wenn es etwas gibt*
Diese Anleitung zur Mißachtung der Gebote entstand zunächst als Gedicht mit dem Titel »Blasphemie«, das in den Umkreis der Gedichte *Aus einem Lesebuch für Städtebewohner* gehört.

529 *Zerstört ist Pensacola!*
Das zweimalige »zerstört« erinnert an das biblische »Sie ist gefallen, sie ist gefallen, Babylon, die große«. (Offenbarung 18,2)

530 *Denn wie man sich bettet*
Vorwegnahme der Refrainstrophe des Lieds der Jenny »Meine Herren, meine Mutter prägte« (S. 546).

534 *Stimmt ihn an, den Song von Mandelay*
Zitiert sind hier die vier letzten Zeilen des »Songs von Mandelay« aus *Happy End*. Dieser Song, eine kräftige Persiflage Brechts auf ein sentimentales Soldatenliebeslied Kiplings (»Mandalay«), berichtet von den Männerschlangen an einer Bretterwand entlang, mit der Uhr in der Hand, vor Mutter Goddams Puff in Mandelay. Hier, in der Szene »Lieben« der Oper *Mahagonny*, stehen nun die Männer Schlange wie in dem zitierten Song.

535 *Sieh jene Kraniche in großem Bogen*
Den Dialog zwischen Jenny und Paul bis zu dem vereinten »So scheint die Liebe Liebenden ein Halt« hat Brecht später unter dem Titel »Die Liebenden« publiziert.

541 *Wer in Mahagonny blieb*
Dieses Lied ist der »Mahagonnygesang Nr. 2« der *Hauspostille* und figurierte als dritte Gesangsnummer im Mahagonny-Songspiel.

541 *Daß ihr mit mir trinkt*
Vergl. die Einladung der Jünger zum Abendmahl (Matth. 26,27): »Und er nahm den Kelch und dankte, gab ihnen den und sprach: Trinket alle daraus ...«

543 *Den Schnaps in die Toiletten gegossen*
Eine frühere »Fassung« dieser Szene ist das Gedicht »Tahiti«, um 1921 geschrieben, das insgesamt fünf Strophen umfaßt. Die erste ist nahezu wörtlich zitiert, die Stophen 2 und 3 leicht abgewandelt. Tahiti ist durch Alaska ersetzt. (GW IV, S. 105)

544 *»Stürmisch die Nacht«*
Das immer wieder von Brecht geschätzte und zitierte Schifferlied »Seemanns Los«.

545 *Du hast uns gespeist und hast uns getränkt*
Die Männer von Mahagonny bedanken sich wie die Jünger von Jesus für Speise und Trank, obwohl Paules Abendmahl nur aus Whisky bestand.

545 *Als ich eben mit euch sprach*
Vergl. Jesus bei der Gefangennahme am Ölberg (Luk. 22,47): »Da er aber noch redete, siehe, da kam die Schar.«

549 *der Fall des Tobby Higgins*
Die Freisprechung des Tobby Higgins ist vergleichbar mit der Freilassung des Mörders Barrabas, dessen Fall Pilatus eben behandelt, als ihm Jesus vorgeführt wird.

556 *Grüße!*
Auf dem Weg zum elektrischen Stuhl wird Paul Ackermann gegrüßt. Die Szene erinnert an die Verspottung Jesu durch die Kriegsknechte: »Sei gegrüßt, lieber Judenkönig!« (Joh. 19,3)

558 *An einem grauen Vormittag*
Das Spiel von Gott in Mahagonny, ein Rollengedicht, findet sich in der *Hauspostille* als »Mahagonnygesang Nr. 3« und war die fünfte Gesangsnummer des Mahagonny-Songspiels.

561 *Gebt mir doch ein Glas Wasser!*
Jesus spricht (Joh. 19,28): »Mich dürstet!«

561 *Fertig!*
Dem »Fertig« des Dreieinigkeitsmoses entspricht der letzte Satz von Jesus, bevor er am Kreuz stirbt: »Es ist vollbracht!« (Joh. 19,30)

563 *Können ihm Essig holen*
Jesus wurde am Kreuz ein Essigschwamm gereicht, als er etwas zu trinken verlangte. – Diese und die meisten folgenden Zeilen sind übersetzte Zitate aus amerikanischen Schlagern und Sportmagazinen.

Der Ozeanflug

GW I, S. 565–585

567 *Die erste Befliegung des Ozeans*
Vor der Titeländerung hieß diese Zeile: »Der Ozeanflug des Kapitän Lindbergh.« Der 25-jährige Amerikaner Charles Lindbergh startete im Mai 1927 zum ersten Atlantikflug in New York und landete auf dem Flugplatz Le Bourget bei Paris.

568 *Mein Name tut nichts zur Sache*
Vor der Umbenennung lautete dieser Satz: »Mein Name ist Charles Lindbergh.«

569 *Blériot*
Louis Blériot (1872–1936) war ein französischer Ingenieur, der 1909 als erster mit einem selbstgebauten Eindecker den Ärmelkanal überflog.

571 *Entweder mit dem Schild oder auf dem Schild*
Siehe S. 123 *Trommeln in der Nacht*.

575 *Viele sagen, die Zeit sei alt*
Die ersten acht Zeilen der »Ideologie«-Passage sind identisch mit dem Gedicht »Über den Einzug der Menschheit in die großen Städte zu Beginn des Dritten Jahrtausends«, das in den Umkreis des Stückplans *Joe Fleischhacker* gehört. (GW IV, S. 143)

576 *Sichteten die Unwissenden unbelehrbar Gott*
Vergl. die Schlußdemonstration in der Oper *Mahagonny*, wo die Unwissenden und noch nicht Erledigten »unbelehrt« für ihre Ideale demonstrieren. Der Glaube an Gott, argumentiert Brecht, ist Unwissenheit und ermöglicht die »Unordnung«, jenes primitive System von Ausbeutung und Unkenntnis.

580 *Nungesser*
Charles Nungesser (1892–1927) war ein französischer Militärflieger im Ersten Weltkrieg. Beim Versuch eines Transatlantikflugs im Mai 1927 scheiterte er. Er blieb verschollen.

584 *Das noch nicht Erreichte*
Beim Schreiben des *Badener Lehrstücks*, das an dieser Stelle einsetzt, änderte Brecht die frühere Formulierung »das Unerreichbare« in »das noch nicht Erreichte« um.

Das Badener Lehrstück vom Einverständnis

GW I, S. 587–612

593 *weiß niemand mehr, was ein Mensch ist*
Vergl. die 5. Szene des Stücks *Die Maßnahme* (GW I, S. 648): »Was ist eigentlich ein Mensch?«

601 *Wer etwas entreißt, der wird etwas festhalten*
Der Sprecher erläutert die für revolutionäre Praxis entscheidende Frage von Besitzen und Enteignen. Brecht hat hier offensichtlich die Bibel marxistisch umfunktioniert. Vgl. Matth. 25,29: »Denn wer da hat, dem wird gegeben werden, und er wird die Fülle haben; wer aber nicht hat, dem wird auch, was er hat, genommen werden.«

602 *der Denkende*
Der Denkende ist eine Figur, in der sich Brecht selbst ins Spiel bringt, vergleichbar dem »Philosophen« im *Messingkauf*, Herrn Keuner oder Me-ti in Prosatexten oder dem »Klassiker« in Gedichten. In dem Lustspiel *Aus Nichts wird Nichts*, das Fragment blieb, gibt es die Figur des Denkenden, der die Haltung einnimmt, die sich für einen Denkenden schickt: »nämlich eine unbelästigte, forschende und wissende Haltung«.

605 *Charles Nungesser*
Siehe Anm. zu S. 580 *Der Ozeanflug*.

609 *Stirb jetzt, du Keinmenschmehr!*
Das Sterben ist Abschiednehmen von einem nicht gelebten Leben: stirb, aber lerne zu leben. »Es ist eine Aufforderung an den Nichtmenschlichen aufzuhören, ein Nichtmensch zu sein (logische Negation der Negation).«

(Reiner Steinweg in seiner Analyse des Stücks in »Text und Kritik«: Sonderband Brecht II. S. 125)

610 *Richtet euch also sterbend nicht nach dem Tod*
Vgl. das Gedicht »Bericht über einen Gescheiterten«, das schildert, wie ein Sterbender »lernt« (GW IV, 623).

Der Untergang des Egoisten Johann Fatzer

GW III, S. 2893–2912

2901 *Keuner*
Keiner. Herr Keuner ist eine Gestalt, die Brecht in mehreren Stückprojekten der Jahre vor 1933 erwägt. In jenem Heft der VERSUCHE, in dem der 3. Abschnitt des Fatzerstücks und zwei Chöre abgedruckt sind, finden sich auch die ersten *Geschichten vom Herrn Keuner.*

2901 *Büsching*
Büsching erwog Brecht als Titel eines Stücks über den Ofensetzer Hans Garbe, der ihm 1951 in mehreren Sitzungen sein Leben erzählte. Es war als Historienstück geplant, in der Art des *Fatzer*-Fragments. Untersucht werden sollte in *Büsching,* »was sich alles für ihn und bei ihm ändert, wenn er vom Objekt der Geschichte zu ihrem Subjekt wird«. Ende Oktober 1953 besprach Brecht mit Eisler ein Stück über Garbe im Stil der *Maßnahme* oder *Mutter,* »mit einem vollen Akt über den 17. Juni«.

2907 *Fatzer, komm*
Es wird vermutet, daß »komm« eine vom Setzer mißverstandene Abkürzung von Kommentar ist.

Der Brotladen

GW III, S. 2913–2949

2916 *Auf einem laufenden Band*
Dieses technische Mittel wurde 1927 von der Piscator-Bühne erstmalig eingesetzt.

2917 *Ajax Januschek! Männerzerschmetterer*
Der Ajax Homers war König von Salamis und bedeutender Heerführer der Griechen vor Troja. Er tötete sich, als nicht ihm, sondern dem Odysseus die Waffen des Achilles zugesprochen wurden.

2921 *Niobe Queck*
Die antike Niobe gebar jeweils sieben Töchter und Söhne, die, nach einer Beleidigung der Leto, alle getötet wurden (nach manchen Überlieferungen

bis auf zwei). Zeus verwandelte sie, aus Mitleid über ihre Trauer, in eine Statue. Im Falle der Queck sind die Kinder allerdings weniger der Ausdruck ihres Mutterstolzes, sondern eher Produkt ihres Stoizismus, da sie sich nicht erlaubt hätte, »ihn (ihren Mann) nicht immer und ewig in jedem Punkte auf der Stelle restlos und vollständig zu befriedigen«. Zur Klangassoziation vgl. »Quecksilber«.

2923 *Ich würde mir nicht erlauben*
Der kleinbürgerliche Produzent verwendet im Folgenden die gleichen Worte, wie sie, ein wenig umgestellt, Witwe Queck zuvor benutzte. Es scheint nicht ganz unschlüssig, dabei von ihrer Nachahmung zu sprechen. Tatsächlich ist ihr Verhältnis zu den Autoritäten strukturell vergleichbar, die stille Anerkennung der an sie herangetragenen Normen identisch.

2925 *Sie sind gekündigt*
Ein wohl nur in seiner Brutalität außerordentlicher Fall hatte sich im Winter 1929/30 in Berlin zugetragen. Eine Witwe war wegen »Belästigung« nach fünfjährigem Untermietsverhältnis auf die Straße gesetzt worden; sie hatte mangels anderer Möglichkeiten 14 Tage auf der Treppe gehaust. (Seliger, S. 169)

2931 *Tut Wachs in eure Ohren*
Auf den Rat der Kirke hin hatte Odysseus seinen Männern die Ohren mit Bienenwachs verstopft und sich selbst an den Mast fesseln lassen. So entgingen sie dem verführerischen Gesang der Sirenen.
1931 erschien Kafkas berühmter Text »Das Schweigen der Sirenen«. Etwa 1933 verfaßte Brecht im Rahmen anderer »Mythenkorrekturen« auch eine, die »Odysseus und die Sirenen« betraf: Er identifizierte den Gesang der Sirenen als Kunst, deren Wirkung in den durch sie ausgelösten Folgen lag. Odysseus dagegen erschleiche sich die Kunst, da er den Genuß sucht, ohne für und mit diesem handeln zu wollen. (GW V, 207)

2943 *Aber zur Stelle ist die eiserne Ferse*
Eine Anspielung auf Jack Londons *The Iron Heel*, ein Zukunftsroman, der 1922 erstmalig in deutscher Übersetzung erschien. Washington Meyers vergebliche Revolte verweist auf die Warnung des Romans, nach der eine verfrühte Revolution nur im Blutbad ende und die Arbeiterbewegung lange Zeit zurückwerfe.

Aus Nichts wird Nichts

GW III, S. 2950–2963

2950 *eine amerikanische Tragödie*
Eine amerikanische Tragödie lautet der Titel des bekanntesten Romans von Theodore Dreiser (1871–1945). Dreiser war amerikanischer Schriftsteller

deutscher Abstammung, dessen vielfältige Werke einem kritischen Realismus verpflichtet sind. In *An American Tragedy* (1925, dt. 1927) rekonstruiert er anhand zugänglicher Prozeßakten einen Mordfall zu parabolischer Bedeutung. Ein junger Mann ermordet seine schwangere Freundin/ Verlobte, da nur dadurch eine andere geliebte Frau erreichbar wird. Im Mittelpunkt stehen seine Reflexionen, die von Reue geprägt sind, über den Zustand des unschuldig/schuldig-Seins. Das Gericht verurteilt ihn zum Tode. Es gibt eine Bühnenfassung des Romans von Erwin Piscator, auf die Brecht auch im *Messingkauf* hinweist (GW VII, S. 629).

2953 *Gogergok*
Der Räuber Gogergok, hier als der »stärkste« tituliert, taucht in etwas veränderter Schreibweise als Gogher Gogh in *Turandot oder Der Kongreß der Weißwäscher* wieder auf.

Happy End

(Die Seitenangaben beziehen sich auf die Druckfassung in *Julia ohne Romeo* von Elisabeth Hauptmann)

74 *Der Bilbao-Song*
Später berühmt geworden durch Lotte Lenya. Im Stück wird das Lied von Bill Cracker gesungen, der seiner Bar den Namen des alten Ballhauses in Bilbao gegeben hat.

80 *Obacht, gebt Obacht*
Das Auftrittslied der Lilian Holiday ist bis auf geringfügige Änderungen identisch mit dem Kampflied der Schwarzen Strohhüte in der *Heiligen Johanna der Schlachthöfe.*

112 *Das Lied vom Branntweinhändler*
Kurzfassung von Brechts Gedicht »Vorbildliche Bekehrung eines Branntweinhändlers« aus der *Hauspostille* (GW IV, 198–200).

116 *Der Song von Mandelay*
Dieser Song wird in der Oper *Aufstieg und Fall der Stadt Mahagonny* in der 14. Szene »Lieben« zitiert. Siehe Anmerkung zu GW I, 534.

118 *und da dachte ich, ich sehe einmal nach Herrn Cracker*
Vergl. *Die heilige Johanna der Schlachthöfe,* wo Johanna zu Mauler sagt: »Und da dachte ich: ich geh einmal nach dem Herrn Mauler sehn.« (GW I, 727)

133 *Was ist ein Dietrich gegen eine Aktie*
Diese Schlußformel wurde von Brecht in die *Dreigroschenoper* übernommen, in deren frühen Fassungen sie nicht enthalten ist.

134 *um dem Armen einen Teller Suppe zu erobern ...*
Die Zeile »um de*n* Armen einen Teller Suppe zu erobern« ist das Bindeglied für die beiden Strophen des Chorals »Hosiannah Rockefeller«, der in der Druckfassung von *Happy End* fehlt, aber im Manuskript der Uraufführung enthalten war und auch von Weill komponiert wurde. Brecht verwendete den Choral im Schlußbild der *Heiligen Johanna der Schlachthöfe* (GW I, 783 f.), um eine weitere Strophe vermehrt, aber unter Auslassung der eigentlichen Lobpreisung Rockefellers und Fords. Die *Happy End*-Version lautet:
Reiche den Reichtum dem Reichen.
Hosiannah! Hosiannah!
Die Tugend desgleichen.
Hosiannah! Hosiannah!
Gib dem, der hat,
Hosiannah!
Gib ihm den Staat und die Stadt.
Hosiannah!
Gib du dem Sieger ein Zeichen.
Hosiannah! Hosiannah!
Hosiannah, Rockefeller,
Hosiannah, Henry Ford,
Hosiannah, Kohle, Stahl und Öl,
Hosiannah, Gottes Wort.
Um den Armen einen Teller Suppe zu erobern.
Hilf deiner Klasse, die dir hilft.
Hosiannah! Hosiannah!
Aus reichlichen Händen
Hosiannah! Hosiannah!
Zerstampfe den Haß.
Hosiannah!
Lach mit den Lachenden, laß
Hosiannah!
Seine Missetat glücklich enden.
Hosiannah! Hosiannah!
Hosiannah, Rockefeller,
Hosiannah, Henry Ford,
Hosiannah, Kohle, Stahl und Öl
Hosiannah, Gottes Wort.
Hosiannah, sex appeal,
Hosiannah, Sir und Lord,
Hosiannah, Glaube und Profit,
Hosiannah, Recht und Mord.

Die Maßnahme

GW I, S. 631–663

633 *die Lehren der Klassiker*
Gemeint sind hier die Klassiker des Marxismus-Leninismus: Marx, Engels, Lenin.

633 *Mukden*
Die Hauptstadt der Mandschurei. Heute die Industriestadt Shen-Yang in der chin. Provinz Liao-ning.

644 *daß er das Gefühl vom Verstand getrennt hatte*
Ursprünglich lautete hier der Text: »Der junge Genosse sah ein, daß er das Gefühl über den Verstand gestellt hatte.« Die kleine entscheidende Korrektur bezeugt die Reaktion Brechts auf seine Kritiker, die ihm die Trennung von Gefühl und Verstand zum Vorwurf machten, aber sagen wollten, er stelle den Verstand über das Gefühl.

644 *Klug ist nicht, der keine Fehler macht*
Das Lenin-Zitat stammt aus *Der ›linke Radikalismus‹, die Kinderkrankheit im Kommunismus:* »Klug ist nicht wer keine Fehler macht. Solche Menschen gibt es nicht und kann es nicht geben. Klug ist, wer keine allzu wesentlichen Fehler macht und es versteht, sie leicht und rasch zu korrigieren.« (Lenin, *Werke.* Band 31. Berlin 1959. S. 20)

651 *Ändere die Welt: sie braucht es*
Vergl. *Die heilige Johanna der Schlachthöfe,* GW I, S. 780: »Wirklich hilft, und nichts gelte als ehrenhaft mehr, als was/ Diese Welt endgültig ändert: sie braucht es.«

655 *dulden die Klassiker, daß das Elend wartet*
Im wesentlichen folgt Brecht den Ausführungen Lenins über revolutionäre Ungeduld. In *Der ›linke Radikalismus‹, die Kinderkrankheit im Kommunismus* heißt es: »Viel schwerer – und viel wertvoller – ist, daß man es versteht, ein Revolutionär zu sein, wenn die Bedingungen für einen direkten, offenen, wirklich von den Massen getragenen, wirklich revolutionären Kampf noch nicht vorhanden sind, daß man es versteht, die Interessen der Revolution (propagandistisch, agitatorisch, organisatorisch) in nichtrevolutionären, oft sogar direkt reaktionären Institutionen, in einer nichtrevolutionären Situation, unter einer Masse zu verfechten, die unfähig ist, die Notwendigkeit revolutionärer Methoden des Handelns sofort zu begreifen.« (Lenin, *Werke.* Band 31. Berlin 1959. S. 84)

661 *begründeten wir die Maßnahme*
Vergl. Lenin: »Wir sagen, daß unsere Sittlichkeit völlig den Interessen des proletarischen Klassenkampfes untergeordnet ist. . . . Redet man uns von Sittlichkeit, so sagen wir: Für den Kommunisten besteht die Sittlichkeit

ganz und gar in dieser festen, solidarischen Disziplin und in dem bewußten Kampf der Massen gegen die Ausbeuter.« (Lenin, Die Aufgaben der Jugendverbände. In: *Werke.* Band 31. Berlin 1959. S. 281 ff.)

Die heilige Johanna der Schlachthöfe

GW I, S. 665–786

666 *Johanna Dark.* Dark, die Dunkle, die in schwarz Gekleidete, beziehungsweise der Verweis auf Jeanne d'Arc.

671 *In finsterer Zeit blutiger Verwirrung*
Immer wieder von Brecht gebrauchte Wendung. Die Krisen, blutigen Unruhen, Kämpfe in den Städten zur Zeit der großen »Unordnung«. Vergl. das Gedicht »An die Nachgeborenen« (GW IV, S. 722): »Wirklich, ich lebe in finsteren Zeiten!«

673 *»Obacht, gib Obacht!«*
Dieses »Lied der Schwarzen Strohhüte« entstand bereits für *Happy End,* die frühere Fassung (»Obacht, gebt Obacht«) heißt »Der kleine Leutnant des lieben Gottes«. (Siehe *Happy End,* in: Elisabeth Hauptmann, *Julia ohne Romeo.* Berlin und Weimar 1977. S. 80 f.)

685 *Sie sind der Mauler!*
Vergl. Johannas Erscheinen vor dem Dauphin in Schillers *Jungfrau von Orleans.* Wie hier Slift auf dem Platz Maulers sitzt, hat dort Dunois den Platz des Dauphins eingenommen. Johanna tritt sofort auf den zu, den sie sucht.

689 *ein Mann namens Luckerniddle*
Die Geschichte dieses Manns stammt aus Upton Sinclairs Roman *Der Sumpf.*

697 *Und ein Schweigen ward über den Bergesgipfeln*
Vergl. Goethe, »Ein Gleiches« (In: *Sämtl. Gedichte.* Artemis-Gedenkausgabe. Band I. Zürich 1950. S. 69). Die zitierten und parodierten Gedichte, die hohe Form des klassischen Dramas und Verses werden mit plebejischem Inhalt gefüllt.

698 *Hättest du die Stirn*
Wärst du so unverfroren, würdest du es wagen. In Lessings Drama *Miss Sara Sampson* sagt Mellefont: »Müßte ich nicht eine eiserne Stirne haben, wenn ich es der unglücklichen Miss selbst vorschlagen sollte?« (*Werke,* II, S. 36)

706 *ihr Mühseligen und Beladenen*
Matth. 11,28: »Kommet her zu mir alle, die ihr mühselig und beladen seid, ich will euch erquicken.«

708 *dem Ochsen, der da drischet*
5. Mos. Kap. 25,4: »Du sollst dem Ochsen, der da drischt, nicht das Maul verbinden.«

710 *Der Grillenfang*
Ein Ausdruck, den Shaw im Vorwort zu *Major Barbara* verwendet hat, wo er von »bösen Reichen« spricht, die sich gegen die verdammte Bedürfnislosigkeit des Proletariats wenden und sich darüber aufregen, daß sich die Armen nicht empören: »›Hört auf Sklaven zu sein, um Grillenfänger zu werden‹, ist kein sehr begeisternder Aufruf zum Kampf, er wird auch nicht wesentlich verbessert, wenn man ›Heilige‹ für ›Grillenfänger‹ setzt. Beide Ausdrücke bezeichnen Menschen von Geist, der gemeine Mann will aber nicht das Leben eines Mannes von Geist führen: er möchte viel lieber das eines Schoßhundes führen, wenn das die einzige Alternative wäre. Aber er will jedenfalls mehr Geld.« (Shaw, *Vorreden zu den Stücken*. Zürich 1947. S. 269 f.)

713 *Atlas*
In der griech. Mythologie der Träger des Himmels, beziehungsweise der Himmelskugel, die er mit aller Anstrengung auf der Schulter emporhält.

716 *Sirius*
Der hellste Stern am Himmel, auch Hundsstern genannt.

717 *Die Austreibung der Händler aus dem Tempel*
Siehe Matth. 21, 12–13.

723 *Öl auf die Wogen gießen*
Die Leidenschaften besänftigen. Leitet sich von der Seemannssprache her.

723 *Gehherda*
Ein hergelaufener Dutzendmensch.

723 *von Pontius zu Pilatus*
Lukas 23, 6–12. Jesus, der von Pilatus zu Herodes (fälschlich Pontius) gesandt, von ihm verspottet und wieder zu Pilatus zurückgeschickt wird.

728 *»Adam, wo bist du?«*
1. Mos. Kap. 3,9: »Und Gott der Herr rief Adam und sprach zu ihm: Wo bist du?«

748 *Vor die Not nicht am höchsten ist*
Anspielung auf das Sprichwort »Wenn die Not am größten, ist Gottes Hilf' am nächsten.« Lipperheide 666

749 *Ich sehe dies System*
Als Gedicht unter dem Titel »Die Schaukel« veröffentlicht.

750 *der ist nicht von Pappe*
bzw. das ist nicht von Pappe, das heißt: das ist gut. Sprichwörtl. Redensart. Lipperheide 673.

764 *Johanna, gib mir meine vierzig Monatsmieten wieder!*
Paraphrase des Worts von Augustus bei der Nachricht von der verlorenen Schlacht im Teutoburger Wald: »Varus, gib mir meine Legionen wieder!«

767 *Setzte das Rindfleisch sich ins Bodenlose*
Grahams Schilderung ist gespickt mit Anspielungen auf Verse Schillers und Hölderlins. Hier klingt Schillers Ballade »Der Taucher« an: »Sonst wär er ins Bodenlose gefallen.« (*Sämtl. Werke.* Band I. München 1965. S. 368 ff.)

767 *Wie Wasser von Klippe zu Klippe geworfen*
Vergl. »Hyperions Schicksalslied«:
Doch uns ist gegeben,
Auf keiner Stätte zu ruhn,
Es schwinden, es fallen
Die leidenden Menschen
Blindlings von einer
Stunde zur andern,
Wie Wasser von Klippe
Zu Klippe geworfen,
Jahr lang ins Ungewisse hinab.
(Hölderlin, *Sämtl. Werke.* Band I. Stuttgart 1944. S. 260)

771 *Dies alles geschieht . . .*
Vergl. S. 671. Mauler greift die Rede Johannas auf und wird sie in seinem Sinn nutzen.

777 *Tod und Kanonisierung*
Viele parodistische Paraphrasierungen von Goethes *Faust,* und immer wieder umfunktionierte Schiller-Zitate. Zum Beispiel S. 780: »Soll der Bau sich hoch erheben/ Muß es unten und oben geben.« Vergl. Schillers »Das Lied von der Glocke«: »Soll das Werk den Meister loben,/ Doch der Segen kommt von oben.« (*Sämtl. Werke.* Band I. München 1965. S. 429)

782 *Den soll man mit dem Kopf aufs Pflaster schlagen*
Johanna fordert jetzt die Gewalt der Unterdrückten, die Mauler von jenen schon befürchtet hat (»die werden uns, wo sie uns fassen/ Auf die Pflaster schlagen«): vergl. S. 711. Es ist die verzweifelte Gewalt derer, die gegen jede Gewaltanwendung sind. Brecht dachte hier an die von Gorki berichtete Reaktion von Lenin auf das herrliche Spiel einer Beethoven-Sonate: »Doch kann ich die Musik nicht oft hören, sie greift die Nerven an, man möchte

liebevolle Dummheiten sagen und den Menschen die Köpfe streicheln, die in einer widerwärtigen Hölle leben und so etwas Schönes schaffen können. Aber heutzutage darf man niemandem den Kopf streicheln – die Hand wird einem abgebissen, man muß auf die Köpfe einschlagen, mitleidslos einschlagen, obwohl wir, unserem Ideal nach, gegen jede Gewaltanwendung gegenüber den Menschen sind. Hm, hm, ein teuflisch schweres Amt!« (Gorki, W. I. Lenin. In: *Literarische Portraits.* Berlin und Weimar 1966. S. 48)

785 *Gebt ihr die Fahne!*
Vergl. Schillers *Die Jungfrau von Orleans,* V, 14.

Die Ausnahme und die Regel

GW I, S. 791–822

793 *In solcher Zeit blutiger Verwirrung*
Vergl. *Die heilige Johanna der Schlachthöfe,* Johannas Auftrittsmonolog, GW I, 671 sowie Maulers »Bekehrung«, GW I, 771.

795 *Urga*
So hieß früher die Hauptstadt der nördlichen Mongolei. Die Stadt heißt heute Ulan-Bator.

802 *Der kranke Mann stirbt und der starke Mann ficht*
Diese Zeile stammt aus einer Kipling-Ballade, die als Motto dem 12. Kapitel seines Romans *Das Licht erlosch* vorangestellt ist. (Deutsch von Walter C. H. Osborne. Leipzig o. J. S. 200)

808 *Und der Gott der Dinge, wie sie sind*
Die Zeile stammt aus dem Kipling-Gedicht »When Earth's Last Picture is Painted«.

819 *Sie schießen in eine Menge Demonstranten*
Brecht hatte am 1. Mai 1929 in Berlin erlebt, wie die Polizei auf Arbeiter schoß, die sich zu einer verbotenen Demonstration versammelten.

Die Mutter

GW I, S. 823–895

825 *Twer*
Twer war Gebietshauptstadt westlich von Moskau und, da an der Wolga gelegen, wichtiger Flußhafen. 1930 in Kalinin umbenannt. Michail Kalinin war enger Mitarbeiter Lenins und Stalins und als Vorsitzender des Zentralkomitees seit 1919 nominelles Staatsoberhaupt (gest. 1946).

839 *Das Lied vom Flicken und vom Rock*

Das Lied ist angelehnt an das Gedicht Kurt Tucholskys »Bürgerliche Wohlanständigkeit« aus dem Jahre 1929. Die Musik schrieb Hanns Eisler. Seine Lieder, die Benjamin als die »Wiegenlieder des ... Kommunismus« bezeichnete, versuchen dem Inhalt kommentierend zu folgen. So spiegeln die Chor- und Solopassagen das Verhältnis des Einzelnen zum Kollektiv.

871 *Als Metzger bin ich gewohnt*

Vgl. dazu »Kälbermarsch« in *Schweyk im Zweiten Weltkrieg* (GW II, S. 1976).

886 *Duma-Abgeordneten*

Die Duma (urspr. Rat, Gedanke) war ein Rat der Fürsten. Von 1905 bis 1917 existierte die »Reichsduma«, die zuerst beratende, dann auch legislative Funktionen wahrnahm. Ihre Zusammensetzung war durch ein Wahlrecht bestimmt, das die besitzenden Klassen unbedroht ließ. Die vierte gewählte Duma bildete 1917 die sog. Provisorische Regierung.

894 *Im Winter 1916/17*

Die katastrophale Versorgungslage hatte die Widerstandsfähigkeit des Heeres und der Bevölkerung stark geschwächt. Aus den Unruhen heraus (und um diese abzufangen) gelangten bürgerlich-liberale Kräfte an die Macht; Zar Nikolaus II. mußte am 15. 3. 1917 abdanken. Die Entente-Macht und die USA unterstützten die provisorische Regierung, die jedoch auch unter Kerenski die erwünschte Fortsetzung des Krieges im Sinne der Alliierten nicht aufrechterhalten konnte. Verelendung und zunehmende Loslösung einzelner Gebiete beschleunigten die revolutionäre Entwicklung.

896 *Projektionen*

Schon früh hat Gorkis Roman für filmische Darstellungen Material bereitgestellt. So schon 1919 in der Regie von A. Razumnyj, bekannt wurde die Verfilmung von Wsewolod Pudovkin 1926.

898 *New Yorker Aufführung*

Der Versuch, *Die Mutter* 1935 durch die »Theatre Union« in New York aufführen zu lassen, mißglückte. Dem angestrebten Inszenierungsstil wurde der Regisseur Victor Wolfson in keiner Weise gerecht. Brecht und Eisler, die angereist waren, erhielten wegen ihrer Bemühungen, auf die Arbeit der Schauspieler Einfluß zu nehmen, zeitweise Probenverbot. Die Kritik verriß die Aufführung völlig. Die Argumente stimmten großenteils mit den ablehnenden Rezensionen der Berliner Aufführung überein: Primitivität, papierenes Parteitheater und Enthumanisierung der dramatischen Figuren wurde Brecht vorgeworfen.

Die Rundköpfe und die Spitzköpfe

GW II, S. 907–1040

908 *Missena*
In der 1. Fassung hieß der Staatsrat noch Fernando Eskahler, analog zur Figur des Escalus in Shakespeares *Maß für Maß*.

908 *Angelo Iberin*
Shakespeares Angelo, in der 1. Fassung Angelas, in Entwürfen zunächst Angeler genannt.

908 *Callas*
Die Callas-Handlung, mit deren Einführung Brecht den ursprünglichen Plan aufgab, *Maß für Maß* zu bearbeiten, ist durch Heinrich von Kleists Novelle *Michael Kohlhaas* angeregt. Der Name Callas erinnert deutlich an die Herkunft dieser Gestalt. Außerdem gab es im 18. Jahrhundert noch den berühmten Prozeß um einen protestantischen Bürger Jean Calas, der 1762 hingerichtet wurde, weil er angeblich eigenhändig seinen Sohn erhängt hatte, um ihn am Übertritt zur Katholischen Kirche zu hindern. Voltaire sprach von einem abscheulichen Justizverbrechen und führte einen dreijährigen Revisionsprozeß. Calas wurde rehabilitiert und seiner Familie eine Entschädigung gezahlt.

908 *Nanna*
In der 1. Fassung Judith Callas.

908 *Frau Cornamontis*
In *Maß für Maß* Frau Überley. In Entwürfen nennt Brecht diese Kupplerin dann Überle, später Frau Hornberger.

908 *Emanuele de Guzman*
In *Maß für Maß* Claudio, den Brecht dann Klausner, in der 1. Fassung Emanuele Calausa nennt.

908 *Isabella*
Der einzige immer unverändert gebliebene Name.

908 *Luma*
In der 1. Fassung spielt das Stück in der Stadt Lima und im Land Peru.

910 *Und überall wurde unser Stückeschreiber verhört*
Die Debatten über die »Judenfrage«, die zu Beginn des Exils immer wieder unter Emigranten geführt wurde. Fritz Kortner (*Aller Tage Abend*, München 1959, S. 476) schreibt: »Sie alle waren philosemitisch (die emigrierten nichtjüdischen Autoren wie Heinrich und Thomas Mann – K.V.). Nicht so Brecht! Er lehnte es ab, ein Philosemit zu sein. Er hielt das für eine herablassende, begönnernde Haltung. Ihn langweilte die Judenfrage maßlos. Es war ganz schwer, mit ihm darüber ins Gespräch zu kommen. Er hielt sie für kein Thema.«

910 *Jahoo*
Dieser Name ist Swifts Roman *Gullivers Reisen* entlehnt. Dort sind Yahoos ekelhafte Tiere in Menschengestalt, von denen die Bewohner des Landes, die Houyhnhnms (pferdeartige Wesen) nur mit Abscheu reden. Der Yahoo ist ein Geschöpf der Phantasie Swifts, aber für jede Eigenschaft, die erwähnt ist, gibt es eine erkennbare Entsprechung in der realen Menschenwelt. Die Yahoos, von Habgier zerfressen, hassen einander, jeder begehrt alles für sich allein, »Raub und Diebstahl« betreiben sie mit höchstem Geschick. Unschwer ist in diesen unverhüllten, schamlosen Kreaturen die Verkörperung des »nackten Interesses« und der »unverschämten Ausbeutung« kolonialer Länder auszumachen.

914 *Sichel*
Die Sichel, das Zeichen des Bauernaufstands. Die Sowjetunion, der erste Staat der Arbeiter und Bauern, wählte als Wahrzeichen Hammer und Sichel.

915 *Die Großen Fünf*
Die maßgeblichen Wirtschaftsführer und Monopolherren des Staates.

919 *Ein seelischer*
Hitler erklärte in seiner Antwort an Reichskanzler von Papen 1932: »Sie müßten und würden dann auch begreifen, daß die deutsche Not keine Verfassungsnot, sondern im tiefsten Sinne des Wortes eine seelische Not ist.«

922 *Ich schreib dir eine Vollmacht aus für ihn*
Herzog zu Escalus in *Maß für Maß:* »So nehmt die Vollmacht hin, die euch die Bahn bezeichne.«

922 *Sonst ist es Essig mit ihm*
Berliner Redensart: Damit ist's Essig, d. h. daraus wird nichts.

927 *Der kommt in den Schutzkamp*
Vom Beginn ihrer Herrschaft an richteten die Nazis Konzentrationslager ein.

930 *Hymne des erwachenden Jahoo*
Zu singen nach der Melodie von »Lobet den Herren, den mächtigen König der Erden!«. Vergl. den Hitler-Choral Nr. 2 in *Lieder Gedichte Chöre* (GW IV, S. 444).

931 *Meine Herren, mit siebzehn Jahren*
Vergl. »Nannas Lied« mit dem Lied der Jenny in *Mahagonny:* »Meine Herren, meine Mutter prägte« (GW I, S. 546).

936 *Das Lied von der Tünche*
Dieses Lied ist die Weiterführung des »Songs von der Tünche« aus Brechts Entwurf für einen Dreigroschenfilm *Die Beule* (siehe VERSUCHE, Heft 3, S. 248).

938 *Bauer steh auf!*
Das »Sichellied« ist die Bearbeitung des Bauernlieds aus der Oper *Der Bergsee* von Julius Bittner.

947 *wie der Pontius ins Credo*
Pontius Pilatus (26–36 n. Chr.), römischer Prokurator von Judäa, ist namentlich durch seine Beteiligung an der Kreuzigung Jesu Christi bekannt geworden. Den Evangelien nach wurde der Prokurator von den Juden gezwungen, Jesus zu verurteilen. Gegen seinen Willen und ohne sein Zutun wurde Pontius Pilatus eine Figur der Glaubensgeschichte und eine legendäre Persönlichkeit. Viele sogenannte »Pilatusakten« wurden erdichtet.

962 *Quatembertage*
Die Fasttage der Katholischen Kirche zur Heiligung der vier Jahreszeiten, je ein Mittwoch, Freitag und Sonnabend.

971 *was eine Harke ist*
Jemandem zeigen, was eine Harke ist. Eine sprichwörtliche Redensart: jemanden nachdrücklich zurechtweisen. Lipperheide, 373.

982 *Edel sei der Mensch*
Anspielung auf Goethes Gedicht »Das Göttliche«: »Edel sei der Mensch/ Hilfreich und gut!« (Goethe, *Sämtl. Gedichte.* Artemis-Gedenkausgabe. Zürich 1950. S. 324)

1005 *das nackte Leben muß gerettet sein*
Sein nacktes Leben gilt Herrn de Guzman als sein höchstes Gut. Ironischer Verweis Brechts auf die moralische Maxime Schillers »Das Leben ist der Güter höchstes nicht« aus der *Braut von Messina* (4. Akt, 10), die zum Kanon bürgerlicher Moralvorstellungen gehört.

1007 *Freilich dreht das Rad sich immer weiter*
Das bei Brecht immer wieder angesprochene Motiv vom »Rad der Fortuna«. Nanna drückt mit der »Ballade vom Wasserrad« die Hoffnungslosigkeit ihrer Lage aus. Auch wenn die Mächtigen kommen und gehen, ihren Aufstieg und ihren Fall erleben, es ändert nichts daran, daß das Rad der Geschichte von denen, die die Spesen zu tragen haben, bewegt wird. Für das Wasser ändert sich nichts. Erst 1951, beim Abdruck der Ballade als Eröffnungsgedicht (hier »Das Lied vom Wasserrad«) der Sammlung *Hundert Gedichte*, änderte Brecht den Refrain der letzten Strophe:

> Denn dann dreht das Rad sich nicht mehr weiter,
> Und das heitre Spiel, es unterbleibt,
> Wenn das Wasser endlich mit befreiter
> Stärke seine eigne Sach betreibt.

1013 *Geld macht sinnlich*
Nur scheinbar die Umkehrung der Devise von Witwe Begbick in *Mahagonny* (GW I, S. 534): »Geld allein macht nicht sinnlich.«

1025 *Aber ich habe noch nicht ja gesagt*
Callas verhält sich hier wie Galy Gay in *Mann ist Mann,* der noch möglichst viel herausholen will, ehe er einverstanden ist mit der Tilgung seines Namens und seiner Individualität (GW I, S. 342 ff.).

Die sieben Todsünden der Kleinbürger

GW III, S. 2857–2871

Die Vorgehensweise Brechts, die Sünden auf ihre Ergiebigkeit hin zu überprüfen, verweist auf das Werk Bernard de Mandevilles *The Fable of the Bees. Or Private Vices, Public Benefits.*
Mandeville zeigt am eher ironisch zitierten Beispiel der Bienenkultur die Produktivität der Untugend auf. Ihm gelingt ein Vorausblick auf die bürgerlich-liberale Marktwirtschaft. So ergänzen sich Geiz und Verschwendung. »Der Geiz fördert die notwendige Akkumulation von Kapital, während die Verschwendungssucht den Zirkulationsprozeß beschleunigt und somit die Verwertung des Kapitals erleichtert. Tugenden wie Mäßigung und Ehrlichkeit hemmen die ökonomische Entwicklung.« (Walter Euchner in der Einleitung zur Ausgabe der *Bienenfabel*, Frankfurt 1968, S. 42) Das Verbrechen fordert die Abwehranstrengungen; die Prostitution wiederum stützt die Ehre der tugendsamen Frauen etc. ...
Die Verwischung der Grenze zwischen kapitalistischem Profitstreben und Verbrechen war schon das zentrale Thema in der *Dreigroschenoper* und im *Dreigroschenroman.* In diesem Zusammenhang steht auch das Fragment *Dan Drew* aus den Jahren 1925 und 1926.

2859 *Tournee durch sieben Städte*
Zu dem Städtebild Brechts vgl. auch den Stückentwurf *Geschichte der Sintflut,* 1926.

2663 *Douglas Fairbanks*
Der berühmte amerikanische Schauspieler fungierte zeitweise als *die* Verkörperung des amerikanischen Männlichkeitsbildes, die den effeminierenden Tendenzen eines Rudolfo Valentino entgegengesetzt war.

Die Horatier und die Kuriatier

GW II, S. 1041–1069

1041 *Horatier*
Die Horatier waren ein altes römisches Patriziergeschlecht. In der römischen Sagengeschichte ist die Rede von drei Horatiern, die unter König Tullus Hostilius zur Entscheidung des Kampfes zwischen Rom und Alba-

longa den drei albanischen Kuriatiern, die ebenso wie sie Drillingsbrüder waren, entgegengestellt worden seien. Zwei der Horatier waren gefallen, der Überlebende aber gewann den Kampf, indem er klug die verwundeten Kuriatier voneinander trennte und einzeln überwand. Als der siegreiche Horatier zurückkehrte, empfing ihn seine Schwester, die mit einem der Kuriatier verlobt war, mit Wehklagen; im Zorn stieß sie der Bruder nieder. Die Richter verurteilten ihn zum Tode, das Volk, an das er appellierte, sprach ihn aber frei.
Über die kriegerische Taktik des Horatiers schrieb Brecht die kleine Me-ti-Geschichte »Die Mittel wechseln«, in der er den Sieger einen Dialektiker nennt. (GW V, S. 471)

1044 *Kohorte*
Ein kleinerer, etwa 600 Mann starker militärischer Truppenteil. Zehn Kohorten bildeten eine römische Legion.

Das wirkliche Leben des Jakob Gehherda

GW III, S. 2964–2984

2964 *Gehherda*
Ein Gehherda (Brecht schreibt meistens Geherda) ist einer, der daher geht, ein hergelaufender Dutzendmensch.

2964 *Alster, Themse, Hudson*
Die Ortsangabe schwankt in den einzelnen Entwürfen. Die weiteren, im Nachlaß vorhandenen Entwürfe deuten eher auf Amerika als Ort der Handlung (z. B. »Einsetzen von Militär und Nebel über dem Hudson«).

2964 *Zu den zwei Rittern*
In den späteren, in GW nicht gedruckten Szenen heißt der Gasthof »Zum Schwarzen Ritter«.

2965 *Sie Dreckhaufen*
Vergl. *Die Dreigroschenoper*, wo sich Lucy und Polly gegenseitig als »Dreckhaufen« angiften. (GW I, 451)

2969 *Aus ihrem Herzen eine Mördergrube machen*
Diejenigen, die nicht offenherzig sind. Vergl. Matth. 21,13: Es steht geschrieben: »Mein Haus soll ein Bethaus heißen«, ihr aber habt eine Mördergrube daraus gemacht.

2974 *wenn die Not am größten*
Das Sprichwort heißt: Wenn die Not am größten, ist Gottes Hilf' am nächsten. Lipperheide, 666.

2974 *bevor der Hahn dieses Gasthofs schreit*
Anspielung auf Jesus Worte gegenüber Petrus: »Wahrlich, ich sage dir: In dieser Nacht, ehe der Hahn kräht, wirst du mich dreimal verleugnen.« Matth. 26,34.

2978 *Einzug Lindberghs*
Gemeint ist die triumphale Landung des Fliegers Charles Lindbergh nach seinem ersten Ozeanflug im Mai 1927 von New York nach Paris auf dem Flughafen Le Bourget. Über hunderttausend Menschen umsäumten das Flugfeld.

2978 *Hans Albers*
1892–1960. Beliebter Bühnen- und Filmdarsteller, wurde allgemein »der blonde Hans« genannt. Brecht schätzte die Volkstümlichkeit dieses für ihn sehr deutschen Schauspielers hoch ein und versuchte ihn, den er 1948 als Mackie Messer gesehen hatte, für ein Eulenspiegel-Stück zu interessieren.

Furcht und Elend des Dritten Reiches

GW II, S. 1073–1186

1087 *Geschichte vom Doktor Ley*
Robert Ley (1890–1945) war seit 1934 sog. »Reichsorganisationsleiter«. Unter seiner Regie wurden 1933 die Gewerkschaften aufgelöst und in die ständische Zwangsorganisation »Deutsche Arbeitsfront« überführt. Eine weitere Gründung war die Organisation »Kraft durch Freude« (KdF), die sich der organisierten Freizeitbetätigung der Volksgenossen widmete. Ley wählte vor dem Urteilsspruch im Nürnberger Prozeß den Freitod.
Vgl. dazu auch »Das Lied von der Stange«, GadN, 359.

1097 *die erste Strophe des Moorsoldatenliedes*
Eigentlich »Börgermoorlied«. Text und Inhalt des Liedes gehen zurück auf Wolfgang Langhoffs Tatsachenbericht *Die Moorsoldaten* (Zürich 1935). Der Schauspieler und Regisseur Langhoff war nach dem Reichstagsbrand verhaftet und in eines der vielen neuentstandenen »Umerziehungslager« deportiert worden. Seine Darstellung beschreibt den Alltag in Börgermoor im Emsland und die Versuche der Lagerinsassen, den Alternativen endlose Schutzhaft oder gelungene Umerziehung zum Volksgenossen durch die Organisation einer geheimen Lagerleitung ein Behauptungspotential entgegenzusetzen. Den Text zu dem Lied »Die Moorsoldaten« haben W. Langhoff und Johann Esser, die Musik Rudi Goguel verfaßt.

1101 *Konzentrationslager Oranienburg*
Eine nur wenige Kilometer nördlich von Berlin gelegene ehemalige Haftanstalt. Hier wurde u. a. Erich Mühsam ermordet. Nordöstlich von Oranienburg wurde das Frauenkonzentrationslager Sachsenhausen eingerichtet.

1151 *Systemzeit*
Eine vonseiten der politischen Rechten häufig benutzte diffamierende Bezeichnung für die Zeit des Parlamentarismus, mithin etwa von 1920–1932.

1152 *Kein Rad steht mehr still*
Umdrehung der bekannten Losung aus der Arbeiterbewegung: Alle Räder stehen still, wenn dein starker Arm das will.

1157 *im Völkischen ... Mottenpost*
Völkischer Beobachter war der Name des Zentralorgans der NSDAP von 1920–1945; als Herausgeber wurde A. Hitler genannt; der sog. »Hauptschriftleiter« war seit 1922 Alfred Rosenberg.
Mottenpost ist eine der volkstümlichen Verballhornungen des auch heute noch existenten Blattes *Berliner Morgenpost.*

Die Gewehre der Frau Carrar

GW II, S. 1195–1228

1196 *unter Benutzung einer Idee von J. M. Synge*
John Millington Synge (1871–1909) schrieb 1902/03 die Tragödie in einem Akt »Riders to the Sea«. Das Drama gestaltete anhand zweier archetypischer Gestalten die menschliche Machtlosigkeit vor den Elementen der Natur. Maurya, eine Art Ur-Mutter, verliert sechs ihrer sieben Söhne an das Meer, die symbolhafte Gewalt des Todes. Der letzte, Bartley, reitet trotz einer warnenden Vision der Mutter zum Pferdemarkt und wird durch eine rote Stute von den Klippen gestoßen. In Synges eher naturalistischer Milieuzeichnung (der Aran-Inseln) schließen sich Maurya und ihre verbliebenen Töchter von der Außenwelt ab, um nur mehr dem Totenritus sich zu widmen.
Aus dem Meer als schicksalhafte und übermächtige Macht wird bei Brecht das Element, aus dem der Lebensunterhalt zu ziehen ist. Die aktuelle Anregung für Brecht könnten dänische Zeitungsmeldungen gewesen sein, in denen im November 1936 von einem Sturm vor Esberg, der zahlreiche Opfer forderte, berichtet wird, u. a. auch von einer Frau, die in kurzer Zeit ihren Mann, ihre beiden Brüder und ihren Sohn verliert.

1199 *Queipo de Llano*
d. i. Gonzalo Queipo de Llano y Serra, ein zunächst als republikanisch bekannter General, der im April 1936 zu den Verschwörern stieß. Im weiteren Verlauf des Krieges avancierte er zum Sprachrohr des Francismus.

1201 *in Oviedo war der Aufstand*
Die Datierung ist unklar; im Sommer 1936 war das asturische Bergbaugebiet ein heftig umkämpfter und kurzzeitig behaupteter Stützpunkt der Republik.

Andererseits war Oviedo im Oktober 1934 (mithin drei Jahre vor der Datierung) Zentrum eines militanten Generalstreiks, der unter der Führung der anarchistischen Föderation (FAI) und des anarchosyndikalistischen Gewerkschaftsverbandes (CNT) stand. Die asturischen Arbeiter galten als Avantgarde des Partisanenkampfes (dinamiteros).

1205 *Vor Madrid kommen sie nicht durch*
Das berühmte »No pasarán«, von der kommunistischen Rednerin Dolores Ibárruri Gómez (La Pasionaria) in vielen Ansprachen verwendet, wurde zu dem Kampfruf des republikanischen Widerstandes.

1206 *Das sind die internationalen Brigaden*
Aus internationalen Freiwilligen wurden zu Beginn des Krieges Armeekontingente gebildet, die z. T. eine erhebliche Bedeutung im Kampfverlauf annahmen, insgesamt aber in der Literatur überschätzt werden; die Brigaden erreichten kaum jemals ihre Sollstärke und umfaßten zu ihren besten Zeiten (Frühjahr 1937) ca. 30 000 Menschen. Allein das faschistische Italien aber entsandte etwa 70 000 Soldaten, das nazistische Deutschland im Umkreis der »Legion Condor« ca. 10 000 »Spezialisten und Berater«.

1206 *Die Thälmann-Kolonne*
Musik von Paul Dessau; Text von Gudrun Kabisch.

1206 *Los cuatros generales*
Das *Lied von den vier Generälen* rühmte »Mütterchen Madrid«, das den faschistischen Generälen mit ihren vier Angriffskolonnen Widerstand leistete; es entstand in Anlehnung an ein altes spanisches Spottlied auf vier Maultiertreiber, die Madrid nicht erreichen konnten. Den deutschen Text verfaßte Ernst Busch.

1213 *daß Gott die Lebensmittelschiffe gestern nacht wieder umkehren ließ*
Der seit Herbst 1936 sporadisch Entscheidungen treffende Londoner Nichteinmischungsausschuß hatte die Inspektion der internationalen Gewässer durch die einzelnen, vertretenen Staaten beschlossen. Die Einteilung der Küste in Sektoren führte realiter dazu, daß Italien und Deutschland ihre Lieferungen überwachen konnten. Eine konsequente Kontrolle fand zu keinem Zeitpunkt statt.
Brecht selbst plante beispielsweise auch eine Arbeit, die die Geschichte des englischen Kapitäns zum Thema haben sollte, der trotz der Blockade seine Lebensmittelsendung für die Hungernden an das spanische Festland brachte. Gegenüber Piscator erwähnte er die Geschichte als tollen Filmstoff: *Kartoffel-Jones*. (BR, S. 322 f.)

1225 *Dabei vergißt sie das Hinken*
Die Stelle wird als eine der wenigen episch angelegten verstanden, die den Trick in seiner Hilflosigkeit vorführt. Laut der Modellmappe Ruth Berlaus

für die dänische Uraufführung ist hiermit der Umschlag markiert, da nach dem Appellcharakter der Mutterposition und der Rolle als schwache Frau jetzt nur noch das Schweigen dem abrupten Zusammenbruch vorausgeht.

Brecht genügten diese »kleinen« epischen Momente wohl grundsätzlich nicht; so empfahl er, die fehlende Kommentarebene durch die Einblendung von Dokumentarfilmsequenzen nachträglich zu schaffen. Dieses Material sollte die Konkretisierung des Widerstandes erbringen.

Leben des Galilei

GW II, S. 1229–1345

1231 *kopernikanisch*
Der Astronom Nikolaus Kopernikus (1473–1543) war Begründer des heliozentrischen Weltbildes. Seine Hauptschrift *De revolutionibus orbium coelestium libri VI* erschien 1543. Erst 1616 wurde es im Zuge des Edikts gegen Galilei indiziert (erst 1835 gestrichen). Brecht verwendet im Folgenden auch die onomatopoetische Bildung »Kippernikus«, eine Anspielung auf das »Kippen«, das revolutionäre Umdrehen der Vorstellungen.

1232 *ein Astrolab*
Astrolabium. Ein altes Instrument, bestehend aus Ringen, die wie die größten astronomischen Koordinatensysteme zueinander in Relation gesetzt werden können.

1232 *daß er ihm den Rücken abreibe*
Ein erster der vielen Verweise auf die Sinnlichkeit des Galilei, zu dessen Produktivität Behaglichkeit gehört, ein wesentlicher Topos für die Brechtsche Produktionshaltung schlechthin.

1235 *Du siehst!*
Neben der Sinnlichkeit ist das Motiv des Sehens, des kopernikanischen Sehens durchgängig. Es kennzeichnet den Prozeß des Sehens, der Erkenntnis, dessen Ergebnis stets durch neues Sehen überprüft, erweitert, revidiert wird. Analog dazu verhält sich das Experiment. Das Schauspiel zeigt die Hypothese und den Prozeß des Beweises, das Zeigen wird gezeigt etc.

1238 *Skudo*
Frühere italienische Silbermünze. (Escudo: portugiesische und lateinamerikanische Goldmünze.)

1241 *Inquisition*
(lat. Untersuchung) Ein 1231 von Gregor IX. berufenes Gericht, das ab diesem Zeitpunkt als päpstliche Einrichtung mit der Unterdrückung aller als

häretisch bezeichneten Strömungen betraut war. Das Personal rekrutierte sich zumeist aus den Orden der Franziskaner und Dominikaner.

1241 *Giordano Bruno*

Bruno (1548–1600) führte das kopernikanische System fort in der Idee eines unendlichen, von der göttlichen Weltseele durchdrungenen Universums.

1244 *dem Ochsen, der da drischt*

Siehe Anm. zu S. 708 *Die heilige Johanna der Schlachthöfe*.

1246 *Signoria*

Im spätmittelalterlichen Italien die Herrschaft eines Einzelnen oder eines Geschlechtes über ein Stadtgebiet. Die »Signoria« war eine Verfestigung eines ursprünglich zeitlich begrenzten Amtes. Hier ist mit diesem Titel der Rat Venedigs bezeichnet, dessen Vorsitzender der Doge (seit 697) war.

1262 *Cosmo*

Der historisch bedeutungslose Enkel Cosimos I. (1537–1579), der das Territorialfürstentum der Medici endgültig durchgesetzt hatte.

1265 *Miasmen*

Auch Pesthauch, gr.: Befleckung, angeblich Epidemien auslösende Ausdünstung.

1276 *Ursulinerinnen*

Die hl. Angela Merici (1474–1540) gründete diesen, nach der hl. Ursula (5. Jh.) benannten Orden, der sich vornehmlich der Betreuung der weiblichen Jugend widmete.

1278 *Schusser*

Volkstümlicher Ausdruck für »Spielkügelchen«.

1279 *Tycho Brahe*

Mathematiker (1546–1601), der in systematischer Himmelsbeobachtung das Entstehen neuer Sterne, wie etwa in der Kassiopeia, festhielt. Seine methodische Genauigkeit verwandte Kepler bei seiner Berechnung der Planetengesetze.

1280 *Sonne, steh still*

Zitat Josua 10.12.

1281 *Es gibt auch nicht Mensch und Tier*

Eine Vorandeutung auf die biologische Evolutionslehre und ihre Hauptvertreter Lamarck und Darwin.

1283 *Bellarmin*

Robert B. (1542–1621), Angehöriger der Jesuitenvereinigung und bedeutender Verteidiger des Papsttums zur Zeit der Gegenreformation. Er war 1592

Rektor des Collegium Romanum in Rom und maßgeblich an der Hinrichtung Giordano Brunos beteiligt.

1284 *Thais*
Athenische Begleiterin Alexanders des Großen. Der Überlieferung zufolge veranlaßte sie ihn dazu, Persepolis niederzubrennen, um den Brand der Akropolis (480) zu rächen.

1284 *das alte Schach*
Der historischen Selbstbestimmung gemäß hatte ursprünglich der König größere Schlagkräftigkeit als die anderen Figuren.

1285 *Barberini*
Römisches Adelsgeschlecht, das mit Papst Urban VIII. ein Familienmitglied auf den Stuhl Petri brachte, der es in der Folge in den Fürstenstand erhob.

1286 *Die Schrift ...*
Der folgende Dialog schöpft wesentlich aus den Sprüchen Salomons. Vgl. Galilei: Spr. Salomonis: 11,26; 14,4; 17,22; die freien Zitate des Geistlichen paraphrasieren 12,23; 21,22; 25,22.

1301 *Fabrizius*
Johann F. (1587–1615), Astronom und Theologe, der nahezu zeitgleich mit Galilei die Existenz der Sonnenflecken entdeckte.

1311 *Ich sage: laßt alle Hoffnung fahren*
Lasciate ogni speranza, voi ch'entrate ... Galilei zitiert den letzten Vers der Inschrift über der Höllenpforte aus dem Dritten Gesang der »Göttlichen Komödie« von Dante: »... laßt, die ihr eingeht, alle Hoffnung fahren.«

1316 *Blache*
auch Plache – Ausdruck für Wagenplane, grobe Leinwand.

1325 *Englischen Gruß*
Beginn des Ave Maria: Gegrüßet seist du Maria etc.

1333 *Paulus an die Epheser*
Brecht polemisierte gegen die Lesart des Christentums, die sich auf die Apostel stützt, deren Funktion er besonders in der Verfälschung sah. Bei Proben bezeichnete er 1956 die *Epheser-Briefe* als »Schwachsinn« und »Schundroman«.

1335 *unnachahmbaren Imitatio*
De Imitatio Christi, von der Nachfolge Christi, war ein berühmtes Werk der devotio moderna, als dessen Verfasser Thomas von Kempen (a. Niederrhein) angesehen wird.

1336 *pochend auf sein Pfund Fleisch*
Anspielung auf Shakespeares *Kaufmann von Venedig*, worin ein Schuldner dem Kaufmann Shylock ein Pfund seines Fleisches als Pfand andient.

1337 *Wenn dich dein Auge ärgert ...*
Sprichwort gegen Versuchungen und andere Übertretungen. Vgl. Matth. 5,29; Mark. 9,7.

1339 *Die große Babylonische*
Die »große babylonische Hure« war die durch christliche Rezeption profanierte babylonische Fruchtbarkeitsgöttin, auch Astarte oder Istar. Sie wurde auch im alten Palästina verehrt. 1. Buch der Könige 11.5., 2. Buch der Könige 23.13.

1340 *das kalte Auge der Wissenschaft*
Vgl. oben 1235. Die Macht hat das Sehen okkupiert und erstarren lassen.

1341 *hippokratischer Eid*
Der Arzt Hippokrates (ca. 460–377). Sein Name steht heute im Sinne des hippokratischen Eides für das menschlich-wissenschaftliche Ethos, das wissenschaftliches Denken mit Erfahrung, Beobachtungsgabe und Kritik vereinigen soll.

Mutter Courage und ihre Kinder

GW II, S. 1347–1438

1351 *Sonst ist sie für die Katz*
Die Redensart »Das ist für die Katz« bedeutet: das hat keinen Wert, geht zurück auf eine gereimte Fabeldichtung im *Esopus* des Burkart Waldis aus dem Jahre 1548.

1352 *umgestanden*
Heißt im Zusammenhang mit Tieren oder Pflanzen »eingegangen« oder »verendet«, im Zusammenhang mit Flüssigkeiten »verdorben«.

1352 *auf den Arm nehmen*
Jemanden nicht ganz für voll nehmen, für dumm verkaufen. Der Betreffende wird als kleines Kind behandelt, das man auf den Arm nimmt. Etwa seit der Mitte des 19. Jahrhunderts gebräuchlich.

1355 *Butzen*
Ist das Gehäuse bei Kernobst.

1356 *Augenauswischen*
Jemanden hinters Licht führen, beziehungsweise ihn durch einen Bluff täu-

schen. Geht zurück auf die alte kriegerische Sitte, dem Gegner ein Auge auszuwischen.

1356 *ins Bockshorn jagen*
Jemanden einschüchtern. Geht zurück auf die volkstümliche Rügepraxis: wer sich gegen die Volkssitte vergangen hatte, wurde vor ein nächtliches Rügegericht geladen und in ein Bocksfell gezwängt.

1361 *daß die Schwarten krachen*
Hauen, daß die Schwarte knackt oder kracht. Gemeint ist ein so starkes Schlagen, daß die Haut platzt (bzw. durch Hunger und Durst trocknet die Haut aus und platzt).

1363 *Falerner*
Ein berühmter altrömischer Wein, der im Falernischen Felde in Campanien wuchs. Auch heute gibt es noch einen Vino Falerno.

1364 *Not kennt kein Gebot*
»Der Notwendigkeit muß man gehorchen«, heißt die entsprechende Redensart bei Cicero in *De officiis* (II, 21,74). Ferner gibt es das Sprichwort »Not hat weder Gesetze, Glauben, noch König.« (Lipperheide 666) sowie »Not hat keinen Herrn noch Kaiser« aus Christoph Lehmann, *Politischer Blumengarten*, 1662 (Lipperheide 665).

1364 *Pharisäer*
Ein selbstgerechter Mensch. Siehe das Gleichnis vom Pharisäer und Zöllner, Luk. 18. Kap., 10–14.

1364 *Was du dem geringsten von meinen Brüdern*
Matth. 25,40: »Und der König wird antworten und sagen zu ihnen: Wahrlich ich sage euch: Was ihr getan habt einem unter diesen meinen geringsten Brüdern, das habt ihr mir getan.«

1366 *In einem guten Land brauchts keine Tugenden*
Vergl. *Leben des Galilei*, GW II, S. 1329: »Unglücklich das Land, das Helden nötig hat.«

1366 *Das Lied vom Weib und dem Soldaten*
Identisch mit der »Ballade vom Weib und dem Soldaten«, die zur *Hauspostille* gehört (GW IV, S. 239).

1370 *Pfeif nicht aus dem Maul genommen*
Vergl. den Pfeifenpieter mit dem Johnny im »Lied vom Surabaya-Johnny« (GW IV, S. 325). Pfeifenpieter hieß auch Pfeif- und Trommel-Henny, und an Stelle des »Lieds vom Fraternisieren« hatte Brecht zunächst »Das Lied vom Pfeif- und Trommel-Henny« vorgesehen, eine Bearbeitung des von Kurt Weill vertonten Songs vom Surabaya-Johnny (gedruckt in: GadN, S. 355).

1371 *Lied vom Fraternisieren*
Auch »Lied der Yvette« und »Lied der Soldatenhure« genannt.

1374 *ist mitn Essen der Appetit gekommen*
Der Appetit kommt beim Essen. Französische Redensart, findet sich im »Gargantua« des François Rabelais: »L'appétit vient en mangeant«.

1376 *diese Babylonische*
Die babylonische Hure. Siehe Offenbarung, Kap. 17: »Und an ihrer Stirn geschrieben einen Namen, ein Geheimnis: Die große Babylon, die Mutter der Hurerei und aller Greuel auf Erden.«

1378 *Wes das Herz voll ist*
Wes das Herz voll ist, des läuft das Maul über, beziehungsweise: des geht der Mund über. Siehe Matth. 12,34/ Luk. 6,45.

1380 *Dalarne*
Die Landschaft Dalekarlien in Mittelschweden, rauh und gebirgig.

1384 *Horenlied*
Bearbeitung des von Michael Weiße verdeutschten mittelalterlichen Stundenlieds »Christus, der uns selig macht«. Weiße gab das erste Liederbuch der böhmischen Brüdergemeinde heraus.

1395 *Der Mensch denkt: Gott lenkt*
Das lat. Sprichwort »Homo proponit, sed Deus disponit.« (Der Mensch denkt, Gott lenkt.) In der Vulgata heißt es: »Cor hominis disponit viam suam, sed Domini est dirigere gressus eius.« Luther: Des Menschen Herz erdenket sich seinen Weg, aber der Herr allein lenkt seinen Schritt (Sprüche 16,9).

1395 *Jeder ist seines Glückes Schmied*
Ausspruch des römischen Konsuls Appius Claudius, zitiert bei Sallust in *De re publica ordinata.*

1395 *Eine Hand wäscht die andere*
Ausspruch des Seneca: »manus manum lavat«.

1395 *Mit dem Kopf durch die Wand*
Mit Gewalt erreichen, was unmöglich ist. (Lipperheide 466)

1395 *Wo ein Wille ist, ist ein Weg*
»Wenn der Wille da ist, sind die Füße leicht«, heißt ein entsprechendes englisches Sprichwort: »When the will's ready, the feet are light« (Lipperheide 1019)

1395 *Wir werden den Laden schon schmeißen*
Die Sache geschickt, beziehungsweise gut abwickeln, die Sache bewerkstelligen. »Schmeißen« bedeutet hier soviel wie »siegen«, »Herr sein«, beruhend auf der Vorstellung, daß der Sieger seinen Gegner zu Boden wirft.

1395 *Man muß sich nach der Decke strecken*
Den Verhältnissen entsprechend bescheiden leben, sich nach den Verhältnissen richten. Hergenommen von der Bettdecke: der Liegende muß sich ihrer Länge anpassen, wenn er nicht frieren will.

1402 *Ein Schnaps, Wirt, schnell, sei g'scheit!*
Das Lied, das der Soldat singt, heißt »Reiterlied«.

1412 *Schmalger*
Einer, der schlecht daherredet, einer, der schmäht.

1415 *ins Aschgraue*
Ins Unvorstellbare. »Aschgrau« ist die graue, unerreichbare Ferne, da, wo Himmel und Erde sich im Grau verlieren.

1418 *Gottes Mühlen mahlen langsam*
Der Spruch geht auf das Sinngedicht des Friedrich von Logau (1604–1655) zurück: »Gottes Mühlen mahlen langsam, mahlen aber trefflich klein.« Logau variierte nur den Sextus Empiricus, bei dem es heißt: »Spät mahlen die Mühlen der Götter, sie mahlen aber fein.«

1421 *Wos raucht, ist Feuer*
David Kalisch parodierte Seumes »Wo man singet, laß dich ruhig nieder« und schrieb »Wo man raucht, da kannst du ruhig harren.«

1425 *das Lied von Salomon*
Vergl. den »Salomo-Song« in der *Dreigroschenoper*, GW I, S. 467.

1429 *Uns hat eine Ros ergetzet*
Das Lied, das im Haus gesungen wird, hat den Titel »Lied von der Bleibe«.

Das Verhör des Lukullus

GW II, S. 1445–1478

1445 *Hörspiel*
Brecht nannte das Hörspiel zuerst »Radiostück«, eine Benennung, die der Exilsituation wohl gerecht wird, in der kein anderes Medium mehr verfügbar war, um der Literatur als Transportmittel zu dienen. Die früheren Überlegungen Brechts, so etwa diejenigen, die vorsahen, den Rundfunk von einem Distributionsmedium in ein Kommunikationsmedium (in Zusammenhang mit den Lehrstücken) zu überführen, können auf *Das Verhör des Lukullus* nicht angewendet werden.

1447 *sein Leibroß*
Fast ein Jahrhundert später ließ Catilina sein Lieblingspferd mit der Würde eines Senatorenamtes ehren.

1458 *vor dem höchsten Gericht des Schattenreiches*
Den Gedanken einer letztendlichen Sühne verfolgt etwa Plutarch im Abschnitt 41 seiner *Ethischen Schriften*: Über die späte Bestrafung durch die Gottheit. Er führt aus, daß die Gottheit durch die Gewährung einer langen Zeit dem Übeltäter die Gelegenheit geben wolle, durch nützliche Taten den drohenden Konsequenzen zu begegnen. Auch stehe es einem Gott so wenig wie einem Menschen zu, im Affekt zu strafen.

1461 *Denn die nichts zurückhält*
In der mangelnden Todesfurcht der Sklaven ist die utopische Aufhebung ihrer Not durch die eigene Kraft angedeutet. Lukrez sieht in der Todesfurcht einen anachronistischen Teil jener »religio« verborgen, die den Menschen eben in Unfreiheit halte, da sie den Blick auf die rein materielle Gesetzmäßigkeit der Natur verstelle. In der Erzählung *Die Trophäen des Lukullus* führt Brecht diesen Gedanken weiter, indem er Todesfurcht als das Produkt einer Gesellschaft definiert, in der das Leben nur als Kampf vorhanden ist, da ansonsten die eigene Existenzsicherung nicht gewährleistet werden kann.

1467 *der Gott war willkommen*
Die altindische Gottheit Mitra galt als Spender von Fruchtbarkeit, Frieden und Sieg. Dem Lichtgott, der als Töter des Urstieres verehrt wurde, waren Opfer in Höhlen und Grotten zugedacht. Nach dem Sieg über Mithridates verbreitete sich der Kult im gesamten römischen Reich.

1479 *Anmerkungen zur Oper*
Dessau war es auch, der Mitte der vierziger Jahre Kontakte zu Igor Strawinski knüpfte, um diesem das Hörspiel zur Vertonung anzubieten. Strawinski lehnte unter Hinweis auf seine laufende Arbeit an *The Rake's Progress* ab.

Der gute Mensch von Sezuan

GW II, S. 1487–1607

1490 *diese drei*
Die drei Götter »sind wohlgenährt, weisen keine Zeichen irgendeiner Beschäftigung auf und haben Staub an den Schuhen, kommen also von weit her«. 1926 werden Brecht, Arnolt Bronnen und Alfred Döblin zu einer Lesung nach Dresden eingeladen, bei der sie keine angemessene Aufnahme finden. In dem Gedicht »Matinee in Dresden« werden diese drei Götter nur mit Mühe davon abgehalten, sich in den Fluß »Alibi« zu stürzen und damit die Stadt durch eine Überschwemmung zu bedrohen. (GW IV, 158 f.)

1507 *Das Lied vom Rauch*
Brecht verwendet ein Selbstzitat aus »Der Gesang aus der Opiumhöhle«

von 1920 (GW IV, 90 f.). Der schwarze Rauch, »der in (immer) kältre Himmel geht«, verweist auf ein Nietzschegedicht, in dem der Rauch »stets nach kältern Himmeln sucht«. Zur Nihilismusmetaphorik kommt die gesellschaftliche Funktion des Tabaks: die Existenz (qua Arbeit) zu ermöglichen und sie in der Fabrik als eine menschenwürdige wieder zu vernichten.

1512 *Der Gouverneur, befragt, was nötig wäre ...*
Brecht schrieb den Vierzeiler 1938 nach einer englischen Übersetzung, die nach Tatlow auf ein Gedicht von Po-Chü-Yi (772–846) zurückgeht. Siehe auch »Die große Decke« (GW IV, 618).

1526 *Das Lied des Wasserverkäufers im Regen*
Das Lied faßt ein ökonomisches Paradox als Parabel. Der Segen der Natur, mithin das übergroße Angebot, bedeutet die Verelendung. Shen Te bricht das Gesetz. Sie kauft im Regen Wasser, verweist auf die archaische Ökonomie der Verschwendung, die dem Souverän vorbehalten war. Als Liebende ist sie in analoger Form dem Gesetz enthoben. Sie kauft nicht, sie verschenkt.
Paul Dessaus Vertonung 1947/48 versucht dem parabolischen Charakter musikalisch gerecht zu werden. Die Melodie dieses Liedes hat nahezu »leitmotivischen« Charakter, sie begleitet Shen Tes Pantomime (S. 1568) und das letzte Gespräch zwischen Shui Ta und Sun, mithin die Ergebnislosigkeit der Liebe Shen Tes. Das »Leitmotiv« begleitet nicht, sondern vertritt und konterkariert den Text.

1528 *Ein Flieger ist kühner als andere Menschen*
In dem Hörspiel *Der Ozeanflug* von 1928 feiert Brecht Charles Lindbergh und dessen Maschine. Technik ist der Ausdruck kollektiver Leistung, die wissenschaftliche Wirklichkeit wird und damit jede Form von Mystifizierung zurückweist.

1534 *Die beiden Alten*
Außer Shen Te sind sie die »guten Menschen«; auch sie werden ruiniert. In Ovids *Metamorphosen* (8. Buch) bitten Jupiter und Merkur um eine Lagerstatt auf der Erde und finden sie nur bei Philemon und Baucis. Sie bestrafen die Erdbewohner mit einer Überschwemmung, die nur die beiden Alten und ihre ideale, zeitlose Liebe verschont.

1547 *Warum darf sie nicht vierhundert speisen*
Jeden Morgen verteilt Shen Te Reis an vier Bedürftige. Die Handlung des »Engels der Vorstädte« erinnert an die Speisung der 5000 im Neuen Testament (Joh., 6; 1–15. Matth., 14; 13–21. Mark., 6; 30–44. Luk., 9; 10–14), allerdings mit dem entscheidenden Unterschied, daß diesmal nicht Gott die Vollmacht erteilt, sondern der Bourgeois Shu Fu, ein Friseur. Die Machtlosigkeit des Guten, wie sie Shen Te im »Lied von der Wehrlosigkeit der Götter und Guten« beklagt (S. 1539), wird nur unterstrichen.

1560 *Die Braut wartet auf die Hochzeit, aber der Herr Bräutigam wartet auf den Herrn Vetter*

Der Höhepunkt der Hochzeitsszene pointiert die Doppelbödigkeit der Doppelrolle. Verwechslungshandlungen und sogenannte Hosenrollen gehören zum gewohnten Repertoire der europäischen Komödie (Shakespeare, Tirso de Molina, Tradition der Commedia dell' Arte etc.). Hier warten die betrogenen Betrüger auf jemanden, der anwesend ist – allerdings in anderer Gestalt. Shen Te weiß hingegen nicht, auf wen überhaupt gewartet wird, nämlich auf Shui Ta.

1562 *Das Lied vom St. Nimmerleinstag*

In dieser Parodie auf christliche Heilslehren wird die Hoffnung auf eine ausgleichende Gerechtigkeit vor dem Jüngsten Gericht gelöscht. Der wahre St. Nimmerleinstag sei vielmehr jeden Morgen, da täglich die Grundlage dieser Hoffnung als nichtig vorgeführt werde.

1564 *das Leiden der Brauchbarkeit*

Das imaginäre Buch, über dem Wang einschläft, ist »Das wahre Buch vom südlichen Blütenland«, vermutlich von Chuang Chou (365–286) verfaßt. Brecht hält sich an die Übersetzung von Richard Wilhelm (Jena 1912, S. 36). Das Gleichnis sagt, daß nur das Unnütze und Schlechte glücklich sein könne, alles Schöne hingegen verbraucht und zerstört werde.

1578 *Frau Yang zum Publikum*

In der resümierenden Erzählung der Frau Yang wird das filmische Mittel der Rückblende/ des Zeitraffers auf die Bühne gebracht. Sie berichtet die Geschehnisse der vergangenen drei Monate (in Wendung an das Publikum), gehört dabei der erzählten wie aktuell gespielten Zeit bei gleichbleibendem Ort an.

1582 *Das Lied vom 8. Elefanten*

Das Lied geht auf Rudyard Kiplings »Toomai of the elephants« zurück und kommentiert die Hierarchie zwischen Yang Sun und den Arbeitern in der Parabel von den sieben zahnlosen Elefanten und dem achten, der noch einen Zahn besitzt, um im Auftrag des Herrn zu wachen. Der Takt der Vertonung Dessaus folgt dem Rhythmus, mit dem Yang die Arbeiter antreibt.

1584 *Der Edle ist wie eine Glocke*

Der Ausspruch ist ein Zitat aus den Schriften von Me Ti. Brecht hat die Übersetzung von Alfred Forke verwendet. (*Me Ti, des Sozialethikers und seiner Schüler philosophische Werke.* Berlin 1922, S. 403.)

Herr Puntila und sein Knecht Matti

GW II, S. 1609–1712

1609 *Volksstück*
Diese Gattungsbezeichnung erläuternd, schrieb Brecht 1940 den kleinen Aufsatz »Anmerkungen zum Volksstück«, der erstmals in dem Band *Theaterarbeit* 1952 veröffentlicht wurde. (In: GW VII, S. 1162–1169)

1610 *Hella Wuolijoki*
Sie war die Gastgeberin der Familie Brecht 1940 in Finnland. Hella Wuolijoki stammte aus Estland, sie wurde 1886 als Hella Murrik geboren, sie ging in Dorpat zur Schule und kam 1904 zum Studium der Philologie und Volkskunde nach Helsinki, wo sie 1908 den Anwalt und sozialdemokratischen Politiker Sulo Wuolijoki heiratete. Ehe sie Dramen zu schreiben anfing, war sie als Leiterin verschiedener Holzhandelsfirmen, als Diplomatin, Dolmetscherin und Journalistin tätig. Sie sprach sechs Sprachen. Ihr Mann wurde politisch verfolgt, sie hatte für ihre Familie zu sorgen, die ebenfalls nach Finnland gekommen war. So wurde sie notgedrungen auch zu einer erstaunlich talentierten und erfolgreichen Geschäftsfrau. Mit ihrem Sozialismus konnte sie das oft nur schwer vereinbaren. Sie schrieb über dreißig Theaterstücke, ihr Hauptwerk ist der Zyklus *Die Frauen von Niskavuori.* Ihr Salon in Helsinki war ein beliebter Treffpunkt von finnischen und russischen Künstlern, Intellektuellen und Diplomaten. Weil sie einen russischen Spion verborgen haben soll, wurde sie 1943 verhaftet, ein Jahr später aber wieder freigelassen. 1945 wurde sie Direktorin des Finnischen Rundfunks unter der kommunistischen Regierung, die nach dem Waffenstillstand an die Macht gekommen war. Bis 1949 blieb sie auf diesem Posten, während dieser Zeit war sie auch kommunistische Parlamentsabgeordnete. In ihren letzten Lebensjahren schrieb sie ihre Autobiographie. Sie starb 1954.

1610 *nach den Erzählungen und einem Stückentwurf*
Nach der Uraufführung 1948 in Zürich einigte sich Brecht mit Hella Wuolijoki auf diese Formulierung und eine Teilung der Tantiemen. Brecht lagen keine »Erzählungen«, auch nicht die Prosaskizze »A Finnish Bacchus« vor, er meinte die mündlichen Erzählungen Hella Wuolijokis. Der »Stückentwurf« ist die von Margarete Steffin gemeinsam mit der finnischen Autorin vorgenommene deutsche Übersetzung des Stücks *Die Sägespänprinzessin.* Brecht arbeitete am *Puntila* im wesentlichen vom 2.–24. Sept. 1940. Am 15. Mai 1941, kurz bevor er Finnland verließ, unterzeichneten Brecht und Hella Wuolijoki einen Vertrag, der besagte, daß das Stück »in Zusammenarbeit von Hella Wuolijoki und Bertolt Brecht entstanden« sei.

1611 *Prolog*
Diese Fassung des Prologs entstand 1949 für die Inszenierung beim Berliner Ensemble. Die frühere Version wurde vom Darsteller des Matti gesprochen und lautete:

Geehrtes Publikum, die Zeit ist trist.
Klug, wer besorgt, und dumm, wer sorglos ist!
Doch ist nicht überm Berg, wer nicht mehr lacht
Drum haben wir ein komisch Spiel gemacht.
Und wiegen wir den Spaß, geehrtes Haus
Nicht mit der Apothekerwaage aus
Mehr zentnerweise, wie Kartoffeln, und zum Teil
Hantieren wir ein bißchen mit dem Beil.
Denn unser Spiel zeigt euch nach altem Brauch
Nebst einigem Guten einiges Böses auch.
Der Mensch ist gut und böse, wie bekannt
Hat mit sich selbst oft einen schweren Stand.
Ihr seht ihn sich unfeierlich bewegend
In einer würdigen und schönen Gegend.
Wenn sie aus den Kulissen nicht erwächst
Erfühlt ihr sie vielleicht aus unserm Text:
Milchkesselklirrn im finnischen Birkendom
Nahtloser Sommer über mildem Strom
Rötliche Dörfer, mit den Hähnen wach
Und früher Rauch steigt grau vom Schindeldach.
Dies alles, hoffen wir, ist bei uns da
In unserm Spiel vom Herrn auf Puntila.

1615 *Deetz*
Kopf. Eingedeutscht aus franz. tête, etwa seit 1700 (auch Deez, Däz, Dätz oder Dötz).

1615 *Kloben*
Ungesitteter Mensch. Meint eigentlich das große, unförmige Stück Holz, Holzklotz.

1619 *Auch du, Brutus*
»Auch du, Brutus? So falle, Cäsar!« Die letzten Worte Caesars bei seiner Ermordung. Überrascht muß er feststellen, daß auch der von ihm begünstigte Marcus Brutus zu den Mördern gehört, die sich gegen ihn verschworen haben.

1633 *Der Gesindemarkt*
Die Szene war zunächst Bestandteil der folgenden Szene. In den Anmerkungen zum Stück macht Brecht den Vorschlag, die ursprüngliche Form wiederherzustellen, ergänzt um den Auftritt des roten Surkkala, der erst 1949 geschrieben wurde.

1655 *Prinzessin Bibesco*
Gemeint ist sicher die tanzende Prinzessin Marthe Bibesco. Die geborene Lahovary hatte mit siebzehn Jahren ihren Vetter Prinz Georges Bibesco geheiratet. In Paris wurde die junge Nymphe aus Rumänien mit den blau-

grünen Augen und dem erblühenden Talent als Schönheitskönigin und Genie empfangen. Sie wurde eine erfolgreiche Schriftstellerin, die auch von Proust verehrt wurde.

1664 *Krethi und Plethi*
Viele Leute verschiedenen Standes, eine minderwertige Gesellschaft. Meint biblisch die Kreter und Philister, die König Davids Leibwache bildeten (2. Samuel 8,18; 15,18): »Und alle seine Knechte gingen an ihm vorüber: Dazu alle Krether und Plether und alle Gathiter, sechshundert Mann, die von Gath ihm nachgefolgt waren, gingen an dem König vorüber.«

1694 *Es lebt eine Gräfin in schwedischem Land*
Die »Ballade vom Förster und der Gräfin« (oder auch »Lied des roten Surkkala« oder »Das Försterlied«) entstand 1948.

Der aufhaltsame Aufstieg des Arturo Ui

GW II, S. 1719–1839

1743 *Dem Gangster flicht die Nachwelt*
Der Vers ist als eine Schillerreminiszenz lesbar. »Dem Mimen flicht die Nachwelt keine Kränze.« (Prolog zu *Wallensteins Lager,* Vers 41)

1751 *Sein Bild geschwärzt von Neid*
Anspielung auf Wallensteins Charakterzeichnung. Das Persönlichkeitsbild wird als ein schwarzes dargestellt. (*Wallensteins Lager,* Verse 102 f.)

1753 *Ich rufe Sie als Mensch an!*
Anspielung auf die Dialogstruktur in Schillers *Maria Stuart.* So versucht Maria Stuart immer wieder vergeblich Elisabeth zu einer Sehweise zu bewegen, nach der sie als Menschen und nicht als Herrscherinnen einander gegenüberstehen.

1772 f. *Was halten Sie von der Antoniusrede*
Arturo Ui zitiert im Rahmen seiner Sprechübung die Rede des Marcus Antonius, die dieser nach der Ermordung Cäsars vor dem römischen Volk hält. Brecht bearbeitet die Schlegel/ Tieck-Übersetzung der Shakespeare-Vorlage (*Julius Cäsar,* III, 2) in gewohnter Manier. So werden die Benennungen präziser; an die Stelle von »Herrschsucht« tritt »Tyrannei«. Die grammatische Form der indirekten Rede wird in die direkte Rede umgewandelt. Der rhetorische Grund der Antoniusrede korreliert mit dem Erklärungsmodell Brechts bezüglich des Verhältnisses Faschismus – deutsche Klassik. Die Rede verfolgt unentwegt die Linie der verbalen Zustimmung; der Vorredner Brutus wird gelobt und immer wieder bestätigt. Durch eingeschobene Fakten und Schilderungen wird der ermordete Cäsar dennoch gefeiert. Unter Verwendung der Brutusrede wird ihre Sprache Schritt für Schritt gedreht und schließlich gegen den Sprecher selbst gewendet.

1815 *möcht ich/ Zu gerne Ihnen meine Blumen zeigen*
Anspielung auf Goethes *Faust* I, Verse 3073–3204. Die Anlage der ganzen Szene ist der »Gartenszene« entlehnt. Zwei Paare spazieren durch den Garten (Mephisto – Marthe, Faust – Gretchen; Givola – Dullfeet, Betty Dullfeet – Ui). Der natürliche Raum in Goethes Drama ist allerdings, durchaus neuzeitlich, in den eines Blumenladens versetzt, wo dann, durch die Blume sprechend, der Betrug in Gang gesetzt wird.

1821–1826 *Ich sagte: Meine Kondolation*
Diese »Werbeszene« verweist auf Shakespeares *König Richard III.* Richard wirbt um die Tochter Elisabeths, nachdem er alle ihre Söhne hat umbringen lassen (IV.4). Der Verweis ist diesmal nicht auf die sprachliche Ebene konzentriert, sondern berücksichtigt mehr die Situation innerhalb der Handlung. In beiden Fällen zwingt der Mörder die Hinterbliebenen, den Mord im nachhinein durch Anpassung im Licht der Legalität erscheinen zu lassen. Bei der Aufführung des *König Richard III.* durch Jürgen Fehling in Berlin 1937 soll die von Werner Krauss gespielte Hauptrolle als eine versteckte Hitlerkritik aufgefaßt worden sein.

1826–1828 *Weg, blutige Schatten*
Der Geist des ermordeten Roma sagt Ui voraus, daß auch er durch Verrat fallen werde. Als klarster Verweis ist wiederum *König Richard III.* anzuführen (V. 3). Brecht unterwarf später die Geisterszene der Kritik, da sie dem »Geist« recht gebe, und somit Röhm die Aura des geschlagenen Opfers verleihe. »So wie der Text jetzt ist, erhält ein fetter, versoffener Nazi Märtyrerzüge.« (GW VII, 1180)

Die Gesichte der Simone Machard

GW II, S. 1841–1911

1842 *Mitarbeit von Lion Feuchtwanger*
Feuchtwanger versuchte später in dem Roman *Simone* psychologische und politische Argumentationen zu vereinen. So benutzt der Patron die kindliche Gestalt Simones, um die ausbeuterisch hohen Preise »unschuldig« vorbringen zu lassen; andererseits begehrt er sie auf eine eher altväterliche Weise und muß dann beschämt beim abschließenden Urteil über Simone seiner Geschäftsmannvernunft den Vorrang überlassen. Der Arbeiter Maurice hingegen spricht von der verpaßten Chance der Volksfront und erläutert den politischen Zusammenhang: »Selbstverständlich sei unsern Faschisten, ›diesen Herren‹, ein Hitler, der ihnen die 60-Stunden-Woche garantiere, mehr genehm als ein Léon Blum, der ihnen die 40-Stunden-Woche aufzwinge. Es seien nicht die deutschen Tanks, die Frankreich niederwürfen, sondern unser eigenes Stahlkartell. Es seien unsere alten guten Bekannten aus den Zweihundert Familien.« (Feuchtwanger, *Simone.* Berlin und Weimar 1964, S. 377.)

Über das Motiv der Jungfrau von Orléans reflektiert Feuchtwanger auch an anderer Stelle. In dem Roman *Exil* ist allerdings das damit transportierte Widerstandsbild völlig gelöscht. Stattdessen ist Jeanne d'Arc die Namenspatronin eines profaschistischen französischen Jugendclubs. Aus dem emphatischen Widerstand wird in der Vorstellungswelt des Korrespondenten der *Frankfurter Zeitung* Erich Wiesener (d. i. Friedrich Sieburg) ein genereller Anlaß, um über politische Aktionsformen zu fabulieren: »Die Krone gebührt eben der Begeisterung, nicht der Vernunft, und es hat zuletzt nicht nur der augenblickliche Erfolg, sondern auch die Geschichte der Jungfrau recht gegeben. Sie, die Geschichte, hat erwiesen, daß der kluge, nüchterne Talbot klein war und die dumme Jeanne d'Arc groß. Diese unbestreitbare Tatsache sollte gewissen Leuten zu denken geben, wenn sie die Reden des Führers allzu rationalistisch kommentieren. Begeisterung, dämonischer Glaube an die Güte und Heiligkeit einer Sache vermögen am Ende mehr als alle materialistische Logik.« (Lion Feuchtwanger, *Exil.* Berlin 1963. S. 735 f.)

1856 *Traum der Simone Machard*
Die Träume sollten neben ihrer oben erwähnten Funktion als Bedeutungsträger auch dem Publikum, das die Legende der Jeanne d'Arc nicht kennt, diese verständlich machen. Geplant waren u. a. Projektionen einzelner Seiten aus dem Buch, die, begleitet von Holzschnitten, die Geschichte dem Zuschauer näher rücken sollten.

1860 *Wunsch des Capitaine Fétain*
Marschall Henri-Philippe Pétain steht als Ministerpräsident Frankreichs seit dem 16. 6. 1940 beispielhaft für die Kollaborationsbereitschaft. Sein patriarchalisch-autoritäres Regime suchte Unterstützung bei der katholischen Reaktion. Pétain wurde am 5. 8. 1945 wegen Hochverrat zum Tode verurteilt, dann begnadigt und auf die Insel Yeu verbannt.

1861 *Connétable*
Hergeleitet aus der mittellateinischen Bildung »comes stabuli«: Stallmeister, ca. seit dem 14. Jahrhundert auch Oberbefehlshaber des französischen Heeres.

1909 *Wir sind Frankreich*
Verweisend auf den berühmten Ausspruch des absolutistischen Souveräns: L'Etat c'est Moi.

Schweyk im Zweiten Weltkrieg

GW II, S. 1913–1997

1915 *in den höheren Regionen*
Ein Vorbild für die dramatische Hierarchie des Oben-Unten war Karl Kraus: ». . . wieder möchte ich *Schweyk* machen, mit Szenen aus *Die letzten*

Tage der Menschheit ... dazwischengeschnitten, so daß man oben die Herrschenden Mächte sehen kann und unten den Soldaten, der ihre großen Pläne überlebt.« (AJ, 493)

1916 *betet er Sie an wie ein Gott*
Die Exposition erinnert an den »Prolog im Himmel« aus Goethes *Faust*. Im Dialog mit Mephisto verteidigt Gott seinen Knecht, den Menschen, dessen Rechtschaffenheit ihm so gewiß ist, daß er auf die Wette eingeht. Auch der »Knecht« Schweyk bleibt unbeirrt in seinem Streben, nur verfolgt er dabei zuvorderst sein Heil, nicht das »Heil« des deutschen Faschismus.

1918 *Baloun*
Die Namensgebung verweist auf »ballot«, frz. Dummkopf, bzw. »balourd«, frz. ungewandt, Tölpel. In früheren Entwürfen lautete der Name noch »Faloun«, was wiederum zu »falot«, frz. schwächlich, trübe, assoziiert werden kann.

1931 *Und der Hahn krähte*
Ein Zitat aus dem Neuen Testament: Jesus sagt seine dreimalige Verleugnung durch Petrus voraus. Matth. 26.34; Markus 14.30; Lukas 22.34; Joh. 13.38.

1934 *Greißlerin*
Die Inhaberin einer Gemischt- bzw. Kolonialwarenhandlung.

1935 *daß der Führer nicht titschkerlt*
Idiomatische Wendung, die Hitlers asexuelle Lebensweise karikiert.

1941 *Astrologisten und Chiropraktiker*
Chiromantik bezeichnet das Voraussagen der Zukunft aus den Handlinien. »Chiropractical« erhielt im amerikanischen Sprachraum den Nebensinn der Kurpfuscherei.

1974 *Hochzeit von Kannä*
Bei der Hochzeit zu Kana verwandelte Jesus Wasser in Wein. Joh. 2.1.

1980 *Wolken ... in rosigem Licht*
In den gleichen Raum ziehen sich die Götter in dem Operettenfinale des Theaterstücks *Der gute Mensch von Sezuan* zurück.

1981 *Feldkurat*
Katholischer Geistlicher ohne selbständige Gemeinde.

1989 *das »Deutsche Miserere«*
Das »erbarme dich«. So benannt ist der 50. bzw. 51. Psalm, ein Bußpsalm und individuelles Klagelied, in dessen Verlauf die Bitte in den Ausdruck der Hoffnung führt.

1993 *Chor aller Spieler*
Hanns Eisler, der an der Musik bis zur Uraufführung 1956 arbeitete, ver-

merkt auch ihre Funktion als »niedriges Genußmittel«. Sie sollte eingängig sein und etwa zum »Nachpfeifen« einladen als der »dünne Trost der Unterdrückten, die vom ›Wechsel der Zeiten‹ träumen«. In weiteren Funktionen sollte die Musik die Übergänge und Zwischenspiele erleichtern und in den Szenen, die in den »höheren Sphären« spielen, mit Ernsthaftigkeit die deutsche Barbarei zum Ausdruck bringen.

Der kaukasische Kreidekreis

GW II, S. 1999–2105

2001 *eines kaukasischen Dorfes*
Das Kaukasusgebiet spielte im Zweiten Weltkrieg eine bedeutende strategische Rolle. Die heftigsten Kämpfe, die schließlich mit der Vertreibung der deutschen Truppen aus dem Kaukasus endeten, fanden 1942 statt.

2001 *staatliche Wiederaufbaukommission*
Die georgische Geschichte ist reich an Kriegen und Bürgerkriegen. Auch im 20. Jahrhundert erlebte das Land mehrere Nachkriegssituationen. Wie die Vorarbeiten zum Stück zeigen, hat Brecht auch andere historische Fixierungen für die Rahmenhandlung ausprobiert: die Zeit der Bürgerkriegswirren um 1921 oder 1934.

2001 *Nukha*
Die Stadt Nukha liegt in Ostgeorgien, war im Mittelalter Hauptstadt des tatarischen Khanats Scheki.

2001 *Obstbaukolchos »Rosa Luxemburg«*
In der Zeit der Bolschewisierung Georgiens in den zwanziger Jahren spielten bei den Dorf- und Sowjetsitzungen besonders die Frauen eine große agitatorische Rolle. Eine Gruppe deutscher Schriftsteller, die sich 1934 einige Tage im Kaukasusgebiet aufhielt, zeigte sich beeindruckt vom Umfang der Kollektivierung der Landwirtschaft, von den entstehenden Wasserstauprojekten in einer ansonsten noch paradiesisch wilden Landschaft. Besucht wurde auch ein Weinkollektiv »Rosa Luxemburg« in der Nähe von Tiflis. (Siehe O. M. Graf, *Reise nach Sowjetrußland*. Berlin 1979. S. 158 ff.)

2003 *Kato Wachtang*
Wachtang ist ein geläufiger georgischer Königsname. Kato war einer der Decknamen Stalins in der Zeit seiner illegalen politischen Arbeit vor der Oktoberrevolution.

2005 *der Dichter Majakowski*
Wladimir Majakowski (1893–1930) stammte aus Bagdadi in Georgien. Der Dichter des »roten Oktober« geriet nach dem Tod Lenins zunehmend in

Schwierigkeiten mit den Bürokraten der Revolution. Nach seinem Selbstmord durfte er zunächst nicht mehr gedruckt und aufgeführt werden, später erklärte Stalin den Poeten zu einem seiner Lieblingsdichter und machte ihn zum sozialistischen Klassiker. Brechts kleines Gedicht »Epitaph für M.« ist Majakowski zugedacht:

Den Haien entrann ich
Die Tiger erlegte ich
Aufgefressen wurde ich
Von den Wanzen.

2005 *Alleko Bereschwili*
Betty Nance Weber geht in ihrem Interpretationsversuch des Brechtschen *Kreidekreis*-Stücks gewiß zu weit, wenn sie hinter allen verwendeten Namen genaue politische Absichten des Autors vermutet. Bei einigen Namen sind solche Assoziationen allerdings nicht ganz abwegig. Bei Bereschwili, der als »der Schlimmste mit neuen Projekten« bezeichnet wird, ist der Hinweis auf Beria, einen der schlimmsten »Säuberer« der Stalin-Ära, angebracht, Bereschwili ist die Georgisierung des Namens. Stalins georgischer Familienname war Dschugaschwili.

2006 *Arkadi Tscheidse*
Der Vorname deutet auf eine Herkunft des Sängers aus Arkadien, dem Land der Bauern und Viehzüchter im alten Griechenland, das erst spätere Dichter zur kunstfreundlichen, paradiesähnlichen Schäferidylle gemacht haben. – Tscheidse, Mitglied der ersten sozialdemokratischen Zelle von 1885 in Georgien, hatte einen Ruf als »Papa der Revolution«, war schon oft in der vorrevolutionären Zeit ein Gegner Stalins. 1917 war er Vorsitzender des Petrograder Sowjets, er wurde später von Trotzki abgelöst und setzte sich dann von Tiflis aus für die Unabhängigkeit des von den Menschewiki geführten Georgien von der UDSSR ein. 1926 nahm er sich im Pariser Exil das Leben. Er war berühmt wegen seines großen Wissens und seiner enormen rednerischen Begabung.

2008 *Grusinien*
Der alte Name für Georgien. Das Land war wegen seiner strategisch günstigen Lage zwischen dem Schwarzen und dem Kaspischen Meer immer dem Zugriff seiner mächtigen Nachbarn ausgesetzt, es mußte Kriege gegen die Araber, Perser, Türken und Russen führen. 1801 war Georgien Teil des Russischen Reichs geworden, erfolglos versuchten Aufständische die Unabhängigkeit des Landes wieder herbeizuführen. Von 1918–1921 war Georgien eine autonome Republik unter Führung der Menschewiki. Stalin brach den Widerstand der georgischen Republik und führte die Bolschewiki zum Sieg. Wegen der georgischen Frage kam es damals beinahe zum Bruch zwischen Lenin und Stalin.

2009 *der kleine Michel*
Das Kind, das Ruth Berlau von Brecht 1944 bekam, das aber nach wenigen

Tagen starb, erhielt auch den Namen Michel. An eine Anspielung auf den »deutschen Michel« dachte Brecht zunächst sicher nicht, die Assoziation drängt sich aber auf, zumal er später für ein Clownspiel »Der deutsche Michel«, das er mit Paul Dessau plante, das Lied »Steh auf, Michel!« schrieb (GadN, 407):

> Steh auf, Michel!
> Wart auf die Retter nicht!
> Heraus aus blutigen Sümpfen!
> Wenn's sein muß, geh auf Stümpfen
> Aus Finsternis zum Licht!

2011 *ich versteh was von Gänsen*
Die Gänsemagd, die durch Zufall, beim Holen einer Gans, in die Wirren der Revolution gerät: man kann hier an Rosa Luxemburg denken und deren Auskunft, daß sie ganz zufällig ins politische Weltgeschehen geraten sei, eigentlich sei sie zum Gänsehüten bestimmt gewesen.

2015 *O Wechsel der Zeiten!*
Vergl. das Gedicht »Es wechseln die Zeiten . . .« (Moldaulied) am Ende von *Schweyk im Zweiten Weltkrieg* (GW II, 1993).

2016 *der Persische Krieg*
Zwischen Georgien und Persien fanden ständig kriegerische Auseinandersetzungen statt. Im Ersten Weltkrieg teilten sich die Großmächte Rußland und England das von ihnen begehrte Land in Einflußsphären auf.

2018 *Eile heißt der Wind . . .*
Viele Sprichwörter handeln davon, daß Eile »blind macht« oder »schaden tut«, aber es gibt auch das Sprichwort »Wems Haus brennt, dem ist Eilen gut«. Für eine Erzählung des Buchs *Jedes Tier kann es* von Ruth Berlau empfahl Brecht den Titel »Eile heißt der Wind, der das Brettergerüst zum Einsturz bringt.« (AJ I, S. 20)

2018 *Geh du ruhig in die Schlacht*
Das Motiv des Gedichts und mehrere Zeilen gehen auf das während des Kriegs sehr populäre Lied »Wart auf mich« des sowjetischen Schriftstellers Konstantin Simonow zurück, das Brecht in der Übersetzung von Klara Blum vorlag. (Simonow, *Lyrik eines Jahrzehnts.* Berlin 1952, S. 18)

2025 *Schrecklich ist die Verführung zur Güte*
Vergl. *Der gute Mensch von Sezuan.* Shen Te wird immer wieder zur Güte verführt, zum gut-sein und fügt sich damit in der schlechten Welt Schaden zu, handelt sich Nachteile ein.

2026 *Grusinische Heerstraße*
Die »georgische Heerstraße« wurde 1804 von Rußland gebaut zur Unterwerfung des Kaukasus und Georgiens. Sie verbindet den nördlichen Kaukasus mit Transkaukasien.

2026 *Sosso Robakidse*
Der Vorname Sosso ist die georgische Verkleinerungsform von Josef. Der junge Stalin wurde Sosso genannt, und dieser Name wurde auch von ihm als Deckname verwendet.

2031 *Zeigen Sie Ihre Hände*
Die Aufforderung »Hände herzeigen!« war während der russ. Revolution an der Tagesordnung, um Proletarier und Nichtproletarier zu unterscheiden.

2033 *Trau, schau, wem*
Stammt aus einem Spruch an einem Hausgerät: »Willst du dich nicht selbst verbrennen/ Lern' die falsche Welt erkennen,/ Glaube nicht bald dem, bald dem!/ Trau, schau, wem!« (Lipperheide, S. 872)

2034 *Zieh ins Feld ich traurig meiner Straßen*
Das Lied, das die beiden Panzerreiter singen, geht auf zwei slowakische Volkslieder zurück.

2043 *Mitgegangen, mitgehangen*
Das Sprichwort heißt vollständig: Mit gegangen, mit gefangen, mit gehangen. (Lipperheide, S. 624)

2045 *Sieben Tage*
An dieser Stelle ist wohl irrtümlich die Zeitangabe aus einer früheren Fassung stehengeblieben. Vergl. S. 2040: Nach 22tägiger Wanderung.

2045 *Lavrenti Vachnadze*
Emigranten nannten Stalins Gefolgsmann Lawrenti Pawlowitsch Beria (1899–1953) »der Lawrenti«. Beria war Leiter der Geheimpolizei in Georgien und später des NKWD. Der Knecht des Lavrenti trägt den georgischen Rufnamen Stalins, Sosso.

2048 *Liebster mein, Liebster mein*
In Anlehnung an Verse eines alten estnischen Volksepos geschrieben, das Brecht in der Übersetzung Hella Wuolijokis vorlag.

2050 *Ich könnte ein Papier mit Stempeln brauchen*
Häufiges Motiv in Werken des Emigranten Brecht. Vergl. »Der Paß ist der edelste Teil von einem Menschen.« (GW VI, S. 1383) – Auch die Scheinehe war oft die einzige Möglichkeit für Emigranten, ihren Aufenthalt in einem Exilland zu legalisieren. Rosa Luxemburg übrigens führte auch eine Scheinehe mit einem Deutschen (Gustav Lübeck), um in Deutschland sich politisch betätigen zu können. In Brechts Freundeskreis führten zum Beispiel Margarete Steffin und Therese Giehse eine derartige Scheinehe.

2063 *Die Schlacht fing an im Morgengraun*
Ebenfalls in Anlehnung an Verse eines alten estnischen Volksepos geschrieben.

2065 *Azdak*

In der ersten Niederschrift schreibt Brecht *ignazius azdak*. Das weist auf die entsprechende Figur des Ignaz Dollinger in der Erzählung *Der Augsburger Kreidekreis*. Dessen Vorbild war der Kirchenhistoriker und Kirchenrechtler Johann Joseph Ignaz Döllinger (1799–1890), der 1871 wegen seiner Kritik der päpstlichen Unfehlbarkeit exkommuniziert wurde. Spricht man Azdak amerikanisch *Essdek* (das Stück wurde ja von Brecht zunächst für Amerika verfaßt), so hat man das russische Kurzwort für Sozialdemokrat, das bis zur Spaltung der Sozialdemokratischen Partei 1905 gebräuchlich war.

2068 *Klagte er sich an ...*

Azdaks Selbstbezichtigung erinnert an die vorsorglichen Selbstanklagen bürgerlicher Politiker während der Februarrevolution 1917, die ihrer Verhaftung durch Vertreter der Revolution vorbeugen wollten. Manche Züge Azdaks erinnern an den zwischen den Fronten oft wechselnden Politiker Alexander Kerenski, der 1917 einige wichtige Positionen innehatte.

2072 *Der Urmisee*

Ein großer See in Nordpersien, in der Nähe von Täbris.

2075 *Haarspalter*

Haare spalten, das heißt Kleinigkeitskrämerei betreiben. (Lipperheide, S. 368)

2087 *die wunderbare Zeit*

Die Zeit der Unordnung, des Chaos. In den frühen Fassungen des Stücks schrieb Brecht noch »zum angedenken an diese schreckliche Zeit«. Die Beurteilung der Unordnung als »wunderbar« ist der Standpunkt »von unten«. In *Fünf Schwierigkeiten beim Schreiben der Wahrheit* heißt es: »Es ist einleuchtend, daß dies die Schilderung einer Unordnung ist, die den Unterdrückten als ein sehr begehrenswerter Zustand erscheinen muß.«

2087 *»Schwester, verhülle dein Haupt«*

Das »Lied vom Chaos« ist die bearbeitete Version der sogenannten »Admonitions«, der »Mahnworte eines Propheten«, die Brecht in der Übersetzung von Adolf Erman (*Die Literatur der Ägypter*. Leipzig 1923. S. 130 ff.) benutzt hat. Ausführlicher zitiert ist das alte ägyptische Gedicht in Brechts Aufsatz *Fünf Schwierigkeiten beim Schreiben der Wahrheit* (GW VII, S. 222 ff.).

2095 *Ein Brunnen läßt sich nicht mit Tau füllen*

Bestätigung der Bauernregel »Ein guter Tau ist so viel wert als ein schlechter Regen.« (Lipperheide, S. 847)

2095 *Blut, heißt es im Volksmund, ist dicker als Wasser*

Der Satz ist wohl keine Volksweisheit, er wurde erst populär durch Kaiser Wilhelm II., der ihn in einer Rede vom 3. Mai 1900 kreiierte und später noch mehrfach wiederholte. Die Blutsverwandtschaft zwischen Deutschland und

England, wollte er damit zu verstehen geben, ist stärker als das Wasser, das die beiden Länder trennt.

2099 *»Als sie das Roß beschlagen kamen ...«*
Ein Zitatenduell, wie es zwischen Simon und Azdak stattfindet, findet sich auch in *Leben des Galilei*, im Gespräch zwischen Galilei und dem Kardinal Barberini. (GW II, S. 1285 f.)

Die Antigone des Sophokles

GW III, 2273–2329

2273 *Die Antigone des Sophokles für die Bühne bearbeitet*
Die Vorlage wurde vermutlich 442 v. Chr. aufgeführt. Der gegen die Tyrannis gerichtete religiös-ethische Gehalt soll dazu beigetragen haben, daß Sophokles 441 in das hohe Regierungsgremium der Strategen gewählt wurde.
Für die Uraufführung in Chur schrieb Brecht ein kurzes Gedicht, das er Helene Weigel zueignete. In diesem wird die Darstellerin und die antike Figur als die »Freundliche«, »ganz Bestimmte«, »Nie-zu-Vergessende« gekennzeichnet.

2284 *Entrannen wenige, die wenigsten*
Verweis auf Goethes *Noten und Abhandlungen zu besserem Verständnis des West-Östlichen Divans.* In dieses Werk nahm Goethe ein arabisches Lied auf, dessen 17. Strophe lautet: »Rache nahmen wir völlige;/ Es entrannen von zwei Stämmen/ Gar wenige,/ Die wenigsten.« (*Werke.* Hamburger Ausgabe. Bd. 2, 132)
Wie in dem Stück *Arturo Ui* verwendet Brecht Goethe-Verse für die rechtfertigenden Argumente der Befürworter eines Angriffskrieges.

2298 *Zähre*
Eine Archaisierung. Hölderlin benutzte das Wort »Träne«. Brecht unternahm keine Modernisierung der Sprache, sondern steigerte ihre Fremdartigkeit noch.

2302 *Gleich wie ein nicht mehr steuernder Mann*
Verweis auf die 1. Ode Pindars in der Hölderlinschen Übersetzung (bei Hölderlin Verse 164–172). Brecht verkehrt den Sinn des Verses. Gegen das beherrschte und vorwärtsfahrende Schiff setzt Brecht das Bild des führerlos treibenden Gefährts.

Die Tage der Commune

GW III, S. 2107–2192

2107 *Die Tage der Commune*
Eine Zeitlang trugen sich Ruth Berlau und Brecht mit dem Plan, das Stück als Übersetzung zu fingieren. Die frühen Abschriften führen den Titel: *Die Tage der Kommune*/ Nach dem Französischen des Jacques Malorne (vorher auch mit dem Namen Jacques Duchesne). Brecht selbst favorisierte die deutsche Schreibweise »Kommune«.

2110 *aus dem Korb fallen ein paar Kokarden*
Die Kokarde stammt aus der französischen Revolution; sie war ein Zeichen an der Kopfbedeckung der Uniform, ursprünglich eine Schleife oder Blume. Der Verkauf der Kokarde durch die Kleinbürgerin kennzeichnet schon vorab ihren Stellenwert und Standort im Stück.

2118 *Die Crapule*
Schimpfwort für verkommenes Volk, Lumpenpack.

2130 *Er ist erschossen, Bürgerin*
Brecht verschweigt in seinem Gegenentwurf zu Grieg die Gewalt, die von seiten der Commune verübt wurde. Vor der Eroberung von Paris kam es zu weiteren Hinrichtungen und Geiselerschießungen.

2135 *Stimme Rigaults*
Rigault war zusammen mit Flourens und Edouard Vaillant Schüler Blanquis. Wie Engels schrieb, wollte es die Ironie der Geschichte, daß sie »das Gegenteil von dem taten, was ihre Schuldoktrin vorschrieb«. Weder konnte die Verschwörung den Aufstand vorbereiten und lenken, noch die Trennung Land-Stadt aufgehoben werden. Vergl. F. Engels: *Einleitung zu »Der Bürgerkrieg in Frankreich« v. K. Marx.* MEW 17, Berlin 1962, 622.

2137 *Resolution*
Das Lied stammt aus der Vorkriegszeit und ist in die Sammlung der *Svendborger Gedichte* aufgenommen (GW IV, S. 653–55). Über die kommentierende Funktion hinaus war vorgesehen, das Lied von der Handlung nicht zu trennen, indem Chor und Spieler zusammen auftreten sollten.

2139 *Andre Sprache könnt ihr nicht verstehn*
Diese Formulierung des Abbruches jeglicher sprachlicher Verständigung verweist auf *Die Gewehre der Frau Carrar.* Auch in diesem Stück war das Versagen der Sprache das auslösende Element des Widerstandes. Für Nordahl Grieg waren die Spanieneindrücke, die er als Berichterstatter erhielt, prägend und für sein Theaterstück bestimmend.

2157 f. *Warum schauen Sie mich so an*
Die folgende Aufforderung des »Lerne, Lehrerin« verweist auf *Die Mutter.*

Auch der Lehrer, der die Wlassowa beherbergt, wird aufgefordert, über seine Tätigkeit hinaus zu lernen.

2171 *Aufführung von »Norma«*
Tragische Oper in 2 Akten von Vincenzo Bellini. Die Oberpriesterin Norma liebt den römischen Proconsul Sever und gerät so in einen Loyalitätskonflikt, da ihr Vater, ein gallischer Druide, den Volksaufstand gegen die Okkupation fordert. Als eine junge Priesterin die Liebe Severs gewinnt, bezichtigt Norma sich selbst des Verrates und läßt sich verbrennen. Sever folgt ihr, beeindruckt von ihrer menschlichen Größe.

2181 f. *Keiner oder Alle*
Auch dieser Text befindet sich in den *Svendborger Gedichten* (GW IV, S. 649 f.).

2192 *Haussmann*
Georges-Eugène Haussmann war von Napoleon III. für die moderne Stadtkonzeption von Paris 1853 berufen worden. Die Stadt wurde von einem Netz neuer Avenuen, Boulevards und Straßen durchbrochen. Der strategische Aspekt dieser Planung war auch vor der Commune bekannt und wurde von anderen Metropolen kopiert.

Der Hofmeister

GW III, S. 2331–2394

2331 *Lenz*
Jakob Michael Reinhold Lenz (1751–1792). Sohn eines Predigers und späteren Superintendenten. 1768–71 studierte er Theologie und Philosophie in Dorpat und Königsberg, durch Kant wurde er zum Anhänger Rousseaus. 1771 ging Lenz als Hofmeister der Barone von Kleist nach Straßburg, 1776 folgte er Goethe ungerufen nach Weimar, verscherzte sich dort bald durch sein ungestümes, freimütiges Wesen und ein Pasquill gegen die Herzogin Amalia die Gunst des Hofes. Nach einem unruhigen Wanderleben starb er an seinem Wahnsinn leidend und in großer Armut in Rußland.

2333 *einhundertfünfzig Jahre zurück*
Brechts Bearbeitung entstand Anfang 1950. *Der Hofmeister* wurde 1772 geschrieben und 1774 erstmals publiziert.

2335 *die sieben Jahre Krieg*
Der siebenjährige (oder auch dritte schlesische) Krieg dauerte von 1756–1763. Preußen, das mit England kooperierte, kämpfte im Bund mit dem von ihm unterworfenen Sachsen gegen Österreich, das mit Frankreich, Rußland und Schweden liiert war. Nach dem Tod der Zarin Elisabeth 1762 kam in Rußland für kurze Zeit Peter III. an die Macht, der mit Preußen

Frieden schloß, den auch Katharina II. einhielt. Nach dem Sonderfrieden Frankreichs mit England sah sich Kaiserin Maria Theresia genötigt, Friedensverhandlungen mit dem Preußenkönig Friedrich II. aufzunehmen, zumal sich auch die gegen Preußen operierende Reichsarmee aufzulösen begann. Im Frieden von Hubertusburg wurde der Zustand von 1756 wiederhergestellt.

2337 *»Jene trunkene Lust ...«*
Verse aus dem Klopstock-Gedicht »An Cidli«. In: »Sämmtliche Werke. Vierter Band. Leipzig 1854. S. 89.

2337 *»Hermann und Thusnelda«*
Ode von Klopstock. Entstanden 1752. In: *Sämmtliche Werke.* Vierter Band. Leipzig 1854. S. 82/83. Gustchen liest vier von insgesamt 7 Strophen.

2339 *Der Gedank ist frei*
Das Recht auf Gedankenfreiheit ist seit ältester Zeit als stehende Redewendung überliefert. Cicero: Liberae sunt nostrae cogitationes (Gedanken sind zollfrei). Stephano sagt in Shakespeares *The Tempest* (III,2): Thought is free. Und in der Sammlung *Des Knaben Wunderhorn* gibt es das »Lied des Verfolgten im Turm«: Die Gedanken sind frei/ Wer kann sie erraten?/ Sie rauschen vorbei/ Wie nächtliche Schatten./ Kein Mensch kann sie wissen/ Kein Jäger sie schießen;/ Es bleibet dabei/ Die Gedanken sind frei.

2339 *Vernunft ist eine gestrenge Herrin*
Eine zum Sprichwort gewordene Maxime der Anhänger der praktischen Vernunft, dem die Dichter das Recht auf ihre Unvernunft immer wieder entgegengehalten haben. Denn, wie Rahel Varnhagen schreibt: »Vernunft ist der einzige wahrhafte Despot.«

2341 *Kochisches Theater*
Das Theater des Gottfried Heinrich Koch (1703–1775), der von der Neuberin zum Schauspieler ausgebildet wurde und bereits als Dreißigjähriger als einer der besten im Fach des komischen Alten galt. 1749 erwarb er das sächsische Privilegium und begann 1750 als Theaterprinzipal seine Vorstellungen in Leipzig. Seine Truppe trat hauptsächlich in sächsischen und preußischen Städten auf. Leipzig und Berlin waren die Hauptorte seines Wirkens.

2342 *Auf der Schlittschuhbahn*
Eine von Brecht eingefügte Szene. Schlittschuhlaufen war eine Mitte des 18. Jahrhunderts aufkommende Mode. Möglicherweise wurde Brecht durch Klopstocks Gedicht »Der Eislauf« zu dieser Szene angeregt.

2443 *etepetete*
Bedeutet zimperlich, prüde, peinlich ordentlich. Die gekünstelte Wortbildung entstand im 18. Jahrhundert. Populär wurde sie noch einmal durch den Schlager »Heute ist die Käte etepetete«.

2444 *Heldenkönig*
Die Hofgeschichtsschreiber und Geschichtslehrer ernannten den Preußenkönig Friedrich II. zum »Heldenkönig«.

2444 *Cornelio*
Der römische Geschichtsschreiber Cornelius Nepos (99–24 v. Chr.). Von Lenz absichtlich falsch flektiert, wie auch Salarii (S. 2345, bei Brecht Salarie ist wahrscheinlich ein Druckfehler).

2347 *dasig*
Vom mittelhochdtsch. daesic: still, in sich gekehrt, dumm, albern.

2348 *Hic Rhodus, hic salta!*
»Hier ist Rhodus, hier springe!« Der lat. Ausspruch geht zurück auf die Aesopsche Fabel »Der Prahler«/ »Der prahlerische Fünfkämpfer«: Ein Fünfkämpfer, der jedesmal von seinen Mitbürgern wegen seiner schwächlichen Haltung geschmäht wurde, ging in die Fremde, und als er nach einiger Zeit zurückkehrte, prahlte er, er habe neben vielen hervorragenden Leistungen in anderen Städten auf Rhodos einen solchen Sprung hingelegt, daß ihn keiner der Olympioniken erreicht habe. Und dafür, so sagte er, würden die Männer sich verbürgen, die dort den Sprung mit angesehen hätten, wenn sie etwa einmal herkämen. Da gab ihm einer der Anwesenden folgende Antwort: »Freundchen, wenn das wahr ist, brauchst du keine Zeugen: hier ist Rhodos, hier kannst du springen.« (*Schöne Fabeln des Altertums.* Ausgewählt und übertragen von Horst Gasse. Leipzig 1954. S. 63.)

2349 *Frau Blitzer*
Der Name ist offensichtlich eine von Lenz vorgenommene Eindeutschung von Shakespeares Mrs. Quickly in *Heinrich IV.*

2350 *wo der Hase läuft*
Welche Entwicklung die Sache nimmt. (Da der Hase, wenn er flieht, Haken schlägt, um seine Verfolger zu irritieren, wartet der Jäger, welche Hauptrichtung der hakenschlagende Hase einschlägt.)

2350 *Professor Wolffen*
Christian Freiherr von Wolff (1679–1754). Wolff erhielt 1707 einen Ruf als Professor für Mathematik und Naturlehre an die Universität Halle. Ein die Lehre von Leibniz verflachender »Rationalist«, der besonders unter pietistischen Theologen viele Gegner hatte, die ihn verklagten und erreichten, daß der redegewandte und streitbare Aufklärer per Kabinettsorder 1723 abgesetzt wurde und Preußen unter Androhung des Strangs verlassen mußte. Er fand im Land Cassel Aufnahme und erhielt eine Stelle an der Universität Marburg. Der Streit über sein philosophisches System, der ihn auch außerhalb Deutschlands sehr bekannt machte, wurde am Ende zu seinen Gunsten entschieden. 1740, als Friedrich II. an die Macht kam, wurde Wolff rehabilitiert und nach Halle zurückgeholt. Er wurde Professor für Natur- und Völkerrecht, sowie Vizekanzler und später Kanzler der Universität.

2351 *nimmt ein Buch auf*
Kants Schrift *Zum ewigen Frieden. Ein philosophischer Entwurf* erschien 1795. (In der Ausgabe *Immanuel Kants Werke* von Ernst Cassirer in Band VI, Berlin 1914; das von Brecht angeführte Zitat findet sich S. 443.) Der in der Szene angesprochene Haß von Wolff auf die Kantschen Freiheitsschriften ist eine Erfindung von Brecht.

2353 *»Minna von Barnhelm«*
Der Verweis auf Lessings Lustspiel findet sich bereits bei Lenz, der die Döbblinsche Truppe mit dem Stück in Königsberg oder 1771 auf der Durchreise in Leipzig gesehen hat.

2357 *Ihn sticht wohl der Hafer*
Wenn Pferde mehr Hafer als nötig gefressen haben, scheiden sie unverdaut die spitzen Körner wieder aus, die beim Austritt am After einen stechenden Schmerz hervorrufen. Der Hafer sticht sie. Es juckt sie, sie werden unruhig.

2358 *Klopstock*
Die beiden hier angeführten Zitate sind aus den Gedichten »Der Verwandelte« (*Sämmtl. Werke.* Vierter Band. S. 74) und »Der Zürchersee« (S. 60).

2360 *Eine kühnere Julie*
Die populärsten Identifikationsfiguren für Liebende waren, ehe der *Werther* von Goethe erschien, Romeo und Julia aus Shakespeares Tragödie. Vergl. auch S. 2363.

2363 *Abälard*
Der bekannte mittelalterliche Scholastiker, der als Hauslehrer seine Schülerin Héloise entführte und sie heimlich heiratete. Zur Bestrafung ließen ihn die Angehörigen des Mädchens überfallen und entmannen. Héloise wurde Nonne, Abälard Mönch der Abtei St. Denis. Er lebte von 1079–1142. Sein Briefwechsel mit Héloise gilt als fingiert.

2365 *Fontanelle*
Ein künstliches Geschwür. Früher in der Medizin angewandtes Mittel zur Entgiftung des Körpers.

2366 *Heautontimorumenos*
Eine Komödie des Terenz aus dem Jahr 163 v. Chr. (nach Menander): »Der Mann, der sich selbst bestraft«. In der Übersetzung von W. Kroll (1933) heißt das Stück *Der Selbstquäler.* Der Heautontimorumenos flüchtet sich aus Gram über das von ihm verschuldete Schicksal seines Sohnes in Feldarbeit.

2366 *meiner großen Madame Dacier abgemalt*
Die französische Schriftstellerin Anne Dacier (1654–1720) schrieb u. a. das Buch *Des Causes de la corruption du goût* und übersetzte zahlreiche antike

Dichter, darunter die sechs Komödien des Terenz. Die große Ausgabe ihres französischen Terenz erschien mit Illustrationen.

2366 *schalu über sie*
Der Major unterstellt, daß die Majorin auf Gustchen eifersüchtig ist. Ein Deutscher verwendet das franz. Wort jaloux.

2367 *Sodom*
Der Sage nach eine Stadt am Ostufer des Toten Meeres, die (zusammen mit Gomorrha) durch vulkanische Eruption wegen der Gottlosigkeit ihrer Bewohner vernichtet worden sein soll. Siehe 1. Mose, 19.

2370 *potz Millius*
Das latinisierte Potztausend.

2371 *Tabagie*
Schenkstube.

2371 *den teutschen Hermann*
Der Befreier Germaniens von der Herrschaft der Römer, die ihn Arminius nannten, wird gewöhnlich »Hermann der Cherusker« genannt. Aber »Hermann« kann nicht Hermann geheißen haben, denn als »Heer-Mann« hätte er hari-man und latinisiert Chariomannus heißen müssen. Die Eindeutschung des Namens Arminius in Hermann ist nachweisbar falsch, sie wurde zur Lutherzeit vorgenommen. Luther selbst hat »Hermann« populär gemacht, und Klopstock, Kleist und Grabbe haben es von ihm übernommen.

2380 *Reißender Wolf in Schafskleidern*
Siehe Matth. 7,15: »Sehet euch vor vor den falschen Propheten, die in Schafskleidern zu euch kommen, inwendig aber sind sie reißende Wölfe.«

2382 *Origines*
Streitbarer Kirchenlehrer (185–254), der unter den Christenverfolgungen sehr zu leiden hatte und an den Folgen von Kerkerhaft und Folter schließlich starb.

2382 *Zoar*
Lot, sein Weib und seine beiden Töchter wurden vom Herrn aus Sodom weggeführt, ehe er die Stadt zerstörte. Sie fanden Zuflucht in der kleinen Stadt Zoar. Lots Weib aber sah sich nach der Stadt um, über die der Herr Schwefel und Feuer regnen ließ, »und ward zur Salzsäule« (1. Mose, 19, 26).

2383 *Scylla und Charybdis*
Scylla ist in der *Odyssee* das sechsköpfige, Menschen und Tiere verschlingende Ungeheuer in einer Felsenhöhle gegenüber dem Felsenschlund Charybdis, der die Meeresflut einsaugt und wieder ausspuckt, so daß verloren ist, wer in den Strudel gerät. Es handelte sich um die Meerenge von Messina.

Zum Sprichwort wurde der Vers aus der *Alexandreis* des Philippe Gaulthier (um 1180): »In die Scylla stürzt, wer die Charybdis will meiden.«

2384 *was der Immanuel Kant sagt*
Das von Brecht leicht kompilierte, nicht mehr ganz wortgetreue Zitat findet sich in Kants Abhandlung *Die Metaphysik der Sitten* von 1797 (*Immanuel Kants Werke.* Band VII. Berlin 1916. S. 81), im dritten Abschnitt der Rechtslehre. Vergl. auch Brechts Gedicht »Über Kants Definiton der Ehe in der ›Metaphysik der Sitten‹«, GW IV, S. 609.

2385 *das nenn ich einen Vater nach Rousseau*
Sozusagen die populäre Nutzanwendung der Forderung des »zurück zur Natur«, von Rousseaus Ansicht, daß das Zusammendrängen der Menschen in Großstädten den Niedergang bringe.

2388 *dem Ochsen, der da drischet*
Siehe 5. Mose 25,4: »Du sollst dem Ochsen, der da drischt, nicht das Maul verbinden.«

Coriolan

GW III, S. 2395–2497

2397 *Der Mann mit dem Kind*
Mit Skepsis hört dieser Teil der Bevölkerung den Reden zu, die den Aufruhr propagieren. Der Mann will abwarten, ob die Erhebung erfolgreich ist. Falls sie das nicht sein sollte, wird er »mit denen vom dritten Bezirk auswandern«. Die genauere Differenzierung der römischen Bevölkerung sollte einer Ausarbeitung der Schlacht vorbehalten bleiben, die während der Proben entwickelt und abgefaßt werden sollte. Da es zu Proben nicht kam, mußte die Tiecksche Übersetzung in die Druckfassung eingerückt werden. Dieser Mann aus dem Volke zeigt später dem Kind den Retter Roms, eben Coriolan, dem er auch seine Stimme bei der Abstimmung zusichert. (S. 2439)

2408 *Einer von Vaters Wutanfällen*
Die Übersetzung Dorothea Tiecks lautet: »Volumnia: Ganz seines Vaters Art./ Valeria: Ei wahrhaftig! er ist ein edles Kind./ Virgilia: Ein kleiner Wildfang...« (*Coriolanus.* Ein Trauerspiel, Stuttgart 1968, 32) Brechts Text unterstreicht die beabsichtigte Charakterisierung präziser: »Virgilia: Ein kleiner Schläger, Madame.« Am Ende der familiären Szene ist aus der edlen Wesensart die reine Lust am Zuschlagen geworden. Die Tragödie des Stolzes bedeutet auch den permanenten Krieg.

2428 *Kund und zu wissen jedermann*
Die Geschichte des Coriolan war eine zeitgenössisch geläufige Erfindung der Marcier, die auf diese Weise ihrer Familienchronik weiteren Glanz verliehen.

2440 *Was ist Euer Gewerbe, Herr?*
Brecht verwendet ein Shakespeare-Zitat aus *Julius Cäsar* (I,1; Verse 10–20), verarbeitet somit für Coriolan die gönnerhafte Befragung der Handwerker durch die Tribunen Flavius und Marullus.

2440 f. *Herr, mein Garten lehrt mich*
Benutzung eines Zitats aus *Richard II.* (III, 4; Verse 24–66): das »Rosen-Gleichnis« tritt dem schon bei Plutarch überlieferten Bauch-Gleichnis des Menenius entgegen, in dem der Bauch, d. h. der Adel und der Senat, das gesamte Futter beansprucht, da er die übrigen Glieder, d. s. Füße, Volk etc., zu ernähren habe. Eine Revolte, bzw. eine Verweigerung der Gliedmaßen lasse den ganzen Organismus sterben. Das Rosen-Gleichnis hingegen spricht davon, daß auch die edelste Blume beschnitten werden müsse. Die Zusammenstellung der »königlichen Rose« mit niederen Nutzpflanzen ironisiert ihre Ästhetik. Die Betonung der Nützlichkeit verhöhnt den aristokratischen Entwurf der ästhetischen Verschwendung.

2455 *Dies sind die Obleute der Wahlbezirke*
Brecht arbeitet eine ganze Reihe von Einzelheiten heraus, die den Stand der politischen Organisation des Volkes unter Beweis stellen sollen. Hinter der Tribunenwahl verbirgt sich ein ganzes Verwaltungssystem: die Stadt ist in Bezirke aufgeteilt (S. 2398); die Bürger haben feste Versammlungsorte, die Bezirkslokale (S. 2478).

2465 f. *Ein Römer und ein Volsker treffen sich*
Ein Sandalenmacher und ein Seiler unterhalten sich im Frieden über ihre Geschäfte, Frau und Haus. Ihre Privatsphäre kennt keinen Krieg, sehr wohl einen Feind. Als der Römer von der Vertreibung Coriolans berichtet, stimmt der Volsker befriedigt zu.
Die Allianz der Herrschenden, d. s. Coriolan und Aufidius, gegenüber der weniger ausgeprägten *Organisation* der Beherrschten kennzeichnet ein grundsätzliches Argumentationsmuster Brechts, so etwa besonders in dem Stück *Die Gesichte der Simone Machard*.

Herrnburger Bericht

GadN S. 415–423

415 *Friedenstreffen*
Vom 27.–30. Mai 1950 fand das 1. Deutschlandtreffen der Jugend in Berlin statt. Von den etwa 700 000 Teilnehmern kamen 30 000 aus Westdeutschland. Bei der Rückkehr wurden rund 10 000 Jugendliche an der Grenze bei Herrnburg in der Nacht vom 31. Mai zum 1. Juni von westdeutscher Polizei zur »Registrierung« festgehalten. Die Jugendlichen widersetzten sich erfolgreich und erzwangen schließlich die Weiterreise.

418 *Kühn gingen wir über die Grenze*
Der Erstdruck der Kantate im *Neuen Deutschland* vom 22. Juli 1951 bringt hier die hübsche Variante: »Wir gingen blau über die Grenze«. Was gewiß mehr der Wirklichkeit entsprochen hat. Zudem war die Kantate durchaus auch als humorvolle Sache gedacht.

419 *Bitten der Kinder*
Als Gedicht auch unter dem Titel »Bitten der Jugend« im Nachlaß vorhanden.

421 *Einladung*
Als »Angebot« in den *Neuen Kinderliedern* 1953 im Sonderheft der VERSUCHE *Die Gewehre der Frau Carrar* und in GW IV, S. 995 publiziert. Dieses Gedicht ist im Erstdruck des *Herrnburger Berichts* nicht enthalten, es durfte wegen der Nennung von Ernst Busch damals nicht veröffentlicht werden. Weil Paul Dessau die Zensurmaßnahme akzeptierte und das Lied nicht in die Kantate aufnahm, lehnte Busch später immer ab, von Dessau vertonte Brecht-Gedichte auf Schallplatte zu singen.

423 *Kurt Schumacher*
SPD-Politiker (1895–1952). Als unerbittlicher Gegner der Nazis befand er sich (mit einiger Unterbrechung 1943) von 1933–45 in Lagerhaft. Er wirkte an der Wiederbegründung der SPD mit und war die treibende Kraft innerhalb der Partei gegen die angestrebte Vereinigung von KPD und SPD zu einer sozialistischen Arbeiterpartei. In den westlichen Besatzungszonen setzte er sich durch. Er wurde 1946 zum Vorsitzenden der SPD gewählt und lehnte auch weiterhin jede Zusammenarbeit mit der KPD ab. Seit Sept. 1949 bis zu seinem Tod Oppositionsführer im Bundestag. Übte harte Kritik an der Politik Konrad Adenauers gegenüber den westlichen Alliierten.

423 *Konrad Adenauer*
CDU-Politiker (1876–1967) und erster Bundeskanzler der Bundesrepublik von 1949 bis zu seinem Rücktritt im Oktober 1963. In der Weimarer Republik war er als Zentrumspolitiker Oberbürgermeister von Köln und Präsident des Preußischen Staatsrats. Lebte in der Nazizeit zurückgezogen in Rhöndorf und Maria Laach. 1944 einige Monate in Gestapohaft. 1945 Mitbegründer der CDU im Rheinland.

Der Prozeß der Jeanne d'Arc zu Rouen 1431

GW III, S. 2499–2546

2501 *Die Mädchen singen*
Die Liedtexte in der ersten und letzten Szene sind beeinflußt von der Verserzählung *Poème de la Pucelle* von Christine de Pisan (1364–1432).

2545 *Die entgültige Befreiung*
Die wieder beginnenden kriegerischen Auseinandersetzungen enden mit der Vertreibung der englischen Besatzungsmacht vom französischen Festland (die Ausnahme bildet Calais) im Jahre 1453.

2546 *Tochter Frankreichs*
Die Revision des Urteils gegen Jeanne d'Arc erfolgte am 7. 7. 1456. Im Gedenken an ihre Verdienste für den nationalen Widerstand und die territoriale Einigung wird in Frankreich immer noch ihr Todestag, der 30. Mai, als Feiertag begangen. Die Amtskirche benötigte mehr Zeit. 1909 wurde Jeanne durch Pius X. selig gesprochen. Die Heiligsprechung erfolgte durch Benedikt XV. am 16. 5. 1920.

Turandot oder Der Kongreß der Weißwäscher

GW III, S. 2193–2270

2194 *alle diese Arbeiten*
Das Tuiromanfragment sowie die hier erwähnten Schwänke und Traktate finden sich im Band V der GW.

2206 *»Sei er noch so dick«*
Das kleine Gedicht, das Turandot singt, stammt von Frank Wedekind. Es heißt »Albumblatt«.

2208 *KA ME*
Das von Brecht im *Me-ti* verwendete Sigle für Karl Marx.

2209 *das Getümmel wird allgemein*
Der Kampf der beiden Bundtuis ist eine satirische Anspielung auf die erbitterten Streitigkeiten zwischen SPD und KPD vor 1933 und deren jeweils unter neuen Vorzeichen behaupteten Anspruch, die richtige Marx-Exegese geleistet zu haben.

2215 *deutet auf die Inschrift*
Gemeint ist die im Vorspann der Szene erwähnte Inschrift »Der zukünftige Eidam des Kaisers ein Tui« (S. 2211).

2215 *Hi-Wei*
Das Kürzel für Felix Weil, den Begründer des Frankfurter Instituts für Sozialforschung. Hi-Wei ist Rektor der Tui-Schule. (Kaiserliche Universität, wie es in einem Teil der Auflage der GW heißt, ist ein Druckfehler.)

2231 *auf unchinesische Gedanken hin zu durchforschen*
Anspielung auf die Verhöre vor dem Ausschuß für unamerikanisches Verhalten, denen sich amerikanische Künstler und Emigranten wie Brecht und Hanns Eisler unterziehen mußten.

2241 *Ich habe immer das Beste gewollt*
So mancher Herrscher oder Politiker, der Schaden angerichtet hat, ist mit diesem Spruch hausieren gegangen, denn »*das Beste* ist auch das Angenehmste«, wie Kaiser Albrecht I. zu sagen pflegte. Der Satz versucht das totale Eingeständnis der Katastrophe, in die man Menschen bzw. sein Volk geführt hat, zu vermeiden. Schlimmer dann noch die Stimme Gottes am Ende der *Letzten Tage der Menschheit* von Karl Kraus: »Ich habe es nicht gewollt.« Ein verbürgter Spruch aus dem Munde Kaiser Franz Josephs.

2243 *Das Volk muß sich doch sein Regime wählen können*
Vergl. Brechts Gedicht »Die Lösung« in den *Buckower Elegien* von 1953 (GW IV, S. 1009).

2244 *Sie haben mein Vertrauen*
Eine Anspielung auf Hindenburgs Verhalten 1933 gegenüber Hitler.

2245 *Der Witze sind genug gewechselt*
In Goethes *Faust* (Vorspiel auf dem Theater) heißt es: »Der Worte sind genug gewechselt,/ Laßt mich auch endlich Taten sehn.«

2248 *Der dumme Teufel schuftet heut und morgen*
Das in der Szene »Kleiner Tuimarkt« von verschiedenen Tuis gesungene Lied, dessen Strophen mit der Zeile enden: »Denn wer was weiß, der macht auch seinen Schnitt«, hat den Titel »Ballade vom Wissen«. Entwürfe zu dieser Ballade liegen auch im *Cäsar*-Material. Außer den hier gesungenen vier Strophen gibt es drei weitere (gedruckt lediglich in der Ausgabe GEDICHTE VII, S. 143–145).

2258 *Das Volk will gar nicht tümlich sein*
Vergl. Brechts Aufsatz über »Volkstümlichkeit und Realismus«, GW VIII, S. 322 ff.

2264 *daß die Dummköpfe ihn einen Dummkopf*
Im »Lob des Kommunismus« heißt es »Die Dummköpfe nennen ihn dumm, und die Schmutzigen nennen ihn schmutzig.« (GW IV, S. 463)

Don Juan

GW III, S. 2547–2615

2551 *ein epikuräisches Schwein, ein Sardanapal*
Die Ethik des Epikuros (341–271 v. Chr.) begründete auf der Unerschütterlichkeit der Seele die »dauernde Lust«, eine eher intellektuell-sinnliche Form des Genusses, die ohne Tugend nicht möglich sei. Die Lesart des Epikureismus als reiner Hedonismus datiert aus römischer Zeit.
Sardanapal war Assyrerkönig (669–627 v. u. Z.). Er wurde in der Überlie-

ferung zum Idealtyp des orientalischen Lüstlings, auch dies eine Auffassung, die keine quellenmäßige Begründung hat.

2554 *dieser Provinz den Komtur*
Der Komtur war in den Nachfolgeorganisationen der Ritterorden der Verwalter einer Region (Kommende), die zumindest einen befestigten Ort umfaßte.

2564 *Chaise*
Ein zwei- bis vierrädriger Wagen, ab dem 17. Jahrhundert in Frankreich gebräuchlich.

2601 *Herrn Dimanche antichambrieren zu lassen*
In der Hierarchie des französischen Königshofes waren die Vorzimmer von entscheidender Bedeutung. Nicht nur das sog. diplomatische Leben hatte hier seinen wichtigen Ort. Den Begünstigten, die das Vorzimmer beaufsichtigten, war häufig eine weitgehende Kompetenz zugebilligt, so daß das *antichambre* in vielen Fällen des Hauptzimmer ohne Souverän war.

Pauken und Trompeten

GW III, S. 2617–2710

2617 *Bearbeitung von George Farquhars The Recruiting Officer*
In seinem erfolgreichsten Stück, uraufgeführt am 8. 4. 1706, verarbeitete Farquhar eigene Erfahrungen. George Farquhar (1677–1707) war ab 1699 Komödiendichter, trat 1704 ins Heer ein und wurde 1705 Werbeoffizier für Malboroughs Armee in Shrewsbury.

2618 *Personen*
Brecht übertrug die »sprechenden Namen« der Vorlage in seine Bearbeitung. So erscheinen, nomen est omen: Workless, Lady Prude, Mr. Balance, Victoria. Eher karikierende Wirkung haben die Benennungen Appletree – pearmain (Birnenkopf) für die beiden tumben Soldaten in spe; dazu gehören auch die Namen Worthy (wertvoll) und Smuggler.

2620 *sechs Fuß groß geboren*
Möglicherweise eine Anspielung auf die besondere Garde der »langen Kerls« des Königs Friedrich Wilhelm I. von Preußen (1713–1740).

2631 *30 000 Hessen*
Von 1776–1784 waren hessische Truppen, z. T. auch mit Gewalt und aus Disziplinierungserwägungen ausgehoben, für britischen Sold nach Nordamerika verschickt worden.

2657 *Es gibt im Leben Augenblicke*
Die inhaltliche Ausrichtung des Liedes erinnert an das Lied der Jenny aus

der Oper *Aufstieg und Fall der Stadt Mahagonny*. (Die Musik für die Uraufführung stammte von Rudolf Wagner-Régeny und war mit Flöte, Fagott und Bratsche instrumentiert.)

2697 *Ich verstehe die Welt wieder*

Balance erliegt dem Irrtum, Brazen habe von dem vorgetäuschten Verlust der Erbschaft schon erfahren. Verballhornung des Spruchs von Meister Anton aus Hebbels *Maria Magdalena:* »Ich verstehe die Welt nicht mehr.«

2710 *England, England über alles*

Nach Zwangsrekrutierung, Elite-Truppen mit Gardemaß, nun der hymnische Höhepunkt der deutschen Militärtradition.

V. BIBLIOGRAPHIE

Auf Erstausgaben wird im Vorspann zu den einzelnen Stücken verwiesen. Die Bibliographie erwähnt nur die maßgeblichen Ausgaben, Publikationen zur Bibliographie und Biographie; sie nennt die wesentlichen Gesamtdarstellungen und bietet jeweils kleine Literaturverzeichnisse zu den einzelnen Stücken. Weitere Literaturverweise finden sich außerdem in den Anmerkungen zu den Stücken.

1. *Ausgaben*

Gesammelte Werke. Band I–VIII. (Auch als Werkausgabe in 20 Bänden erschienen, deren Paginierung mit der geb. Leinenausgabe identisch ist.) Herausgegeben vom Suhrkamp Verlag. Redaktion: Elisabeth Hauptmann, Rosemarie Hill, Herta Ramthun, Werner Hecht und Klaus Völker. Frankfurt 1967 (zitiert als GW).

Texte für Filme. Supplementband 1. Redaktion: Wolfgang Gersch und Werner Hecht. Frankfurt 1969 (zitiert als TF).

Gedichte aus dem Nachlaß. Supplementband 2. Herausgegeben von Herta Ramthun. Frankfurt 1982 (GadN).

Arbeitsjournal. Band I/II. Herausgegeben von Werner Hecht. Frankfurt 1973 (AJ).

Tagebücher 1920–1922. Herausgegeben von Herta Ramthun. Frankfurt 1975 (T).

Briefe. Herausgegeben und kommentiert von Günter Glaeser. Frankfurt 1981 (BR).

Kriegsfibel. Herausgegeben von Ruth Berlau. Berlin 1955.

Versuche. Heft 1–8. Zwei Bände. Neudruck. Berlin (Aufbau Verlag) 1963.

2. *Bibliographien/Handbücher*

Bertolt-Brecht-Archiv. Bestandsverzeichnis des literarischen Nachlasses. Bearbeitet von Herta Ramthun. Herausgegeben von der Akademie der Künste der DDR.
Band 1: Stücke. Berlin und Weimar 1969. Band 2: Gedichte. Berlin und Weimar 1970. Band 3: Prosa. Filmtexte. Schriften. Berlin und Weimar 1972. Band 4: Gespräche. Notate. Arbeitsmaterialien. Berlin und Weimar 1973.

Seidel, Gerhard: Bibliographie Bertolt Brecht. Titelverzeichnis. Band 1. Deutschsprachige Veröffentlichungen aus d. Jahren 1913–1972. Werke von Brecht. Sammlungen – Dramatik. Berlin und Weimar 1975.

Seidel, Gerhard: Bertolt Brecht. Arbeitsweise und Edition. Das literarische Werk als Prozeß. Stuttgart 1977.
Seidel, Gerhard: Klassifikation Bertolt Brecht. Formal- und Sacherschließung in der Personalbibliographie. Akademie der Künste der DDR. Berlin 1980.
Nubel, Walter: Bertolt Brecht-Bibliographie. In: Sinn und Form. Zweites Sonderheft Bertolt Brecht. Berlin 1957. S. 479–626.
Bock, Stephan: Bertolt Brecht. Auswahl- und Ergänzungsbibliographie. Bochum 1979.
Busse, Christa: Bibliografie der nicht veröffentlichten wissenschaftlichen Arbeiten über Bertolt Brecht, die an Universitäten und Hochschulen der DDR geschrieben wurden. In: Brecht-Dialog 1968. Politik auf dem Theater. Hrsg. v. Werner Hecht. Berlin 1968. S. 303–324.
Grimm, Reinhold: Bertolt Brecht. 3. Auflage. Stuttgart 1971.
Knopf, Jan: Brecht-Handbuch. Theater. Stuttgart 1980.
Petersen, Klaus-Dietrich: Bertolt-Brecht-Bibliographie. Bad Homburg, Berlin, Zürich 1968.
Petersen, Klaus-Dietrich: Kommentierte Auswahlbibliographie. In: Bertolt Brecht I. Sonderband der Reihe Text und Kritik. München 1972. S. 142–158.
Rost, Maritta: Brecht-Bücher der DDR. Eine Bibliographie aus Anlaß des 80. Geburtstages von Bertolt Brecht. Bibliographischer Informationsdienst der Deutschen Bücherei. Leipzig 1977.
Völker, Klaus: Verzeichnis sämtlicher Stücke, Bearbeitungen und Fragmente. In: Bertolt Brecht II. Sonderband der Reihe Text und Kritik. München 1973. S. 210–225.

3. *Zur Biographie*

a) Biographien

Engberg, Harald: Brecht Pa Fyn. 2 Bd. Odense 1966.
Fassmann, Kurt: Brecht. Bildbiographie. München 1963.
Frisch, Werner/Obermeier, K. W.: Brecht in Augsburg. Erinnerungen, Dokumente, Texte, Fotos. Berlin und Weimar 1975.
Hecht, Werner (Hg.): Bertolt Brecht. Sein Leben in Bildern und Text. Frankfurt 1978.
Hecht, Werner (Red.): Bertolt Brecht. Leben und Werk im Bild. Mit autobiographischen Texten, einer Zeittafel und einem Essay von Lion Feuchtwanger. Leipzig und Weimar 1981.
Kesting, Marianne: Bertolt Brecht in Selbstzeugnissen und Bilddokumenten. rowohlts monographien. Hamburg 1959.
Lyon, James K.: Bertolt Brecht in America. Princeton 1980.
Palm, Kurt: Vom Boykott zur Anerkennung. Brecht und Österreich. Wien · München 1983.

Schumacher, Ernst und Renate: Leben Brechts in Wort und Bild. Berlin 1979.
Völker, Klaus: Brecht-Chronik. Daten zu Leben und Werk. München 1978 (3. Aufl.).
Völker, Klaus: Bertolt Brecht. Eine Biographie. München 1976.

b) Erinnerungen

Erinnerungen an Brecht. Zusammengestellt von Hubert Witt. Leipzig 1964.
Sinn und Form. Zweites Sonderheft Bertolt Brecht. Berlin 1957.
Adler, Meinhard: Untersuchungen zum Studium Bert Brechts. In: Neue Deutsche Hefte. Heft 3. 1966.
Anders, Günther: Bert Brecht. Gespräche und Erinnerungen. Zürich 1962.
Aufricht, Ernst: Erzähle, damit du dein Recht erweist. Berlin 1966.
Benjamin, Walter: Versuche über Brecht. Frankfurt 1966.
Bronnen, Arnolt: Tage mit Bertolt Brecht. Wien, München, Basel 1960.
Bunge, Hans: Fragen Sie mehr über Brecht. Hanns Eisler im Gespräch. München 1970.
Feuchtwanger, Marta: Nur eine Frau. München/Wien 1983.
Fleisser, Marieluise: Gesammelte Werke in 3 Bänden. Frankfurt 1972. (Texte zu Brecht in Band 2, das Drama »Der Tiefseefisch« in Band 1 und die Erzählung »Avantgarde« in Band 3.)
Frisch, Max: Erinnerungen an Brecht. In: Kursbuch. Heft 7. Frankfurt 1966.
Gebhardt, Manfred: Fahndung nach John Kent. In: Magazin. Heft 2. Berlin 1966.
Gebhardt, Manfred: Zwischen Wartesaal und Weißem Gut. In: Magazin. Heft 1. Berlin 1965.
Giehse, Therese: Ich hab nichts zum Sagen. Gespräche mit Monika Sperr. Reinbek bei Hamburg 1976.
Hasenfratz, Doris: Aus dem Alltag eines Genies. In: Die Zeit vom 19. August 1966.
Kortner, Fritz: Aller Tage Abend. München 1959.
Leiser, Erwin: Brecht, Grass und der 17. Juni 1953. In: Die Weltwoche vom 11. 2. 1966.
Münsterer, Hanns Otto: Bert Brecht. Berlin und Weimar 1966.
Reich, Bernhard: Im Wettlauf mit der Zeit. Berlin 1970.
Sternberg, Fritz: Der Dichter und die Ratio. Erinnerungen an Bertolt Brecht. Göttingen 1963.
Viertel, Salka: The Kindness of Strangers. New York 1969.
Zuckmayer, Carl: Als wär's ein Stück von mir. Frankfurt 1966.

4. *Gesamtdarstellungen/ Allg. Untersuchungen*

Esslin, Martin: Brecht – Das Paradox des politischen Dichters. Frankfurt/Bonn 1962.
Ewen, Frederic: Bertolt Brecht. Sein Leben, sein Werk, seine Zeit. Frankfurt 1973.
Fuegi, John: The Essential Brecht. Los Angeles 1972.
Gersch, Wolfgang: Film bei Brecht. Berlin 1975.
Haug, Wolfg. F./ Pierwoss, Klaus/ Ruoff, Karen (Hg.): Aktualisierung Brechts. Argument-Sonderband 50. Berlin 1980.
Hecht, Werner: Brechts Weg zum epischen Theater. Berlin 1962.
Hecht, Werner: Brecht. Vielseitige Betrachtungen. Berlin 1978.
Hüfner, Agnes: Brecht in Frankreich 1930–1963. Stuttgart 1968.
Ihering, Herbert: Bert Brecht hat das dichterische Antlitz Deutschlands verändert. Gesammelte Kritiken zum Theater Brechts. Herausgegeben und eingeleitet von Klaus Völker. München 1980.
Karasek, Hellmuth: Bertolt Brecht. Der jüngste Fall eines Theaterklassikers. München 1978.
Klotz, Volker: Bertolt Brecht. Versuch über das Werk. Darmstadt 1957.
Knopf, Jan: Bertolt Brecht. Ein kritischer Forschungsbericht. Frankfurt 1974.
Mayer, Hans: Brecht in der Geschichte. Drei Versuche. Frankfurt 1971.
Mittenzwei, Werner: Brecht. Von der »Maßnahme« zu »Leben des Galilei«. Berlin 1962.
Mittenzwei, Werner: Brechts Verhältnis zur Tradition. Berlin 1972.
Mittenzwei, Werner (Hg.): Wer war Brecht? Wandlung und Entwicklung der Ansichten über Brecht. Berlin 1977. (Sammlung von großenteils in der Zeitschrift »Sinn und Form« erschienenen Beiträgen über Brecht von DDR-Autoren.)
Müller, Klaus-Detlef: Die Funktion der Geschichte im Werk Bertolt Brechts. Studien zum Verhältnis von Marxismus und Ästhetik. Tübingen 1967.
Obliques (Numéro 20/21): Brecht. Herausgegeben von Lionel Richard. Nyons 1979.
Rischbieter, Henning: Bertolt Brecht. Zwei Bände. Friedrichs Dramatiker des Welttheaters. Velber 1966.
Rülicke-Weiler, Käthe: Die Dramaturgie Brechts. Theater als Mittel der Veränderung. Berlin 1966.
Schumacher, Ernst: Die dramatischen Versuche Bertolt Brechts 1918–1933. Berlin 1955.
Schumacher, Ernst: Drama und Geschichte. Bertolt Brechts »Leben des Galilei« und andere Stücke. Berlin 1965.
Schumacher, Ernst: Brecht-Theater und Gesellschaft im 20. Jahrhundert. Berlin 1973.
Voigts, Manfred: Brechts Theaterkonzeptionen. Entstehung und Entfaltung bis 1931. München 1977.

Wekwerth, Manfred: Schriften. Arbeit mit Brecht. Berlin 1975.
Wekwerth, Manfred: Notate. Über die Arbeit des Berliner Ensembles 1956–1966. Frankfurt 1967.
Willett, John: Das Theater Bertolt Brechts. Reinbek b. Hamburg 1964.

5. *Zu den einzelnen Stücken*

Die Bibel

Grimm, Reinhold: Bertolt Brecht. In: Deutsche Dichter der Moderne. Berlin 1975, 570 ff.
Ders.: Brechts Anfänge. In: Aspekte des Expressionismus. Heidelberg 1968, 133–151.

Baal

Brecht: Baal. Drei Fassungen. Kritisch ediert und kommentiert von Dieter Schmidt. Frankfurt 1966.
Ders.: Baal. Der böse Baal der asoziale. Texte, Varianten, Materialien. Kritisch ediert und kommentiert von Dieter Schmidt. Frankfurt 1968.
Ders.: Texte zu »Baal«. In: GW VII, 945–948; 954–956.
Ders.: Briefe an Hanns Johst. In: BR 57–59.
Johst, Hanns: Der Einsame. Ein Menschenuntergang. München 1917.
Rimbaud, Arthur: Leben und Dichtung. Übertragungen von K. L. Ammer. Eingeleitet von Stefan Zweig. Leipzig 1907.
Verlaine, Paul: Saturnische Gedichte. Galante Feste. Aus dem Französischen von Otto Hauser. 3. Aufl. Weimar 1918.
Claas, Herbert: Die politische Ästhetik Bertolt Brechts vom Baal zum Cäsar. Frankfurt 1977, 16–28.
Frisch, W./Obermeier, K. W.: Brecht in Augsburg. Berlin 1975.
Politzer, Heinz: Hofmannsthals Vorspiel zu Brecht. In: Das Schweigen der Sirenen. Stuttgart 1968, 100–109; 407–408.
Schmidt, Dieter: »Baal« und der junge Brecht. Eine textkritische Untersuchung zur Entwicklung des Frühwerks. Stuttgart 1966.
Wyss, Monika: Brecht in der Kritik. München 1977, 33–43.

Trommeln in der Nacht

Brecht: Texte zu »Trommeln in der Nacht«. In: GW VII, 945–47; 957–968.
Hecht, Werner (Hg.): Brecht im Gespräch. Frankfurt 1975, 11–28.
Feilchenfeldt, Konrad: Bertolt Brechts »Trommeln in der Nacht«. Materialien. Abbildungen. Kommentar. München 1976.
Giese, Peter Christian: Das »Gesellschaftlich-Komische«. Zu Komik und

Komödie am Beispiel der Stücke und Bearbeitungen Brechts. Stuttgart 1974, 66–78; 103–105.
Wyss, Monika: Brecht in der Kritik. München 1977, 1–13.

Frühe Einakter

Die Kleinbürgerhochzeit (A)
Der Bettler oder Der tote Hund (B)
Er treibt den Teufel aus (C)
Lux in Tenebris (D)
Der Fischzug (E)

Friedrich, Otto: Weltstadt Berlin. Größe und Untergang. München 1973.
Gersch, Wolfgang: Film bei Brecht. München 1975, 112 f.
Giese, Peter Christian: Das »Gesellschaftlich-Komische«. Zu Komik und Komödie am Beispiel der Stücke und Bearbeitungen Brechts. Stuttgart 1974. 21–37.
Knust, Herbert: Brechts »Fischzug«. In: Brecht – Heute. Jahrbuch der internationalen Brecht-Gesellschaft. Frankfurt/M. 1971, 98–109.
Knust, Herbert/Marx, Leonie: Brechts »Lux in Tenebris«. In: Monatshefte 65, 1973, 117–125.
Münsterer, Hans Otto: Bertolt Brecht. Berlin und Weimar 1966.
Schumacher, Ernst: Die dramatischen Versuche Bertolt Brechts 1918–1933. Berlin 1955, 93–99.
Völker, Klaus: Das Phänomen des Grotesken im neueren deutschen Drama. In: Sinn oder Unsinn. Basel 1962, 30-38.
Wyss, Monika: Brecht in der Kritik. München 1977, 63–66 (A), 415–417 (B), 438 f. (C), 434 (D), 405–409 (E).

Prärie

BBA 455, 1-55.
Der noch nicht publizierte Text des am 3. Oktober 1919 fertiggestellten Einakters nach der Novelle »Zachäus« von Knut Hamsun ist auszugsweise bei Seliger zitiert.
Seliger, Helfried W.: Das Amerikabild Bertolt Brechts. Bonn 1974.

Im Dickicht der Städte

Brecht: Texte zu »Im Dickicht der Städte«. In: GW VII, 948–951; 969–972.
Jensen, Johannes V.: Das Rad. Roman. Berlin 1921 (5.–9. Aufl.).
Lorimer, George Horace: Ein Dollarkönig schreibt an seinen Sohn. Hamburg 1965.
Morley, Michael: Brecht and the Strange Case of Mr. L. In: German Quarterly 46. 1973, 540-547.

Sinclair, Upton: Der Sumpf. Neubearbeitung. Berlin 1923.
Westermann, Charlotte: Knabenbriefe. Der fünfzehnjährige Astorre Manfredi an den siebzehnjährigen Francesco Gonzaga. München und Leipzig o. S.
Rosenbauer, Hansjürgen: Brecht und der Behaviorismus. Bad Homburg 1970, 23–29.
Schumacher, Ernst: Die dramatischen Versuche Bertolt Brechts 1918–1933. Berlin 1955, 64–77.
Seliger, Helfried W.: Das Amerikabild Bertolt Brechts. Bonn 1974, 28–61.
Wyss, Monika: Brecht in der Kritik. München 1977, 18–29.

Hannibal

Brief an Herbert Ihering. BR 83 f.
Brecht: Weniger Gips!!! In: GW VII, 110.
Nieschmidt, H. W.: Weniger Gips: Zum Schlußakt in Brechts ›Hannibal-Fragment‹. Modern Language Notes 89, 1974, 849–862. Hier sind auch die Entwürfe für den letzten Akt abgedruckt: Bei den Schiffsziehern/Turm.
Pietzcker, Carl: Die Lyrik des jungen Brecht. Vom anarchischen Nihilismus zum Marxismus, Frankfurt 1974.

Gösta Berling

Lagerlöf, Selma: Gösta Berling. Berlin 1930.
Bronnen, Arnolt: Tage mit Bertolt Brecht. München, Wien, Basel 1960, bes. 146 f.
Völker, Klaus: Bertolt Brecht. Eine Biographie. München 1976, 77.

Leben Eduards des Zweiten von England

Grimm, Reinhold (Hg.): Leben Eduards des Zweiten von England. Vorlage, Texte und Materialien. Frankfurt 1968.
Canaris, Volker: »Leben Eduards des Zweiten von England« als vormarxistisches Stück Bertolt Brechts. Bonn 1973.
Mayer, Hans: Christopher Marlowe und König Eduard II. v. England. In: Außenseiter. Frankfurt 1975, 184–197.
Reich, Bernhard: Im Wettlauf mit der Zeit. Berlin 1970, 231–271.
Wyss, Monika: Brecht in der Kritik. München 1977, 44–52.

Mann ist Mann

Brecht: GW VII, 973–988.
Wege, Carl (Hg.): Brechts »Mann ist Mann«. Materialienband mit verschiedenen Fassungen und Texten zum Stück. Frankfurt 1982.

Claas, Herbert: Die politische Ästhetik Bertolt Brechts vom Baal zum Cäsar. Frankfurt 1977, 28–33.
Döblin, Alfred: Die drei Sprünge des Wang-lun. Chinesischer Roman. Berlin 1915.
Lyon, James K.: Bertolt Brecht und Rudyard Kipling. Frankfurt 1976, 80–97.
Schumacher, Ernst: Die dramatischen Versuche Bertolt Brechts 1918–1933. Berlin 1955, 100–124.
Wyss, Monika: Brecht in der Kritik. München 1977, 53–62.

Die Dreigroschenoper

Brecht: GW VII, 989–1003.
Brecht: Dreigroschenbuch. Texte. Materialien. Dokumente. Frankfurt 1960.
Adorno, Theodor W.: Zur Musik der Dreigroschenoper. In: Dreigroschenbuch, 184–187.
Aufricht, Ernst Josef: Erzähle, damit du dein Recht erweist. Berlin 1966, 64-79.
Bloch, Ernst: Lied der Seeräuber-Jenny in der Dreigroschenoper. In: Dreigroschenbuch, 195–197.
Giese, Peter Christian: Das »Gesellschaftlich-Komische«. Zu Komik und Komödie am Beispiel der Stücke und Bearbeitungen Brechts. Stuttgart 1974, 75–78; 86–93.
Hecht, Werner: Die »Dreigroschenoper« und ihr Vorbild. In: Ders.: Sieben Studien über Brecht. Frankfurt 1972, 73–107.
Köcks, Klaus: Brechts literarische Revolution. München 1981.
Lyon, James K.: Bertolt Brecht und Rudyard Kipling. Frankfurt 1976, 98–107.
Singermann, Boris: Brechts »Dreigroschenoper«. In: Brecht-Jahrbuch 1976, 61–82.
Wagner, Gottfried: Weill und Brecht. München 1977, 29–32, 230–258.
Wyss, Monika: Brecht in der Kritik. München 1977, 79–87.

Aufstieg und Fall der Stadt Mahagonny

Brecht: Mahagonny Songspiel. Das kleine Mahagonny. Urfassung 1927. Wiederhergestellt und ed. von David Drew. Wien 1963.
Ders.: GW VII, 1004–1016.
Adorno, Th. W.: Mahagonny. In: Moment musicaux. Frankfurt 1964, 131-140.
Bronnen, Arnolt: Tage mit Bertolt Brecht. Wien–München–Basel 1960.
Schumacher, Ernst: Die dramatischen Versuche Bertolt Brechts 1918–1933. Berlin 1955, 262–289.
Sehm, Gunter G.: Moses, Christus und Paul Ackermann. Brechts »Aufstieg und Fall der Stadt Mahagonny«. In: Brecht-Jahrbuch 1976, 83-100.

Seliger, Helfried W.: Das Amerikabild Bertolt Brechts. Bonn 1974, 134–153.
Wagner, Gottfried: s. o., 182–212.
Wyss, Monika: s. o., 107–125.

Der Ozeanflug

Groth, Peter/Voigts, Manfred: Die Entwicklung der Brechtschen Radiotheorie 1927–1932. In: Brecht-Jahrbuch 1976, 9–42.
Schachtsiek-Freitag, Norbert: Bertolt Brechts Radiolehrstück »Der Ozeanflug«. In: Bertolt Brecht II. Sonderband Text und Kritik. 1973, 131–137.
Schumacher, Ernst: Die dramatischen Versuche Bertolt Brechts 1918–1933. Berlin 1955, 297–305.
Seliger, Helfried W.: Das Amerikabild Bertolt Brechts. Bonn 1974, 160–167.
Wyss, Monika: Brecht in der Kritik. München 1977, 88–95.

Das Badener Lehrstück vom Einverständnis

Brecht: GW VII, 1027–28.
Lehmann, Hans-Thies/Lethen, Helmut: Ein Vorschlag zur Güte. Zur doppelten Polarität des Lehrstücks. In: Steinweg, R. (Hg.): Auf Anregung Brechts. Lehrstücke mit Schülern, Arbeitern, Theaterleuten. Frankfurt 1978, 302–318.
Mittenzwei, Werner: Bertolt Brecht. Berlin–Weimar 1965, 49–71.
Schumacher, Ernst: s. o., 305–329.
Steinweg, Reiner: »Das Badener Lehrstück vom Einverständnis«. In: Bertolt Brecht II. Sonderband Text und Kritik. 1973, 109–130.
Wyss, Monika: s. o., 96–100.

Der Untergang des Egoisten Johann Fatzer

Brecht: Szenenabdruck: Der Untergang des Egoisten Fatzer. Fragmente von Bertolt Brecht. In: Theater heute, H. 4 1976, 48–57.
Benjamin, Walter: Aus dem Brecht-Kommentar. In: Versuche über Brecht. Frankfurt 1966, 34–38.
Lehmann, Hans-Thies/Lethen, Helmut: Ein Vorschlag zur Güte. Zur doppelten Polarität des Lehrstücks. In: Steinweg, R. (Hg.): Auf Anregung Bertolt Brechts. Frankfurt 1978, 303–318.
Steinweg, Reiner (Hg.): Brechts Modell der Lehrstücke. Frankfurt 1976, bes. 41–48; 70–78.
Voigts, Manfred: Brechts Theaterkonzeptionen. München 1977, 182–186.

Der Brotladen

Brecht: AJ 41, 25. 2. 1939
Karge, Manfred/Langhoff, Matthias (Hg.): Bertolt Brecht. Der Brotladen. Ein Stückfragment. Die Bühnenfassung und Texte aus dem Fragment. Frankfurt 1969.
Laux, Bernhard: »Erlaubt, daß wir euch vortragen ...« Bericht über die Erarbeitung einer Fassung des »Brotladen«-Fragments. In: Steinweg, R. (Hg.): Auf Anregung Brechts. Frankfurt 1978, 260–301.
Seliger, Helfried W.: Das Amerikabild Bertolt Brechts. Bonn 1974, 167–175.

Aus Nichts wird Nichts

Ritter, Hans M.: Auf dem Weg zum Lehrstück in der Schule. In: Steinweg, R. (Hg.): Auf Anregung Brechts. Lehrstücke mit Schülern, Arbeitern, Theaterleuten. Frankfurt 1978, 113–144.
Steinweg, Reiner: Das Lehrstück. Brechts Theorie einer politisch-ästhetischen Erziehung. Stuttgart 1972, S. 164.
Voigts, Manfred: Brechts Theaterkonzeptionen. München 1977, 152; 182 f.

Happy End

Hauptmann, Elisabeth: Happy End. Komödie in drei Akten. In: Julia ohne Romeo. Geschichten, Stücke, Aufsätze, Erinnerungen. Berlin–Weimar 1977, 65–135.
Seliger, Helfried W.: Das Amerikabild Bertolt Brechts. Bonn 1974, 153–160.
Schumacher, Ernst: Die dramatischen Versuche Bertolt Brechts 1918–1933. Berlin 1955, 256–262.
Wagner, Gottfried: Weill und Brecht. München 1977, 258–266.
Wyss, Monika: Brecht in der Kritik. München 1977, 101–106.

Der Jasager und Der Neinsager

Brecht: Der Jasager und Der Neinsager. Vorlagen, Fassungen, Materialien. Herausgegeben und mit einem Nachwort versehen von Peter Szondi. Frankfurt 1966.
Wagner, Gottfried: s. o., 277–297.
Weill, Kurt: Ausgewählte Schriften (hrsg. v. David Drew). Frankfurt 1975, 61–70.
Wyss, Monika: s. o., 126–131.

Die Maßnahme

Brecht: GW VII, 1029–1035.
Brenner, Hildegard: Die Fehldeutung der Lehrstücke. In: Alternative 78/79, 1971, 146–154.
Eisler, Hanns: Materialien zu einer Dialektik der Musik. (Hrsg. v. Manfred Grabs) Leipzig 1973, 52–87.
Grabs, Manfred: Die Musik (der Maßnahme). Beschreibung. In: Steinweg, R. (Hg.): Die Maßnahme. Kritische Ausgabe mit einer Spielanleitung. Frankfurt 1972, 211–232.
Horn, Peter: Die Wirklichkeit ist konkret. Bertolt Brechts »Maßnahme« und die Parteidisziplin. In: Brecht-Jahrbuch 1978, 39–65.
Kaiser, Joachim: Brechts »Maßnahme« und die linke Angst. In: Neue Rundschau, H. 1, 1973, 96–125.
Mittenzwei, Werner: Brecht. Von der »Maßnahme« zum »Leben des Galilei«. Berlin–Weimar 1965, 49–71.
Ders.: Die Spur der Brechtschen Lehrstücktheorie. Gedanken zur neueren Lehrstück-Interpretation. In: Steinweg, R. (Hg.): Brechts Modell der Lehrstücke. Frankfurt 1976, 225–254.
Steinweg, Reiner (Hg.): Die Maßnahme. Kritische Ausgabe mit einer Spielanleitung. Frankfurt 1972.
Ders.: Das Lehrstück. Brechts Theorie einer politisch-ästhetischen Erziehung. Stuttgart 1972.
Wyss, Monika: Brecht in der Kritik. München 1977. 132–137.

Die heilige Johanna der Schlachthöfe

Brecht: »Die heilige Johanna der Schlachthöfe«. Bühnenfassung. Fragmente. Varianten. Kritisch ediert von Gisela E. Bahr. Frankfurt 1971.
Ders.: GW VII, 1017–1021.
Herrmann, Hans Peter: Wirklichkeit und Ideologie. Brechts »Heilige Johanna der Schlachthöfe« als Lehrstück bürgerlicher Praxis im Klassenkampf. In: Brechtdiskussion. Kronberg 1974, 52–92; Anhang: 93–120.
Jendreiek, Helmut: Bertolt Brecht. Drama der Veränderung. Düsseldorf 1969.
Schoeps, Karl Heinz: Bertolt Brecht und Bernard Shaw. Bonn 1974, 29–59.
Seliger, Helfried W.: Das Amerikabild Bertolt Brechts. Bonn 1974, 175–190.
Schulz, Gudrun: Die Schillerbearbeitungen Bertolt Brechts. Eine Untersuchung literarhistorischer Bezüge im Hinblick auf Brechts Traditionsbegriff. Tübingen 1972.
Schumacher, Ernst: Die dramatischen Versuche Bertolt Brechts 1918–1933. Berlin 1955, 434–493.
Wyss, Monika: Brecht in der Kritik. München 1977, 154–156; 369–385; 447–458.

Die Ausnahme und die Regel

Brenner, Hildegard u. a. (Redaktion): Erprobung des Brechtschen Lehrstücks. Politisches Seminar im Stahlwerk Terni. In: Alternative 107, 1976 (94 f. Erstabdruck der Chöre).
Fechner, Eberhard: Strehler inszeniert. (Enth. u. a. Notizen zu den Proben zu »Die Ausnahme und die Regel« am Piccolo Teatro.) Velber 1963.
Maier, Hansjörg u. a.: »Die Ausnahme und die Regel« (Aufführung Wannseeheim). In: Steinweg, Reiner (Hg.): Auf Anregung Bertolt Brechts. Lehrstücke mit Schülern, Arbeitern, Theaterleuten. Frankfurt 1978, 220–231.
Steinweg, Reiner (Hg.): Brechts Modell der Lehrstücke. Zeugnisse, Diskussionen, Erfahrungen. Frankfurt 1976, 141–143; 161–163; 192.
Wyss, Monika: Brecht in der Kritik. München 1977, 182–187.

Die Mutter

Brecht: GW VII, 1036–1081.
Materialien zu Bertolt Brechts »Die Mutter«. Zusammengest. u. redig. v. W. Hecht. Frankfurt 1968.
Gorki, Maxim: Die Mutter. Roman. München 1973.
Benjamin, Walter: Versuche über Brecht. Frankfurt 1966, 39–44.
Canaris, Volker: Bertolt Brecht. Die Mutter. Regiebuch der Schaubühneninszenierung. Frankfurt 1971.
Mittenzwei, Werner: Bertolt Brecht. Von der »Maßnahme« zu »Leben des Galilei«. Berlin–Weimar 1965, 72–113.
Rülicke-Weiler, Käthe: Die Dramaturgie Brechts. Berlin 1966, 131–137.
Wyss, Monika: Brecht in der Kritik. München 1977, 138–153.

Die Rundköpfe und die Spitzköpfe

Brecht: »Die Rundköpfe und die Spitzköpfe«. Bühnenfassung. Einzelszenen. Varianten. Ediert von Gisela E. Bahr. Frankfurt 1979.
Ders.: GW VII, 1082–1096.
Berger, Ludwig: Die Lust an der Kooperation. In: Theater Heute. H. 8 1967, 27–29 (beinhaltet u. a. zwei Szenen einer frühen Fassung).
Engberg, Harald: Brecht auf Fünen. Wuppertal 1974.
Kussmaul, Paul: Bertolt Brecht und das englische Drama der Renaissance. Bern–Frankfurt 1974, 95–104.
Mittenzwei, Werner: Bertolt Brecht. Von der »Maßnahme« zu »Leben des Galilei«. Berlin–Weimar 1965, 49–71.
Mews, Siegfried: Brechts dialektisches Verhältnis zur Tradition. Die Bearbeitung des Michael Kohlhaas. In: Brecht-Jahrbuch 1975, 63–78.
Müller, Klaus-Detlev: Die Funktion der Geschichte im Werk Bertolt Brechts. Tübingen 1967, 76–83.
Münch, Alois: Bertolt Brechts Faschismustheorie und ihre theatralische

Konkretion in den »Rundköpfen und Spitzköpfen«. Frankfurt–Bern 1982.
Wyss, Monika: Brecht in der Kritik. München 1977, 170–175; 464–466.

Die sieben Todsünden der Kleinbürger

Benjamin, Walter: Versuche über Brecht. Frankfurt 1966, 91 f.
Mandeville, Bernard de: Die Bienenfabel oder Private Laster, öffentliche Vorteile (hrsg. u. eingeleitet v. Walter Euchner). Frankfurt 1968.
Seliger, Helfried W.: Das Amerikabild Bertolt Brechts. Bonn 1974, 192–194.
Wagner, Gottfried: Weill und Brecht. München 1977, 212–230.
Wyss, Monika: Brecht in der Kritik. München 1977, 161–167.

Die Horatier und die Kuriatier

Brecht: GW VII, 1097/98.
Brenner, Hildegard: Heiner Müllers »Mauser«-Entwurf. Fortschreibung der Brechtschen Lehrstücke? In: Scheid, Judith R. (Hg.): Zum Drama in der DDR: Heiner Müller und Peter Hacks. Stuttgart 1981, 80–92.
Mayer, Hans: Brecht und die Tradition. In: Brecht in der Geschichte. Drei Versuche. Frankfurt 1971, 115 f.
Müller, Heiner: Der Horatier. In: Mauser. Texte 6. Berlin 1978, 45–54.
Steinweg, Reiner: Das Lehrstück: Brechts Theorie einer politisch-ästhetischen Erziehung. Stuttgart 1972.
Witzmann, Peter: Antike Tradition im Werk Bertolt Brechts. Berlin 1964, 44–47.
Wyss, Monika: Brecht in der Kritik. München 1977, 352 f.

Furcht und Elend des Dritten Reiches

Brecht: GW VII, 1099. AJ 22, 15. 8. 1938. AJ 274, 24. 4. 1941. AJ 663, 20. 6. 1944.
Benjamin, Walter: Das Land, in dem das Proletariat nicht genannt werden darf. In: Versuche über Brecht. Frankfurt 1966, 44–48.
Engberg, Harald: Brecht auf Fünen. Exil in Dänemark 1933–1939. Wuppertal 1974, 110–112.
Frisch, Max: Zu Bert Brecht, »Furcht und Elend des Dritten Reiches«. In: Schweizer Annalen, III, 8. Febr. 1947, 479–481.
Geiger, Heinz: Bertolt Brecht III: Die Exildramen. In: Einführung in die deutsche Literatur des 20. Jahrhunderts. 2. Bd. Opladen 1977, 294 f.
Lukács, Georg: Es geht um den Realismus. In: Schmitt, Hans-Jürgen (Hg.): Die Expressionismusdebatte. Frankfurt 1973, 192–230.
Mennemeier, Norbert: Modernes Deutsches Drama 2. München 1975, 60–65.
Mittenzwei, Werner: Bertolt Brecht. Von der »Maßnahme« zu »Leben des

Galilei«. Berlin–Weimar 1965, 193–218; 384–386. (bes. Hinweise und Zitate aus den nicht in die Werkausgabe aufgenommenen Szenen.)
Völker, Klaus: Brecht und Lukács. Analyse einer Meinungsverschiedenheit. In: Kursbuch 7. September 1966, 80–101.
Wyss, Monika: Brecht in der Kritik. München 1977, 188–197.

Die Gewehre der Frau Carrar

Brecht: GW VII, 890 f., 1100–1102; GW VIII, 247 ff.
Brecht: Modellmappe »Die Gewehre der Frau Carrar«. Verlag der Kunst. Dresden 1952. (Enthält Textbuch, Anmerkungen von Ruth Berlau, Szenenfotos der Aufführungen Paris, Kopenhagen, Greifswald.)
Bohnen, Klaus (Hg.): Brechts »Gewehre der Frau Carrar«. Frankfurt 1982. (Darin u. a.: Textentwürfe und Zusätze Brechts 75–92, Kommentare 93–110, Die Modellmappe Ruth Berlaus 111–132.)
Broué, Pierre/Témine, Emile: Revolution u. Krieg i. Spanien. Ffm. 1968.
Engberg, Harald: Brecht auf Fünen. Exil in Dänemark 1933–39. Wuppertal 1974, 181–188.
Mittenzwei, Werner: Bertolt Brecht. Von der »Maßnahme« zum »Leben des Galilei«. Berlin–Weimar 1965, 219–45.
Rülicke-Weiler, Käthe: Die Dramaturgie Brechts. Berlin 1966, 81–85.
Wyss, Monika: Brecht in der Kritik. München 1977, 176–181.

Leben des Galilei

Brecht: GW VII, 1103–1133.
Ders.: AJ 646, 6. 4. 1944; 800, 23. 12. 1947.
Ders.: Frühe Fassung der »Montaigne-Episode« aus der 14. Szene. In: Versuche 15, Frankfurt 1957, 132 f.
1. Fassung, 8., 9. u. 13. Szene. In: Gerhard Szczesny: »Das Leben des Galilei« und der Fall Bertolt Brecht. Frankfurt 1966, 103–128.
Berlau/Brecht: Modellbücher des Berliner Ensemble 2. »Leben des Galilei«. Henschelverlag Kunst und Gesellschaft. Berlin 1956. (Enthält Textbuch/Brecht, Aufbau einer Rolle. Laughtons Galilei/Hanns Eisler, Aufbau einer Rolle. Buschs Galilei.)
Materialien zu Brechts »Leben des Galilei«. Zusammengest. und redigiert v. W. Hecht. 2 Bde. Berlin 1970.
Adler, Meinhard: Brecht im Spiel der technischen Zeit. Berlin 1976.
Engberg, Harald: Brecht auf Fünen. Exil in Dänemark 1933–39. Wuppertal 1974, 209–218.
Knopf, Jan: Bertolt Brecht und die Naturwissenschaften. In: Brecht Jahrbuch 1978, 13–38.
Mittenzwei, Werner: Bertolt Brecht. Von der »Maßnahme« zu »Leben des Galilei«. Berlin–Weimar 1965, 255–285.
Müller, Klaus-Detlev: Die Funktion der Geschichte im Werk Bertolt Brechts. Tübingen 1972, 57 f., 209 f.

Picht, Georg: Die Jagd nach ungeahnten Möglichkeiten wirkt wie Rauschgift. In: Frankfurter Rundschau. Nr. 192, 21. 8. 1982.
Rülicke, Käthe: »Leben des Galilei«. Bemerkungen zur Schlußzsene. In: Sinn und Form. 2. Sonderheft Bertolt Brecht. Berlin 1957, 269–321.
Schumacher, Ernst: Drama und Geschichte. Bertolt Brechts »Leben des Galilei« und andere Stücke. Berlin 1965, bes. 13–119; 385–387.
Thiele, Dieter: Bertolt Brecht. Selbstverständnis. Tui-Kritik und politische Ästhetik. Frankfurt–Bern 1981.
Thomas, Linda L.: Ordnung und Wert der Unordnung bei Brecht. Bern–Frankfurt–Las Vegas 1979.
Wyss, Monika: Brecht in der Kritik. München 1977, 234–239.

Dansen/Was kostet das Eisen?

Giese, Peter Christian: Das »Gesellschaftlich-Komische«. Zu Komik und Komödie am Beispiel der Stücke und Bearbeitungen Brechts. Stuttgart 1974, 109.
Müssener, Helmut: Exil in Schweden. München 1974, 383.
Wyss, Monika: Brecht in der Kritik. München 1977, 198–200.

Mutter Courage und ihre Kinder

Brecht: GW VII, 1134–1150.
Berlau/Brecht: Modellbücher des Berliner Ensemble 3. Henschelverlag Kunst und Gesellschaft. Berlin 1958. (Enthält Textbuch/ Anmerkungen von Brecht/ Szenenfotos der Aufführungen des Deutschen Theaters, des Berliner Ensemble und der Münchener Kammerspiele von Ruth Berlau, Hainer Hill und Ruth Wilhelmi.)
Hecht, Werner (Hg.): Materialien zu Brechts »Mutter Courage und ihre Kinder«. Frankfurt 1964.
Müller, Klaus-Detlev (Hg.): Brechts »Mutter Courage und ihre Kinder«. Materialienbuch. Frankfurt 1982.
Grimmelshausen, Johann Jacob Christoffel von: Ausführliche und wunderseltsame Lebensbeschreibung der Erzbetrügerin und Landstörzerin Courasche. Berlin 1961.
Knight, Kenneth: »Simplicissimus« und »Mutter Courage«. In: Daphnis 5, 1976, 699–705.
Mennemeier, Franz Norbert: Brecht: »Mutter Courage und ihre Kinder«. In: Benno v. Wiese (Hg.): Das deutsche Drama vom Barock bis zur Gegenwart. Interpretationen. Düsseldorf 1958. Bd. 2, 383–400.
Milfull, John: From Baal to Keuner. The »Second Optimism« of Bertolt Brecht. Bern-Frankfurt 1974, 128–138.
Thole, Bernhard: Die »Gesänge« in den Stücken Bertolt Brechts. Göppingen 1973, 130–201.
Wyss, Monika: Brecht in der Kritik. München 1977, 203–219.

Die Verurteilung des Lukullus

Brecht: GW VII, 1151–1156; AJ 68, 7. 11. 1939.
Dahlke, Hans: Cäsar bei Brecht. Berlin/Weimar 1968, 10–15; 138 ff.
Hennenberg, Fritz (Hg.): Paul Dessau: Opern. Berlin 1976, bes. 32 ff.
Titus Lucretius Carus: Über die Natur der Dinge (Hg.: K. Büchner). Wiesbaden 1965.
Plutarchos aus Charoneia: Ethische Schriften. Über Gott, Vorsehung, Dämonen und Weissagung (hrsg. u. ausgew. v. K. Ziegler). Zürich 1952.
Mayer, Hans: Brecht in der Geschichte. Frankfurt 1971, 115 ff.
Ders.: Brechts Hörspiel »Das Verhör des Lukullus«. In: Vereinzelt Niederschläge. Kritik – Polemiken. Pfullingen 1973, 218–227.
Schachtsiek-Freitag, Norbert: Bertolt Brechts Beitrag zur Geschichte des deutschen Hörspiels. In: Brecht heute 2, 1972, 181–186.
Witzmann, Peter: Antike Tradition im Werk Bertolt Brechts. Berlin 1964, 47–49.

Der gute Mensch von Sezuan

Brecht: GW VII, 1157–1161.
Ders.: AJ 45, 15. 3. 1939, AJ 52, Mai 1939.
Hecht, Werner (Hg.): »Der gute Mensch von Sezuan«. Materialien. Frankfurt 1968.
Barthes, Roland: Das Reich der Zeichen. Frankfurt 1981, 67–83.
Dithmar, Reinhard (Hg.): Fabeln, Parabeln und Gleichnisse. München 1970.
Giese, Peter Christian: Das »Gesellschaftlich-Komische«. Zur Komik und Komödie am Beispiel der Stücke und Bearbeitungen Brechts. Stuttgart 1974, 80 ff.
Grimm, Reinhold: Zwischen Tragik und Ideologie. In: Ders.: Strukturen. Essays zur deutschen Literatur. Göttingen 1963, 248–271.
Ders.: Brecht und Nietzsche. Geständnisse eines Dichters. Frankfurt 1979, 156–245.
Hennenberg, Fritz: Über die dramatische Funktion der Musik Paul Dessaus. In: Hecht, Materialien. Frankfurt 1968; 145–153.
Mierau, Fritz: Tretjakow und Brecht. Das Produktionsstück »Ich will ein Kind haben«. In: Zeitschrift f. Slawistik 20 (1975) II, 226–241.
Ders.: Erfindung und Korrektur. Tretjakows Ästhetik der Operativität. Berlin 1976.
Nietzsche, Friedrich: Gedichte. Stuttgart 1964, 24.
Sokel, Walter H.: Brechts gespaltene Charaktere und ihr Verhältnis zur Tragik. In: Sander, Volkmar (Hg.): Tragik und Tragödie. Darmstadt 1971, 381–396.
Sun, Yun-Yeop: Bertolt Brecht und die chinesische Philosophie. Bonn 1978, 140–146.
Tatlow, Antony: Brechts chinesische Gedichte. Frankfurt 1973.

Ders.: China oder Chima. In: Brecht heute 1, 1971, 27–42.
Thole, Bernhard: Die »Gesänge« in den Stücken Bertolt Brechts. Göppingen 1973, 136–146.
Wyss, Monika: Brecht in der Kritik. München 1977, 220–229.

Leben des Konfutse

Brecht: GW VIII, 75 f.
Ders.: AJ 197, 11. 11. 1940; AJ 265, 27. 2. 1944.
Claas, Herbert: Die politische Ästhetik Bertolt Brechts von Baal bis Cäsar. Frankfurt 1977, 82 f.
Mittenzwei, Werner: Brechts Verhältnis zur Tradition. Berlin 1972, 169 f.
Münch, Alois: Bertolt Brechts Faschismustheorie und ihre theatralische Konkretisierung in den »Rundköpfen und Spitzköpfen«. Frankfurt–Bern 1982, 49–76.
Song, Yun-Yeop: Bertolt Brecht und die chinesische Philosophie. Bonn 1978, 154–193, bes. 189–193.
Steinweg, Reiner: Das Lehrstück. Stuttgart 1972, 155; 168; 269.
Tatlow, Antony: The Mask of Evil. Bern u. a. 1977, 391–404, bes. 397 f.

Herr Puntila und sein Knecht Matti

Brecht: GW VII, 1162–1175.
Berliner Ensemble (Hg.): Theaterarbeit. Sechs Aufführungen des Berliner Ensembles. Dresden 1952, 9–46.
Deschner, Margarete N.: Hella Wuolijokis Puntila-Geschichte. Ein Vor-Brechtsches Dokument. In: Brecht-Jahrbuch 1978, 87–106.
Diderot, Denis: Jakob und sein Herr. München 1911.
Hegel, G. W. F.: Phänomenologie des Geistes. Frankfurt 1970.
Hein, Manfred Peter: Leben und Werk der Hella Wuolijoki. In: Mitteilungen aus der deutschen Bibliothek. Helsinki 1975, 43–77.
Hermand, Jost: »Herr Puntila und sein Knecht Matti«. Brechts Volksstück. In: Brecht heute, 1971, 117–136.
Kortner, Fritz: Letzten Endes. München 1971, 90 ff.
Mews, Siegfried: Bertolt Brecht: »Herr Puntila und sein Knecht Matti«. Frankfurt 1975.
Neureuter, Hans Peter: »Herr Puntila und sein Knecht Matti«. Bericht zur Entstehungsgeschichte. In: Mitteilungen aus der deutschen Bibliothek. Helsinki 1975, 7–42.
Wyss, Monika: Brecht in der Kritik. München 1977, 272–287.

Der aufhaltsame Aufstieg des Arturo Ui

Brecht: GW VII, 1176–1180.
Ders.: AJ 249–260, 13. 4. 1941–12. 4. 1941.
Gerz, Raimund (Hg.): Brechts »Aufhaltsamer Aufstieg des Arturo Ui«.

Materialienbuch. Frankfurt 1983. (Enthält u. a. die von Brecht zum Stück gesammelten Fotos, verstreute Texte aus dem Nachlaß und Texte zur Erläuterung des historischen Hintergrunds.)
Benjamin, Walter: Versuche über Brecht. Frankfurt 1966, 117–127.
Gersch, Wolfgang: Film bei Brecht. München 1975, 145 f.
Hillach, Ansgar: Ästhetisierung des politischen Lebens. Benjamins faschismustheoretischer Ansatz – Eine Rekonstruktion. In: Lindner, Burkhardt (Hg.): Links hatte sich noch einiges zu enträtseln ... Frankfurt 1978, 127–167.
Kussmaul, Paul: Bertolt Brecht und das englische Drama der Renaissance. Bern–Frankfurt 1974, 118–123.
Lindner, Burkhardt: Bertolt Brecht: »Der aufhaltsame Aufstieg des Arturo Ui«. München 1982.
Schulz, Gudrun: Die Schillerbearbeitungen Bertolt Brechts. Tübingen 1972, 154–158.
Seliger, Helfried W.: Das Amerikabild Bertolt Brechts. Bonn 1974, 191–203.
Wyss, Monika: Brecht in der Kritik. München 1977, 354–368.

Die Gesichte der Simone Machard

Brecht: AJ 131, 7. 7. 1940; AJ 338, 19. 12. 1941.
Albers, Jürgen: »Die Gesichte der Simone Machard«. Eine zarte Träumerei nach Motiven von Marx, Lenin und Schiller. In: Brecht-Jahrbuch 1978, 66–86.
Baier, Lothar: Vom Erhabenen der proletarischen Revolution. Ein Nachtrag zur Brecht-Lukács Debatte. In: Der Streit um Georg Lukács. (Hg.: Hans-Jürgen Schmitt) Frankfurt 1978, bes. 61/62.
Emmerich, Wolfgang: »Massenfaschismus« und die Rolle des Ästhetischen. Faschismustheorie bei Ernst Bloch, Walter Benjamin, Bertolt Brecht. In: Antifaschistische Literatur (Hg.: Lutz Winkler), Bd. 1, Kronberg 1977, 223–290.
Feuchtwanger, Lion: Simone. In: Gesammelte Werke. Band 13. Berlin und Weimar 1964.
Ders.: Der Teufel in Frankreich. Ein Erlebnisbericht. Mit einem Nachwort von Marta Feuchtwanger. München 1983.
Mennemeier, Norbert: Modernes deutsches Drama. Band 2: 1933 bis zur Gegenwart. München 1975, 77–82.
Münch, Alois: Bertolt Brechts Faschismustheorie und ihre theatralische Konkretisierung in den »Rundköpfen und Spitzköpfen«. Frankfurt–Bern 1982.
Wyss, Monika: Brecht in der Kritik. München 1977, 347–351.

Schweyk im Zweiten Weltkrieg

Brecht: GW VII, 1186–1196.
Ders.: AJ 493, 15. 7. 1942; AJ 569, 27. 5. 1943.
Knust, Herbert (Hg.): Materialien zu Bertolt Brechts »Schweyk im Zweiten Weltkrieg«. Frankfurt 1974.
Goertz, Heinrich: Erwin Piscator. Reinbek b. Hbg. 1974, bes. 68–72.
Haug, Wolfgang F.: Das umwerfende Einverständnis des braven Soldaten Schwejk. In: Ders.: Bestimmte Negation. Frankfurt 1973, 7–69.
Karasek, Hellmuth: Bertolt Brecht. München 1978, 39–49.
Mayer, Hans: Texte in der Sklavensprache. In: Ders.: Bertolt Brecht und die Tradition. Pfullingen 1961, 82–91.
Mennemeier, Norbert: Modernes deutsches Drama. Bd. 2: 1933 bis zur Gegenwart. München 1975, 82–88.
Wyss, Monika: Brecht in der Kritik. München 1977, 335–346.

Der kaukasische Kreidekreis

Brecht: GW VII, 1197–1210.
Hecht, Werner (Hg.): Materialien zu Brechts »Der kaukasische Kreidekreis«. Frankfurt 1966.
Bunge, Hans: Fragen Sie mehr über Brecht. Hanns Eisler im Gespräch. München 1970, 237–242.
Deutscher, Isaac: Stalin. Eine politische Biographie. Stuttgart 1962.
Ders.: Trotzki. Bd. 1. Der bewaffnete Prophet 1879–1921. Stuttgart 1962.
Engberg, Harald: Brecht auf Fünen. Exil in Dänemark 1933–1939. Wuppertal 1974.
Fuegi, John: The Caucasian Chalk Circle in Performance. In: Brecht heute. 1970, 137–149.
Hennenberg, Fritz: Dessau-Brecht. Musikalische Arbeiten. Berlin 1963.
Hurwicz, Angelika: Brecht inszeniert »Der kaukasische Kreidekreis«. Fotos von Gerda Goedhart. Velber 1964.
Klabund: Der Kreidekreis. Spiel in fünf Akten nach dem Chinesischen. Zürich 1954.
Poser, Therese: Bertolt Brecht. »Der kaukasische Kreidekreis«. München 1972.
Song, Yun-Yeop: Bertolt Brecht und die chinesische Philosophie. Bonn 1978, 140–146; 258–284.
Weber, Betty Nance: Brechts »Kreidekreis«, ein Revolutionsstück. Eine Interpretation. Mit Texten aus dem Nachlaß. Frankfurt 1978.
Wolf, Friedrich: Tai Yang erwacht. In: Werke, Bd. 3. Dramen. Berlin 1960, 95–195.
Wyss, Monika: Brecht in der Kritik. München 1977, 259–271.

Die Antigone des Sophokles

Brecht: GW VII, 1211–1220.
Ders.: AJ 666, 21. 7. 1944; 795, 16. 12. 1947; 800, 23. 12. 1947; 802, 25. 12. 1947.
Ders.: »Die Antigone des Sophokles«. Materialien zur »Antigone«. Zusammengestellt v. Werner Hecht. Frankfurt 1965, darin u. a.: Antigone-Legende, 98–105.
Berlau/Brecht: Modellbücher des Berliner Ensemble I. Brecht/Neher, Antigonemodell 1948. Henschelverlag Kunst und Gesellschaft. Berlin 1955.
Hölderlin, Friedrich: »Antigonae«. In: SW 5 (Große Stuttgarter Ausgabe) Stuttgart 1952, 203–262; Anm.: 263–272.
Mittenzwei, Werner: Brechts Verhältnis z. Tradition. Berlin 1972, 222–229.
Pohl, Rainer: Strukturelemente und Entwicklung von Pathosformen in der Dramensprache Bertolt Brechts. Bonn 1969, 163–177.
Witzmann, Peter: Antike Tradition im Werk Bertolt Brechts. Berlin 1964, 75–100.
Wyss, Monika: Brecht in der Kritik. München 1977, 250–258.

Die Tage der Commune

Brecht: AJ 864, 9. 12. 48; AJ 915, 22. 12. 49.
Siegert, Wulf (Hg.): Brechts »Tage der Commune«. Materialienbuch. Frankfurt 1983. (Enthält u. a. Entwürfe und Dokumente zum Stück, Texte zur historischen Situation und Analysen.)
Blanqui, Auguste: Instruktionen für den Aufstand. Aufsätze – Reden – Aufrufe. (Hrsg. u. eingel. v. Frank Deppe) Frankfurt–Wien 1968.
Duncker, Hermann (Hg.): Pariser Kommune 1871. Berichte und Dokumente von Zeitgenossen. Berlin 1931.
Lissagaray, Prosper: Geschichte der Commune von 1871. Frankfurt 1971.
Kaufmann, Hans: Bertolt Brecht. Geschichtsdrama und Parabelstück. Berlin 1962.
Oehler, Dolf: Liberté, Liberté Chérie. Männerphantasien über die Freiheit – Zur Problematik der erotischen Freiheitsallegorie. In: Direktorium Schauspiel Frankfurt (Hg.): Georg Büchner. Dantons Tod. Die Trauerarbeit im Schönen. Frankfurt 1980, 91–105.
Schlaffer, Hannelore: Dramenform und Klassenstruktur. Eine Analyse der dramatis persona »Volk«. Stuttgart 1972, 103–106.
Völker, Klaus: Bertolt Brecht. Eine Biographie. München 1976, 371–373.
Wekwerth, Manfred: Schriften. Arbeit mit Brecht. Berlin 1975, 179–196.
Wyss, Monika: Brecht in der Kritik. München 1977, 330–334.

Salzburger Totentanz

Brecht: Erster Textabdruck bei Melchinger, Siegfried: »Bertolt Brechts Salzburger Totentanz.« In: Stuttgarter Zeitung 5. 1. 1963. Sonntagsbeilage.
Frisch, Max: Biedermann und die Brandstifter. Ein Lehrstück ohne Lehre. In: Gesammelte Werke in zeitlicher Reihenfolge. Bd. 4.2 Frankfurt 1976, 325–389; bes. 381 f.
Hofmannsthal, Hugo v.: Jedermann. Das Spiel vom Sterben des reichen Mannes und Max Reinhardts Inszenierungen. Texte, Dokumente, Bilder. Frankfurt/M. 1973.
Milfull, John: Der Tod in Salzburg. Biedermann und die Brandstifter. Frisch, Hofmannsthal, Brecht. In: Jürgensen, Manfred (Hg.): Frisch. Kritik. Thesen. Analysen. Bern–München 1974, 157–165.

Der Hofmeister

Brecht: GW VII, 1221–1251.
Berliner Ensemble (Hg.): Theaterarbeit. Sechs Aufführungen des Berliner Ensembles. Dresden 1952, 68–120.
Giese, Peter Christian: Das »Gesellschaftlich-Komische«. Zu Komik und Komödie am Beispiel der Stücke und Bearbeitungen Brechts. Stuttgart 1974, 160–210.
Heine, Heinrich: Sämtliche Schriften. Band 3. München 1971, 594 f.
Laurence, Patrick/Kitching, Anthony: »Der Hofmeister.« A Critical Analysis of Bertolt Brecht's Adaption of Lenz' Drama. München 1976.
Ludwig, Karl-Heinz: Bertolt Brechts Tätigkeit u. Rezeption v. d. Rückkehr aus dem Exil bis zur Gründung der DDR. Kronberg/Ts. 1976, 70–76.
Marx/Engels: Werke. Band 3. Berlin 1962, 176 f.
Mayer, Hans: Brecht in der Geschichte. Frankfurt 1971, bes. 69–75.
Mittenzwei, Werner: Brechts Verhältnis zur Tradition. Berlin 1972, 229–239.
Rilla, Paul: Essays. Berlin 1955, 415–421.
Schlenker, Wolfram: Das »kulturelle Erbe« in der DDR. Gesellschaftliche Entwicklung und Kulturpolitik 1945–1965. Stuttgart 1977, 66–78.
Thiele, Dieter: Bertolt Brecht. Selbstverständnis, Tui-Kritik und politische Ästhetik. Frankfurt–Bern 1981, bes. 162 ff.
Wyss, Monika: Brecht in der Kritik. München 1977, 287–291.

Coriolan

Brecht: GW VII 869–888 (Die Dialektik auf dem Theater. Studium des 1. Auftrittes in Shakespeares »Coriolan«); 1252–1254.
Ders.: AJ 947, 5. 5. 51; AJ 948, 20. 5. 51; AJ 1002, 27. 12. 52; AJ 1022, 18. 7. 55.
Ders.: Shakespeares Coriolan. In der Bearbeitung von Bertolt Brecht. (D. i.

die Bühnenfassung für das Berliner Ensemble von Tenschert/Wekwerth) In: Spectaculum VIII. Sechs moderne Theaterstücke. Frankfurt 1965, 7–70.
Brunkhorst, Martin: Shakespeares »Coriolanus« in deutscher Bearbeitung. Berlin–New York 1973, bes. 108–119.
Gebhardt, Peter: Brechts »Coriolan« Bearbeitung. In: Jahrbuch der deutschen Shakespeare-Gesellschaft (W) 1972, 113–135.
Grass, Günter: Die Plebejer proben den Aufstand. Ein deutsches Trauerspiel. Neuwied–Berlin 1966; dazu: Brunkhorst, 138–56.
Grathoff, Dirk: Dichtung versus Politik. Brechts »Coriolan« aus Günter Grassens Sicht. In: Brecht heute, 1971, 168–187.
Kussmaul, Paul: Bertolt Brecht und das englische Drama der Renaissance. Bern–Frankfurt 1974, 76–94.
Ladislaus Löb/Laurence Sterner: Views of Roman History: »Coriolanus« and »Coriolan«. In: Comparative Literature 29, 1977, 35–53.
Mittenzwei, Werner: Brechts Verhältnis zur Tradition. Berlin 1972, 239–47.
Schmitt, Peter: Faust und die »Deutsche Misere«. Studien zu Brechts dialektischer Theaterkonzeption. Erlangen 1980.
Wekwerth, Manfred: Schriften. Arbeiten mit Brecht. Berlin 1975, 201–218.
Wyss, Monika: Brecht in der Kritik. München 1977, 389–398.

Der Prozeß der Jeanne d'Arc zu Rouen 1431

Brecht: GW VII, 727; 851 f.; 1255 f.
Seghers, Anna: »Der Prozeß der Jeanne d'Arc zu Rouen 1431«. Ein Hörspiel. Leipzig 1965.
Rülicke-Weiler, Käthe: Die Dramaturgie Brechts. Berlin 1966, 262 f.
Völker, Klaus: Bertolt Brecht. Eine Biographie. München 1976, 387.
Wyss, Monika: Brecht in der Kritik. München 1977, 319–325.

Turandot oder Der Kongreß der Weißwäscher

Brecht: Stücke XIV. Turandot oder Der Kongreß der Weißwäscher. Der Tui-Roman (Fragment). Frankfurt 1967.
Burggraf, Waldfried: Prinzessin Turandot. Eine Schaurette nach Carlo Gozzi. Musik von Georg Pittrich. Berlin 1925.
Gozzi, Carlo: Turandot. Tragikomisches Märchen in fünf Akten. Stuttgart 1965.
Schiller, Friedrich: Turandot. Prinzessin von China. Ein tragikomisches Märchen nach Gozzi. In: Sämtliche Werke. 3. Band. München 1958.
Meyerhold/Tairow/Wachtangow: Theateroktober. Beiträge zur Entwicklung des sowjetischen Theaters. Leipzig 1967. 358–429.
Claas, Herbert/Haug, Wolfgang Fritz: Brechts Tui-Kritik. Argument-Sonderband. Karlsruhe 1976.
Dreyer, Monika: Vom Tui zum Weisen. Brechts Tui-Kritik als funktionales

Element seiner gesellschaftskritisch-literarischen Produktion. Karlsruhe 1980.
Jay, Martin: Dialektische Phantasie. Die Geschichte der Frankfurter Schule und des Institutes für Sozialforschung 1923–1950. Frankfurt 1976.
Schlenker, Wolfram: Das »Kulturelle Erbe« in der DDR. Gesellschaftliche Entwicklung und Kulturpolitik 1945–1965. Stuttgart 1977, 23–97.
Schulz, Gudrun: Die Schillerbearbeitungen Bertolt Brechts. Eine Untersuchung literarhistorischer Bezüge im Hinblick auf Brechts Traditionsbegriff. Tübingen 1972, 174–184.
Thiele, Dieter: Bertolt Brecht. Selbstverständnis, Tui-Kritik und politische Ästhetik. Frankfurt–Bern 1981.
Wyss, Monika: Brecht in der Kritik. München 1977, 418–433.

Don Juan

Brecht: GW VII,1257–1262.
Bloch, Ernst: Das Prinzip Hoffnung. Frankfurt 1957, 1184–1186.
Frenzel, Elisabeth: Stoffe der Weltliteratur. Stuttgart 1976, 154–159.
Fuegi, John: Whodunit. Brecht's Adaption of Molière's »Don Juan«. In: Comparative Literature Studies 11, 1974 (Urbana, Illinois) H. 2, 159–170.
Giese, Peter Christian: Das »Gesellschaftlich-Komische«. Zu Komik und Komödie am Beispiel der Stücke und Bearbeitungen Brechts. Stuttgart 1974, 126–159.
Kaufmann, Hans: Bertolt Brecht. Geschichtsdrama und Parabelstück. Berlin 1962, 215–217.
Mittenzwei, Werner: Brechts Verhältnis zur Tradition. Berlin 1972, 35; 221.
Oehlmann, Werner: Don Juan. Mit dem Text der Komödie »Don Juan« von Molière in der Übersetzung von Eugen Neresheimer. Berlin–Frankfurt 1965, 47–95.
Wyss, Monika: Brecht in der Kritik. München 1977, 314–318.

Pauken und Trompeten

Brecht: GW VII, 1263 f.
Farquhar, George: The Recruiting Officer. A Comedy. As it is acted at the Theatre Royal in Drury Lane by Her Majesty's Servants. In: The Complete Works of George Farquhar. Edited by Charles Stonehill. Vol. 2. Bloomsbury 1930.
Giese, Peter Christian: Das »Gesellschaftlich-Komische«. Zu Komik und Komödie am Beispiel der Stücke und Bearbeitungen Brechts. Stuttgart 1974, 247.
Hahnloser-Ingold, Margrit: Das englische Theater und Bert Brecht. Bern 1970, 58 f.

Wekwerth, Manfred: Schriften. Arbeit mit Brecht. Berlin 1975, 26 f.
Wertheim, Albert: Bertolt Brecht and George Farquhar's The Recruiting Officer. In: Farquhar. The Recruiting Officer and The Beaux' Stratagem. A Casebook. Edited by Raymond A. Anselment. London and Basingstoke 1977. 178–190.
Wyss, Monika: Brecht in der Kritik. München 1977, 326–329.

VI. NAMENREGISTER

Das Namenregister verzeichnet alle in den Abteilungen ›Einführung‹, ›Kommentar‹ und ›Anmerkungen‹ erwähnten historischen Personen. Nicht aufgenommen sind historische Personen (etwa Cäsar, Galilei oder Hitler) als Figuren literarischer Werke Brechts. Nicht verzeichnet sind die Namen von Herausgebern oder Verlegern der in Fußnoten oder Klammersätzen mitgeteilten Literaturangaben. Die Angaben der ›Zeittafel‹ und der ›Bibliographie‹ sind nicht berücksichtigt.
Bei der Anfertigung der Register hat mir Michael Prinz geholfen.

VII. WERKREGISTER

Verzeichnet sind die Erwähnungen von Werken Brechts, soweit sie nicht in einem eigenen Kapitel (inklusive Anmerkungen) behandelt sind. Die Abteilungen ›Zeittafel‹ und ›Bibliographie‹ sind nicht berücksichtigt. Wenn Einzeltitel von Keuner- oder Me-ti-Geschichten erwähnt sind, wird nur auf das Werk als ganzes verwiesen. Zitate aus Briefen oder aus den Tagebüchern sowie dem Arbeitsjournal werden nicht im Register als Werkhinweise behandelt.